Pour Mélanie,

qui se bat avec passion,

depuis tant d'années,

pour qui

L'ÉTOILE ROUGE DE DAVID

puisse scintiller

en paix

à côté du croissant

et de la croix

Béa P, (Shalom ardiad)

Avec beaucoup de baisers

le 6 août 2002

[signature]

DU MÊME AUTEUR

La Colonie, roman, Paris, Robert Laffont, 1967.

La Forteresse ouvrière Renault, Paris, Fayard, 1971.

Vive la télévision, messieurs, Paris, Éditions du Rocher, 1975.

Portugal. Les points sur les i, Paris, Éditions sociales, 1976.

La Vie en bleu. Voyage en culture ouvrière, Paris, Fayard, 1980.

Pied de guerre, Paris, Fayard, 1982.

Les Cadets de la droite, Paris, Seuil, 1984. Édition de poche Points-Seuil, avec une préface de René Rémond, 1990.

Jacques Frémontier

L'ÉTOILE ROUGE
DE DAVID

Les Juifs communistes en France

Fayard

À Nancy Green

À Michèle

Introduction

Je suis né juif. J'ai cru, à un moment de ma vie, cesser de l'être. Mais l'avais-je vraiment jamais été ? J'ai été communiste. J'ai cessé de l'être. La même question vaudrait sans doute d'être posée.

Juif, il m'en reste une trace indélébile – celle qu'un chirurgien (juif, il est vrai) m'a imposée quelques jours après ma naissance. Mais pour le reste... J'ignorais, jusqu'à 1940, ce que le mot lui-même voulait dire. J'allais dans une école catholique – une école de filles ! J'habitais le Marais, mais mes parents craignaient que je ne me fasse, à l'école communale du coin de la rue, des copains un peu encombrants : les petits Polaks, fraîchement débarqués de Lodz ou de Radom, qui auraient pu me parler en yiddish. Quand les bonnes sœurs de l'Institut Dupont-des-Loges, rue Amelot, m'ont demandé ma religion, j'ai répondu bravement : « Parisien ». La seule fois de ma vie où je suis entré dans une synagogue, c'était en 1938, pour le mariage de ma tante, et je portais un costume Eton, avec un chapeau haut de forme : je croyais sincèrement que tous les mariages en France se célébraient sous un dais et que tous les mariés cassaient un verre. Je ne pouvais pas deviner, ce jour-là, que ma demoiselle d'honneur – ma cousine Nicole – allait, cinq ou six ans plus tard, partir en fumée avec sa mère. J'ai attendu en vain son nom, qui fut le mien, j'ai attendu en vain son âge, qui était le mien, j'ai attendu en vain sa ville, qui est encore la mienne, dans la nuit de Yad Vashem.

Le cachet « Juif », sur ma carte d'identité scolaire[1], a beaucoup contribué à mon éducation. Encore quelques mois, troués de fuites, et me voici avec de faux papiers, un faux nom (déjà...), caché dans un village de la Montagne Noire, sous la protection d'un maquis. Quelques années s'écoulent. Les patrons de mon premier journal – tous juifs ou presque – me demandent, une fois de plus, de changer de nom. Le dictionnaire des communes a fait le reste.

La judéité a toujours été, pour moi, le secret qui m'était caché. Ce livre a pour premier but de déchirer le voile, de tenter de découvrir ce qui m'a été dérobé.

Communiste, je l'ai été pendant sept ans, de 1971 à 1978. À un an après, le temps du Programme commun. De l'eurocommunisme. L'époque Kanapa, où l'on pouvait – sans se faire exclure – dire du mal de l'Union soviétique, ricaner sur Jeannette Vermeersch et afficher une liberté de mœurs que la bonne épouse du grand Maurice eût sans doute fort condamnée. Ce livre a aussi pour but de tenter l'impossible synthèse : entre la dissimulation des origines, le désir bien vite abandonné d'appartenir à la plus française, à la plus jacobine des élites[2], et la volonté éphémère de rejoindre cet étrange parti, peut-on aujourd'hui faire le lien, découvrir une secrète logique ?

Les Juifs communistes. Les Juifs anciens communistes. Les communistes qui ne se reconnaissent plus comme Juifs. Et ceux qui redécouvrent leur judéité. Tel sera l'objet de cette enquête.

En France, bien sûr. Dans notre après-guerre, celle où l'expérience personnelle fournira parfois des clés de lecture ou des garde-fous contre la tentation de la rétro-histoire – l'histoire relue ou, à la lumière du présent, réinventée.

« La haine du tsarisme se tourne surtout contre les Juifs. Ceux-ci fournissent d'ailleurs un pourcentage particulièrement élevé (par

---

1. Par décret du 12 décembre 1942, tous les juifs de la zone Sud devaient faire apposer le cachet « Juif » sur leurs papiers d'identité.

2. L'auteur confesse qu'il a été, de 1952 à 1954, élève de cet établissement de travaux pratiques qu'on appelle l'École nationale d'administration. Il en a démissionné au bout de deux années.

rapport aux chiffres de la population juive) de meneurs révolutionnaires. Remarquons que les Juifs ont, aujourd'hui encore, le mérite
de fournir un pourcentage plus élevé d'internationalistes que les
autres nations[3]. » C'est Lénine qui, en 1917, se livre à cet étrange
calcul.

Des Juifs, il y en a eu – il y en a encore – de très importants
contingents au sein (et à la tête) du mouvement communiste. L'histoire de l'entre-deux-guerres, celle aussi de la résistance au
nazisme, multiplient les exemples de ces noces plus ou moins
heureuses où alternent idylles et brouilles, réconciliations et
divorces parfois tragiques. Aujourd'hui encore, la direction du Parti
communiste français peut se targuer d'une assez forte présence
juive.

Comment ont-ils pu, comment peuvent-ils encore, ces milliers
d'hommes et de femmes, se proclamer tout à la fois juifs *et* communistes ? Et d'abord le premier terme de ce couple étrange est-il vraiment proclamé, ou bien tout à l'inverse occulté, oublié, voire nié ?

Contradiction ou filiation secrète ?

En apparence, la *contradiction de philosophie* est insurmontable.
Entre les marxistes athées et ces hommes ou ces femmes dont toute
la culture était, depuis des millénaires, imprégnée de croyance, de
pratique, de ritualité religieuses, quelle symbiose pouvait bien
naître ? Et pourtant, nous le verrons, de nombreux auteurs croient
découvrir une véritable filiation entre la lecture juive du monde et
l'eschatologie marxiste.

La *contradiction de classe* pourrait paraître plus dirimante. On
connaît les ravages provoqués par le vieil amalgame entre les Juifs
et la famille Rothschild, ou la « banque juive ». Pendant l'entre-
deux-guerres, l'existence d'un petit patronat juif ne va pas sans
poser aux communistes de véritables problèmes de doctrine, au
moins jusqu'à la naissance du Front populaire. Des tracts de la
Résistance communiste, avant 1941, reprennent encore parfois la
thématique du Juif pauvre contre le Juif riche. Mais la volonté de

---

3. Lénine, *La Révolution russe de 1905*, Paris, Bureau d'éditions, 1931, p. 77.

jouer un rôle déterminant dans la Résistance unie met vite fin à ces errements.

Une véritable *contradiction de tropisme* semble enfin opposer les deux orients auxquels chacun de nos protagonistes se réfère. Certes, les Juifs qui adhèrent au Parti communiste ont toujours rejeté la perspective sioniste, qui détournerait les travailleurs du seul combat qui vaille : Jérusalem n'a jamais été leur horizon, ni la capitale de leurs espoirs. Mais cette dichotomie simple et tranquille (d'un côté Moscou, « patrie du socialisme », de l'autre Jérusalem, « colonie juive en terre arabe », « avant-poste de l'impérialisme américain ») connaît, surtout à partir de 1967, quelques perturbations dérangeantes. L'apparition en URSS et dans les pays satellites d'un nouvel antisémitisme d'État ne va pas sans susciter quelques interrogations fâcheuses. Le discours très largement pro-palestinien du PCF finit par incommoder quelques-uns de ceux qui avaient jusquelà refusé toute sympathie à Israël. Enfin, la grande crise de l'empire et de l'idéologie communistes n'a, bien évidemment, pas laissé indemnes les Juifs qui avaient rallié ce qu'on a longtemps appelé le « camp progressiste ».

Mais, si ensuite les déchirements ont souvent été vécus sur le mode tragique, ou du moins amer, il ne faudra jamais oublier l'immense enthousiasme qui a précipité tant de Juifs (une poignée d'abord, pendant la guerre, puis des milliers – dont nous ne connaîtrons sans doute jamais le nombre – aux lendemains de la Libération) vers ce qui leur paraissait le paradigme du combat antifasciste.

Qu'est-ce qui, en ce moment incertain d'une histoire pleine de bruit et de fureur, a pu déterminer leurs choix politiques d'hier et d'aujourd'hui ? Y a-t-il, dans la tradition juive, un ferment révolutionnaire qui expliquerait, pour partie, cette étrange attirance pour le communisme ?

Dans une vaste salle, au premier étage d'un vieil immeuble sis au 14, rue de Paradis, ils sont une centaine, cet après-midi, à écouter un conférencier venu parler de son livre. Ils ont, pour la plupart, plus de cinquante ans. On les imagine professeurs de collège, ingénieurs, chefs comptables[4]. Surtout pas confectionneurs pour dames ou diamantaires. Ils appartiennent tous – ou ils ont appartenu, il y a plus ou moins longtemps – à ce parti-fantôme, à ce parti-souvenir qui fut autrefois un parti-espoir, le Parti communiste français. Et ils sont juifs – ce sont eux-mêmes qui le disent –, bien qu'aucun signe, aucun trait distinctif ne permette aujourd'hui de leur attribuer cette étiquette.

Tout près d'ici, vers la rue Cadet, la rue Buffault, la rue de Trévise, d'autres hommes déambulent, chapeau noir à larges bords, barbe non taillée, long manteau noir ou bien lévite ; ils tiennent leurs deux fils aînés par la main et précèdent de quelques pas leur femme emperruquée, manches longues, jupe jusqu'aux chevilles, entourée de ses filles. On les imagine – sans doute à tort... – grossistes rue du Sentier, boutiquiers rue Vieille-du-Temple. Ceux-là, tous les passants de ce bas Montmartre savent du premier coup d'œil qu'ils sont juifs.

Entre ces deux groupes, qu'y a-t-il de commun ? Peut-on parler d'une *identité juive* qui subsumerait leurs différences ? Ou bien l'adhésion au mouvement communiste a-t-elle abouti à effacer ce qu'il en reste chez les nouveaux catéchumènes du marxisme, ou à en tordre le sens au point de l'adultérer ou de le perdre ? Où dénicher le *schibboleth*[5] qui définirait le Juif éternel, fût-il travesti symboliquement de l'uniforme à l'étoile rouge ?

S'il faut en croire les apparences, la religion opposerait irrémédiablement les uns et les autres. Aux uns, la synagogue ; aux autres, la cellule...

À supposer que cela soit vrai (ce qui reste à démontrer), il faudrait accepter que l'identité juive se réduise à la croyance, à la

---

4. Ce qui ne correspond pas du tout – nous le verrons – à la structure socio-professionnelle de notre propre échantillon.

5. « Les Éphraïmites avaient été vaincus par l'armée de Jephtah ; et pour empêcher les soldats de s'échapper en passant la rivière (*schibboleth* signifie aussi "rivière") [...] on demandait à chaque personne de dire *schibboleth*. Or les Éphraïmites étaient connus pour leur incapacité à prononcer correctement le *schi* de *schibboleth* qui devenait pour eux, dès lors, un mot imprononçable. Ils disaient *sibboleth* et, sur cette frontière invisible entre *schi* et *si*, ils se dénonçaient à la sentinelle au risque de leur vie. » Jacques Derrida, *Schibboleth pour Paul Celan*, Paris, Galilée, 1986, p. 44.

pratique, et à la transmission de l'une et de l'autre. Spinoza, cher Baruch, je t'en supplie, viens à notre secours[6] !

Sans remonter si loin, le pieux, le timide XIXe siècle nous a sans doute appris ce qu'une telle réduction pouvait avoir de fallacieux ou de dérisoire. Simon Doubnov rappelle par exemple que « le meilleur Juif français, Adolphe Crémieux, ancien vice-président du Consistoire central, n'avait pas hésité à faire baptiser ses enfants[7] ». D'où l'on pourrait déduire *a contrario* que l'on peut être « Juif » (et même « le meilleur ») tout en rompant avec le judaïsme !

Aujourd'hui encore, les penseurs juifs qui ont le plus travaillé sur ce que pourrait être une nouvelle identité juive n'hésitent pas, quand bien même ils se rattachent à la religion par toutes leurs fibres, à accepter l'idée d'une judéité sans Dieu.

> Le judaïsme est à l'étroit dans le concept de religion tel que le formule la sociologie, écrit Emmanuel Levinas. [...] L'appartenance au judaïsme se révèle comme particulièrement tenace chez ceux-là mêmes qui ne donnent aucun sens religieux à cette appartenance et, parfois même, absolument aucun sens. Chez ceux-là mêmes qui, d'après Jérôme Lindon, n'ont rien d'autre à en dire que la phrase : je suis juif[8].

Si la religion cesse d'être un marqueur décisif, voire exclusif, de l'identité, faut-il faire appel à un concept plus flou, d'autant plus opératoire qu'on peinerait à le définir ? La culture, par exemple. Autrement dit, on pourrait faire l'hypothèse d'une sorte de grille de lecture du monde, elle-même issue du religieux, mais qui constituerait pour tous les Juifs, croyants ou incroyants, un invariant plus ou moins insensible à l'air du temps, aux contrastes de la géographie comme aux fluctuations du politique. Le communisme tenterait parfois d'éradiquer cette culture (en particulier dans l'URSS stalinienne), mais irait bien souvent – notamment en France – jusqu'à la protéger, voire à l'encourager.

La langue, par exemple – l'une des langues juives –, pourrait dès

---

6. Cf. Yirmiyahu Yovel, *Spinoza et autres hérétiques*, Paris, Seuil, 1991, p. 960.
7. Simon Doubnov, *Histoire moderne du peuple juif*, Paris, Éditions du Cerf, 1994.
8. Emmanuel Levinas, *Difficile liberté*, Paris, Albin Michel, 1963 et 1976, p. 346 de l'édition en Livre de poche.

lors phagocyter la fameuse « langue de bois », la subvertir, ou tout à l'inverse en intensifier la virulence, en décupler la honte.

Sans compter que la mode de ces dernières années nous impose de recourir au *schibboleth* incontournable, à la tarte à la crème de tous les essais supposés politiques – je veux dire à la Mémoire. On serait juif par l'omniprésence d'une histoire, à la fois codifiée dans le Livre et perpétuellement ressassée dans le deuil toujours ouvert des morts sans sépulture. Sans doute faudra-t-il nous demander si la mémoire communiste, encore plus « volontaire, laborieuse, lacunaire[9] », ne vient pas en quelque sorte se surajouter à la mémoire juive pour constituer un étrange mixte, un nouvel avatar de l'identité millénaire.

Entre la rue de Paradis et la rue Cadet, il y aurait donc tout un lot de choix et d'existences juives possibles, à constamment réinventer au gré de l'histoire et des destins individuels. Régine Azria le dit très bien : « Guidé par sa subjectivité propre, chacun devient son propre décideur et s'invente un judaïsme à la carte[10]. » Sur le menu de l'identité juive, le communisme se serait ainsi inscrit, pendant quelques années, comme une sorte de plat du jour !

L'an prochain à Jérusalem : est-ce que la vieille prière a encore un sens pour un Juif communiste ? sur quel ailleurs projette-t-il, lui, sa judéité ? Je me hasarde à inventer un mot affreux : la « *projectivité juive* ».

Dans cette vision du monde qui a mis tant de siècles à définir (et encore !) quelque chose qui pourrait ressembler à un paradis, qui a tant peiné à donner quelque contenu à son *cheol*[11], qui a largement préféré l'idée d'une rétribution des Justes *hic et nunc*, mais qui dans le même temps a dû supporter l'oppression et le mépris de tous les jours, comment l'utopie de *Gan Eden*[12] ne se

---

9. Cf. Marie-Claire Lavabre, *Le Fil rouge. Sociologie de la mémoire communiste*, Paris, Presses de la Fondation nationale des sciences politiques, 1994.
10. Régine Azria, *Le Judaïsme*, Paris, La Découverte, 1996, p. 107.
11. Cf. Sylvie-Anne Goldberg (sous la dir. de), *Dictionnaire encyclopédique du judaïsme*, article « Vie éternelle », Paris, Cerf, 1993, p. 1161-1164. Cette référence sera désormais dénommée DEJ.
12. Le Jardin d'Éden.

15

serait-elle pas projetée sur un ailleurs, sur une terre mythique où les Juifs pourraient enfin jouir en paix de leur vocation à l'étude et au *malhoqet*[13] ?

Ce fut d'abord la France de la Révolution et de l'Émancipation. Il n'est que de relire *Gog et Magog*[14] pour réentendre l'écho des victoires napoléoniennes dans les cours hassidiques de Pologne.

Ce fut ensuite, massivement, la bienheureuse Amérique. La statue de la Liberté exerça longtemps un attrait irrésistible dans les *shtetlekh*[15] d'Europe de l'Est.

Mais la Terre promise, ce sera bien sûr, avant tout, Eretz Israël[16].

Les Juifs communistes, eux, se singularisent en projetant leur judéité sur le plus inattendu des ailleurs : la terre où ils ont été le plus opprimés, le plus méprisés, le plus massacrés. L'Union soviétique va devenir pour eux la nouvelle Terre promise, le Canaan des nouveaux temps, soit parce que de nombreux Juifs y occupent les responsabilités suprêmes, soit parce que la Constitution stalinienne, par un bel exemple de métalangage, se proclame la seule au monde à condamner formellement l'antisémitisme. La création du territoire autonome juif du Birobidjan vient encore embrouiller davantage les enjeux.

Mais la projection sur Eretz Israël a peut-être moins épargné les Juifs communistes qu'une historiographie trop rapide ne pourrait le faire croire. Beaucoup, avant d'adhérer au PCF, ont connu la tentation sioniste. La seule Terre promise que les Juifs communistes n'aient presque jamais fantasmée est celle qui a attiré, depuis plus d'un siècle, le plus grand nombre de leurs frères : *America,*

---

13. La discussion talmudique entre les Maîtres, dans laquelle « la conciliation n'est pas recherchée. [...] Aucune synthèse, aucun troisième terme ne vient supprimer la contradiction » (Marc-Alain Ouaknin, *Le Livre brûlé. Philosophie du Talmud*, Paris, Lieu Commun, 1986, p. 134).

14. Martin Buber, *Gog et Magog. Chronique de l'époque napoléonienne*, trad. Jean Loewenson-Lavi, Paris, Gallimard, 1958.

15. Le *shtetl* (pluriel *shtetlekh*), c'est la bourgade juive de la Pologne d'avant la Shoah. Cf. Rachel Ertel, *Le Shtetl*, Paris, Payot, 1982. Cf. aussi Roman Vishniac, *Un monde disparu*, trad. Marie-France de Paloméra, Paris, Seuil, 1984.

16. Dans une littérature innombrable sur le sionisme, cf. par exemple Alain Dieckhoff, *L'Invention d'une nation. Israël et la modernité politique*, Paris, Gallimard, 1993.

America... Étrangement, on rêvera plus d'Oblouchyé, de Birakan ou de Smidovitch[17] que de Hester Street et du Lower East Side.

Existe-t-il enfin, comme beaucoup l'ont pressenti, un lien plus ou moins caché entre judéité et communisme ? Une *affinité* ?

Michael Löwy a parlé d'« affinité élective ». Certes, il songe avant tout à ce qu'il appelle le « judaïsme libertaire » – un royaume dont nos Juifs communistes se sentiraient sans doute fort éloignés. Mais il nous semble que son champ d'application pourrait être étendu, en certaines de ses modalités, à l'univers qui constitue l'objet de notre étude.

Cette affinité, Max Weber est sans doute le premier à l'avoir, avant la lettre, plus que pressentie et à avoir formulé « l'hypothèse du caractère potentiellement révolutionnaire de la tradition religieuse du judaïsme antique[18] ». Bernard Lazare reprend brillamment le flambeau, avec son habituelle véhémence[19].

Pour Gershom Scholem, l'adhésion des Juifs aux mouvements révolutionnaires s'inscrit dans la lointaine descendance du sabbatéisme[20] et du frankisme[21], à travers la figure mystérieuse de Moïse Dobruska, *alias* Junius Frey[22]. Il observe que « beaucoup de jeunes ont accueilli le communisme comme un substitut du messianisme[23] ». Aux yeux de son ami Walter Benjamin (avec lequel il

---

17. Villes du Birobidjan. Cf. Élie Barnavi (sous la dir. de), *Histoire universelle des Juifs*, Paris, Hachette, 1992, p. 215.

18. Michael Löwy, *Rédemption et utopie. Le judaïsme libertaire en Europe centrale*, Paris, PUF, 1988, p. 22.

19. Bernard Lazare, *Le Fumier de Job*, Paris, Éditions de Circé, 1996 ; *Juifs et antisémites*, Paris, Éditions Allia, 1992.

20. Mouvement de subversion juive qui a enflammé les communautés d'Europe et d'Orient, sur les traces du faux Messie Sabbataï Tsevi (1626-1676). Cf. Gershom Scholem, *Sabbataï Tsevi. Le Messie mystique*, Lagrasse, Verdier, 1983.

21. Mouvement plus ou moins issu du précédent, sur les traces d'un autre faux Messie, Jacob Frank (1726-1791).

22. Gershom Scholem, *Le Messianisme juif. Essais sur la spiritualité du judaïsme*, trad. Bernard Dupuy, Paris, Calmann-Lévy/Agora, 1974, p. 138 ; *Du frankisme au jacobinisme. La vie de Moses Dobruska, alias Franz Thomas von Schonfeld, alias Junius Frey*, Paris, Seuil, 1981.

23. Gershom Scholem, *Fidélité et utopie. Essais sur le judaïsme contemporain*, trad. Marguerite Delmotte et Bernard Dupuy, Paris, Calmann-Lévy, 1978, p. 43.

argumente si violemment à propos de ses engagements politiques[24]), c'est la théologie, sous les traits d'un nain bossu dissimulé sous la table de jeu, qui tire les ficelles du « matérialisme historique » et lui permet de gagner la partie d'échecs[25].

Annie Kriegel revient inlassablement sur ce problème de l'affinité :

> Le concept juif de Providence réfléchit l'idée que le Peuple élu a accepté d'être choisi pour guider l'Histoire en général et la diriger vers quelque dénouement salvateur. D'où le principe même de tout mouvement radical millénariste, la recherche linéaire de la réalisation à terme du royaume de Dieu. Il suffit de laïciser cette vision du temps, de penser en termes de réalité terrestre, pour obtenir une mise en perspective de l'histoire préconçue comme un programme continu vers le salut sur la terre, préordonnée vers le dénouement harmonieux que sera la société parfaite, la société socialiste[26].

Il va sans dire que, pour tous ces observateurs, l'affinité primordiale entre judéité et communisme a été trahie par le mouvement de l'Histoire. Peut-être nous reviendra-t-il de tenter une réhabilitation partielle, d'essayer de dégager ce qui, dans ce naufrage, ne serait pas tout à fait indigne d'être sauvé.

Quelle méthode allons-nous utiliser pour aborder la cartographie de cet immense continent ?

Si l'identité juive est plurielle, sans cesse à reconstruire, à redéfinir, il nous faut la pluralité des expériences, l'extrême complexité des itinéraires, pour en rendre l'infinie richesse, même (et surtout)

---

24. Gershom Scholem, *Walter Benjamin. Histoire d'une amitié*, trad. Paul Kessler, Paris, Calmann-Lévy, 1981.

25. Walter Benjamin, « Sur le concept d'histoire », in *Écrits français*, Paris, Gallimard, 1991, p. 339.

26. Annie Kriegel, *Les Juifs et le monde moderne. Essai sur les logiques d'émancipation*, Paris, Seuil, 1977, p. 33.

si un préjugé absurde voudrait sans doute que la discipline communiste unifie, rabote, écrête les particularités individuelles. On ne peut figer l'être-juif en une essence.

Au lieu de raconter les acteurs de premier plan, les penseurs, les meneurs, nous aurons la modestie de nous contenter d'une masse d'histoires de vie.

Nous avons donc choisi l'*histoire orale*.

Des *Juifs* : non point ceux que définissent la loi hébraïque (la mère juive...) ni moins encore les législations antisémites (qu'elles fussent de Nuremberg ou de Vichy), mais ceux qui se reconnaissent aujourd'hui ouvertement comme tels. Nous refuserons de nous limiter aux seuls survivants ou héritiers du Yiddishland. Nous accorderons la même place, la même importance aux Juifs communistes venus du Sud ou de l'Orient, ces éternels oubliés de la grande diaspora révolutionnaire. Nous essaierons de « couvrir » l'ensemble de la judaïcité vivant en France.

Communistes (ou anciens communistes) : c'est-à-dire détenant (ou ayant détenu) la carte de membre du PCF, ou d'une des organisations relevant de sa mouvance spécifique et comportant dans sa dénomination l'adjectif « communiste » – ce qui exclut les frères ennemis « gauchistes », mais inclut les militants (ou ex-militants) des partis non français (algérien, marocain, tunisien, voire égyptien), sur lesquels la place du Colonel-Fabien exerçait sa tutelle.

En France : c'est-à-dire résidant aujourd'hui dans notre pays, quelle que soit la nationalité inscrite sur leur passeport.

Depuis 1945... Et comme les récits de vie, chez ceux de nos interlocuteurs qui ont souvent dépassé les soixante-dix ans, ne commencent pas, comme par enchantement, au matin du 8 mai 1945, nous nous autoriserons, à chaque fois que cela sera nécessaire, un retour en arrière jusqu'à – parfois – une lointaine enfance en Russie ou sur les rivages mediterranéens.

Qui interviewer ? Nous avons choisi la méthode de l'échantillon. Non point celle des instituts de sondage : ignorant tout de la structure de la population considérée (nombre, répartition par âge, par sexe, par métier, etc.), nous ne pouvions partir à la recherche impossible de l'idéal échantillon représentatif. Nous avons donc opté pour le système totalement arbitraire de la *triple parité*.

Première parité : ashkénazes et séfarades. J'interrogerai autant les uns que les autres, avec cet intérêt supplémentaire que les itinéraires des Juifs venus de l'Est ont été mille fois explorés, alors que ceux des Juifs venus du bassin méditerranéen restent encore largement inexploités.

Mieux encore : je ne me contenterai pas d'interroger mon contingent de rapatriés d'Afrique du Nord. Je m'efforcerai aussi d'y faire entrer un pourcentage non négligeable de Juifs venus d'Égypte, de Syrie, de Salonique...

Deuxième parité : « manuels » et « intellectuels ». J'appelle « manuels » les ouvriers et les employés, et « intellectuels »... tous les autres – ce qui relève, évidemment, d'une simplification abusive. Il s'agit, bien sûr, de la profession au moment de l'adhésion.

Mais une comparaison purement statique n'aurait que peu d'intérêt. Seule l'étude des parcours, des dynamiques sociales permettra de dégager la singularité des biographies de Juifs communistes. D'où sont-ils partis ? Où ont-ils abouti ? Par quels chemins ? En quoi se distinguent-ils des autres Juifs, ou des autres communistes ?

Troisième parité : communistes d'aujourd'hui et ex-communistes. Le PCF a souvent été qualifié de « parti-passoire » : le flux des entrées et des sorties y a toujours été considérable. Une règle méthodologique simple s'est donc imposée : l'échantillon doit comporter autant de membres actuels que d'anciens membres. Ainsi devrait être évité l'abus des nostalgies ou des règlements de compte. C'est du Parti d'aujourd'hui qu'il s'agit, autant que de celui d'hier. Refusons les anachronismes et l'histoire rétroactive !

Cent entretiens ont ainsi été réalisés : cinquante avec des ashkénazes, cinquante avec des séfarades (dont dix-neuf originaires d'Algérie, cinq du Maroc, dix de Tunisie, quinze d'Égypte et un de Salonique).

Quarante-six des interviewés appartiennent aujourd'hui au Parti communiste ; cinquante-quatre l'ont quitté. Vingt-cinq des membres actuels et vingt-cinq « ex » sont ashkénazes ; ces chiffres sont respectivement de vingt et un et de vingt-neuf pour les séfarades.

Cinquante et un des interviewés pouvaient être qualifiés d'« intellectuels » (au sens où je l'ai arbitrairement défini) au moment de leur adhésion ; quarante-huit relevaient de la catégorie « manuels ». Une femme n'avait alors aucune profession.

Je me suis entretenu avec soixante hommes (dont vingt-neuf ashkénazes et trente et un séfarades, trente membres actuels et trente « ex ») et quarante femmes (dont vingt et une ashkénazes et dix-neuf séfarades, vingt-quatre membres actuels et seize « ex »).

Le plus âgé est né en 1906, la plus jeune en 1967. La moyenne d'âge de l'échantillon, calculée à la date théorique du 1er janvier 2000, alors qu'un certain nombre des interviewés étaient déjà morts, serait de soixante-cinq ans et demi. Leur année modale de naissance était 1935.

Le présent échantillon ne permettra aucune conclusion statistique, puisqu'il ne peut prétendre à aucune « représentativité » scientifique. Mais il s'efforcera de rendre compte d'une totalité et d'une pluralité. En ce sens, il permettra peut-être, en croisant des données codées, de dégager au moins de grandes tendances, dont la valeur mathématique sera nulle, mais qui tendront à s'approcher d'une vérité probable, à défaut d'être démontrable.

Nous n'aurons pas, bien entendu, la naïveté de penser que nos Juifs communistes vivent (ou vivaient) en vase clos. Tous les événements de la société française traversent (et souvent bouleversent) leur vie : leur destin rejoint progressivement celui des millions d'hommes et de femmes qui sont déjà (ou qui vont devenir) leurs compatriotes. Cette histoire sera aussi celle de leur « intégration ».

Communistes (au moins pendant une partie de leur vie), ils partagent également l'aventure de leurs camarades de lutte. Les évolutions, les « tournants », les revirements, les succès, les échecs du Parti les frappent au même titre que n'importe quel autre membre de l'organisation. Cette histoire sera aussi celle de leur « ségrégation » – de leur vie de militants, ces êtres toujours quelque peu « à part » par l'intensité de leur dévouement à la « cause », par la qualité de leur engagement, mais aussi parfois par leur comportement de « secte », d'association fermée sur elle-même et pratiquant un langage d'initiés.

Il ne faudra jamais oublier cette double interférence.

Notre cheminement va suivre, tout naturellement, le cours du temps.

Nous commencerons par une sorte de préhistoire : la pré-histoire de leur engagement, ou le temps de l'espoir, du sang et des larmes (1920-1945).

Nous tenterons ensuite – ce qui constitue le cœur de notre sujet – un portrait de groupe après le séisme (1945-1998).

Nous achèverons notre itinéraire en essayant de rechercher, au-delà du verset, au-delà du discours, la vérité cachée (ou, plus modestement, les vérités) de ce vieux couple, autrefois heureux, aujourd'hui souvent maudit : la judéité et le communisme.

Astronomes de l'histoire, peut-être réussirons-nous ainsi à mieux percevoir l'étrange lueur qu'a longtemps fait clignoter l'étoile rouge de David.

1

UNE PRÉ-HISTOIRE

Le temps de l'espoir, du sang et des larmes

(1920-1945)

Nul plus que les Juifs, nul plus que les communistes n'est pétri d'histoire, fût-elle mythique. Si les uns rejouent la conquête de la Terre promise, les autres miment éternellement les Jacobins de 1793, les Communards, la prise du Palais d'Hiver. Nés entre 1906 et 1967, les Juifs communistes de notre échantillon ne cessent d'évoquer les fantômes des grands ancêtres, de Robespierre à Maurice Thorez, en passant par Marcel Rayman et ceux de l'Affiche rouge. Les volontaires de la MOI-FTP marient les deux légendes. Le soulèvement du ghetto de Varsovie est célébré comme une victoire sur un passé de passivité, d'acquiescement à l'esclavage.

Avant même qu'ils adhèrent, ils sont les produits d'une préhistoire.

Quelques-uns l'ont, en partie, vécue. Ce fut pour eux – de 1920 à 1945 – le temps de l'espoir, du sang et des larmes.

I

Le récit des origines

Mais d'abord cette césure de 1945 est-elle, après tout, parfaitement légitime ? Ne témoigne-t-elle pas d'un certain européocentrisme ?

J'énumère les générations de communistes, je fais défiler les dates clés autour desquelles elles s'articulent. Et je m'aperçois bien vite que quelque chose ne colle pas : les calendriers ne coïncident pas. La moitié de mes interviewés se dressent devant moi et me crient : « Et moi, et moi ? », comme dans la chanson de Dutronc.

C'est qu'en effet, dans la mythique rue de Paradis[1], on ne connaît qu'une seule figure de Juif communiste : le Juif révolutionnaire du Yiddishland, réincarné successivement dans les héros de la compagnie Botwin[2], ceux des FTP-MOI[3], ceux même, les anonymes, qui se sont donnés corps et âme dans la campagne *Ridgway go home* !, dans le refus de De Gaulle, dans la protestation de Charonne...

J'en ai rencontré cinquante autres qui n'avaient pas connu la même histoire, pour qui les dates clés ne s'énuméraient pas suivant

---

1. Au 14, rue de Paradis, siège l'Union des Juifs pour la résistance et pour l'entraide – l'organisation, créée sous l'Occupation, qui regroupe depuis plus de cinquante ans les Juifs communistes. C'est là aussi qu'était rédigé, composé et imprimé *Naye Presse*, le quotidien communiste de langue yiddish.

2. La compagnie yiddishophone des Brigades internationales, pendant la guerre d'Espagne.

3. Francs-tireurs et partisans, Main-d'œuvre immigrée. C'est l'organisation de combat des Juifs communistes dans la Résistance.

la même litanie : 1936, 1939, 1941, 1944, 1945..., mais suivant d'autres calendriers, d'autres traumatismes, d'autres enthousiasmes. Je veux parler des Juifs communistes séfarades.

De fait, la perception de la chronologie n'est pas toujours la même pour tous. Il n'est pas sûr que la victoire des Alliés constitue vraiment le repère fondamental pour celui qui, en raison de son éloignement géographique, n'a vécu ni l'Occupation ni la persécution vichyste. Les Juifs d'Égypte, par exemple, se réfèrent tous à un autre mois de mai pour marquer la grande rupture de l'Histoire : ce mois de mai 1948 où la naissance d'Israël pousse le roi Farouk à interner les Juifs communistes, puis à les expulser – en général un an plus tard – sans espoir de retour. Ou, pour ceux qui n'ont pas encore adhéré au Parti, ce mois d'octobre 1956 qui, avec l'échec de l'expédition de Suez, voit la fin complète de la présence juive en ce pays.

Les Juifs d'Algérie ont, eux, vécu l'Histoire sur un rythme plus complexe. Certes, le débarquement de novembre 1942 met fin au règne de Pétain. Mais la discrimination raciale persiste jusqu'en mars 1943 et le décret Crémieux n'est rétabli qu'en octobre de la même année. Les deux dates clés pourraient se situer en 1954, au moment où un certain nombre de Juifs communistes commencent à se solidariser avec le mouvement national algérien, et en 1962, quand la plupart d'entre eux (sauf ceux qui décident de travailler avec Ben Bella) participent au grand exode des pieds-noirs.

Pour les Juifs du Maroc et de Tunisie, c'est évidemment 1956, année de l'indépendance et – pour beaucoup – de l'exil, qui représente le tournant de l'Histoire (bien que les communistes choisissent souvent de rester, jusqu'à ce que l'arabisation des deux États les force, eux aussi, à partir).

Les communistes, juifs ou non, affectionnent volontiers une chronologie qui leur est propre. Les plus militants, ou les plus élevés dans la hiérarchie du Parti, datent souvent les événements par le numéro du congrès de cette année-là, comme si le thorézien ou le marchaisien détrônait le julien ou le grégorien : « Je me suis marié l'année du XXIIIe Congrès... » Stalingrad, la mort de Staline, le rapport Khrouchtchev servent de repères beaucoup plus que la chute du Mur ou 1968. Pour ceux qui rompent, 1978 symbolise souvent la fin des illusions.

Mais les Juifs communistes privilégient aussi des dates qui ne parlent guère à leurs camarades non juifs. Pour les plus anciens, 1953 évoque l'affaire des « Blouses blanches » au moins autant que la disparition de Staline. 1967 rappelle à beaucoup ce moment déchirant où la guerre des Six Jours les a brouillés, pour des années, avec leur famille. Il arrive même que 1968 signifie avant tout, pour tel ou tel vieux militant ashkénaze, la répression antijuive dans la Pologne socialiste.

Admettons pourtant la date-butoir de 1945. Comment racontent-ils dès lors leur histoire d'avant notre histoire, ce passé souvent mythique où ils plongent tous leurs racines ?

Là-bas, ailleurs... Ce passé dans un autre monde, ils sont encore beaucoup à l'avoir vécu. Sur cent interviewés, cinquante-huit sont nés hors des frontières de l'Hexagone, dont seize en Algérie, douze en Égypte, onze en Tunisie, six au Maroc, cinq en Pologne, deux en URSS, deux en Italie, un en Syrie, un en Palestine sous mandat, un aux États-Unis et un en Belgique. On voit que l'écrasante majorité de ces « immigrés » récents sont séfarades : les grandes vagues d'immigration ashkénaze se sont taries dès avant la guerre.

Mais, si l'on remonte d'une génération, la totalité des séfarades ont un père né « ailleurs », et quarante et un des cinquante ashké-nazes : trente-deux en Pologne, cinq en URSS, deux en Lituanie, un en Lettonie, un en Roumanie.

Le récit des origines (géographiques, mais qui parfois – rarement – se confondent avec les origines militantes) offre un violent contraste selon qu'il raconte le Yiddishland ou la vie en pays musulman. Ici le regret, là le rejet. Mais presque toujours la distance, du temps ou de l'espace, fait apparaître une sorte de dimension mythique. On embellit la relation avec les Polonais ou les Arabes. On raconte, le cas échéant, les premières années mili-tantes en ces terres lointaines comme un merveilleux roman d'aven-tures où seuls les policiers et les juges jouent le rôle des méchants.

Quand le récit est celui du père (ou de la mère), on se le transmet avec respect, comme un message sacré qui jouera souvent un rôle déterminant dans le cheminement vers l'adhésion communiste.

Le Yiddishland

Les Juifs russes ou polonais viennent-ils du *shtetl* ou de la ville ? Une douzaine seulement des interviewés se réfèrent expressément à une « bourgade », à un « village ». La plupart ont du mal à en orthographier le nom, ils renoncent à le situer sur une carte – tout cela appartient à un « monde disparu[4] » dont on ne parvient plus à imaginer qu'il a, un jour, existé. « Ma mère était née dans un tout petit village, du côté de Radom, je ne sais même pas où ça se trouve d'ailleurs, enfin j'ai déjà regardé sur une carte, mais j'ai déjà oublié... » (Rosette Z., née en 1946 à Paris).

La haine des Polonais, ou des « Cosaques », très souvent proclamée, explique sans doute cette censure, au sens freudien, qui efface les contours du souvenir. « D'ailleurs ils nous racontaient, pas beaucoup, mais de temps en temps, les histoires des Cosaques qui entraient, tout ça, qui massacraient... » (David T., né à Paris en 1919).

Seule Henriette B. (née en 1928 au Caire) se rappelle avec précision les récits des pogroms de 1905 que lui faisait sa mère, venue d'Odessa :

> Elle racontait : « Lorsqu'il y a eu ces pogroms, ils montaient dans les maisons, ils arrachaient, ils coupaient les matelas qui étaient en plumes, évidemment ils balançaient tout par les fenêtres, parce qu'ils pensaient trouver de l'argent. La rue était comme s'il avait neigé, sauf qu'il y avait des gouttes de sang par-dessus. » Ils allaient attaquer des femmes au sabre, des femmes qui allaitaient leurs enfants, etc., ils ouvraient les enfants, les petits bébés en deux, enfin tout ça, des horreurs !... Elle en rêvait d'ailleurs très souvent.

---

4. Roman Vishniac, *Un monde disparu*, trad. Marie-France de Paloméra, Paris, Seuil, 1984.

Mais l'antisémitisme polonais est souvent occulté. Pour un communiste pur et dur, la lutte des classes constitue la contradiction majeure, qui réduit toutes les autres au rang de « diversions », voire de « pièges de la bourgeoisie ». Michel Grojnowski qui, dans une étape un peu inattendue de sa très longue carrière de permanent, sera de 1949 à 1967 responsable du « Secteur polonais » du PCF, raconte ainsi sa jeunesse à Radzijow, un petit village de Pologne occidentale où il est né en 1906[5] :

> Dans le village où je suis né, il y avait moitié de Juifs et moitié de Polonais. Nous n'avons presque jamais senti vraiment des manifestations antisémites. Mais les Polonais allaient à l'église et les Juifs allaient à la synagogue. Mon meilleur camarade de l'enfance était un garçon polonais. Sa mère portait de l'eau chez nous. On était inséparables. On s'est séparés un peu quand je suis allé au *héder*[6]. Mais autrement on est restés très bons camarades.
>
> Il n'y avait pas de manifestation antisémite, sauf une fois. Quand la nouvelle Pologne s'est constituée en 1918-1919, est venu un groupe polonais de la région allemande – on les appelait les *Faucheurs* –, ils sont venus chez nous, dans le village avec leurs faux, ils voulaient faire un pogrom. En 1919. Or le maire s'y est catégoriquement opposé. On avait peur, mais le maire s'y est tellement opposé qu'ils ont été obligés de partir.
>
> La relation entre garçons juifs et polonais était correcte[7]. Noël, ça se passait bien : la relation restait bonne. Mais Pâques, c'était les Juifs qui ont tué Jésus ! C'est ce qu'on leur avait enseigné à l'église. Il y avait donc quelques jours qui étaient un peu tendus.
>
> Il y avait un Mouvement de jeunes antisémites à l'Université. Ils exigeaient que les Juifs soient moins nombreux, ils voulaient imposer un certain pourcentage. Il y avait des manifestations chez nous, dans notre ville où on habitait déjà [Wloclawek] : c'était une ville de 40 000 habitants. Il y avait certaines manifestations d'étudiants contre les magasins juifs. Vers 1927-1928. Moi, j'ai quitté la Pologne en juin 1928.

---

5. Il est mort en octobre 1999, à l'âge de quatre-vingt-treize ans.

6. *Héder* : école élémentaire juive pour les garçons de huit à treize ans (cf. *DEJ*, p. 508). Le *h* souligné est la translittération de la lettre hébraïque het, qui se prononce comme le ch dur allemand.

7. Dans les années dix.

On constate donc assez clairement que le refoulé (ou plutôt le « refusé ») de l'antisémitisme polonais revient au galop. Comme on s'entendait bien... sauf quand on ne s'entendait pas ! Ou plutôt, le temps de l'enfance (les années dix) apparaît comme un âge d'or quand on le compare à celui de l'adolescence (les années vingt). L'embellissement (si naturellement humain) du « vert paradis » s'enrichit de la correction d'optique qu'impose l'idéologie : le Polonais n'est pas l'ennemi ; il n'y a d'ennemis que les exploiteurs.

Si quelques-uns, comme Grojnowski, évoquent ainsi la bourgade du Yiddishland, la plupart se rappellent surtout la grande ville, où eux-mêmes ou leurs parents ont passé leur enfance : Varsovie, Lodz, Vilna, Radom, Plodz, Czestochowa, tous les hauts lieux de la zone de résidence défilent dans les souvenirs des communistes ashkénazes. « Le père de mon père était boulanger en face de l'usine de Lodz. Il avait une petite échoppe où les ouvriers venaient se réunir. Il était déjà bundiste à l'époque, le grand-père » (Raymonde Y., née en 1938 à Paris).

Le Bund[8], malgré l'historiographie officielle du mouvement communiste, revient ainsi parfois dans les souvenirs, au cœur des luttes ouvrières dans la Pologne de l'entre-deux-guerres. « Ma mère, raconte encore Rosette Z., était ouvrière du textile, très très pauvre. Elle a été mise à la machine à coudre à Varsovie, je ne sais pas, vers huit-neuf ans, parce qu'ils n'avaient pas réussi à faire d'elle une vendeuse dans une épicerie. Alors elle, elle a toujours été sans parti, mais très influencée par le Bund. » Le Parti peut bien récrire la « grande » histoire, retoucher les photos, effacer les noms ou les sigles dans les dictionnaires, la « petite » histoire, celle des albums de famille, celle des récits que l'on échange à table devant les petits enfants émerveillés (ou écrasés d'ennui), cette histoire-là reste inviolée.

Quatre-vingts ans après les événements, l'écho de la révolution de 1917 retentit encore chez les plus anciens. Écoutons de nouveau Michel Grojnowski :

---

8. Bund : Union générale des travailleurs juifs de Lituanie, Pologne et Russie, créée en 1897. Prône l'autonomie nationale et culturelle (mais non territoriale) des Juifs.

Quand nous étions dans ce petit village, en 1919, est venu un soldat qui était dans l'armée tsariste. À cette époque, il y avait déjà un noyau révolutionnaire juif : il y avait mon frère, mon cousin... Le Parti était illégal en Pologne. Ils ont organisé une rencontre, où on était peut-être sept-huit, dans une forêt. Ce Juif qui revenait de l'armée tsariste a raconté ce qu'il avait vu de la Révolution en Russie. Il a insisté d'abord sur le fait que le régime combat l'antisémitisme, que les Juifs ont eu la possibilité d'ouvrir des écoles, qu'ils sont admis à l'Université. Ce n'était pas un orateur, ce n'était pas un homme du Parti. Il était boucher de sa profession. Il racontait, il racontait. J'avais quatorze ans. Pour moi, c'était quelque chose de nouveau d'entendre parler de la Révolution. Ça m'a beaucoup impressionné.

Depuis ce temps-là, j'avais une certaine sympathie pour le mouvement révolutionnaire en Pologne. J'étais jeune. Quatorze ans à l'époque, ce n'était pas comme quatorze ans aujourd'hui ! [Il rit.] Alors ensuite, quand je travaillais chez le tailleur, notre famille a émigré vers la plus grande ville.

Dans la ville, il y avait un syndicat des ouvriers de l'habillement. J'ai donné mon adhésion. Le syndicat était dirigé par le Bund. Moi, j'avais de très bons rapports avec un camarade bundiste. Mais on n'était pas d'accord sur certaines questions politiques. Quand j'ai appris que, dans le syndicat, il y avait une Fraction rouge, j'ai levé la main au moment du vote pour dire que j'étais d'accord avec eux.

Le samedi après-midi, j'avais l'habitude, comme les Juifs ne travaillent pas le samedi, de sortir dans la ville. On se promenait dans la rue principale. Un jour, en me promenant, il y a une jeune fille – elle avait mon âge, à peu près, dix-sept ans – qui s'est approchée de moi. Elle m'a dit : « Écoutez ! Je voudrais vous demander si ça vous intéresse : samedi prochain, nous avons une rencontre avec quelques amis. Quelqu'un viendra nous parler des Trois L. Vous savez ce que c'est que les Trois L ? Rosa Luxembourg, Karl Liebknecht et Lénine ! » Elle m'a donné le rendez-vous. Illégal. Elle m'a dit : « Tu viens tout seul ! Tu ne racontes à personne ! » Je suis venu au rendez-vous. Il y avait là cinq-six jeunes filles et des jeunes garçons. Je me rappelle : quelqu'un est venu nous parler des Trois L.

C'était en 1921. Quelques semaines après, la même jeune fille, on marchait ensemble, m'a dit : « Tu ne voudrais pas donner ton adhésion aux Jeunesses communistes ? » Elle a parlé de la Révolution en Russie. Alors j'ai dit : « Oui. »

Elle m'a invité à une réunion. On était déjà moins : trois ou quatre. Après, elle m'a expliqué qu'il y avait à la fois des Juifs et des Polonais ; qu'on devrait connaître les camarades polonais. Alors j'ai commencé à militer. Tout était illégal. L'inconvénient, c'est que tout le monde se connaissait. Et la police nous connaissait ! [Il rit.] Ils savaient qui était au Parti communiste.

Un jour, on m'a demandé de porter des tracts chez un ouvrier agricole à la campagne. La femme était là. Il n'y avait pas de parquet, mais de la terre. Chez nous, les Juifs, il y avait déjà du parquet en bois. Mais c'était d'une propreté impeccable : sur la terre battue, on mettait du sable blanc, pour que ça paraisse encore plus propre.

À midi, l'ouvrier agricole est rentré manger. Je me suis présenté. Je lui ai donné les tracts. C'était la première fois que j'avais directement à faire avec un ouvrier agricole.

Un autre jour, on m'a demandé de porter un paquet de tracts dans une ville, à peu près à 25 ou 30 kilomètres de chez nous. C'était une ville d'eaux. Mon père, quand il était encore en vie, y livrait des veaux, pendant la saison d'été, quand les curistes étaient là. J'avais rendez-vous avec un camarade, qui s'appelait Wozek. On s'est retrouvés. Je lui ai donné les tracts. On a parlé. Quelle a été ma joie, en 1946, quand j'étais secrétaire de l'UJRE, de retrouver ce camarade !

Une fois, il y avait une grève des tailleurs dans notre ville. Après, mon patron n'a pas voulu me reprendre. Comme un camarade m'avait proposé de partir avec lui à l'étranger, j'ai accepté.

Ici encore, il semble bien que le mythe, comme dans beaucoup de chroniques militantes, joue un certain rôle dans le récit : l'idylle judéo-polonaise, les relations de pure discussion intellectuelle avec le Bund. Raconter, pour un militant professionnel, c'est démontrer. Mais l'interprétation lyrique de la réalité revêt presque, cette fois-ci, les couleurs d'un roman rose : la jeune fille qui se promène, l'isba si propre... L'attendrissement du narrateur l'emporte clairement sur l'idéologie.

Mais le caractère proprement juif de l'adhésion apparaît en fili-grane : la jeune communiste qui aborde Michel Grojnowski dans la rue est manifestement juive, puisqu'elle aussi se promène, au lieu de travailler, le jour du chabbat, et puisqu'elle propose comme objectif de « connaître les camarades polonais ». Dans le Parti, le jeune adhérent constate vite qu'il y a « un peu plus de Juifs que de Polonais ». Et du reste le camarade Wozek, auquel il remet les tracts, est également juif, puisque Grojnowski le retrouvera, des années plus tard, à l'UJRE.

Un ancien du Parti, devenu quant à lui violemment anticommuniste, Emmanuel Mink[9] (né en 1910), raconte à peu près sur le même ton sa propre jeunesse militante (il parle un français très incertain...). Pour lui aussi, tant d'années après la rupture, dire les origines, c'est rendre compte d'un combat.

> J'ai commencé à apprendre le métier de menuisier. Vers l'âge de treize ans, comme ça, je crois que je suis devenu activiste. Il y avait dans le syndicat des communistes. La majorité, c'était des Juifs. Il y avait toujours des réunions, avec des gens élégants, on avait admis l'intelligentsia. Ils faisaient des discours sur les différentes tendances du sionisme.
>
> Je cherchais à m'unir avec la jeunesse polonaise. Très jeune, c'était très difficile. Mais après j'ai pris contact avec les Polonais, on a travaillé ensemble. La propagande, colporteur de matériel, banderoles...

En 1930, il assiste à un meeting. Un des participants, un jeune communiste polonais, sort un pistolet et tire. Avec trois autres dirigeants locaux, Mink est arrêté et déféré devant un tribunal d'exception.

> Moi, j'étais un Juif, le seul Juif. Le secrétaire du Parti a été condamné à quatre ou cinq ans ; moi, à quatre ans. C'était en octobre 1931. Tous ont reconnu le fait qu'ils étaient communistes, sauf moi. J'ai dit non. Parce qu'on ne connaissait pas mon nom. Mais quand même j'ai fait trois ans.

Il est arrêté une deuxième fois en 1935.

> Un jour que j'étais à la promenade, en prison, on m'appelle. Et, dans le bureau de l'Administration, il y avait un juge. On était debout, il signait des papiers avec de grandes fautes de polonais. Je me suis énervé, je lui ai dit : « Ce qu'on vous a dit sur moi n'est pas vrai. » J'ai été condamné à trois mois pour outrage à magistrat.

---

9. Emmanuel Mink ayant déjà raconté sa vie à plusieurs journalistes ou chercheurs (cf. Arno Lustiger, *Shalom Libertad*, Paris, Éditions du Cerf, 1991) et ne m'ayant confié aucun détail relevant de sa vie privée, je me suis cru autorisé à indiquer son nom en entier.

Il est bien vite libéré.

> Je n'ai pas dormi à la maison. Je suis allé chez des camarades, je leur ai dit que je voulais partir de Pologne. On m'a dit : « Maintenant que les flics t'ont donné le bâton, tu es à terre ! »
> Je suis parti à Lodz. Là devait venir me voir un cadre du Parti, avec des ordres pour ce que je devais faire désormais. Il n'est pas venu. Il avait été arrêté. Moi, avec les camarades de ma ville, on a décidé que j'irais en Belgique.

Là aussi, « la majorité, c'était des Juifs ». Même l'intelligentsia, avec laquelle son militantisme le met en contact, fait « des discours sur les différentes tendances du sionisme ». Ce qui n'empêche pas Mink, bien au contraire, de s'amuser des fautes de polonais du juge ! Mais déjà, peut-être, le futur révolté fait la mauvaise tête : est-ce de sa propre initiative qu'il refuse devant le tribunal de reconnaître, contrairement aux autres inculpés, qu'il est communiste ?

Le militantisme, la prison, l'exil. Voilà la trilogie qui se retrouve dans plus d'un récit. Ce n'est évidemment pas le cas de tous. Mais les très vieux Juifs communistes (ou anciens communistes) ont souvent connu cette jeunesse-là avant d'émigrer vers la France. Quand on échappe à la prison, on déserte, on refuse d'être soldat dans la guerre contre l'Armée rouge. On verra combien de communistes ashkénazes ont eu ainsi un père qui leur a servi de modèle – militant courageux dans un pays où l'appartenance à un parti clandestin doublait le risque de répression qui s'attachait déjà au simple fait d'être juif.

Chez Emmanuel Mink, la relation judéo-polonaise apparaît tout de même moins idyllique que chez Michel Grojnowski : on « cherche à s'unir avec la jeunesse polonaise », ce qui indique bien que cela n'est pas acquis d'avance. Le « provocateur » est évidemment polonais ! Mais, dans les deux récits, l'obéissance à la discipline du Parti ne souffre aucune restriction : pour quitter la Pologne, il faut un ordre. À cette discipline, Grojnowski restera fidèle toute sa vie. Mink attendra d'être exclu pour ne plus s'y soumettre. Au-delà de la Méditerranée, dans les récits des origines, allons-nous retrouver les mêmes constantes ?

Le Maghreb français

Comme il était beau, comme il était doux, le Maghreb des Juifs, dans le récit des « rapatriés » communistes (ou ex-communistes) qui évoquent leur jeunesse ! Pas un mot spontané sur l'antisémitisme de certains pieds-noirs, voire des Arabes. Il faut vraiment « cuisiner » les interviewés pour que les mauvais souvenirs remontent à la surface. Sauf pour parler de la persécution vichyste en Algérie – mais justement, c'était la faute de Vichy, ou de quelques fonctionnaires, pas des Français !

Un seul, Philippe P. (né à Paris en 1936, mais ayant passé toute son enfance à Oran), refuse catégoriquement cette forclusion d'une vérité désormais niée : « Je pense que c'est en Algérie qu'il y avait le plus d'antisémites. Il y avait plus d'antisémites en Algérie qu'en France. C'est pour ça, quand on parle de l'unité de l'Algérie française comme étant un tout monolithique, c'est pas vrai, c'est pas vrai ! »

Tous les autres racontent, eux aussi, une idylle.

Idylle en Algérie. « Ah, c'était magnifique ! Encore hier soir, j'ai dit à mon mari : "J'ai la nostalgie, j'en suis malade." Je lui ai dit hier soir : "J'en suis malade. Je voudrais retourner chez nous" » (Elisa T., née en 1926 à Oran).

Le pogrom de Constantine en 1934 n'est évoqué que par un seul interviewé, André Y. (né en 1931 à Constantine), et sur demande expresse de l'intervieweur :

— Tu étais né au moment des émeutes antijuives de Constantine ?

— Et je suis bien placé pour le savoir, c'est que je suis né le 5 août et les événements ont eu lieu pour mon troisième anniversaire. De sorte qu'on n'a jamais célébré mon anniversaire. C'était un jour de deuil. En 1934, j'avais trois ans. Ma famille était d'autant plus touchée que la sage-femme qui m'avait fait naître et qui avait fait naître mon frère a été sauvagement tuée.

Je t'ai dit que la cohabitation était conviviale délibérément, parce que c'était une société explosive. Qui avait explosé. Mais, à l'époque, il y avait une pression des adultes pour que nous, les enfants, nous respections tout le monde, qu'on ne tienne pas de propos haineux ou racistes, ou susceptibles de déclencher une bagarre dans la maison. Les couteaux sortent vite et on ne sait pas comment ça se termine !... Donc il fallait respecter. Et c'était devenu une habitude.

Et puis finalement, quand on vit au contact les uns des autres, on découvre... qu'il n'y a pas de raison de s'entre-tuer, quoi ! [Il rit.] Mais on savait qu'il y avait toujours ce danger. Parce que – je suis né en 1931 – en 1934 il y a l'émeute, en 1939 il y a la guerre, il y a Vichy, etc. Donc on ne peut pas oublier qu'il y a un danger. On ne peut pas. Après, 1954, la guerre d'Algérie, etc. On n'a jamais pu oublier que... on ne vivait pas en danger, que ce n'était pas une société explosive [*sic*].

Il faut bien savoir que nous, les Juifs – certains chrétiens aussi, ceux qui vivaient dans les campagnes, un peu isolés –, mais nous, les Juifs, nous avons toujours vécu dans la terreur. D'une émeute. On savait ce que c'était. On a toujours eu le sentiment qu'on était une minorité, qu'on était vulnérables, qu'on pouvait se faire massacrer à tout moment, etc.

« Il y avait une pression des adultes » : cela s'appelle une censure. Et, du coup, le discours s'embrouille : « On n'a jamais pu oublier que... on ne vivait pas en danger, que ce n'était pas une société explosive [*sic*]. » La dénégation, à travers le lapsus, se donne à lire dans toute sa violence. Le pogrom de Constantine, trois ans presque jour pour jour après la naissance, se constitue en scène primitive, rendue plus agressive encore par le meurtre de la sage-femme (quelque chose comme une mère de substitution). Est-il dès lors trop hardi d'imaginer que l'adhésion au Parti communiste algérien pourrait signifier le désir de refermer la plaie : on se battrait, pour effacer le meurtre, aux côtés de ceux qui ont tué, ou plutôt aux côtés de ceux qui ont donné du sens (un sens politique) à ce qui relevait jusque-là de l'illisible.

Le même André Y., devenu technicien de bureau d'études pour le compte d'une municipalité communiste (mais qui quitte le PCF en 1990), tente bien vite de corriger quelque peu le tir, comme s'il avait peur que l'on puisse déduire de ses propos l'existence d'un véritable antagonisme. L'idéologie essaie, comme pour la Pologne, de masquer les « contradictions secondaires ». Mais ici encore la vérité du propos transparaît sous le discours de convenance :

D'ailleurs, dans nos immeubles multiethniques, il y avait... en général d'excellentes relations entre les différentes familles. Par exemple, des chrétiens nous envoyaient des gâteaux pour leurs fêtes. Nous envoyions des gâteaux, les musulmans aussi. Il y avait des échanges. Ce n'était pas forcément par grand amour. Il y avait bien entendu des amitiés et des affinités. Mais, à la réflexion, le racisme était la règle. Il y avait beaucoup de haine. Mais, quand on vivait ensemble, alors on éprouvait le besoin de témoigner de volonté pacifique, voire amicale. Il y avait un certain nombre de règles qui visaient justement à permettre la cohabitation.

Mais une telle lucidité reste l'exception. Le discours dominant, c'est celui de l'harmonie, de la nostalgie, de l'âge d'or. Écoutons par exemple Renée O., coiffeuse, née en 1923 à Oran :

Disons, on était dans un quartier... juif. Mais on avait quand même des gens qui servaient, il y avait quand même quelques Arabes. On avait des... des relations, des contacts avec les Arabes. Mais nos grands-parents, je me rappelle de ma grand-mère, qui disait avoir du voisinage, avant l'Occupation... française, qui était des Arabes, et avec qui ils se côtoyaient en très bonne amitié. Ils avaient une très bonne... un très bon voisinage. D'affection, même. Ils arrivaient, lorsqu'il y avait des mariages qui se produisaient dans les grandes familles, ils se prêtaient des bijoux, des habits, pour aller paraître. Entre Juifs et Arabes, ma grand-mère maternelle nous a expliqué ça, ça c'est sûr. Et on ne comprenait pas.
À l'école aussi, si vous voulez, il y avait très peu de Mauresques, à Oran, il y avait l'école des filles et des garçons, séparées, mais il y avait... en tout, dans toute l'école, il y avait cinq élèves qui étaient mauresques, elles ne venaient pas à l'école. Elles n'avaient pas les moyens de s'habiller et de se... Donc elles n'apprenaient pas le français. Et nous, on nous enseignait le français, alors qu'on aurait dû nous enseigner...

La tonalité « communiste » du discours apparaît dans ce refus de la discrimination. Mais le mot clé, celui qui dit tout, c'est « l'Occupation... française » ! Le Français comme « occupant ». Les Juifs d'Algérie comme « indigènes ». Pour cette femme âgée, d'origine ouvrière et qui a passé vingt-quatre ans au Parti, le décret Crémieux n'a jamais effacé l'Histoire : 1830 ou 1870 ne sont que des épiphénomènes. Mais le mot « Mauresque » appartient au vocabulaire des pieds-noirs. Les Arabes sont assez facilement définis comme « des gens qui servaient ». Le PCF fonctionne ici comme un mixeur de cultures, un fabricant d'entre-deux, plus que comme un véritable intégrateur. Nous verrons plus loin que cette fonction, souvent peu soupçonnée, traduit peut-être une des vérités de la relation Juifs/communistes.

Idylle encore plus chaleureuse en Tunisie. Georges F., né en 1917 à Tunis, se souvient de son grand-père, qui « était fermier général du bey et qui s'est opposé à l'arrivée du colonialisme français en Tunisie. Par contre, la bourgeoisie, peu à peu, pour des raisons économiques ou des raisons de peur – peur de l'Arabe, je ne sais pas pourquoi, on a toujours été beaucoup mieux avec les Arabes qu'avec les Européens, on n'a pas connu de pogroms, jamais, dans l'Histoire, on n'a jamais connu l'Inquisition ».

L'antagonisme de classe, évoqué une fois de plus comme contradiction principale, apparaît ici d'autant plus inattendu que Georges F. appartient justement à ce qu'on pourrait appeler la « grande bourgeoisie » juive tunisienne : arrière-grand-père et grand-père fermiers généraux, père « gros commerçant dans l'import-export ». Le Parti communiste, dont il est toujours membre (depuis 1943), lui fournit un discours-masque, un discours de l'irréel, d'autant plus prégnant qu'il s'écarte du triste et banal constat de la société telle qu'elle est, qu'il fabrique un univers théorique, idéel, presque onirique, où un observateur pervers reconnaîtrait peut-être l'un des traits de l'esprit religieux.

Le Parti communiste permet aussi de subsumer, au moins provisoirement, les barrières ethniques. « Maintenant, dans le passé, ayant été un militant communiste, évidemment j'avais des relations très amicales, très fraternelles avec des Tunisiens musulmans. J'étais en prison avec eux, j'ai partagé l'illégalité avec eux. Donc on n'avait pas de préjugés raciaux. Bien au contraire. On était plutôt de préjugé amical » (Paul A., né en 1919 à Tunis). Mais cet irénisme ne résiste pas toujours aux soubresauts de l'Histoire. « Et dans les dernières années, ajoute-t-il, il y avait... non pas un antisémitisme virulent, agressif, mais une sorte d'antisémitisme institutionnel. Si bien que les gens qui travaillaient ont fini même par ne plus pouvoir y travailler. Moi-même, à un moment donné, j'ai dû quitter. »

Le Parti communiste semble ici remplir auprès des Juifs une de ses fonctions majeures. Il produit un discours d'occultation qui permet tout à la fois d'apaiser la mauvaise conscience des origines et de masquer les contradictions du réel en les intégrant dans une vision dialectique de l'Histoire.

Mais c'est *le Maroc* du protectorat qui semble atteindre l'acmé de l'harmonie.

> Moi, raconte Jean-Charles D. (né en 1950 à Casablanca), je suis désolé, dans la cour d'école j'avais des catholiques français fils de fonctionnaires, ou fils d'aventuriers, et puis des Espagnols catholiques, des Portugais, des Italiens, des musulmans, des Juifs du Maroc et des Juifs venus d'ailleurs. Donc une espèce de cohabitation permanente. Tu allais chez un copain, tu mangeais d'une manière, tu allais chez un autre, c'était encore autre chose ; tu avais un copain musulman, c'était encore autre chose. Donc c'était une culture... pluriculturelle, qui était naturelle dans notre horizon. Tu avais quatre types de nourriture, de culture, de langue qui cohabitaient dans le même immeuble.

Sa sœur, Danielle D. (née en 1948 à Casablanca), paraît toutefois légèrement moins euphorique. Plus politisée peut-être – bien que, contrairement à son frère, elle n'ait jamais gravi les échelons de la hiérarchie du Parti. La contradiction entre les deux récits, entre lesquels il n'existe qu'un décalage de deux années, met clairement en lumière la façon dont le mythe, entretenu par le Parti, reconstruit le réel.

> Moi aussi, j'ai vu ce que c'était que le colonialisme au Maroc. C'est-à-dire j'ai vu, très jeune, ce que c'était que la ségrégation, par exemple à l'école, entre Juifs, Arabes, Français catholiques, etc. Et à Casablanca, on voyait tout de même l'existence de ces problèmes, très jeune, donc on y était sensible évidemment. Et je crois que, sans m'en rendre compte, peut-être que pour moi déjà enfant la politique avait une dimension d'ordre éthique.

« Une dimension d'ordre éthique » : peut-être bien que, pour la première fois, transparaît ici un des mobiles de l'adhésion juive au communisme. Un mouvement qui, du moins dans son discours théorique, prétend instaurer le règne de la justice et de l'égalité, libérer les exploités et les opprimés. Rencontrant ainsi en quelque sorte, aux yeux de certains (même s'ils n'en ont pas vraiment conscience), l'attente des Prophètes.

L'Égypte de Farouk

L'Algérie française ? Une nostalgie à peine troublée par la mauvaise conscience du colonialisme. La Tunisie et le Maroc sous protectorat ? Une idylle judéo-arabe, que l'indépendance et ses dérives nationalistes sont malheureusement venues perturber. Mais l'Égypte de Farouk, où régnaient encore il y a peu les Britanniques ? Un paradis pour les Juifs, une sorte de Terre promise que l'anticommunisme et l'antisionisme aveugles du régime ont, hélas ! interdite à ceux qui en étaient pourtant les amoureux inconditionnels.

Écoutons par exemple Albert J., né en 1922 au Caire :

> La vie en Égypte, dans mon enfance, était une vie de cocagne. Très très heureuse. Bien entendu basée sur le fait qu'il y avait la grande majorité du peuple égyptien qui vivait d'un plat de fèves et d'une sorte de pain. Ce qui permettait à la très petite bourgeoisie de subsister même avec des moyens financiers très réduits. On était parfaitement à l'aise, on était comme chez nous, on n'était pas victime d'antisémitisme – je parle des années trente.
>
> Nous n'avions pas beaucoup de mixage avec les Égyptiens. Les Juifs vivaient en communauté, comme toutes les autres communautés qui vivaient en Égypte. Les Italiens, les Maltais, les Grecs, etc. D'autant plus facilement que, l'Égypte étant sous le régime des Capitulations, nous ne ressortissions pas aux tribunaux indigènes, mais à des tribunaux mixtes. Vie heureuse, sans soucis.

Ce chant d'amour, tous les Juifs égyptiens de l'échantillon le reprennent. Rose M., née en 1924 au Caire :

> Nous qui avons vécu dans un pays arabe, où nous avons vécu avec bonheur, avec joie, on ne nous a jamais contesté le droit de vivre sur leur terre. Après, c'est devenu difficile, il a fallu partir. Mais nous y avons vécu heureux. Et puis ils nous aimaient et nous les aimions. Savoir qu'aujourd'hui ils ont de la haine pour nous, un Juif c'est un ennemi, pour nous qui avons vécu une époque très heureuse avec eux, ça fait doublement mal. Ils nous ont vus naître dans ce pays, dans ce quartier.

Le militantisme introduit, bien sûr, un bémol : la misère du peuple. Mais l'ignorance fréquente de la langue arabe, ou l'enfermement dans les quartiers européens, réduisent souvent cette plainte à une rhétorique certes courageuse (puisqu'elle les a tous condamnés à l'exil, sept ans avant les autres Juifs, avant les non-communistes ; à la prison ou au camp d'internement pour les plus militants), mais quelque peu formelle. « J'étais essentiellement idéaliste », reconnaît d'ailleurs Albert J. Quelques-uns ironisent même sur leur appartenance à la grande bourgeoisie cairote ou alexandrine : « La famille de ma mère, grande capitaliste, grande bourgeoise, etc., franc-mac', ayant une chasse, chassant avec le gouverneur d'Alexandrie, etc., chauffeur, cuisinière, bonne, etc. » (Jacques F., né en 1936 à Alexandrie).

Du reste, un peu de mauvaise conscience transparaît parfois devant tant de privilèges :

> C'est difficile de vivre dans un pays, avec tous les avantages qu'avaient les étrangers en Égypte. Il y avait les Capitulations, et les Juifs ne payaient pas d'impôts. Alors que le petit gars qui faisait le domestique chez nous, lui il payait un impôt. Le paysan qui gagnait une misère payait un impôt, mais nous, on ne payait pas d'impôts. On exploitait les Égyptiens. (Lydia G., née en 1916 à Alep.)

Deux interviewés (sur douze) témoignent cependant d'une bonne connaissance des conditions de vie populaires. Isaac M. (né en 1922 au Caire) a découvert la misère paysanne à l'occasion d'un stage, à l'âge de dix-huit ans, dans l'exploitation agricole que dirigeait son oncle :

Tous les matins, je faisais un tour avec un contremaître, qui me promenait à dos d'âne autour de la propriété. Ça m'a permis de voir des choses qui n'étaient pas apparentes au Caire. C'est-à-dire que le matin, avant le lever du soleil, il y avait une queue très très longue de femmes et d'enfants à la porte des bureaux du contremaître. Qui avait droit d'embauche. « Toi, je t'embauche. Toi, je t'embauche pas. Non, j'ai pas besoin de toi. Ah ! les enfants, oui, je prends un enfant. » Les femmes étaient embauchées à dix millièmes par jour, c'est-à-dire étant présentes avant le lever du soleil et terminant après le coucher du soleil, pour recevoir une somme équivalant à dix centimes. Cela ne suffisait pas à donner autre chose qu'un peu de farine de maïs, qui servait à faire la galette du pain quotidien.

Un jour, on traversait un champ de cotonniers, j'ai vu une femme sortir de sous les arbustes et prendre deux feuilles de cotonnier, nettoyer un bébé, le remettre sous des feuilles de cotonnier, à l'abri du soleil, pour continuer à travailler, arriver à la fin de la journée et gagner ses dix millièmes. À l'époque, je n'avais pas compris ce qui s'était passé. Quand j'ai commencé à être adulte, j'ai compris que j'avais assisté à la naissance d'un gosse. La mère avait coupé le cordon ombilical et l'avait mis sous le cotonnier, pour pouvoir continuer à travailler.

Un paradis gâché par le spectacle de la misère : on ne s'en arrache pas sans la volonté de préserver un peu de ce rêve. Ce qui explique sans doute la cohésion, maintenue au bout d'un demi-siècle, de ce groupe d'exilés tellement à part : les Juifs communistes venus d'Égypte. Fidèles ou infidèles à l'utopie de leur jeunesse, ils continuent – presque tous bien pourvus en capital social ou culturel – à se rencontrer, à échanger les souvenirs, parfois à prolonger les débats idéologiques ou les querelles qui avaient fait les beaux jours d'Alexandrie ou du Caire.

Les uns sont partis par choix. L'antisémitisme triomphant, les *numerus clausus*, les interdictions professionnelles, les boycottages, voire les pogroms, la prison, l'enrôlement forcé dans l'armée, ont contraint des milliers de Juifs polonais, déjà communistes ou seulement « démocrates », à une décision aux conséquences encore incalculables : l'exil vers la France. Ceux qui sont restés ont été exterminés. Les exilés volontaires ont, eux aussi, souvent payé le prix, mais beaucoup ont survécu, ou bien leurs enfants. C'est dans ce terreau que le PCF a recruté, dès avant la guerre, quelques-uns de ses militants les plus combatifs et les plus résolus.

Les autres sont partis parce qu'on les chassait : comme communistes (d'Égypte dès 1948), comme Juifs (d'Égypte aussi, à la même date), ou simplement comme Français (d'Égypte en 1956, d'Algérie en 1962, de Tunisie et du Maroc à partir de 1956.)

De ces deux destins si contrastés, les Juifs ont tiré des conséquences idéologiques totalement opposées. Les premiers ont rallié en masse, du moins jusqu'à l'immédiat après-guerre, les rangs du mouvement communiste, supposé être le meilleur rempart contre le fascisme exterminateur. Les seconds n'ont, majoritairement, guère imaginé d'autre issue que l'intégration dans une société dont ils parlaient déjà la langue et dont le discours sur la liberté les avait toujours fascinés. Il n'empêche que des individus ou de petits groupes, pour certains déjà fortement politisés avant leur exil, ont choisi eux aussi de se joindre aux combats du PCF.

Il nous revient dès lors d'étudier, pour les uns comme pour les autres, les itinéraires de leur déracinement : par quels chemins ces hommes et ces femmes, ou leurs parents, ont gagné la « douce France » ; comment les aventures et les mésaventures de l'exode ont pu déterminer, au moins en partie, leurs engagements idéologiques.

II

Les itinéraires du déracinement

Ashkénazes ou séfarades, ils ont donc quitté la terre où vivaient leurs ancêtres depuis des centaines d'années, quelquefois depuis le haut Moyen Âge, plus communément depuis au moins le xve siècle. Comment s'est opéré ce long voyage ? Par quelles étapes ou quels détours ? Ici encore deux types d'odyssée s'opposent, où l'on retrouve les vieilles structures qui, sur la longue période, marquent l'histoire juive, avec parfois cette modulation, cette marge de variation qu'apporte la dimension communiste.

Itinéraires ashkénazes

Le parfait militant clandestin que la police pourchasse et qui décide, après bien des hésitations (et toujours avec l'autorisation du Parti), de poursuivre la lutte sous d'autres cieux, nous le rencontrons ici de nouveau dans les récits des deux héros octogénaires qui nous ont si bien décrit le Yiddishland de leur jeunesse.

Licencié à la suite d'une grève, réintégré chez son patron tailleur après une intervention de son oncle « qui avait de l'influence dans la ville », Michel Grojnowski trouve que l'atmosphère au travail devient trop dure. À l'instigation d'un camarade, il décide de partir (sans du reste, semble-t-il, très bien savoir pour où...).

J'ai fait une demande à la Jeunesse communiste. Ils m'ont dit : « Tu peux aller. » Ils m'ont autorisé. C'était en 1928. Nous sommes partis tous les deux. Imaginez-vous que le soir de notre départ, à la gare, on a vu que le policier en civil qui s'occupait de nous était là, lui aussi ! [Il rit.]

Nous avons donc quitté la Pologne. En train. En août 1928. Illégalement. Nous sommes allés à Dantzig. Nous avions une adresse : il fallait aller chez un pêcheur qui, lui, nous emmènerait en Allemagne. On est convenu d'un prix. Il nous a emmenés dans une ville allemande, qui s'appelait Elbing. Nous sommes allés à la gare, on s'est acheté des billets pour Berlin.

Nous sommes arrivés à Berlin. Illégalement. Nous savions qu'à Aix-la-Chapelle il y avait un restaurant juif, nous avions l'adresse. Là-bas, on pourrait trouver quelqu'un pour nous emmener en Belgique. Le restaurateur était habitué. Il nous a fait connaître quelqu'un qui nous a dit : « Cet après-midi, on y va ! »

Nous lui avons payé ce qu'il fallait payer. Au milieu de la forêt, il nous a dit : « Vous avez à choisir. Ou je vous laisse tomber, ou [il s'adresse à moi] tu me donnes ta gabardine ! » J'avais une gabardine neuve que j'avais faite moi-même pour mon départ. Quoi faire ? Je lui ai donné la gabardine. Il nous a emmenés en Belgique. Chez un paysan.

À Bruxelles, j'avais un cousin. Je lui avais écrit que je venais. Mais, en arrivant à la gare de Bruxelles, nous n'avions plus un centime ! Ni mon ami ni moi ! Secs ! Il faisait très chaud. On avait soif. Nous sommes allés à pied chercher où habitait mon cousin. Je parlais quelques mots de français. Je pouvais déjà me débrouiller pour demander mon chemin.

Mon cousin nous a très bien accueillis. Le deuxième soir, il m'a dit : « Je te conseille d'aller à Anvers. Là-bas, il y a quelqu'un de Wloclawek, je te donnerai son adresse, tu iras chez lui, il va t'aider à t'installer. » Je l'ai écouté. Et j'ai bien fait !

Je suis allé chez cet homme. C'était un membre très éloigné de ma famille. Je lui ai dit : « Je voudrais me légaliser ! » Il s'est renseigné. Il m'a dit : « Voilà. Tu vas aller au commissariat, à tel endroit. Tu diras que tu es venu de Pologne et que tu voudrais rester à Anvers. » Quel a été mon étonnement en arrivant à la police ! Sur la porte, il y avait une inscription en yiddish ! [Il rit.] Anvers, c'était une grande ville juive ! J'ai vite obtenu une carte d'identité.

J'ai commencé à travailler au bout de deux ou trois jours. Comme tailleur. À Anvers, il y avait une association culturelle, la Koultour Lige. J'y allais le soir. Là, j'ai rencontré des camarades. Ils m'ont aidé pour prendre contact avec le Parti belge. Mais malheureusement je ne

pouvais pas participer aux discussions, parce que tout était en flamand !
[Il rit.]

Un an plus tard, en 1929, j'ai trouvé un très bon emploi à Liège. Je gagnais très bien ma vie. En 1930, il y avait eu une manifestation le 1er mai. Les adhérents de la Koultour Lige avaient manifesté avec les syndicats révolutionnaires. Quelques mois après, la police a commencé à expulser massivement tous les camarades qui étaient là. J'ai été expulsé. Un camarade m'a conseillé d'aller à Verviers, parce que le consul français donnait, paraît-il, des visas pour la France... Immédiatement, nous avons eu nos visas. Je suis arrivé à Paris en septembre 1930.

Quelques éléments majeurs, que l'on retrouvera dans plus d'un récit, se rencontrent déjà dans ce premier périple. D'abord la solidarité juive, qui fait fi des attaches idéologiques et qui peut se décomposer en trois cercles : la famille (le cousin de Bruxelles, le « parent éloigné » d'Anvers), le village ou le bourg (« un de Wloclawek »), la judaïcité ashkénaze (le restaurant juif d'Aix-la-Chapelle). Ensuite, le réseau d'accueil et d'entraide des Juifs communistes (la Koultour Lige). Les deux affiliations se complètent. Le yiddish sert de passeport. Le polyglottisme de ces Juifs de la frontière, qui parlent trois langues, aide à franchir les obstacles.

L'exode d'Emmanuel Mink n'est pas sans ressembler quelque peu à ce modèle. Libéré de prison, le jeune ouvrier communiste part pour Lodz, où il veut demander des ordres à un responsable du Parti. Impossible de le rencontrer : le camarade vient d'être arrêté. Mink décide donc seul de fuir en Belgique. Nous sommes en 1935.

J'ai tout fait sans papiers. J'ai passé à travers l'Allemagne. Clandestinement. J'étais avec mon cousin. On a été arrêtés à la frontière, à Aachen. J'ai fait trois semaines de prison pour ça. Dans le cachot, il y avait un Gitan et un Allemand, un sportif, qui avait été dénoncé par sa famille comme communiste. Dans cette cellule est venu aussi un aristocrate, bien habillé, avec une chevalière. Quand on est sortis, au bout des trois semaines, il a été libéré. Nous, nous n'avions plus un sou. On est allés chez ce Juif, qui avait un magasin et différents châteaux. Un grand grand monsieur, il nous a donné un petit morceau de ce qu'il lui restait. On est allés après visiter des Juifs. C'était des familles de la haute finance.

Et après on a téléphoné au Consistoire juif. Ils nous ont demandé : « Pourquoi vous voyagez ? Vous deviez rester en Pologne. – On est partis, parce qu'il y avait les pogroms et tout ça... » Ils nous ont quand même donné des dollars. C'était le 1er mai. Tout le monde était dehors. On s'est vite sauvés. On est allés chez un passeur. [Il le dit en yiddish.] Il est allé avec nous jusqu'à un point proche de la frontière, dans un café. On n'avait pas de sous. On a donné nos manteaux. On a passé en Belgique.

L'Internationale communiste organise une Olympiade anti-fasciste à Barcelone, pour faire pièce aux Jeux de Berlin. Mink décide d'y aller : « J'étais membre de l'équipe du YASK[1], mais je n'ai pas eu les papiers, je n'ai pas eu un sou. Tout était gratuit. On m'a fait passer la frontière, on m'a payé à manger. Jusqu'à la frontière. »

Ne croirait-on pas, à deux ou trois variantes près, entendre le même récit ? La même solidarité juive, qui fait fi des différences de classe et même des vieilles querelles entre laïques et religieux (l'« aristocrate » avec sa « chevalière » et ses « différents châteaux », les « familles de la haute finance » et même le « Consistoire juif », auquel Mink, athée impénitent, anticlérical et marxiste, n'hésite pas à s'adresser, au risque de s'attirer quelques remontrances que n'eussent pas désavouées, à cette époque, les dirigeants du Consistoire de Paris[2]) ; le même réseau d'entraide affilié au mouvement communiste (ici, le YASK) ; le même itinéraire par l'Allemagne et la Belgique. Ce qui oppose les deux odyssées, c'est la destination provisoire : l'Espagne.

Cette trame de l'exode ashkénaze des années vingt ou trente, on la retrouve dans plus de dix entretiens. Parfois, le passage de la frontière française ne va pas sans quelque anicroche. Yves-Marc Z. (né en 1946 à Paris) raconte l'exode de son père vers 1929-1930 :

1. *Yidishe Arbeter Sport Klub* – Club athlétique des travailleurs juifs. Organisation proche du Parti communiste.
2. Cf. l'intervention de Robert de Rothschild, le 26 mai 1935, devant l'Assemblée consistoriale des Israélites de Paris, in Simon Schwarzfuchs, *Aux prises avec Vichy*, Paris, Calmann-Lévy, 1998, p. 60.

Il est venu clandestinement en France, en passant par la Belgique – il avait quinze ou seize ans. Il s'est fait une première fois attraper à la frontière franco-belge, bêtement, à la gare, il était déjà en France. Mais, alors que les passeurs leur avaient demandé de se disperser et d'attendre le train pour Paris, ils sont restés ensemble et, à ce moment-là, la gendarmerie française les a attrapés. Mon père, étant mineur, a été renvoyé en Belgique et mis dans un orphelinat. Jusqu'à ce que sa sœur, qui était déjà en France, organise un passage clandestin pour venir à Paris.

Quelques-uns, à peine arrivés, se laissent aussitôt tenter par la grande illusion du Birobidjan, cette région autonome juive créée de toutes pièces en Asie centrale par les dirigeants soviétiques. Rose M. (née en 1933 à Moscou) se souvient de cet étrange (ou tragique) épisode :

> Mes parents, d'origine polonaise, sont d'abord venus en France et ils ont accepté – je ne sais plus si c'est en 1931 ou 1932 – de partir au Birobidjan. Ils ont fait partie des milliers de Juifs qui sont partis là-bas. D'ailleurs, une des conditions, c'était d'être en couple. Ils ont fait une expérience désastreuse. Ils se sont repliés sur Moscou. Ma mère s'est retrouvée enceinte. De moi. Mon père, lui, a réussi à partir en premier. À regagner la France. Et ma mère est restée jusqu'à l'accouchement : elle a accouché à Moscou. Elle a dû revenir début 1935. Ce que mon père me racontait, c'était les difficultés matérielles qu'ils ont trouvées. Je ne sais pas ce qu'on leur avait raconté, mais quand ils sont arrivés, c'était la taïga. L'hiver, il faisait – 40, l'été + 40. Il n'y avait rien. Ils n'étaient pas du tout préparés à construire un pays comme ça.

On verra que ce mythe de la république juive d'Asie centrale a bercé plus d'un militant, malgré tous les témoignages désastreux des rescapés.

Parfois – plus souvent –, le trajet Varsovie-Paris s'allonge d'un détour inattendu : plus d'un Juif communiste a d'abord, fût-ce encore dans les langes, cédé à la tentation de l'*aliyah*[3]. La mère d'Yves-Marc Z. (celui dont le père se fait arrêter à la frontière franco-belge) naît à Czestochowa dans une famille très religieuse,

---

3. Littéralement : la montée. C'est la décision de s'installer en Israël.

mais influencée par le *Poalé Tsiyon*[4]. Elle part avec ses parents pour la Palestine en 1930, *via* le port de Constanza en Roumanie. Et là, raconte Yves-Marc, « ma mère et toutes ses sœurs rentrent dans le mouvement communiste clandestin en Palestine. Et pas dans le mouvement sioniste. Elle se fait prendre par les Anglais, elle est condamnée à un an de prison et à l'expulsion. Donc elle est renvoyée en Pologne ». En 1933, elle passe de nouveau la frontière clandestinement, et se fait arrêter en Allemagne par la police hitlérienne ; libérée au bout de vingt-quatre heures, elle traverse la Hollande et la Belgique, avant de rencontrer son futur mari « dans les groupes juifs communistes de Paris ».

Iliane K. naît, elle, « vers 1923[5] » à Tel-Aviv :

> Maman fait partie des *Poalé Tsiyon* de Cracovie, papa faisait partie des jeunes Juifs communistes. Mes parents se sont connus là-bas et ils sont partis en Israël, à peu de temps d'intervalle. Ils sont tous passés par l'Autriche. Et puis, en plus, c'était pour ne pas faire le service militaire en Russie, et maman, c'était pour fuir le ghetto et surtout pour construire des routes pour les Juifs en Palestine.
>
> Maman est arrivée comme elle a pu. Papa, je crois que c'est en Autriche qu'il a été contacté par des communistes juifs, qui ont donné à mettre dans sa casquette le compte rendu de je ne sais plus quel congrès de quelle Internationale. Mes parents sont partis, ils avaient dix-sept/dix-huit ans.
>
> Et sur le bateau, il avait un contact avec un marin. En arrivant, je ne sais pas où ils sont descendus, il a remis les documents. Ils ont commencé tout de suite. Lui, c'était évidemment dans l'organisation des Juifs communistes. Et maman dans un autre *kibbouts* – c'était des *kibbouts* qui étaient faits pour faire des routes.
>
> — Pourquoi ? Elle était ingénieur ?
>
> — Pas du tout. [Elle rit.] C'est eux qui faisaient les routes, c'est-à-dire ils faisaient... avec leurs mains... Mes parents se voyaient de temps en temps. Mon papa a fini par convaincre tout de même maman de venir chez les communistes. Alors que dans son *Poalé Tsiyon*, qui était des sionistes, mais de gauche, il y avait des gens qu'elle aimait bien,

---

4. *Poalé-Tsiyon* (Les Ouvriers de Sion), parti sioniste-socialiste, d'inspiration marxiste, né en Russie en 1905, notamment sous l'influence intellectuelle de Ber Borokhov. En 1919, une fraction se proclame Parti communiste juif. Ralliés au pouvoir bolchevique, les PT sont dissous en 1928.

5. C'est la seule de tout l'échantillon qui refuse d'indiquer sa date de naissance.

peut-être aussi parce que plus cultivés. Là, mes parents ont vécu ensemble. C'est là où je suis née.

Et deux ans et demi après, ils se sont mariés, parce qu'il fallait prendre le bateau pour partir. Pourquoi fallait-il partir ? Papa, donc, était dans le bâtiment et ne pouvait faire aucune profession, il n'avait aucun travail parce que pour travailler il fallait être inscrit au syndicat. Et il y avait le syndicat sioniste et le syndicat des Arabes. Papa faisait partie du syndicat arabe. Donc il n'avait pas de travail, malgré dix ans sur les routes de Palestine. Ils ont décidé de venir en France.

Ils arrivent en 1928. Ils sont expulsés « parce qu'on ne voulait pas de nous ». Ils prennent de nouveau le bateau, cette fois pour la Tunisie. Là, ils restent trois ans et obtiennent la nationalité française, ce qui leur permet enfin, trois ans plus tard, de s'installer en France.

Des itinéraires complexes comme celui-là, plus d'une famille communiste ashkénaze en a fait l'expérience. Le père de Sacha R., militant du Parti communiste polonais dans la Pologne de l'entre-deux-guerres, s'enfuit en URSS quand les Allemands envahissent son pays. Il se réfugie à Sverdlovsk, où son épouse donne naissance à Sacha en 1943. Il rentre à Varsovie en 1945, mais – pour des raisons qui seront longtemps occultées – décide en 1947 de partir pour l'Ouest (ce qui posera, bien plus tard, quelques problèmes à Sacha quand il devra rédiger sa « bio » pour le Parti...). En transit à Munich, les parents retrouvent une partie de leur famille dans un camp de « personnes déplacées ». « Et mon oncle, le frère de maman, avait déjà repris un certain nombre de contacts : c'était quelqu'un de très vivant et de très entreprenant. Il avait des gens qu'il connaissait à Paris, il était entre Munich et Paris, il nous a fait venir à Paris. »

Joseph A. naît à Rome en 1944. Sa mère était arrivée à Belleville en 1926, à l'âge de douze ans. Son père, débarqué à Paris en 1936 après s'être échappé des prisons polonaises, entre bientôt dans la Résistance, ce qui l'amène à organiser un réseau de sauvetage de Juifs à partir du Vatican. Déporté à Auschwitz, il en réchappe et revient en France, tandis que sa femme, la mère de Joseph, le croyant mort, part deux ans en Palestine... Joseph, lui, pendant ce temps, est recueilli par les Maisons d'enfants de la CCE[6].

Le père de Michèle A. (née en 1953 à Paris) quitte Varsovie à l'âge d'un an. Il passe sa jeunesse à Bruxelles. Il a quinze ans en 1939. Après la défaite, il est bientôt assigné au travail forcé pour l'Organisation Todt. Il s'enfuit. Il arrive en Espagne, puis au Maroc. Il s'engage dans les Forces françaises. « Il a fait trois ans de guerre, qui ont fini par la campagne d'Allemagne. Et à ce moment-là, ayant perdu toute sa famille, se retrouvant quasiment seul, il n'a voulu retourner ni en Pologne ni en Belgique, où il n'avait plus personne, il a demandé à être français et il est resté à Paris à la fin de la guerre. »

Mais le plus complexe des itinéraires, c'est peut-être celui d'Emmanuel Mink qui, parti de Pologne, traversant mainte mésaventure en Allemagne et en Belgique, se retrouve en 1936 – nous l'avons vu – à Barcelone, dans l'Espagne des Olympiades antifascistes, avant même d'aborder – trois ans plus tard – aux terres françaises[7].

Il arrive au beau milieu des combats qui, les 19 et 20 juillet 1936, opposent les anarchistes aux soldats sortis de leurs casernes[8]. Il est clair que, cinquante-neuf ans plus tard, il n'en saisit toujours pas les enjeux. Quand il essaie de s'engager dans les Brigades, à l'hôtel Colon, sur la place de Catalunya, on lui donne l'ordre de rentrer en Belgique. Il discute, et finit par se faire accepter. Il part pour le front au bout de quinze jours. Avec son camarade Abrascha Krasnowiecki, lui aussi Juif polonais, il participe à des actions comme volontaire. Il est blessé.

En 1937, Emmanuel Mink devient commandant de la compagnie Botwin, composée exclusivement de volontaires juifs parlant

---

6. Commission centrale de l'enfance auprès de l'UJRE. Organisme créé en 1943 par la Résistance juive communiste pour venir en aide aux enfants de déportés et d'internés.

7. Cf. Arno Lustiger, *Shalom Libertad*, Paris, Éditions du Cerf, 1991, qui raconte de façon très précise l'épopée des Juifs communistes au sein des Brigades internationales et qui interviewe lui aussi Emmanuel Mink, avec d'autres détails (p. 81-87). La compagnie Botwin, dont Mink a été le commandant, est une unité juive des Brigades internationales.

8. Cf. Carlos Semprun-Maura, *Révolution et contre-révolution en Catalogne*, Tours, Mame, 1974.

yiddish. Il est blessé, une deuxième fois, sur le front de l'Èbre. La doctoresse qui le soigne sera, dit-il, jugée et condamnée au procès Slansky, à Prague, en novembre 1952[9].

Après les derniers combats et la dissolution des Brigades, il rentre en France. Il y sera arrêté comme résistant dès le 20 août 1941 et déporté à Auschwitz le 27 mars 1942. Nous le retrouverons à la Libération, où sa vie aventureuse de Juif communiste connaîtra encore de nouvelles tribulations[10].

Peu de destins nous paraîtront aussi paradigmatiques que celui d'Emmanuel Mink, éternel combattant, éternel « idéaliste » (malgré la référence forcée au matérialisme historique), éternel romantique, toujours vaincu, toujours trahi, mais qui poursuit jusqu'au bout son itinéraire de Juste, n'acceptant jamais le compromis ni le mensonge. Fût-il resté dans le giron du judaïsme qu'on l'eût sans doute appelé *tsaddiq*[11], peut-être même Juste d'Israël.

La marque communiste, dans ces itinéraires du déracinement ashkénaze, c'est bien sûr le combat, la prison, la clandestinité. Mais pour tous (ou pour beaucoup...) – y compris ceux qui ne songent alors qu'à sauver leur vie et celle de leur famille, voire ceux qui ont connu la tentation sioniste –, le souvenir si proche de l'antisémitisme polonais, la rudesse du voyage puis de l'accueil en France, les réseaux de solidarité qu'a su tisser le mouvement révolutionnaire, tout cela constitue un appel d'air qui va en amener plus d'un à se rapprocher, à compagnonner, bien souvent à adhérer, quitte à regretter quelques années plus tard cette idylle incertaine.

---

9. Emmanuel Mink commet probablement une erreur de date : aucune femme ne figurait parmi les onze condamnés du procès Slansky.

10. La vie d'Emmanuel Mink, qui a conservé d'importantes archives personnelles, mériterait qu'on lui consacre un livre...

11. *Tsaddiq* : « Homme exceptionnellement pieux et croyant [...]. Les kabbalistes attribuaient au *tsaddiq* des pouvoirs divins » (*DEJ*, p. 1145-1146).

Itinéraires séfarades

Bien différents sont, à l'évidence, les itinéraires du déracinement séfarade. Jamais l'antisémitisme ne joue le moindre rôle dans les décisions d'exil. Le militantisme reste l'apanage d'une minorité, relativement isolée en marge de la société coloniale. Le « rapatriement » relève d'un mouvement de masse, où Juifs et non-Juifs subissent ensemble, la plupart du temps, les aléas de l'Histoire.

Mais, pour mieux comprendre les chemins de l'engagement politique, peut-être convient-il de remonter plusieurs générations en arrière. D'où viennent-ils ? La complexité, ou la pluralité, de l'univers séfarade nous imposera dès lors une analyse plus fine, fondée non seulement sur la diversité des aires géographiques, mais aussi sur l'ancienneté de l'installation en pays du Sud ou d'Orient, sur le récit plus ou moins mythique des origines.

Quelques-uns – les plus nombreux peut-être (treize sur cinquante) – revendiquent une très ancienne présence au Maghreb ou au Machrek.

En Algérie, une phrase clé revient dans plus d'un entretien, sous des formes différentes : « Nous étions là bien avant les Français, voire avant les Arabes. »

> Ma mère était juive d'Algérie, née à Alger aussi, raconte Raphaël T. (né à Alger en 1922). Son père était un Juif marocain, de Fès, au Maroc, qui était venu en Algérie je ne sais plus à quelle... avant 1900 tout au moins. Il avait rencontré ma grand-mère paternelle[12], qui était juive d'Algérie et dont les ancêtres, la partie juive de ma famille... étaient *en Algérie avant la Conquête*. Donc, à ce niveau-là, on est vraiment *sefardim*.

En Tunisie, la revendication d'ancienneté se double souvent d'une connotation aristocratique. Les uns s'enorgueillissent de tel

---

12. Raphaël T. se trompe, bien évidemment : il s'agit de sa grand-mère maternelle, et non paternelle. Mais le lapsus est significatif : le père de Raphaël T. est catholique, mais Raphaël T. revendique hautement sa qualité de Juif (au point, nous le verrons, de se faire circoncire à plus de soixante ans !) et rêve donc que sa grand-mère paternelle soit juive, elle aussi...

aïeul qui fut dignitaire à la cour du bey – un grand-père « fermier général du bey de Tunis » (Georges F., né à Tunis en 1917), à moins que ce ne fût l'arrière-grand-père (Micheline T., née en 1936 à Tunis). Les autres se targuent d'appartenir à l'élite des *Grana*, les descendants des Juifs venus de Livourne à la suite du docteur Lumbroso, chef des services de santé de l'armée tunisienne pendant la guerre de Crimée[13].

> En Tunisie, explique Serge Z. (né en 1948 à Tunis), il y a deux grands groupes de Juifs : il y a ce qu'on appelle les Juifs arabes... dont est originaire mon père, par exemple. En fait, des Juifs qui étaient là depuis... très longtemps. Sa mère ne savait pas parler un mot de français. Et puis il y a d'autres Juifs en Tunisie – ce qu'on appelle les *Grana* (on appelle ainsi les Livournais). Alors eux étaient un peu l'élite intellectuelle, commerçante, d'où est issue plutôt ma mère. Du côté de son père, parce que sa mère à elle était une Juive arabe d'Algérie.

Combien d'autres Juifs tunisiens se flattent ainsi de leurs origines toscanes, d'autant plus gratifiantes que la communauté de Livourne jouit du droit de cité depuis le XVIe siècle[14].

Au Maroc, l'orgueil des origines oscille entre deux pôles. Les uns se disent venus de la vieille montagne berbère : « Le Ouezzan, vous voyez, c'est les montagnes du Maroc qui se trouvent à côté de Marrakech. Des gens extrêmement pauvres, frustes, bornés, sans scrupules, sans moralité... » (Claude J., né en 1928 à Tlemcen). Les autres, tout à l'inverse, chantent la gloire de leurs aïeux grands bourgeois de Salé ou de Fès : Alain F. (né en 1946 à Casablanca) décrit ainsi une « double lignée » de grands rabbins et de négociants, tous issus du quartier juif de Salé, où à chaque génération le fils d'une lignée rejoint l'autre branche et réciproquement ; lui-même universitaire (et membre du Comité national du PCF), il est très fier de préciser que « ce système, assez classique quand même » a été décrit récemment par un anthropologue américain.

Plus « aristocratique » encore, si possible, la revendication d'une

---

13. Cf. Élie Barnavi (sous la dir. de), *Histoire universelle des Juifs de la Genèse à la fin du XXe siècle*, Paris, Hachette, 1992, p. 178.
14. *Ibid.*, p. 138.

ascendance espagnole, pas toujours incompatible avec la précédente. Ainsi Alain F., justement : « Du côté de mon père, c'est manifestement une origine... fort lointaine, qui doit remonter au XIVᵉ siècle et à une descente par l'Espagne. »

Cette revendication d'ancienneté – authentique ou purement mythique, peu importe – ne conduit évidemment pas toujours, loin s'en faut, dans les rangs d'un parti qui se veut révolutionnaire. Mais elle incite peut-être certains à se sentir partie intégrante du peuple colonisé, plutôt que du colonisateur. Nous verrons que quelques-uns de nos séfarades vont rejoindre les mouvements de libération nationale, parfois même combattre dans leurs rangs. D'aucuns tenteront, aux lendemains de l'indépendance, de rester dans leur pays de naissance, croyant avec un certain optimisme que les nationalistes sauraient marier le combat classe contre classe au combat nation contre nation. Ils reviendront vite de cette illusion. Mais, pour certains, la lutte en France, devenue nouveau pays d'accueil, prendra le relais des derniers combats contre le colonialisme.

Beaucoup de ces séfarades ont enfin connu des itinéraires de déracinement complexes, parfois tout aussi biscornus que ceux de certains ashkénazes précédemment évoqués. Eux qui prétendent n'avoir jamais subi de persécutions, ils ont souvent erré dans toutes les marches de l'Orient, se fixant au gré du cours de telle ou telle marchandise, entremêlant au fil des mariages les deux traditions de la vieille histoire juive, l'ashkénaze et la séfarade.

Henriette B. (celle qui évoquait le récit des pogroms d'Odessa par sa mère) est née au Caire, où son père était arrivé, transplanté de la Trieste austro-hongroise, en passant par la Palestine. Sa mère était donc née à Odessa, d'un père diamantaire venu de Kiev :

> Et en 1905, à la première révolution échouée, il a dû y avoir des pogroms assez terribles, mon grand-père a décidé de quitter la Russie. Alors il a transformé ses pierres, il a pris un gousset avec des pierres, qu'il a mis donc dans... dans sa ceinture. Et ils sont partis.
>
> Et comme ça, ils ont fait pratiquement pendant dix-huit mois le tour de l'Europe, parce que ma grand-mère ne supportait... aucun pays au monde, sauf la Russie. Et à chaque fois, elle disait : « Je ne veux pas rester ici. » Donc ils arrivaient à rester trois mois dans un pays, six mois

dans un autre. Finalement, une première fois, ils sont arrivés à Alexandrie. Et là, ma grand-mère a dit : « On part tout de suite. Ce pays est sale, les hommes sont habillés comme des femmes. Je ne veux pas rester ici. » Donc ils sont partis pratiquement un ou deux jours après.

Ils ont refait quelques petites villes européennes. Et finalement mon grand-père, je trouve qu'il avait beaucoup de patience, il a dit : « Ça suffit. Le Caire, c'est un pays où il fait chaud. On ne me demande pas des papiers. Je peux m'installer n'importe où. »

Étaient-ils séfarades ? Étaient-ils ashkénazes ? « Mon père probablement était ce qu'on appelle séfarade. Et ma mère, non, bien sûr. On parlait français à la maison. Mon père ne voulait pas entendre parler du russe. Et on a parlé toutes les langues. » Et comme leur pratique religieuse était à peu près nulle, bien difficile de savoir dans quelle synagogue le père eût écouté le *Chema Israël*...

Philippe E. est né en 1959 à Casablanca, d'un père lui-même né à Oudjda :

> Mon grand-père maternel était d'origine hongroise. Il a – on ne sait pas si c'est la légende, ça nous paraît extraordinaire –, il a émigré en 1920 au moment de la vague antisémite qui a suivi l'échec de la révolution de Bela Kun, le régime du maréchal [*sic*] Horthy. Il ne parlait pas français. Il serait, paraît-il, arrivé par le train à Nancy. Et puis, lorsque le train s'arrête en gare de Nancy, on lui aurait dit : « Par ici ! Par ici ! » Comme il croyait que « Par ici », ça voulait dire Paris, il serait descendu sur le quai à Nancy. La mère de ma mère était en fait originaire d'un bled qui s'appelle Tachau en Bohême, aujourd'hui en République tchèque. Donc nous sommes à la fois ashkénazes et séfarades.

Toujours l'inextricable mélange. Sauf que, dans les deux cas, les souvenirs d'enfance sont tous d'Orient, les camaraderies d'adolescence frôlent toutes le monde arabe... Et, dans les deux cas aussi, la part semi-légendaire, la mythification des origines en conte de fées, en odyssée, en saga orientale.

Beaucoup de ces périples des parents (ou des enfants eux-mêmes) traversent, pour une longue ou courte étape, ce qui s'appelle encore la Palestine. Peut-être n'y faut-il voir aucune tentation sioniste : Jérusalem est à une nuit de train du Caire.

59

Des pogroms, il y en eut aussi dans le monde ottoman, supposé si tendre aux Juifs. En témoigne Élie T., né en 1944 à Alexandrie :

> Ma mère était originaire de Grèce par ses parents, Juifs grecs nés dans le nord de la Grèce, à la frontière albanaise, et émigrés en Égypte en 1895-1900. Et donc née en Égypte et vivant en Égypte. Mon grand-père est parti de Grèce sur un pogrom, qui était un pogrom antisémite des Turcs. À l'époque, à la fin du XIXᵉ. Dans les années 1890.

Hubert B., né en 1953 à Tunis, raconte presque la même histoire :

> Mon père fait partie de ces Juifs qui habitaient à Smyrne. Lui-même est né à Smyrne. Il était d'une famille nombreuse, avec plusieurs frères et sœurs. Et donc ils sont tous venus, dans les années 1919-1920, dans des circonstances de pogrom contre les Juifs, qui étaient organisés à cette époque-là. Ils sont venus d'abord, semble-t-il, sur Marseille.

De là, ils partiront ensuite pour Tunis, le reste de la famille se répartissant entre New York et Montevideo.

> Ma mère, son origine c'est autre chose. C'est à la fois des gens qui venaient d'Égypte et des gens qui venaient d'Italie, c'est-à-dire des Castro d'Italie. Mais je n'en sais pas plus. Et dans la famille de ma mère, il y avait même des Guez[15], je pense qu'il devait y avoir des Espagnols également. Un ensemble complexe.

Lydia G. (née en 1916 à Alep) pousse encore plus loin le goût des généalogies romanesques. Venus de Syrie, séjournant ensuite sept à huit ans en Turquie, ses parents s'installent au Caire en 1927.

> Alors il paraît que mes parents, ça c'est un professeur d'arabe qui l'a dit aux Langues O, ma sœur suivait des cours, il a dit : « Votre nom, c'est un nom araméen. » Descendant des Araméens, qui d'ailleurs vivaient au nord de la Syrie, dans la région d'Alep. Jésus-Christ vivait là – nous sommes, paraît-il, cousins à Jésus Christ. [Elle rit.]

Près de la moitié des interviewés séfarades (vingt et un sur cinquante) ont ainsi connu, eux-mêmes ou leur ascendance, des

---

15. C'est-à-dire des Juifs venus d'Éthiopie, hypothèse sans doute elle aussi mythique.

destins géographiques hautement tourmentés. D'Algérie en Palestine, puis retour en Algérie. De Salonique à Milan, puis à Alexandrie. De Manchester à Alep, puis au Caire. De Roumanie à Beyrouth, puis en Palestine, avant d'atterrir à Alexandrie. De Kichinev à Odessa, puis à Smyrne et à Marseille, pour épouser un homme venu de Sidi Bel Abbès. Et ainsi de suite...

On pourrait ainsi supposer que la complexité et la multiplicité des origines (ashkénazes et séfarades mêlés) tendraient à « dénationaliser » ou à « internationaliser » les Juifs, la nationalité se réduisant dès lors à un passeport purement théorique, ce qui les pousserait quelquefois à faire un bout de chemin (ou davantage) avec les communistes, porteurs d'une image « internationaliste ». N'oublions pas que les *missi dominici* du Komintern, les Eugen Fried[16], les Rakosy, les Artur London, étaient souvent des Juifs.

Chez certains séfarades, cependant, par un mouvement inverse, l'ancienneté de l'origine autochtone « nationaliserait » les Juifs et les inciterait parfois (rarement...) à épouser les luttes du peuple colonisé contre le peuple colonisateur, auquel la loi les rattache en apparence, ce qui pourrait les amener à se rapprocher des communistes, solidaires de ces luttes, même si les nationalistes ne les accueillent qu'avec les plus expresses réserves. Quelques-uns tenteront même de rester, après l'indépendance, au pays de leur naissance. Ils comprendront, au bout de quelques années, que leurs « compatriotes » musulmans (ou du moins ceux qui les représentent et les dirigent) ne voient plus en eux que des étrangers. D'autres en gardent encore le passeport, même si leur éventuel retour, souvent rêvé, jamais réalisé (sauf pour de courtes vacances), relève d'une utopie ou d'une nostalgie impossibles.

C'est ainsi que le Parti communiste peut tout à la fois « nationaliser » les Juifs (en les associant, justement, aux mouvements de

---

16. Cf. Annie Kriegel et Stéphane Courtois, *Eugen Fried. Le grand secret du PCF*, Paris, Seuil, 1997.

libération nationale) et les « internationaliser » (« Les prolétaires n'ont pas de patrie », ou bien ils n'en ont qu'une, l'URSS).

Mais peut-être ce double mouvement contradictoire pourrait-il s'appliquer à l'ensemble des militants, juifs ou non juifs. Pour prendre deux exemples que cinq ans seulement séparent : la guerre d'Espagne tend à les « internationaliser » en les appelant à rejoindre une guerre qui n'est pas celle de leur patrie, tandis que la Résistance les « nationalise » au plus haut point, en les transformant en véritables paradigmes du patriotisme et de l'héroïsme au combat. Les Juifs communistes ne joueraient, dès lors, que le rôle de révélateurs particulièrement sensibles.

Cette double tendance, à la fois centripète et centrifuge, nous allons la retrouver en analysant la naissance d'une culture juive communiste en diaspora.

III

« On ne laissait pas tomber les camarades... »

Tout le monde connaît, ou croit connaître, le maillage d'institu-tions communistes, ou proches du Parti, qui quadrille le Belleville juif des années trente[1]. On ignore davantage qu'un phénomène du même ordre, bien que sous d'autres formes et de bien moindre ampleur, intéresse les communautés du Maghreb et surtout d'Égypte.

Le Paris juif communiste d'avant guerre

Prenons, une fois de plus, Michel Grojnowski comme guide pour explorer ce Belleville et ce *Pletzl*[2] où le Parti règne encore très largement, à travers tout un réseau d'organisations satellites, sur les ouvriers et les petits artisans fraîchement débarqués d'Europe de l'Est.

---

1. Cf. en particulier Nancy L. Green, *Du Sentier à la 7e Avenue. La confection et les immigrés, Paris-New York 1880-1980*, Paris, Seuil, 1998, p. 126-127, 138-139, 372-374, Paula Hyman, *De Dreyfus à Vichy*, Paris, Fayard, 1985, p. 130 et *sq.*, p. 163 et *sq.*, p. 316 et *sq.* ; David H. Weinberg, *Les Juifs à Paris de 1933 à 1939*, Paris, Calmann-Lévy, 1974, p. 199 et *sq.* Le livre de Charlotte Roland, *Du ghetto à l'Occident. Deux généra-tions yiddiches en France*, Paris, Éditions de Minuit, 1962, ne traite pas de ce problème.

2. En yiddish, littéralement « petite place ». Désigne le vieux quartier juif du Marais (IIIe et IVe arrondissements).

J'avais ici mon frère. Très rapidement, il est devenu le secrétaire de la *Koultour Lige*. Donc, en arrivant ici, c'est là, au 10, rue de Lancry, que je suis allé. J'y ai retrouvé ma copine, qui est ensuite devenue ma femme. Elle avait été expulsée au mois de juillet. C'est une Bessarabienne. En Belgique, à la *Koultour Lige*, les jeunes ouvriers étaient presque tous d'origine polonaise et les copines étaient presque toutes d'origine bessarabienne. [Il rit.]

La *Koultour Lige* à Paris était quelque chose d'extraordinaire. Le soir, il y avait énormément d'ouvriers. Après le travail, ils venaient là. C'était une ruche ! Il y avait de nouveaux immigrés, d'anciens immigrés, on parlait, on parlait... Il y avait une grande bibliothèque. Les ouvriers prenaient beaucoup de livres. Il y avait des cours de français, de yiddish. Tous les samedis soir, il y avait un conférencier. À cette époque, il y avait déjà une petite chorale, où de jeunes ouvriers et des ouvrières venaient chanter.

Il y avait aussi la solidarité. Quand on n'avait pas où dormir, on allait à la *Koultour Lige*, on trouvait toujours quelqu'un qui vous prenait pour dormir ! Quand on n'avait pas un franc dans la poche, à la *Koultour Lige* on trouvait toujours quelqu'un pour prêter un peu d'argent ! Ça, c'était vraiment extraordinaire ! Celui qui prêtait n'avait pas beaucoup non plus, mais il prêtait ! On ne laissait pas tomber les camarades !

La Koultour Lige, les plus vieux en parlent encore avec émotion, même s'ils n'en ont pas eu une expérience personnelle et ne se souviennent que des récits de leurs parents. Chacun pouvait y conjuguer la nostalgie des origines et la volonté de s'intégrer dans les combats de la classe ouvrière française.

C'est une des très nombreuses « organisations de masse » à travers lesquelles le Parti exerçait son pouvoir sur une population parfaitement ciblée. Le Parti prenait en main, dès leur plus jeune âge, les enfants des militants, déboussolés par leur ignorance de la langue. Dans les *tsugob shuln* (écoles complémentaires), explique Grojnowski, « les enfants venaient le jeudi et le dimanche. Ils y apprenaient le yiddish, des chansons yiddish. Ils faisaient des excursions à Paris ou en dehors de Paris. Ça a eu un très grand succès ».

Il y en avait un rue des Panoyaux, raconte Annette R. (née en 1930 à Paris), avec des gens remarquables, dont une femme qui s'appelait Tema. Que sont-elles devenues ? Je ne sais pas. Mais je peux te dire que c'était déjà dans un esprit assez sectaire... Juste en face de notre patronage à nous, le patronage juif, il y avait un patronage catholique, c'était la bagarre permanente. [Elle rit.] Entre les autres et nous, c'était la petite guerre.

Son mari, Jacques R. (né en 1928 à Lodz), qui a fréquenté le même patronage, reprend un autre jour le même récit :

> C'était naturellement l'occasion d'insultes, d'engueulades avec les curés, c'était le bon moment pour chanter *La Jeune Garde*, de clamer « Et les curés ! ». J'y ai appris beaucoup de choses. Des quantités de chants que je connais encore jusqu'à maintenant, des chants yiddish, des chants révolutionnaires en français. Il y avait une grande fraternité, et beaucoup des copains qui sont devenus des héros de la Résistance sont sortis de ces patronages-là.

D'autres, ou les mêmes, fréquentaient La Bellevilloise, au 120, boulevard de Belleville. Écoutons, encore une fois, Jacques R. égrener ses souvenirs :

> Pour moi, j'alternais, j'allais à La Bellevilloise et j'allais dans ces patronages juifs. Et j'ai trouvé, avec le recul, que le niveau culturel était plus élevé dans ces patronages juifs. Les discussions littéraires, les discussions sur l'histoire du mouvement ouvrier, c'était vraiment très intéressant. On apprenait ça à des jeunes enfants, de six à quatorze ans, j'en ai gardé vraiment un bon souvenir.
> La Bellevilloise, c'était un peu la même chose, avec la différence que ce n'était pas des enfants juifs. Donc on n'apprenait pas le yiddish. On apprenait d'autres chants. On apprenait également l'histoire du mouvement ouvrier du 20e, du 11e, de la Commune. On allait au cinéma, naturellement. Tous les premiers films soviétiques, je les ai vus par l'intermédiaire de La Bellevilloise. Les premiers films d'Eisenstein. Je crois qu'une grande partie de mon tempérament s'est formée avec ces jeunes-là. Avec cet état d'esprit-là.

Mais l'instrument le plus efficace pour enrôler les jeunes Juifs, c'était sans doute le YASK, le *Yidishe Arbeter Sport Klub* (Club sportif des travailleurs juifs), créé en 1929 et affilié à la Fédération sportive des travailleurs, qui allait devenir plus tard la FSGT (le G signifiant « gymnique »). Émanation de la CGT, le YASK est toujours dirigé par un permanent du Parti :

Comme tout bon militant, raconte Maurice N. (né en 1924 à Paris, futur héros de la Résistance juive communiste), j'ai commencé d'abord par la FSGT des mômes, pilier du YASK – *Yidishe Arbeter Sport Klub*, c'est ça ? Donc j'ai fait beaucoup de gym, quand j'étais môme. Le YASK, c'est 1930... Oui... 1933, 1934... Participation avec le YASK à toutes les Fêtes de *L'Huma*, parce que j'étais pas mal, j'étais beaucoup plus beau que maintenant, je faisais beaucoup de gymnastique, les barres parallèles, des démonstrations de gym à la Fête de *L'Huma*, c'était le rôle des yaskistes. Au YASK, on vendait le journal de... je ne me rappelle plus... *Mon camarade...* Mais ça restait dans le YASK.

Pour ceux que le sport n'intéressait guère, les Pionniers prenaient le relais. David T. (né en 1919 à Paris), qui est toujours au Parti soixante-dix ans plus tard, y est entré « vers huit ans peut-être, neuf ans ».

À ce moment-là, il y avait les Pionniers, qui étaient encadrés par des membres du Parti, je me souviens même du nom de celle qui nous encadrait. On était un bon groupe. Alors Pionnier, ça me plaisait, je ne le regrette pas d'ailleurs, on faisait de bonnes sorties, on chantait des chants révolutionnaires.

« Ça me plaisait » : le plaisir, bien sûr. Être « encadré par le Parti », cela n'exclut pas que l'on s'amuse – bien au contraire –, que l'on goûte la fraternité des jeux avec les « camarades ». Rien n'est obligatoire : Belleville des années trente, cela n'a rien à voir avec les démocraties populaires d'après guerre !

Devenu jeune adulte, le Juif communiste de Belleville ou du *Pletzl* n'est évidemment pas lâché par le Parti. Peut-être a-t-il adhéré, peut-être hésite-t-il encore. Peu importe. Le réseau continue de veiller sur lui. Au syndicat CGTU (ou CGT après la réunification) – où l'on passe tout naturellement, puisque le YASK en était déjà l'émanation –, des sections juives l'attendent.

Michel Grojnowski semble avoir joué un rôle majeur dans l'organisation de cet univers syndical proprement juif et largement communiste. Dès son arrivée à Paris, en 1930, il s'attelle à la reconstruction du syndicat de l'habillement, décimé par l'échec des grèves de 1924. Au point qu'au moment des grèves de 1936, « on avait 13 000 syndiqués juifs à la CGT ».

Je reconnais maintenant que nous étions... envahissants ! [Il rit.] Il y avait beaucoup de sections syndicales où on ne savait pas parler français, on parlait yiddish. Quand un ouvrier français venait au syndicat pour se syndiquer, il voyait tous ces étrangers ! [Il rit.]

Une Commission intersyndicale juive est constituée « vers 1933-1934[3] », avec un journal, *Der Yidisher Arbeter*[4]. Un accord est signé « vers 1935 ou 1936 » avec l'organisation syndicale des petits patrons[5]. Mais « même chez les petits patrons, il y avait certains problèmes, parce qu'ils avaient un ouvrier et quelqu'un qui a un ouvrier, il voudrait quand même l'exploiter un peu ! [Il rit.] » En 1936, « pour la première fois officiellement, la Commission intersyndicale juive a participé aux grandes manifestations du Front populaire, avec une banderole en yiddish. C'était vraiment un grand événement ».

Un quotidien communiste de langue yiddish, *Naye Presse*, apparaît en 1934. Ils en parlent tous, les vieux ashkénazes, même ceux qui ont depuis longtemps quitté le Parti. Michel Grojnowski se rappelle encore la naissance de ce journal, disparu depuis 1993 :

Le 1er janvier 1934 était organisé à la Porte de Versailles, dans une très grande salle, un bal pour fêter la parution du premier numéro. Les dirigeants comptaient sur la participation de mille personnes. Nous étions le double ! À tel point que les camarades chargés du vestiaire n'avaient plus de place pour mettre les manteaux ! À minuit, comme d'habitude, on a éteint la lumière pour quelques secondes. Quand l'électricité est revenue, un camarade est entré avec un grand paquet du nouveau journal, la *Naye Presse*. Les journaux ont été arrachés en quelques minutes. On a commencé à sentir une atmosphère d'excitation et de bonheur. Beaucoup de camarades comprenaient quelle importance cela revêtait d'être le seul journal progressiste juif en Europe occidentale.

---

3. D'après Nancy Green (*op. cit.*, p. 371) et Paula Hyman (*op. cit.*, p. 159), c'est en 1923 que cette Commission intersyndicale juive est créée.

4. D'après Nancy Green (*op. cit.*, p. 364) et Paula Hyman (*op. cit.*, p. 145), un premier journal appelé *Yidisher Arbeter* a été publié avant la guerre, entre 1911 et 1914. Il s'agit ici d'un deuxième journal, portant le même nom.

5. Cf. Paula Hyman, *op. cit.*, p. 162-163, et David Weinberg, *op. cit.*, p. 34 et 163. Ni chez ces deux auteurs, ni chez Nancy Green, je ne trouve trace explicite d'un tel accord.

L'affection d'autrefois pour le journal paraît une réalité encore attestée soixante-cinq ans plus tard. Même lorsqu'ils ont depuis longtemps quitté le Parti, rares sont ceux qui critiquent l'extrême stalinisme du quotidien au temps des procès de Prague et d'ailleurs, ou du « complot des blouses blanches ». La mémoire semble ici quelque peu sélective : on se souvient de la convivialité, du *witz*, des campagnes pour les naturalisés, mais pas du tout des polémiques sanglantes avec *Unzer Vort* et *Unzer Shtime*, ni de la dénonciation des *Judenratler*[6], c'est-à-dire de tous ceux qui osaient s'inquiéter d'un « soi-disant antisémitisme » en URSS.

Que les dirigeants communistes décident, au sommet, de créer le TSAFO (*Tsentrale fun Arbeter un Folks Organizatsies* – Centrale des organisations des travailleurs et du peuple – pour coordonner les activités culturelles et sociales (en bon français : pour mieux les contrôler), ou qu'elle fonde une Union des sociétés juives de France pour faire pièce à la Fédération, jugée trop proche des sionistes, il est probable que les Juifs pauvres de Belleville ou du *Pletzl* ne s'en sont même pas aperçus. Aucun d'entre eux, dans nos entretiens, n'y a jamais fait la moindre allusion. Un seul organisme surnage encore dans les souvenirs de quelques-uns : l'*Arbet Ordn*, une société de secours mutuels qui visait à contrebalancer l'influence, encore considérable, des *landsmanshaftn*[7].

Encadré, soutenu, diverti, éduqué par le Parti, le Juif communiste de Belleville ou (à un bien moindre degré) du *Pletzl* vit ainsi, jusqu'à la guerre, dans un univers chaleureux, solidaire, souvent joyeux, malgré l'extrême dureté de l'existence. C'est là que vont

---

6. Littéralement, les membres des *Judenrät*, c'est-à-dire des Conseils juifs organisés par les Allemands en Pologne occupée, qui ont contribué à l'arrestation et à la déportation de leurs prétendus mandants. Cf. Raul Hilberg, *La Destruction des Juifs d'Europe*, trad. Marie-France de Paloméra et André Charpentier, Paris, Fayard, 1988, p. 189 et *sq*. Dans le langage de *Naye Presse* des années cinquante, l'expression désigne les bundistes, les mapaïstes, les sionistes et, en général, toutes les organisations juives qui ne s'alignaient pas sur les positions du PC et dénonçaient la vague d'antisémitisme d'État en URSS et dans les démocraties populaires.

7. Terme yiddish désignant dans les pays d'accueil les sociétés d'originaires du même village ou de la même ville de l'Europe centrale et orientale.

bientôt surgir les figures des jeunes héros des FTP-MOI, tandis que la police française, auxiliaire de la Gestapo, décimera immeuble par immeuble la population de ce Yiddishland à la française

Juifs communistes en Algérie (avant 1945)

On imagine souvent qu'ils ne devaient guère être nombreux, les communistes, dans l'Algérie française d'avant 1945. Et pourtant les Juifs des classes populaires nourrissent déjà, parfois, des sentiments de sympathie pour ce parti qui met au premier plan la fraternité entre les communautés et la lutte contre le racisme.

Maurice O. (né à Oran en 1922), fils de cordonnier, lui-même à l'époque garçon coiffeur, le proclame avec fierté :

> J'ai toujours... quand j'ai eu le droit de vote... j'ai toujours, par instinct, pas par éducation politique... j'ai toujours voté communiste. Et à une certaine époque, nous avons élu, alors qu'Oran était une ville de droite, nous avons élu un maire communiste, Nicolas Zanetacci, qui n'est malheureusement pas resté longtemps. Il a... il a... tenu la mairie deux mois et la droite a réussi à faire invalider ces élections.

Et sa femme, Renée O. (née en 1923 à Oran), elle aussi coiffeuse, lui emboîte le pas : « Toute notre vie, depuis notre enfance, nous avons été du côté gauche. Et nous avons voté communiste dès qu'on a pu voter. » Pourquoi ? Par peur de Hitler, par peur aussi des Croix-de-Feu, dont l'Algérie pied-noir raffole.

Elisa T. (née en 1926 à Oran, secrétaire médicale) a, toute son enfance, admiré son père :

> Oui, mon père était communiste, c'est vrai. Depuis... enfin, depuis que j'ai commencé à comprendre. Il a travaillé au service du nettoiement, c'était une municipalité communiste et tout, à la suite de... qu'il pouvait plus chanter au théâtre, il était chef d'équipe dans le service du nettoiement. Et puis, bien entendu, il y avait pas la Sécurité sociale, il y avait pas tous les avantages que nous avons. Et alors donc... oh ! il parlait pas tellement de ça, mais enfin il avait les... j'ai toujours entendu dire qu'il était communiste.

Le grand-père de Jean-Marc A. (né en 1953 à Paris), marchand de tissus indigènes et épicier, se fait élire conseiller municipal communiste de Sidi Bel Abbès en 1931 :

> C'est un nœud ferroviaire important, Bel Abbès, donc il y a un véritable électorat ouvrier. Et d'ailleurs ce n'est pas innocent, c'est longtemps resté un des seuls endroits où il y avait des communistes élus. Donc ça commence comme ça. D'après ce que j'en sais, ce n'est pas un attachement idéologique, c'est... plus un attachement à des valeurs humanistes de gauche qu'un attachement genre véritablement fort. Il avait cette particularité assez étonnante, me semble-t-il, d'être à la fois trésorier de le section du Parti de Bel Abbès et trésorier du Consistoire israélite de Bel Abbès [*sic*].

Mais le seul de tout l'échantillon qui prend sa carte avant 1945, c'est Daniel G. (né en 1928 à Alger) :

> On habitait place de la Lyre, c'est la Casbah. Mes parents avaient plus de relations avec les Algériens musulmans qu'avec les Français, les pieds-noirs.
> — Votre père votait communiste ?
> — Non [*sic*]. Il *a voté* communiste. Parce que c'était les plus anti-nazis. Un peu par antifascisme. Comme en France. Et puis ensuite parce qu'il était libéral. Au sens de la politique algérienne, c'est-à-dire mon père votait communiste parce qu'il était pour qu'on règle les problèmes de façon pacifique. Et puis pas du tout le camp ultra. Il se sentait... français et juif. Et algérien dans la mesure où ils n'imaginaient pas de partir de chez eux. Une triple appartenance. Français, à cause du décret Crémieux. Juif, parce que c'était ça leur identité principale. Et algérien, parce que c'était leur lieu de vie. Et que, si les choses s'étaient arrangées de façon tout à fait civilisée, si je puis dire, ils n'auraient pas du tout envisagé de partir de l'Algérie, qui était un endroit qu'ils aimaient. Et avec les Algériens, ils s'entendaient fort bien. Comme disaient les Algériens à mon père, quand on a aboli le décret Crémieux : « Eh bien ! maintenant, nous sommes redevenus des frères. » Ils disaient ça à mon père. Qui me l'a répété.

« À quatorze-quinze ans » (donc vers 1942-1943), Daniel G. fait ses premiers pas au Parti communiste algérien :

> On était un peu primaires, un peu... enfantins, comme on peut l'être à cet âge-là, quoi. Enfin c'est comme ça, au grand désespoir de mon

père. Je me rappelle très bien comment ça s'est passé. Des amis plus âgés, ça avait commencé par Lucien H., lui il est toujours membre du Parti communiste... et tout ça, c'est par eux... Tout ça, vous voyez, ça remonte à très longtemps. Aux années quarante. À Vichy.

N'oublions pas que, sous la IVe République, une Juive communiste, Madame Sportisse, a été élue députée de Bab El Oued...

Juifs communistes en Tunisie (avant 1945)

La Tunisie offre, dès le début des années trente, un paysage politique très différent : un Parti communiste à forte composante bourgeoise, où les Juifs du protectorat jouent un rôle souvent prépondérant.

Le plus vieux des militants – qui est aussi le vice-doyen de l'échantillon[8] –, Georges T., né à Tunis en 1908, fils d'un chef-caissier à la Banque transatlantique, fait ses premières armes au Parti... aux alentours de 1923.

> J'ai commencé à être communiste quand j'étais au lycée à Tunis, qui était une ville judéo-arabe. Où les Juifs et les Arabes s'entendaient très bien. Et au lycée déjà, dans les dernières classes, avant le bac, il y a eu une section des Jeunesses communistes. Et j'ai suivi l'enseignement que nous donnaient des plus âgés que nous, qui étaient à la fois des Juifs et des musulmans. Et nous avons adhéré à la Jeunesse communiste d'abord.

Il part pour Paris, où il va faire de brillantes études de médecine. Il fréquente les surréalistes :

> Et alors en particulier un d'entre eux, qui est mort en déportation, qui s'appelait Pierre Unik : c'est lui qui m'a amené au Parti. Celui qui m'a introduit au Parti officiellement, c'était Marcel Cachin. C'était le 6 Février, le fameux 6 Février. Je suis allé chez Marcel Cachin. On me dit : « Il n'est pas là. Vous imaginez pourquoi. Revenez dans quelques jours. » Et je suis allé quelques jours plus tard au siège du Parti même,

---

8. Entretien recueilli le 30 mai 1995 ; Georges T. avait alors quatre-vingt-sept ans. Il est mort en 1998.

où il m'a accueilli comme membre du Parti. L'honneur ! C'était un grand bonhomme. Passons...

Et j'ai mené la vie du Parti. Si je vous racontais tout ça, on n'en finit plus !... Lorsqu'un jour j'ai été convoqué par Jacques Duclos. Il m'a dit : « Mon petit, tu dois t'en aller d'ici, il faut que tu ailles à Tunis. » Je lui dis : « Mais qu'est-ce que je fais ici ?... Je... » Il m'a dit : « Discute pas ! C'est comme ça ! Tu dois aller à Tunis ! Parce qu'à Tunis nous avons un petit parti, qui n'est pas très important, qui n'a pas de valeurs. Et toi, avec tes titres et tes connaissances du Parti, etc., tu vas pouvoir les animer un peu. » Ce que j'ai fait.

J'ai tout laissé et je suis allé m'installer à Tunis. Sur l'ordre de Jacques Duclos. Et là, j'ai commencé à militer dans le Parti communiste tunisien. Un superstalinien, comme je n'en ai jamais vu. Je venais de terminer l'internat... ça devait être en 1935-1936... Et je me suis installé à Tunis. J'ai fait une carrière très brillante comme accoucheur, gynécologue, chirurgien. Et je me suis occupé du Parti en même temps. Je suis monté en grade, je passe rapidement...

Tout y est : l'origine et les fréquentations bourgeoises, le statut d'intellectuel, la subordination totale au Parti communiste français, les dirigeants qui donnent des ordres que l'on ne discute pas... Par la suite, Georges T. connaîtra un destin bien différent, plus conforme aux traditions du judaïsme. Mais tous les traits de ce que sera la culture juive communiste en Tunisie apparaissent déjà dans ce récit de la lointaine avant-guerre.

« Bourgeoisie libérale » : c'est ainsi que Paul A. (né en 1919 à Tunis) définit sa famille. Un père avocat, une mère livournaise (*Grana*, comme on disait). « Enracinés depuis deux-trois siècles dans le pays. Ce n'étaient pas des nouveaux venus. Mes cousins étaient des nouveaux venus : ils étaient venus vers le XVIIIe ou le XVIIe siècle. » Lui-même est maître-assistant à la Faculté et écrivain. Il adhère en 1936 et participe à l'activité illégale du Parti à partir de 1940.

— Et vous n'avez jamais eu d'ennuis avec la police ?

— Quelques ennuis, puisque j'ai été arrêté et condamné aux travaux forcés à perpétuité. À la suite... de la diffusion du journal du Parti à l'arsenal de Ferryville, on arrête des ouvriers de l'arsenal. Les policiers les rudoient et, de proche en proche, l'un d'eux déclare que les tracts diffusés lui ont été remis à Tunis par quelqu'un dont ils ignoraient le nom. Et puis par recoupements ils ont mon nom, ils viennent m'arrêter. À ce moment-là, ceux... auxquels je remettais les tracts ont dit : « Oui, c'est lui. » Alors à ce moment-là j'étais inculpé, et puis je suis passé en jugement. Ça s'est passé au mois de janvier 1942. J'ai passé dix mois en prison. J'ai été libéré quelque temps après le Débarquement. Au moment du Débarquement, il y a eu une semaine assez confuse. On attendait d'un jour à l'autre l'arrivée des Américains et ce sont les Allemands qui sont arrivés. Alors, de l'intérieur et de l'extérieur, on a fait pression sur l'administration pour lui faire comprendre que si nous tombions entre les mains des Allemands, ils seraient tenus pour responsables. Alors ils nous ouvrent les portes de la prison et ils nous disent : « Débrouillez-vous ! »

À l'arrivée des Allemands, on a commencé à nous rechercher. Mais, à ce moment-là, on a vécu dans l'illégalité à Tunis. Avec des fausses cartes, des maisons clandestines, etc.

Parfaitement intégré dans la société tunisienne, Paul A. ne quittera son pays de naissance qu'en 1977, plus de vingt ans après l'indépendance.

Ils se connaissent tous, ils appartiennent au même milieu, ils sont sortis des mêmes écoles. Le père de Micheline T. (née à Tunis en 1936) possède une fabrique de céramique, son grand-père a été « un des créateurs de la presse judéo-arabe en Tunisie », son arrière-grand-père – nous l'avons vu – fermier général des impôts du bey. Dans la famille de Béatrice C. (née en 1923 à Tunis) – des *Grana*, bien sûr –, on est, de génération en génération, représentant de grosses affaires françaises. La crise aidant, le père de Béatrice finit comme commerçant en appareils photo – ce qui est probablement moins brillant. Georges F. (né en 1917 à Tunis) appartient à « une famille de gros commerçants. De vieille tradition. Ils étaient dans l'import-export ». Je pourrais poursuivre avec chacun des onze Juifs tunisiens de l'échantillon.

Tous, ou presque. Est-il vraiment bourgeois, Jacques V. (né à Tunis en 1913), qui adhère en 1937, après avoir créé une section tunisienne des Auberges de Jeunesse ? Son père, dit-il, était « petit commerçant », « chômeur pendant de longues années » (ce qui paraît quelque peu incompatible), mais on apprend bientôt « qu'il avait... deux imprimeries qui imprimaient en caractères hébraïques

73

le parler judéo-arabe ». « On n'avait jamais eu de bonne, mais on avait des jeunes filles... » « Quand il y avait une élève qui était bien (la sœur de la mère était institutrice), qui avait des dispositions, on l'envoyait (c'était dans des familles très pauvres), on l'envoyait à la maison, elle aidait ma mère, en réalité ça consistait surtout dans la grande cérémonie du lavage des dalles de marbre. » Toujours est-il qu'à la suite d'un meeting pour l'Espagne républicaine, Jacques V. prend sa carte :

Dans les débuts de 1937. Au Parti communiste de Tunisie, qui n'est devenu Parti communiste tunisien qu'en 1939. Je n'étais qu'un adolescent, donc j'ai été amené rapidement à prendre des fonctions... Ça n'allait pas très loin, je vous dirais. Si vous voulez, la fonction de responsable des Auberges de Jeunesse impliquait que je devais être au Parti. Ça me prenait beaucoup de temps.

Je revenais d'un Congrès des Auberges de Jeunesse en France quand a éclaté la guerre. Et là, le Parti a été dissous. J'ai commencé à travailler dans la clandestinité. C'était l'époque où on étudiait l'*Histoire du Parti communiste bolchevique*. Pendant quelque temps, on est restés à ne rien faire. Quelques mois après, on a monté une équipe, une bande de petits copains qui étaient à la fois aux Auberges et... des copains, quoi. Nous étions un noyau assez uni, assez solide sur... l'attachement au Parti. Lorsque, petit à petit, on est arrivés à reconstituer le Parti, on a fait des choses.

— « Faire des choses », ça veut dire quoi ?

— On se réunissait. Et puis, à un moment donné, j'ai pris... comment dirais-je ?... l'édition du matériel du Parti. La ronéo, les stencils, etc. Et là, on a eu un pépin. On a eu une distribution de tracts, justement dans le quartier juif. Ils ont commencé par arrêter un camarade qui était paralysé. Ils ont entendu dire que ça devait être lui qui distribuait dans le quartier juif. Ils sont allés l'asticoter, il a trouvé intelligent d'inventer quelque chose, il n'était pas du tout dans le coup, il a assumé le fait que, oui, c'était lui qui... et en même temps il y a eu tout son entourage immédiat qui a été arrêté. Ça a fini par rejoindre notre groupe et j'avais précisément un jeune camarade qui devait apprendre le maniement de la ronéo, c'est lui qui a donné mon nom. J'ai été arrêté et, à ce moment-là, j'ai été coincé d'avril 1940 jusqu'à juillet 1941.

J'ai eu un non-lieu, avec nos camarades on a sablé le champagne. Et puis donc, à partir de ce moment-là, j'ai eu la vie d'un militant professionnel. J'ai retrouvé mes anciens patrons.

Arrêté de nouveau, il est interné dans un camp, puis libéré pour raisons médicales.

> On était en mai 1943, les Anglais arrivent, les Américains aussi. Du point de vue politique, la Tunisie était dans une situation particulière. Il y avait une partie du parti de Bourguiba qui avait cru bon de copiner avec les Allemands, en vertu du proverbe arabe : « Les ennemis de mon ennemi sont mes amis. » Et donc, en 1943, la France est revenue, l'amiral Esteva, qui était un homme de Vichy, a été remplacé. Pendant l'occupation allemande, le bey de Tunis avait refusé de faire porter l'étoile jaune, il avait dit : « Les Juifs sont mes sujets comme les autres. N'y touchez pas plus qu'aux autres ! »
> Donc les Alliés sont arrivés, on avait une Tunisie dans laquelle il y avait le reflet de ce qui se passait en France. Et donc, en 1945, j'étais déjà responsable syndical pour la région de Tunis.

Ainsi commence une vie entière de permanent (ou assimilé) au service du Parti. Plus tunisien que français : Jacques V. a gardé sa nationalité et ne s'installe en France qu'en 1976.

Juifs communistes en Égypte (avant 1948)

Tous ces traits de la judaïcité communiste en Tunisie – origine bourgeoise, clandestinité, parfois camp ou prison –, on les retrouve comme démesurément grossis dans le microcosme juif d'Égypte. Avec ce correctif évident que l'histoire n'y est pas synchrone : la coupure de 1945, pertinente pour toutes les autres communautés, n'a ici que peu de sens. C'est 1948, avec la naissance de l'État d'Israël et la première guerre israélo-arabe, qui marque la grande rupture, à partir de laquelle va commencer l'exil, parfois très brutal. À partir de laquelle aussi quelques-uns refuseront de renouer les liens avec le Parti, ou s'en verront contester le droit[9]. Et avec cet autre correctif important que le Parti communiste égyptien n'existe

---

9. Pour cette histoire des Juifs communistes en Égypte, le livre de Gilles Perrault, *Un homme à part*, Paris, Barrault, 1984, est irremplaçable, même si plusieurs de mes interviewés, en raison de leur hostilité à Henri Curiel, le trouvent trop « orienté », voire carrément falsificateur.

pas encore (ou n'existe plus) et que les Juifs communistes s'éparpillent en quantité de groupuscules ou mouvements, qui s'unissent ou se séparent au gré de querelles à la fois idéologiques et personnelles[10].

L'origine bourgeoise, la vie de grands bourgeois sans vrais problèmes d'argent, les loisirs qui rappellent parfois la *Dolce Vita* de Fellini – le tout mêlé à un désintéressement sans borne, à un dévouement qui fait paraître presque terne le militantisme à la française –, ils en parlent aujourd'hui sans fard, avec une sorte de lucidité ironique, de nostalgie désabusée. Un mouvement de jeunes bourgeois juifs, sans véritables contacts avec les masses égyptiennes : voilà comment ils se décrivent eux-mêmes, cinquante ans plus tard, ou davantage.

Lydia G. (née en 1916 au Caire), fille du directeur de la Deutsche Oriental Bank, travaille en 1941 comme secrétaire à l'ambassade britannique :

> Par exemple, moi je gagnais dix-sept livres par mois, je donnais seize livres à l'Organisation et je gardais une livre pour moi. Et tout le monde faisait ça. Mais je vivais dans ma famille... Je ne manquais de rien. Quand même, j'aurais pu m'amuser avec ces... [Elle rit.] Mais j'étais très heureuse de croire en quelque chose. De croire que je militais pour un peu plus d'humanité. Si vous voulez, ça donnait un but à notre vie. Parce que, qu'est-ce que je faisais là-bas ? À part m'amuser, aller danser ?

Lydia est aujourd'hui encore membre du Parti communiste français. Comme Rose M. (née en 1924 au Caire), qui faisait semblant d'aller à son cours de piano et qui payait sa cotisation au Mouvement avec l'argent que lui donnait son père pour sa leçon ! Albert J. (né en 1922 au Caire), fils d'un expert en propriété industrielle, a quant à lui rompu depuis longtemps avec le Parti, mais il garde les mêmes souvenirs enchantés (et désenchantés...) :

> Il y avait toujours des réunions, on avait eu l'intelligence de louer un local sur la route des Pyramides, tous les dimanches on se..., alors la

---

10. Cf. Gilles Perrault, *op. cit.*, p. 152, 186, 191 et 193.

clandestinité en prenait un coup, mais on était là, à faire des sketches de théâtre, à jouer, à manger des grillades et à s'amuser... Il y avait des gens qui venaient avec leur petit bébé, etc., ils étaient heureux d'être ensemble. « Tu connais celui-là ? – Oui. – C'est un type bien. » On avait tout dit, on n'allait pas au-delà, parce qu'il fallait pas aller au-delà.

Pour nous, être communiste, c'était être non conformiste. À partir de ce moment, il fallait dire des tas de gros mots en parlant, on disait « Mon cul », « Merde », etc., donc on était détachés des contingences bourgeoises. Et puis on faisait ce qu'on appelait des *hafla*. *Hafla*, c'est une fête. C'est une *party*. Et la *hafla* consistait à se réunir dans l'une des maisons qui étaient malheureusement assez rares, parce qu'il y avait parmi nous des gens qui étaient assez heureux pour s'être mariés et avoir leur logement, ou alors qui étaient assez fortunés pour avoir un grand appartement et pouvoir se réunir sans que les parents viennent déranger. Alors on se retrouvait réunis entre huit et quinze personnes. Et on était tous assis par terre. C'était pas conformiste. On discutait de l'avenir du monde. Et à un certain moment on s'arrêtait pour aller manger des fèves, enfin un buffet organisé à peu de frais. Tout était facile là-bas, des œufs, des fèves, de la bière... Et on parlait, chacun se faisait... Et alors il y avait quelqu'un qui dirigeait la discussion, on parlait, je ne sais pas, de l'exploitation au Venezuela ou en Inde, on faisait circuler des revues communistes...

Henriette B. (née en 1928 au Caire) raconte, elle aussi, ces étranges surprises-parties idéologiques :

> On avait monté un club à Héliopolis, où on a essayé de faire venir des Égyptiens. On dansait avec eux, les danses européennes bien sûr, et on a essayé, en mettant des sandwiches, de la musique, etc., de les convaincre d'être communistes. Et ça a fait quelques problèmes avec... C'était un musulman qui était d'une grande famille, et... il y a eu des problèmes, j'avais dansé avec lui, c'est tout [elle rit]..., et pour lui il voulait autre chose, et sa mère m'a téléphoné en me disant que son fils était malade, etc. Enfin bref, ça a été un tout petit mini-drame.

Mais on militait comme des fous, on y consacrait des heures et des heures. Albert J. l'exprime très bien :

> Ça, je fais le parallèle, les communistes égyptiens, quand ils sont venus en France, ils se sont tous retrouvés secrétaires de cellule, responsables

de CDH[11]... Parce que, pour eux, on ne pouvait pas militer à 0 %, à 10 %, c'était 100 % ou rien du tout. On avait en gros... en gros, dix à douze réunions par semaine. On avait une réunion de cinq à sept, une réunion de huit à minuit, etc.

Mais ces militants juifs ne parvenaient presque jamais à pénétrer le peuple égyptien, à l'exception de quelques milieux intellectuels. En témoigne Max B., né en 1922 à Milan :

> Nous vivions un peu exterritorialement. Moi, le peuple égyptien, je le côtoyais, c'est tout. Nous n'avions pas de réunions de cellule avec des Égyptiens. On était toujours étrangers. Et donc l'intégration au sein du mouvement communiste ne pouvait pas se faire avec le peuple égyptien. Encore une fois, on aurait pu aller vers le peuple égyptien, on ne pouvait même pas en tant que communiste y aller. On était encore séparés.

La clandestinité, ils en ont tous fait l'expérience pendant et après la guerre, avec plus ou moins de bonheur et sans trop d'illusions sur l'efficacité de leurs méthodes. Écoutons ainsi Jacques P., né en 1923 au Caire :

> On avait d'abord des réunions deux fois par semaine, qui soi-disant étaient clandestines. On ne devait pas se connaître les uns les autres. On avait le même système de réseau qu'il y avait dans la Résistance en France, des groupes de trois avec des contacts verticaux, jamais de contacts horizontaux. Mais c'était théorique. Dans la pratique, on savait bien que... C'était un peu de la rigolade. À la maison, nous avions une... une bonne, comme on l'appelait, une Noire très gentille, qui était assez intelligente. Et elle avait bien compris notre... le système ; que... il y avait des gens que moi je voyais, qui venaient me voir, mais qui n'avaient pas de contact avec Odette [ma femme]. Et alors quand on sonnait, elle ouvrait la porte, elle nous disait : « C'est pour vous, monsieur », ou : « C'est pour vous, madame. » Donc elle en savait plus que nous à ce sujet-là. Parce qu'elle voyait qui rentrait pour Odette et moi, je le voyais pas ! Soi-disant.

---

11. Comités de diffusion de *L'Humanité* : c'est la micro-organisation chargée, au niveau de la section, de la diffusion de la presse du Parti.

Mais ce qui désespère ces militants, c'est l'extrême fragmen-tation de leur mouvement, les luttes incessantes entre factions – qu'interrompt parfois une éphémère fusion, bientôt suivie d'une nouvelle scission. Un Parti communiste égyptien a bien été fondé en 1920, dans l'enthousiasme de la révolution d'Octobre, mais il ne survit pas à la répression et disparaît dès 1925. Dans les années quarante, au milieu de douze ou quinze groupuscules, trois organi-sations semblent émerger : Libération du peuple, de Marcel Israël, créé en 1940 ; le Mouvement égyptien de libération nationale (MELN), d'Henri Curiel (1943) ; et Iskra, de Hillel Schwartz (1943). Toutes les trois créées et dirigées par un Juif. Une délé-gation, composée d'un représentant de chaque tendance, fait le voyage à Paris pour demander au Bureau colonial du PCF d'arbitrer la compétition et d'accorder son investiture à l'un des impétrants [12]. En vain. En mai 1947, les trois fusionnent enfin, sous réserve de quelques dissidences. Ainsi naît le Mouvement démocratique de libération nationale (MDLN). Six mois plus tard, en novembre, l'union éclate. Henri Curiel reste à peu près seul. La guerre israélo-arabe va très vite rendre ces querelles encore plus dérisoires [13].

De ces zizanies, rares sont aujourd'hui ceux qui peuvent encore expliquer les enjeux. Joseph F., bras droit d'Henri Curiel, commence par contacter Iskra, qui le repousse, puis tente de le recruter en 1945. Trop tard. « Le jour où Iskra m'a dit : "On te fait l'honneur de t'accepter dans nos rangs. Tu devrais être fou de joie", j'ai dit : "Non, ça demande une grande réflexion. C'est tout un engagement. C'est aller en prison, c'est un tas de problèmes". » Et il adhère à *Hadeto*, le MELN d'Henri Curiel. « À peine entré dans *Hadeto*, la tendance *Hamim* qui vivait beaucoup plus dans le peuple m'a beaucoup plus passionné. Et eux se sont intéressés énormément à moi. J'ai milité avec eux. »

Inutile d'ajouter que cette situation facilite singulièrement la répression. Le 15 mai 1948 éclate la première guerre israélo-arabe.

---

12. Cf. Gilles Perrault, *op. cit.*, p. 158. Les partis communistes du Moyen-Orient et du Maghreb dépendent du Bureau colonial du PCF.

13. *Ibid.*, p. 186-196.

Les listes sont à jour. La plupart des Juifs communistes se retrouvent, en quelques heures, aux mains de la police. Prison, camp d'internement, expulsion : voilà désormais leur sort.

Sont-ils vraiment malheureux ? Les récits divergent. Les hommes passent leur temps à organiser des débats, des contacts, des alliances. « Dans le camp, se rappelle Jacques P., les différentes fractions ont continué à exister. À discuter, à se quereller. Et on avait des contacts avec l'extérieur. On savait qu'à l'extérieur aussi ça discutait, ça se fractionnait et ainsi de suite... » Joseph F. est, comme toujours, au premier rang des militants que rien ne peut détourner de leurs tâches :

> J'ai été interné pendant quinze mois. Comme je disposais de la nationalité française dans ce camp d'internement, j'ai joué un très gros rôle... Je suis un homme de masse, vous voyez... J'étais le responsable du camp par rapport au commandant, par rapport à la police. La police me respectait énormément. De ce fait, quand on a interné en même temps que nous les Frères musulmans, j'ai été en contact avec eux, je les ai aidés et j'ai été très accepté et très respecté parmi eux. Le grand penseur des Frères musulmans me disait : « Ne dis pas que tu es athée ! Dis moi au moins que tu es juif ! » Je lui ai dit : « Je suis juif et athée ! » Il ne comprenait pas du tout. Mais j'avais d'excellents rapports avec eux. Sans concession.

Mais Isaac M. n'a sans doute rien à lui envier dans cette compétition pour le meilleur usage de la captivité :

> J'ai été arrêté, j'ai été interné et il s'en est suivi donc une période de discussions, de réflexion, avec les camarades membres du MDLN, des discussions avec d'autres communistes, par exemple le groupe Iskra et, par exemple, les anciens matelots grecs qui s'étaient révoltés contre l'occupant britannique et qui avaient demandé à combattre en Grèce et pas dans le désert d'Afrique[14].
>
> Et j'ai eu la tâche, qui était considérée comme me revenant de droit, de tous les travaux pratiques du camp, y compris, ce qui arrivait fréquemment, déboucher les waters, étant donné le nombre que nous

---

14. Cf. le récit romancé de leur aventure *in* Stratis Tsirkas, *Cités à la dérive*, Paris, Seuil, 1971.

étions – nous étions plus de cinq cents. Et également d'essayer de faire un jardin dans le désert, de construire quelques meubles rudimentaires et sauf... la fabrication de postes de téléphone, dont j'étais absolument incapable et dont on ne m'a révélé l'existence qu'une fois que nos femmes avaient ramené petit à petit les pièces détachées qui ont servi à faire l'installation téléphonique qui nous a permis d'être en liaison avec l'extérieur.

C'est qu'en effet les femmes juives communistes jouent un rôle majeur dans cette crise. Les unes, comme Henriette B., sont arrêtées en même temps que leurs frères, leur amant ou leur mari :

Nous, les femmes, on nous a mises dans une prison en ville, une prison pour les étrangers. Et on a fait grève de la faim, mais une vraie, pas... malheureusement. Et la grève a duré huit jours. Et réellement huit jours complets. Chez nous, il y a une femme, une camarade, qui s'est sentie mal, a dû être hospitalisée, parce que je crois qu'elle était un peu forte, la malheureuse, et c'est ses graisses qui ont fondu... [Elle rit.] Et donc on a demandé à avoir des journaux, des livres, de quoi écrire, etc., etc. Et des promenades. Surtout pour les femmes, parce que les hommes étaient donc dans leur camp. Et au début, nous, les femmes, on nous mettait pratiquement dans une seule pièce, avec des matelas par terre, sans aucune hygiène, etc., etc. Après, ça s'est légèrement amélioré.

Et c'est là où interviennent aussi des gens comme ma mère. Elle a été voir dans le quartier juif et un quartier musulman, en disant : « On laisse vos fils, vos enfants mourir. Conditions terribles, etc. » Et elle a massé pas mal de bonnes femmes. Et elles ont été ouvrir la porte du ministre de l'Intérieur, qui était complètement affolé devant toutes ces bonnes femmes. Et elles ont exigé des visites.

Et puis, après ça, on a commencé à obtenir de la nourriture, parce que la nourriture qu'ils nous donnaient n'était réellement pas... c'était des... des fayots avec des charençons, et puis plus de charençons qu'autre chose. On rigolait en disant qu'il faut bien qu'on mange des protéines ! Mais quand même !... Après, les parents ont finalement envoyé de la nourriture. Et dans ces nourritures, par exemple ma mère, qui cuisinait très bien, faisait une espèce de viande enrobée d'une omelette, et à l'intérieur il y avait un tube avec des petits mots, comment se mettre d'accord sur une date de grève, ou des trucs comme ça. Enfin des trucs où elle mettait dans l'os du manche, à l'intérieur elle enlevait la moelle, elle mettait d'autres petits tubes, etc. Enfin, bref... des trucs qui sont amusants.

81

Lydia G. propose un récit tout aussi humoristique, mais nettement plus idyllique :

> Les hommes étaient dans un camp. Ils étaient très bien, notez. Au début, très mal, bien sûr. Mais ils se sont organisés, ils faisaient des parties de foot. Ils avaient des mines magnifiques. Parce qu'ils étaient en plein désert, le climat était très bon, c'était très sain. Nous, on était en prison, c'était moins agréable... Mais enfin, c'était une prison dorée tout de même !
>
> On lisait beaucoup. On tricotait beaucoup. On discutait beaucoup. On se bagarrait un petit peu. On s'organisait. On faisait des fêtes. Et puis nous avions une chance, c'est que le directeur... était très sympathique, il aimait beaucoup les communistes. Et il nous faisait même des petites faveurs, enfin très gentil avec nous... Alors on organisait des fêtes. Et on invitait les geôliers de la prison, le directeur de la prison... C'était nos invités. Non, ce n'était pas désagréable. Sauf qu'on n'avait pas de liberté.

D'autres femmes, restées en liberté, se battent justement pour améliorer les conditions de détention. Cinquante détenus, dont Isaac M., sont désignés comme otages, après les premières défaites militaires des Égyptiens, et transférés dans un pénitencier de la mer Rouge. Rose M. organise immédiatement une marche des femmes de déportés, qui se rend chez le nonce apostolique et chez les ambassadeurs de France et d'Italie. Isaac M., citoyen français, et un détenu italien obtiennent ainsi leur rapatriement. Isaac et Rose en profitent pour demander au consul de France de les marier, ce qui a lieu sous bonne garde, au consulat, le 23 juin 1949, un mois jour pour jour avant leur expulsion :

> J'étais accompagné, se souvient Isaac M., de plusieurs anges gardiens, un lieutenant et onze hommes, qui devaient veiller à ce que je ne m'échappe pas en tant que *dinamitero* terroriste, etc. Donc le peloton arrive, je descends du camion, avec les cheveux en bataille et à peine une chemise blanche sur le dos. Et M. Pons, consul de France au Caire, arrive à la porte du consulat et demande à ce que tous les hommes se retirent et que moi, je puisse rentrer. Alors grande discussion, oui, non, oui, non, voilà le compromis. Toutes les armes sont déposées en faisceau à la porte du consulat de France, et le lieu-

tenant monte et m'accompagne jusqu'à la salle de mariages, mais pas dans la salle de mariages.

Et le 23 juillet nous quittons Le Caire pour Alexandrie, je passe la nuit dans un poste de police du port. Et puis le 24 juillet, sur le *Providence* qui faisait son dernier voyage, nous embarquons, ma femme et moi, avec presque le même scénario, le capitaine qui dit : « Je ne reçois que des hommes libres, je ne transporte pas de prisonniers. Je ne veux pas de votre prisonnier, vous pouvez vous le garder », oui, non, enfin bref on m'enlève les menottes et j'ai deux anges gardiens qui me suivent jusqu'au moment où la passerelle est retirée.

Expulsés, ils le sont quasiment tous. Leurs mésaventures ne sont pas pour autant achevées. Rentrés en France, quelques-uns d'entre eux vont faire à leurs dépens, au Parti communiste français, l'expérience de ce que pouvait signifier une copie légèrement affadie du stalinisme.

Voilà donc esquissé, dans l'entre-deux-guerres, le portrait multiple d'une, ou plutôt de plusieurs cultures juives communistes en diaspora.

Qu'ont-elles de spécifiquement juif[15] ? Non point certes la référence à des croyances religieuses, encore qu'il ne faille absolument pas minimiser, nous le verrons, l'importance de l'éducation reçue, ni même d'une certaine dose d'observance rituelle pendant les années de militantisme. Mais peut-être – nous le verrons aussi – le respect de certaines valeurs fondamentales, héritées de la tradition et réinterprétées en fonction d'une grille de lecture proprement communiste.

La référence (ou la révérence ?) au Livre (même s'il ne s'agit plus désormais, ou pas explicitement, de la Torah), la prééminence de l'exigence de Justice, fût-ce au risque de la mort, le sentiment

---

15. Ce « spécifiquement » peut paraître méthodologiquement excessif. Je n'ai trouvé nulle part une définition de ce qui serait « spécifiquement juif ». D'autant plus que la pluralité des expressions du judaïsme interdit ce type de généralisation. Admettons cependant que le concept de référence s'inspire essentiellement d'Emmanuel Levinas (*Difficile liberté, op. cit.*) et relève davantage de l'histoire des idées que d'une sociologie rigoureuse.

de l'Élection (appartenir à l'élite de ceux qui ont reçu pour mission de porter la Vérité), le respect d'une morale particulièrement rigoureuse (même si, dans le cas présent, elle peut conduire à des actions que la morale ordinaire ne manquerait pas de réprouver), la foi en un avenir « messianique » que les Justes ont pour vocation de faire advenir par leur conduite et leurs paroles, l'attachement inconditionnel au petit nombre de ceux qui « savent », qui disent le Vrai, qui entraînent la foule par l'ardeur et la vigueur de leur Verbe – peut-être tous ces référents ne nous renvoient-ils pas à un univers mental totalement étranger au judaïsme...

Et puis, le très fort lien communautaire, qui unit ces ashkénazes de Belleville ou du *Pletzl*, ces séfarades du Maghreb ou d'Égypte, ne reconstitue-t-il pas quelque chose comme une *qehillah*[16] communiste ? On se marie entre voisins, on ne se fréquente qu'entre coreligionnaires (même s'il se trouve qu'ils appartiennent tous à la même confrérie laïque, qui a choisi la faucille et le marteau à la place du *Magen David*[17]), on obéit aux ordres d'un responsable qui tranche même les conflits internes (y compris parfois les querelles matrimoniales), on se fait enterrer – si l'on est ashkénaze – dans le caveau de sa *landsmanshaft*, on parle yiddish entre soi (si l'on vient, fût-ce à une génération de distance, d'un lointain *shtetl*), on répète les mêmes blagues qui se transmettent de père en fils... Bref, cette culture juive communiste, si présente en diaspora, fait que ces militants purs et durs, ces athées proclamés (pas toujours...), ces laïques sans concession, se sentent (sauf exception) irrémédiablement, définitivement, éternellement juifs.

Qu'ont-elles de spécifiquement communiste[18], ces cultures de la diaspora ?

Singulièrement plus que ce qu'ont pu connaître les membres du

---

16. *Qehillah* : « terme qui, pris dans son sens large, désignait une communauté juive » (*DEJ*, p. 932).

17. *Magen David* : « bouclier de David ». C'est le nom que les Juifs préfèrent employer pour désigner l'« étoile de David ».

18. Le « spécifiquement communiste » appellerait les mêmes remarques que le « spécifiquement juif ». Cependant, la culture communiste a été largement étudiée, y compris par l'auteur de ce livre (cf. *La Vie en bleu*, Paris, Fayard, 1980).

Parti qui ont adhéré à partir des années soixante-dix. Un sens exacerbé de la discipline : on ne remet jamais en cause ni les ordres ni les mots d'ordre. La sous-section juive est lancée, devient le lieu majeur du militantisme, puis – sans aucune explication – entre en hibernation, en coma prolongé : cela ne laisse, dans les entretiens, aucun souvenir. Toute discussion avec les autres forces de la gauche juive est depuis longtemps proscrite (mais, bien sûr, il paraît vraisemblable que l'on discute au moins avec les bundistes dans les cafés de Belleville), puis – brusquement – le Front populaire juif, ou le Mouvement populaire juif, doit animer ce que le Parti aime à baptiser les « masses juives ». Aucun militant ne se souvient aujourd'hui de s'être étonné.

Quoi de « communiste » encore ? Une fidélité sans bornes à l'Union soviétique. Le mouvement communiste condamne avec la plus grande vigueur tout territorialisme (le sionisme n'est qu'un nationalisme-chauvinisme petit-bourgeois), puis – changement de stratégie – le Birobidjan incarne pour un temps tous les espoirs d'une patrie juive. Quelques-uns des interviewés racontent l'épopée de leurs parents, leurs désillusions, leur retour précipité. Ils savent donc tout très vite, mais cela ne les empêchera jamais ni d'adhérer, ni de militer, ni parfois de rester au Parti jusqu'à leur mort.

Autre trait significatif : un réseau de solidarité communiste qui vient se greffer sur son équivalent juif, et qui conforte le militant dans le sentiment qu'il appartient à une communauté chaleureuse, fraternelle, efficace ; que l'homme communiste est vraiment le paradigme de l'« homme nouveau », échappé des « eaux glacées du calcul égoïste », consacré désormais au seul souci des « lendemains qui chantent », héros ou martyr quand l'Histoire l'appelle au sacrifice.

On remarquera que cette série de portraits « oublie » délibérément les « Israélites » – les Juifs communistes d'ancienne ascendance française. C'est qu'en effet leur « pré-histoire » rejoint largement celle de toute la France. Leur acculturation ne les prédispose guère à participer aux nostalgies, aux illusions, aux effusions de la *qehillah* communiste.

Tous vont se retrouver dans le même séisme.

IV

La guerre des Juifs communistes

Le 3 septembre 1939, la France déclare la guerre à l'Allemagne nazie. Mais, pour les Juifs communistes, la guerre a réellement commencé le 22 août. Ce jour-là, Ribbentrop et Molotov ont signé le pacte de non-agression germano-soviétique. Le 25, *L'Humanité* est saisie. Le 26, le gouvernement interdit la quasi-totalité des publications communistes. Le 26 septembre, il prononce la dissolution du Parti.

Cet événement – le pacte – qui, soixante ans plus tard, paraît si lourd, ceux des Juifs communistes qui sont assez vieux pour l'avoir vécu semblent aujourd'hui l'avoir presque oublié. Aucun, ou presque, ne bat sa coulpe. Tous reprennent les vieux arguments qui avaient, à l'époque, servi à justifier l'injustifiable.

Michel Grojnowski, par exemple, se souvient de n'avoir pas compris pourquoi l'Union des sociétés juives, pourtant peu suspecte d'anticommunisme, l'avait privé de toute responsabilité. Mais il ne prononce pas un seul mot qui attesterait qu'il a désormais trouvé l'explication. Bien au contraire, il continue à affirmer qu'il ne l'avait pas « mérité » :

> J'avais de très bons rapports avec l'ensemble du Comité. J'étais estimé. Arrive l'accord germano-soviétique. Il y avait de grandes discussions partout. Moi, j'étais un fidèle partisan de l'Union soviétique. Donc je défendais le pacte. Le président a demandé d'organiser une réunion du Comité, sans ma présence, pour avoir un vote libre. Avec

87

beaucoup de tristesse, j'ai appris qu'il y avait une voix de majorité pour que je sois exclu comme secrétaire général.

Alors je me suis trouvé dans une situation difficile. Comme beaucoup d'autres Juifs, je suis allé m'engager dans l'armée française. Mais le fait même d'être exclu de la direction de l'Union me faisait très mal, parce que je ne l'avais pas mérité.

Même un homme aussi libre que Georges T. (né en 1908 à Tunis), peu suspect de complaisance envers le PCF puisqu'il l'a quitté en 1963, avoue sa relative indifférence : « Alors, quand arrive le pacte germano-soviétique, j'ai été bouleversé très peu. Et puis alors après je me suis habitué, comme tout le monde. » Et il entre dans la clandestinité sans plus d'états d'âme.

Encore moins d'indignation chez Jacques R. (né en 1928 à Lodz), dont le père militait en 1939 au PCF et qui, lui aussi, a rompu depuis longtemps avec le Parti (1978) :

> La justification, je trouvais qu'elle tenait debout. Le système capitaliste a monté le fascisme hitlérien comme fer de lance contre l'Union soviétique. Les Soviétiques ont tout fait pour essayer d'avoir des accords avec les puissances capitalistes européennes, ont tout fait pour avoir le droit de passage en Pologne. Des discussions interminables ont démontré que ni les Français, ni les Anglais, ni les Polonais ne tenaient à ce que les troupes soviétiques soient en position de pouvoir se défendre. Et, dans cette situation, les Soviétiques ont pensé que la seule solution, pour pouvoir gagner du temps, pour pouvoir s'armer et pouvoir répondre à une agression nazie, c'était de diviser le camp impérialiste, qui se composait de la France, de l'Angleterre, de tous les autres pays européens et de l'Allemagne nazie, en faisant un pacte avec Hitler. C'était enfoncer un coin dans leur propre camp. Et, en fait, ça a été même une très grande victoire diplomatique de l'Union soviétique d'avoir pu rentrer un coin dans les forces des pays impérialistes.

Remarquons que le « camp impérialiste » se compose indifféremment de la France, de l'Angleterre et de l'Allemagne nazie. D'où l'on conclut, sans l'ombre d'un embarras, qu'un Juif communiste français (ou résidant en France) se trouve dans le seul camp de l'Union soviétique, face à son propre pays.

Avec, chez certains, un regard un peu condescendant sur ceux qui « lâchent » :

Il y a des camarades qui ont quitté le Parti à cette époque-là. On a vu des camarades s'éloigner. Nous, on a tenu le coup. En dépit de tout, on disait que c'était impossible qu'ils soient amis avec Hitler. Ils avaient fait ça pour gagner du temps. (Madeleine Y., née en 1917 à Paris, fille, sœur et compagne de communiste, toujours au Parti aujourd'hui.)

Autrement dit : condamner l'Union soviétique, c'est faire preuve de lâcheté. Le vrai courage, c'est de « tenir le coup ». Le propos est tenu près de soixante ans après la fameuse poignée de mains Staline-Ribbentrop.

Les plus vieux, même ceux qui ont approuvé le pacte germano-soviétique, font la queue pour s'engager dans l'armée française. Quelque mois plus tard, c'est la défaite. Pour les Juifs communistes, comme pour tous les Juifs, s'ouvre alors le cycle infernal.

Être désigné comme Juif

Très vite, la législation antisémite se met en place. Le 18 octobre 1940, le *Journal officiel* publie la loi du 3 octobre portant Statut des Juifs. « Article premier. – Est regardé comme Juif, pour l'application de la présente loi, toute personne issue de trois grands-parents de *race juive* ou de deux grands-parents de la même race, si son conjoint lui-même est juif. » Dès le 27 septembre, le général von Stupnagel a prescrit par décret le recensement des Juifs en zone occupée. Mais les autorités allemandes ont choisi, elles, de privilégier le mot « religion » : est juif celui qui appartient ou appartenait à la *religion juive* et qui a plus de deux grands-parents juifs. Les préfets et les sous-préfets de Vichy sont chargés de mettre cette mesure en œuvre.

Le 2 juin 1941, Vichy promulgue un deuxième Statut des Juifs, celui-là fondé sur le critère de la religion[1]. Le recensement devient obligatoire en zone dite libre.

Que vont faire les Juifs communistes ? S'inscrire ? Ne pas

---

1. Loi du 2 juin 1941, publiée au *Journal officiel* du 14 juin : « Est juif celui qui est de confession juive et a deux grands-parents juifs. »

s'inscrire ? Le Parti ne donne aucune consigne[2]. Le père de Jacques R., qui va pourtant très vite « passer dans la clandestinité », choisit de se faire enregistrer :

> Il s'est fait enregistrer comme Juif. Je pense qu'il y avait beaucoup de pagaille chez les dirigeants juifs sur l'attitude à tenir. On le faisait ? On ne le faisait pas ? Personne ne savait exactement si c'était la bonne décision, si on pouvait mieux se protéger en se faisant enregistrer. Surtout au début ! Je crois que les gens n'étaient pas conscients des conséquences. Alors donc ils se sont fait enregistrer, ça n'empêchait pas l'activité militante.

Tous, ou presque.

Parfois, trop rarement sans doute, le policier de service se montre étrangement accommodant :

> Je me suis présenté remplir les papiers, au commissariat de la rue Ballu, avec une fiche d'état civil, raconte ainsi Jean Z. (né en 1924 à Paris[3]). Un des inspecteurs qui faisait... qui s'occupait de moi... Fallait signer en bas : « Je certifie ne pas être juif. » J'ai dit : « Je ne peux pas signer ça. Mes parents... il paraît que je suis juif, ça ne me concerne pas, mais mes parents sont juifs. – Bon, très bien. » Il a mis un gros tampon rouge sur la feuille de demande. « Revenez dans huit jours, vous aurez votre carte d'identité. » Alors je suis venu la chercher, on m'a donné ma carte d'identité, vierge, sans tampon. J'ai dit : « Je peux m'en aller ? – Oui, oui, vous pouvez vous en aller. » On a su après coup... on a revu cet inspecteur, qui a dit que ça avait été volontairement qu'il n'avait pas mis le tampon[4].

Le 1er juin 1942, les Juifs de zone occupée apprennent qu'en vertu d'une ordonnance allemande du 29 mai ils sont tenus de porter l'« étoile juive ». En tissu jaune, portant en caractères noirs l'inscription « Juif », elle doit être « solidement cousue » sur le vêtement et du côté gauche de la poitrine.

On fait la queue pour se la procurer ; il faut la payer, et ne jamais

---

2. Cf. Adam Rayski, « Être communiste et juif en France au temps du pacte germano-soviétique », *Nouveaux Cahiers*, printemps 1982, n° 68, p. 34.

3. Il est mort en 1999.

4. En décembre 1942, l'obligation du tampon « Juif » sur les cartes d'identité est étendue à la zone Sud.

la dissimuler. Ici se dessine peut-être quelque chose, chez des milliers d'enfants juifs, qui va nouer un certain rapport d'amour ou de haine avec la judéité, plus fort que toutes les langues de bois, que toutes les disciplines. Ici s'amorcent peut-être quelques-unes des futures ruptures ou, tout à l'inverse, des fidélités indéfectibles. Écoutons Madeleine S. (née en 1929 à Saint-Quentin), qui va rester trente-cinq ans au Parti, puis le quitter dans un grand mouvement d'affirmation de son judaïsme :

> Alors, petite fille, j'ai porté l'étoile à Paris... J'étais très contente. Très fière de l'avoir. On ne me l'aurait pas fait enlever pour tout l'or du monde ! Et un jour on m'a demandé pourquoi j'étais fière. J'ai dit : « Pourquoi je ne serais pas fière ? » À l'école, dans mes cours d'histoire, il y a une image qui m'a beaucoup frappée. On voit Blandine, dans la cage aux lions, qui est liée contre un poteau, devant les lions. Et on lui demande de renier sa religion catholique. Elle ne veut pas. Pour moi, c'était une héroïne, cette fille. Et quand je portais l'étoile, je me sentais aussi forte, aussi belle et aussi intéressante que Blandine. Et on ne m'aurait pas fait défaire l'étoile ! Mon étoile, on veut me marquer d'un sceau, eh bien je l'ai ! Je ne l'ai jamais traitée comme un drapeau, mais je ne l'ai jamais mise sous le boisseau.

Tout y est : le goût du martyre, le fameux *qiddouch ha-chem*[5], qui va peut-être expliquer souterrainement plus d'une vocation communiste ; le choix souverain d'un destin que les puissants du jour voudraient lui imposer (être communiste, c'est aussi choisir souverainement la minorité opprimée à laquelle on décide d'appartenir...) ; mais également l'identification à la religion dominante (c'est à une sainte catholique que l'on se compare, non aux Dix Martyrs, ni à Hanna et ses sept fils).

Il ne fait pas bon tenter de dissimuler son étoile. Raymonde Y. (née en 1938 à Paris), fille de deux militants (et résistants), se souvient encore :

> Et puis j'ai souvenir donc, un flic, une « hirondelle », qui avait les yeux globuleux, vraiment le bœuf ! Donc on revenait par la rue Pastou-

---

5. Littéralement : sanctification du Nom. « Associé au fait de mourir pour glorifier l'Éternel » (*DEJ*, p. 935-937).

relle, il faisait chaud, et maman n'avait pas cousu l'étoile jaune sur le boléro qu'elle portait. Elle était juste sur son chemisier. Donc ce flic l'arrête, pour lui faire la réflexion. Il fallait qu'elle la mette sur l'autre. Et je sens encore la pression de sa main. Moi, je savais, c'est fou ce qu'on sait quand on est petit et qu'on ne dit pas !... Je savais qu'au-dessous de... c'était ces « cabas-mémé », avec les deux litrons de chaque côté... il y avait le lait, il y avait de l'eau, il y avait... tous les légumes et je savais qu'au-dessous il y avait les tracts. Je sens encore la... [Elle rit.] Bon, donc ça c'est des souvenirs... de cette époque.

L'étoile associée à l'héroïsme, au combat clandestin contre le nazisme. Cinquante ans plus tard (elle a rompu depuis longtemps avec le Parti), quand on lui demande si elle peut définir son « identité juive », Raymonde répond sans hésiter : « Comment tu la définis, toi ? Moi, je le vis par rapport à la trouille d'enfant qu'on a eue. » La scène primitive s'est ainsi jouée, un jour de 1942, dans une rue du *Pletzl*.

Être privé de ses droits comme Juif

Interdictions professionnelles, spoliations, aryanisations, *numerus clausus*, exclusions, dénaturalisations, couvre-feu, confiscation des radios, obligation de s'agglutiner dans la dernière voiture du métro... On connaît l'interminable liste des brimades infligées aux Juifs, notamment à Paris et dans la zone occupée. Et pourtant des milliers vont survivre, quelques-uns vont même se battre, oser des transgressions majeures ou minuscules, affirmer leur dignité – et les communistes ne seront certes pas en reste. Ici encore des caractères se forgent, des choix politiques se nouent. Ceux qui ne sont pas encore nés entendront, pendant toute leur enfance, les récits magiques, peut-être embellis, de cette période maudite et fascinante où l'on pouvait encore être un héros.

Dès octobre 1940, Madeleine Y., institutrice stagiaire à Drancy, est radiée de l'enseignement. Elle tente d'épouser son compagnon, un Italien qui rentre d'Espagne, où il a combattu dans les Brigades.

Il m'emmène au consulat d'Italie ! Je ne voulais pas y aller, mais... Alors il demande à l'employé : « Est-ce que je peux me marier avec une Juive ? » Alors l'autre, il me regarde avec des yeux qui auraient pu être des revolvers : « Cinq ans de prison et cinq mille francs d'amende ! » [Elle rit.]

Quand elle s'apprête à accoucher, la clinique lui répond qu'« on ne prend plus les Juifs ». Elle accouchera chez elle.

Roland Y. (né en 1923 à Alfortville) essaie de poursuivre ses études de médecine à Lyon, où il s'est réfugié :

Quand je m'inscris à Lyon, on me dit : « Vous venez de Paris, vous n'êtes pas juif au moins ? » Je dis : « Non, pas du tout. » Là-dessus, le dossier arrive, avec écrit en toutes lettres « Étudiant juif ». Alors le doyen m'a dit : « Vous ne pouvez pas vous inscrire cette année, il faut refaire une demande. » J'étais dans le *numerus clausus*, parce que j'avais eu de bonnes notes au PCB et au lycée. J'ai donc perdu une année, refait une demande et été accepté de nouveau.

Le même doyen me fait passer les examens de fin d'année en 1944. Il a eu plus peur que moi ! Parce que les Allemands étaient venus relever les listes des étudiants juifs. Il était doyen nommé par Vichy, pas assez courageux pour me planquer. Mais enfin, ça l'ennuyait. Alors il me dit : « Mais qu'est-ce que vous faites là ? – Passer mes examens. » Il me pose une question, une seule. Je lui réponds. Il me dit : « Je vous mets 10 sur 20, vous êtes reçu, je ne veux plus vous voir ! Fichez-moi le camp ! » [Il rit.]

Les autorités vichystes d'Algérie se montrent beaucoup plus rigoureuses que dans la zone dite libre de métropole. Ici, les Juifs perdent la nationalité française et sont chassés des établissements d'enseignement public :

Et donc j'ai été renvoyé, raconte Claude B. (né en 1931 à Tiaret). L'instituteur nous a dit que nous étions des Juifs indigènes. Pour moi, l'indigène, c'était... je ne connaissais même pas le mot. J'avais entendu parler des indigents. Et je m'imaginais que c'était quelque chose comme ça. Des gens qui vont à la cantine, parce qu'ils n'ont pas assez d'argent pour manger. Donc j'ai demandé à mon père ce que c'était qu'un indigène. Il m'a dit que ce n'était rien de grave. Que c'était le fait d'avoir habité tout le temps en Algérie. D'y avoir ses ancêtres.

Et je pense que j'ai été très très marqué par ça. Au moment où j'ai été renvoyé de l'école, évidemment, il y avait d'autres instituteurs juifs qui ont été renvoyés. Et la communauté avait décidé de faire une école juive. Je me souviens que, quand les Américains ont débarqué, mon père a dit : « L'école juive, c'est fini. Tu vas aller au lycée. » Mais j'ai dit : « Pas question ! Je ne vois pas pourquoi l'école juive, c'est fini. » Je ne voulais plus sortir de l'école juive.

Incontestablement, ça a eu une très grande influence sur la formation de ma personnalité. Je m'aperçois que presque tout ce que j'ai fait par la suite a été déterminé par cette prise de conscience.

« Tout ce que j'ai fait par la suite... » Eh oui ! le sentiment d'appartenance au peuple algérien (au point de rester en Algérie, au service de Ben Bella, puis de Boumediene, jusqu'en 1973), la participation au combat national du FLN, mais aussi l'affirmation très forte de son identité juive (il est encore capable de dire en hébreu les actions de grâce après les repas...) : « Je suis, a-t-il coutume de répéter, un Juif arabe. »

Rares sont les récits de spoliation ou d'aryanisation : peu de ces ashkénazes communistes viennent d'une famille de commerçants ayant pignon sur rue. Les pères sont plutôt ouvriers ou façonniers, voire marchands forains. Ceux qui tiennent boutique possèdent sans doute assez de liquidités pour se permettre de mettre la clé sous la porte et de se réfugier en zone dite libre.

Les autres – les plus pauvres, ceux qui ne disposent d'aucun capital – sont condamnés à rester. Dès lors, quelques-uns (beaucoup, peut-être) ne trouvent plus d'autres clients réguliers... que les Allemands. Les communistes essaient de les contraindre à y renoncer. C'est même apparemment l'un de leurs premiers actes de résistance. Albert D. (né en 1929 à Paris), fils de militants, eux-mêmes tailleur-façonnier et couturière, s'en souvient encore :

> Il y avait déjà des tracts en yiddish qui circulaient pour empêcher les petits façonniers qui, au début, avaient accepté les Allemands – ils travaillaient avec eux pour avoir le fameux *Ausweis*. Et ils allaient en groupe décourager les façonniers, les bonnetiers, les tailleurs, les gars qui faisaient des chaussures, de travailler pour les Allemands. C'est quand ?... Disons octobre 1940, les premières lois juives venaient d'arriver. Ils allaient de porte en porte, en donnant le tract, en leur spécifiant qu'il ne fallait surtout pas travailler pour les Allemands, que

ces gens-là se retourneront contre nous... C'était bien avant l'entrée en guerre de l'URSS. Après, ils sont même passés aux menaces, en disant que, s'ils travaillaient pour les Allemands, on leur casserait le matériel. On avait dix ans, je m'en souviens comme d'aujourd'hui. Et ça venait aussi de chez mes parents. D'ailleurs ma mère avait peur, ils avaient des réunions.

Ce qui n'empêche pas un futur grand résistant MOI-FTP comme Nehmias K. (né en 1927 à Przemysl) de parfaitement accepter que sa propre sœur travaille pour les soldats de la Wehrmacht : « Il n'y a que l'aînée qui était restée, parce qu'elle faisait des manteaux de fourrure pour les Allemands, elle avait eu un *Ausweis*. Avec cet *Ausweis*, elle protégeait mon père et ma mère. »

Être arrêté comme Juif

Le grand trauma, le choc qui modifie le cours de toute une vie, c'est bien sûr l'arrestation, la rafle, qu'on l'ait soi-même vécue ou qu'on traîne le souvenir de ceux qu'« ils » emmènent et que, le plus souvent, on ne reverra jamais. Sur les cinquante ashkénazes de l'échantillon, quatre ont été eux-mêmes arrêtés, puis libérés, six ont vu partir leur père ou leur mère (sinon les deux), cinq ont été témoins de la grande rafle de 1942 (à laquelle ils ont, avec leur famille, réussi à échapper), onze – trop jeunes, ou internés dans un stalag, ou absents pour quelque autre raison – ont entendu cent fois le récit du drame qui a frappé leurs parents ou leurs grands-parents. Sans compter Marianna K. (née à Paris en 1942), dont le père a été fusillé comme « terroriste ». Au total, plus d'un sur deux.

Le 13 mai 1941, des centaines de Juifs étrangers reçoivent un « billet vert » les priant de « se présenter, en personne, accompagné[s] d'une personne de [leur] famille, le 14 mai 1941, à 7 heures du matin, 2, rue Japy (gymnase), pour examen de [leur] situation[6] ». Maurice N. (né en 1924 à Paris et lui-même grand résistant) s'étonne encore :

---

6. Cf. David Diamant, *Le Billet vert*, Paris, Éditions du Renouveau, 1972 ; Renée

Ce qui m'a toujours sidéré, comment est-ce que, en 1941, mon beau-père est parti, comme des milliers de Juifs, après avoir reçu une convocation pour aller au gymnase Japy ? Alors qu'en 1938 il m'avait amené tout naturellement au cinéma Le Savoie, boulevard Voltaire, voir le *Professeur Mamlock*... où on voit déjà les premiers camps de concentration en Allemagne. C'est-à-dire qu'il connaissait ce qui pouvait arriver aux Juifs. Eh bien ! malgré tout, ils ont été avec leur casse-croûte et leur couverture se rendre aux Allemands !

Tous ceux qui ont répondu à la première convocation de Vichy... ont cru que rester dans la légalité, c'était la meilleure défense. Et qu'il n'y aurait pas de retombées sur la femme et sur les enfants. Je crois que c'est surtout ça, les motivations.

Le 21 août 1941, dès 5 h 30 du matin, le XIe arrondissement de Paris est entièrement cerné. Ordre est donné d'arrêter « tous les israélites de sexe masculin âgés de 18 à 50 ans ». Roland Y., né en 1923, a tout juste dix-huit ans. Il est arrêté dans la rue par cinq policiers français. Carte d'identité avec le cachet « Juif ». On l'emmène à Drancy.

Ça n'a rien de comparable avec les camps de déportation, mais c'était très difficile au point de vue alimentaire. J'ai perdu quatorze kilos ! Et il y a eu, en novembre 1941, quelques centaines de personnes libérées de Drancy. J'étais dans celles-là, je ne sais pas combien il en reste[7]. Donc véritablement rescapé ! Parce que, dans les jours qui ont suivi, ça s'est arrêté. Je crois que même, un jour, il y avait une liste alphabétique, ça s'est arrêté au M et puis ceux qui étaient après, le SS qui venait de Berlin, je crois que c'était Dannecker, a dit : « Qu'est-ce qui se passe ? On libère des Juifs ? » Et ça s'est arrêté.

Et cette expérience, pour un jeune homme de dix-huit ans, c'était quand même quelque chose de marquant. Alors, je sais bien, les gens n'ont pas tous réagi de la même façon. Il y en a qui sont devenus

---

Poznanski, *Les Juifs en France pendant la Seconde Guerre mondiale*, Paris, Hachette, 1997, p. 86-87.

7. Cf. Renée Poznanski, *op. cit.*, p. 270 : en novembre 1941, à la suite d'une trentaine de décès parmi les internés, « les médecins de la préfecture obtiennent d'une commission militaire allemande que des centaines d'internés soient libérés. [...] 750 Juifs furent ainsi libérés en quelques jours. Le 12 novembre, les libérations furent brusquement interrompues ».

religieux [il rit], ou qui sont devenus sionistes. Moi, je considérais le nazisme comme une conséquence du régime capitaliste. Et ça m'a conforté dans mes idées.

Tellement « conforté » qu'à peine la Libération survenue, il adhère au Parti, pour ne plus jamais le quitter. Dans son malheur de l'été et de l'automne 1941, il a eu – si l'on peut dire – de la chance, puisqu'il échappe à Auschwitz et que ses parents ne seront jamais inquiétés.

Mais c'est le 16 juillet 1942 que la foudre tombe sur les Juifs de Paris. Huit récits s'entrecroisent dans notre enquête. Écoutons Rosette Z., la plus jeune « arrêtée » (elle est née en 1934 et milite encore aujourd'hui au PCF) :

Le 16 juillet 1942, depuis quelque temps on nous disait qu'il fallait se méfier. Alors ma mère, elle nous avait dit à tous les trois : « Surtout, un matin, si vous entendez frapper à la porte, surtout on ne répond pas, on ne dit rien. Et on ferme la porte à clé le soir. » Et puis, un matin, on a frappé à la porte et on a entendu en yiddish une voix qui disait : « Ouvrez-moi la porte ! Ouvrez la porte à une pauvre femme ! » Et ma mère a ouvert. Et derrière la vieille bonne femme, il y avait deux flics. Alors ma mère s'est mise à incendier la bonne femme, qui a très vite disparu. Moi, je n'ai pas compris ce qui se passait. Ce n'est qu'après que j'ai dit à ma mère : « Pourquoi tu as crié ? Qu'est-ce qui s'est passé ? » Elle m'a dit : « Mais tu te rends compte ! Ils ont trouvé un mouton juif pour... me faire ouvrir la porte ! » Les deux flics ont dit à ma mère : « Prenez une petite valise, du lait pour le petit et tous vos bijoux ! » Ma mère a dit : « Eh bien ! les voilà, mes bijoux ! » Elle nous a montrés, nous. À l'époque, j'avais sept ans. J'ai dit : « Ma mère, elle devient folle ! Elle nous appelle des bijoux ! » Je ne comprenais pas du tout ce que ça voulait dire.

Et puis on a été emmenés jusqu'au gymnase Japy. On nous a fait monter dans l'autocar. Tout le monde parle d'autobus, moi je ne me rappelle pas du tout un autobus, je me rappelle un autocar, je le vois encore... Et quand on a été dedans, il y a un commissaire de police qui est arrivé en disant : « Est-ce qu'il y a des femmes de prisonniers de guerre parmi vous ? » Alors ma mère a dit : « Bah ! oui, moi. » Il a dit : « Vous, vous descendez, vous rentrez chez vous. » Alors ma mère a dit : « Je vais de nouveau me faire arrêter ! » Il a dit : « Non, on va vous raccompagner chez vous. » Et un flic nous a raccompagnés chez nous.

Voilà un récit qui tourne bien, si l'on peut dire, malgré l'aveu – pour l'unique fois de toute l'enquête – qu'il a pu exister des Juifs assez lâches pour aider la police. Les autres, beaucoup d'autres, n'ont pas fini de pleurer. Le petit frère de Jacques R. est hospitalisé, il souffre d'une très grave maladie :

> Lorsqu'il y a eu des lois antijuives, raconte Jacques, ma mère n'était autorisée à rendre visite à mon petit frère qu'un jeudi par mois. Il se fait que le 16 juillet tombait un jeudi. Donc, quand mon père a dit à ma mère : « Je suis prévenu qu'il va y avoir une grande rafle, il est possible qu'on arrête des femmes et des enfants, il faut qu'on se cache à Ozoir-la-Ferrière » – c'était une pièce de quatre mètres sur quatre, que mon père avait construite de ses mains ! Et il s'agissait de se cacher dans cette pièce-là, en attendant que les choses se calment.
>
> Ma mère n'a rien voulu savoir, parce qu'il y avait cette visite à l'hôpital. Et le 14 ou le 15 juillet, mon père de force m'a contraint à le suivre, pour qu'on aille se cacher à Ozoir-la-Ferrière. On est arrivé le 15 au soir. Et ma mère est restée. Donc elle a été arrêtée.

Elle est déportée. Elle ne reviendra jamais. Cinquante-cinq ans plus tard, Jacques R. a encore les larmes aux yeux quand il évoque ce souvenir. L'amour maternel l'a emporté sur le plus évident souci de la sécurité personnelle.

Nous avons déjà rencontré Madeleine S., celle qui était si fière de porter l'étoile et qui rêvait de s'égaler à Blandine. L'été 1942, la famille décide de quitter Paris pour la Corrèze. Le père part en éclaireur. La petite fille (elle a treize ans), sa mère et ses deux frères doivent le rejoindre avant la rentrée d'octobre :

> Entre l'instant où papa est parti et l'instant où nous devions partir, il s'est passé le 16 juillet. Alors, le 16 juillet au matin, un flic français, avec un jeune mec civil, sont venus sonner à notre porte et ils ont emmené ma mère. Ils ont attendu, ils ne l'ont pas lâchée une seconde. Elle a refusé de nous emmener tous les trois. Et ils ont dit : « Non, on ne peut pas ne pas emmener les enfants. On ne peut pas les laisser, s'il y a pas quelqu'un. »
>
> Alors... j'ai traversé Paris pour aller chercher ma grand-mère, pour qu'elle vienne nous garder. Elle habitait rue de Charonne. Et pendant tout le long du trajet, j'ai vu des familles entières avec des valises, qui se dirigeaient vers la mairie du Xᵉ arrondissement. J'ai pris le métro,

j'étais très affolée... C'est des choses qui vous restent tout le temps dans la vie. J'étais effondrée. Je me souviens d'avoir éclaté en sanglots. Une dame m'a demandé ce que j'avais. J'ai dit : « On a pris ma mère. » Elle m'a dit : « Mais t'inquiète pas ! Elle reviendra. » J'ai dit : « Non. Elle reviendra pas. » C'était quelque chose de très sûr. J'étais sûre qu'elle ne reviendrait pas. C'était incroyable. Ils étaient là à attendre... Donc j'ai ramené ma grand-mère. Elle a donc été emmenée à Drancy et ensuite...

Tous, en tout cas, sont d'accord sur un point : ils avaient été prévenus. Avertis par les communistes, disent la plupart[8]. Le père et la mère de Raymonde Y. appartiennent, nous l'avons vu, au PCF et à la Résistance. Elle raconte :

> Papa avait envoyé des gens pour nous dire : « Faut partir ! Faut partir ! » Et puis, le matin du 16 juillet... on était sur le balcon, rue des Archives, il y avait le 75 qui passait en bas... Et on a vu... enfin c'est, tu vois, les trucs qui étaient épouvantables comme angoisse... les flics qui montaient dans le bus, le 75, pour en faire descendre les Juifs...
>
> Donc je voyais maman pleurer, mes frangines pleurer. Et donc on est descendues faire des courses, avec une des frangines et maman. Et je me rappelle qu'elle me serrait la main, aussi l'angoisse... Et on voyait les cars partir du garage de la rue de Bretagne, avec les baluchons des... J'ai vu des copines, puisqu'on allait dans le square du Temple, et je comprenais pas grand-chose, je comprenais seulement que c'était grave. Alors elles partaient... elles partaient vers Drancy. Et donc on est remontées à la maison. Et là, alors je sais plus après...
>
> — Les flics n'étaient pas passés chez vous ?
>
> — Pas encore. Pas encore... Alors là je me revois descendre avec maman, toujours l'angoisse. Et là je revois les bottes... des flics qui montaient à la maison. Alors que nous, on descendait. Et on s'est croisés.

Albert D. né à Paris en 1929, (il n'est plus au PCF) a, lui, vu « des flics en civil qui venaient sur le boulevard et qui prévenaient : "Attention ! Il va y avoir une rafle contre les Juifs !" »

> Alors les hommes étaient donc prévenus. Et ensuite, il était lancé un tract – donc c'était un tract du Parti... de la Résistance, peu importe, pas seulement le Parti communiste ! – qui annonçait à tous les Juifs

---

8. Ce que confirme Jacques Adler, *Face à la persécution*, Paris, Calmann-Lévy, 1985, p. 189.

que, à telle ou telle date, il y aurait une rafle. Donc la rafle du 16 juillet, on prévenait le maximum de gens. Donc les gens un peu disciplinés, pour le 16 juillet, on disait : « C'est les hommes », bien sûr, donc les hommes allaient se cacher. Je me souviens, dans cet immeuble, il y avait un... grenier. Il y avait six ou sept pères de famille qui se sont couchés dans le grenier.

Rue Ramponneau, ils avaient un panier à salade. Il y avait à Belleville trois ou quatre mille familles juives. Ce panier à salade arrivait avec un flic en civil, qui était plus ou moins doriotiste, et un brave flic avec son képi. Et ils tapaient à cinq heures du matin dans toutes les portes. Les mères juives ont commencé à gueuler. En disant : « Mes enfants sont français ! » C'est le cas de ma mère, elle a dit : « Mes enfants sont français ! Ils partiront pas ! Qu'est-ce que ça veut dire ? On est là depuis... ! » Alors le flic, il avait une grosse tête ! Le doriotiste, non, il était accroché. Le flic en uniforme, il en avait ras le bol tout de suite ! Il disait : « Dans ce cas-là, on va vous laisser. Vous allez vous préparer, on viendra vous rechercher à midi ou une heure ! »

Et j'ai eu des exemples, malheureusement, en face de nous, il y avait une brave femme... Nous étions des mômes, ça se passait à cinq heures, on allait chez les autres petits copains et on disait : « Faites attention ! On est pris ! » On leur disait : « Vous allez avoir des rafles, on vous prévient, nous, on est pris ! » Et puis on revenait tranquillement à la maison.

Il faut te dire que les flics sont restés de pratiquement cinq heures du matin, avec nous, jusqu'à midi... Mais il y avait six à sept familles juives dans l'immeuble. Les femmes étaient très agressives. Elles ne voulaient pas partir avec leurs enfants. J'ai eu l'exemple douloureux d'un bonhomme qui est descendu du grenier et, quand il a vu ses quatre gosses et sa bonne femme chialer, c'est lui qui a fait faire les valises et il les a emmenés... C'est te dire que, malheureusement, ceux qui résistaient, parce que le flic, c'était dans un milieu où il y avait trop de familles à prendre, il n'y avait pas assez de paniers à salade, les flics étaient carrément débordés. Étant débordés, ils ont laissé un temps d'arrêt, c'est-à-dire que les familles qui venaient volontairement avec leurs valises juste au commissariat rue Ramponneau, ils y allaient de leur propre... presque de leur propre gré (il y a un presque !...) et, à ce moment-là, là-haut, il y avait les fameux autobus qui les emmenaient. Mais ceux qui hurlaient, qui ne marchaient pas, c'était le cas de ma mère, ils les ont laissés sur place vingt-quatre ou quarante-huit heures.

C'est qu'en effet il ne suffit pas d'être prévenu. Les malades, par exemple, croient que les policiers auront l'ordre de ne pas les arrêter. C'est le cas du père d'Annette R., déjà presque mourant et qui meurt quelques jours après sa libération de Drancy. Ou du père de Rosette F. (née en 1927 à Paris) :

> J'avais quinze ans. J'habitais rue de Ménilmontant. Nous étions prévenus qu'il y aurait une rafle. Mais on n'y croyait pas... Non. Enfin, mon père n'y croyait pas... concernant les femmes et les enfants. Lui avait une santé assez chancelante et mon frère avait quitté Paris huit jours avant, parce qu'il refusait de porter l'étoile.
>
> Il y a eu un incident... Un voisin de palier, la veille, a montré à mon père une lettre avec des cachets allemands. Mon père a pensé que... que ça lui était destiné et que c'était une lettre qui disait l'arrestation de mon frère. Donc il avait eu un grand choc, sur le plan cardiaque il était un petit peu fragile, il a fait une chute de tension. Et donc on a dû faire venir le médecin, et le médecin lui avait fait un certificat disant qu'il n'était pas transportable. Et, malgré cela, quand on a été réveillés par les... par les flics, ils l'ont transporté en camion.
>
> — Donc pas dans les fameux autobus ?
>
> — Si, après. Mais disons que, de chez nous au centre de ramassage de la rue Boyer, il a été transporté en camion. Et moi, j'ai été arrêtée avec eux. Et, quand je suis arrivée au centre de ramassage, j'ai vu la mère d'une de mes amies d'école qui m'a dit : « Tu vas te faire enregistrer auprès de tel inspecteur. Lui, il laisse ressortir les enfants juifs porteurs d'une carte d'identité. Si tu as une carte d'identité, tu vas le voir ! » Alors c'est ce que j'ai fait. Et effectivement il m'a dit : « Tu n'as rien à faire ici, tu sors ! » Et moi, je ne voulais pas sortir, parce que je n'avais jamais quitté mes parents, que j'essayais de me débrouiller pour faire sortir mon père, et il m'a regardé en me disant : « Pour ton père, je ne peux rien. Mais toi, tu n'as rien à faire ici ! [Elle chuchote :] Tu t'en vas... » Et c'est comme ça que...
>
> À ce moment-là, mon père a dit : « Oui, oui, il a raison. Tu nous rendras plus service de l'extérieur que de l'intérieur. » Et c'est comme ça que je suis ressortie. De là, ils sont allés à Drancy. J'ai eu des nouvelles de Drancy. J'ai eu leur lettre de départ... de départ pour la déportation le 28 juillet 1942... [Elle chuchote :] Et je pense qu'ils ont été gazés dès le début.

Rosette F. ne s'en est jamais remise. Elle ne sait même plus si elle appartient encore au Parti communiste. Elle ne supporte pas l'interview. Elle s'effondre.

Ainsi se confirme, en tout cas, une certaine dose d'ambiguïté qui se mêle au récit de ces événements tragiques : les Juifs étaient, pour beaucoup d'entre eux, prévenus de la rafle ; une partie de ceux qui se sont laissé prendre l'ont peut-être fait par lassitude devant une vie intenable, par confiance aveugle dans les autorités françaises, par désir de ne pas se séparer de leurs enfants, par incapacité de trouver un lieu de repli... Les policiers qui exécutent les ordres de la Préfecture ne sont pas tous, loin de là, les brutes inconscientes que tendent à représenter aujourd'hui certaines chroniques des années sombres[9] : quelques-uns ont prévenu dès la veille, d'autres ont laissé filer leurs prisonniers, certains ont fait semblant de croire à la validité de faux papiers, ou ont veillé particulièrement à sauver les enfants... L'histoire orale nous préserve ici d'un trop brutal manichéisme.

Fuir, se cacher comme Juif

La police est passée. Ou elle passera. Il n'y a pas d'autre solution que de quitter Paris. De se réfugier en zone dite libre. Là où l'on ne porte pas l'étoile. Retrouvons la petite Madeleine S., celle qui a couru toute la ville, le 16 juillet, pour ramener sa grand-mère, tandis que sa mère, dans l'appartement de la rue de Lancry, attendait sous bonne garde :

> Et puis en plus je devais aller, presque tous les jours, prévenir... pas à la Kommandatur... au juge de paix... que j'étais là, que je n'étais pas partie. Et puis c'est un ami de mon père, Monsieur B., je suis allée le trouver en lui disant : « Je cherche un passeur. »
> Et puis on a traversé la ligne de démarcation. Monsieur B. avait quelqu'un qu'il connaissait à Vierzon. Et alors c'était des... des gens, ils devaient nous faire traverser la ligne. Mon tout petit frère traversait avec une barque. L'autre frère... Finalement, tous les trois, nous devions traverser au gué. Mon père était de l'autre côté, nous attendait. Et alors, au moment où on aurait dû traverser, il s'est passé quelque chose d'extraordinaire, c'est qu'il y avait un Allemand qui était assis sur... sur un

---

9. Cf. par exemple Maurice Rajsfus, *Quand j'étais juif*, Paris, Éditions Megrelis, 1982, p. 17 : « La police française, complice à 99,99 % des nazis jusqu'en août 1944, veillait à faire appliquer les lois raciales édictées par le gouvernement Pétain/Laval. » Ou encore, p. 163 : « La police française : ce corps d'élite qui s'était mis spontanément au service de la politique hitlérienne de répression. »

arbre qui avait été coupé, je ne voyais que ses bottes, j'ai compris que c'était un officier allemand, et j'ai vu une cigarette. Je n'ai rien vu d'autre. Mais les bottes, ça ne pouvait être qu'un soldat allemand. Il était là et il nous attendait.

J'ai été prise de panique et j'ai jeté le sac que j'avais à la main. Dans un fourré. Il y avait toutes nos cartes d'alimentation, des tas de choses. L'argent, je l'avais mis dans un petit sachet autour de mon cou. Je me souviens très bien, parce que c'est des scènes qu'on ne peut pas oublier, j'ai attrapé le plus petit de mes frères, j'ai enlevé sa culotte et je l'ai assis par terre, en disant : « Tu m'embêtes, tu as toujours envie de faire caca au moment où on se promène ! » Et le petit hurlait : « Je veux pas faire caca ! » Et je le battais, parce que je voulais pas qu'il dise ça. Après, je lui ai remis sa culotte. Je lui ai dit : « Tu te tais, tu arrêtes de pleurer. » Il a dû comprendre qu'il y avait quelque chose de grave qui se passait, il m'a donné la main et on est repassés.

Et c'était effectivement un officier allemand. Il s'est levé, il est parti, on est allés chez les passeurs. « C'est pas possible de les passer par ici. L'endroit est pourri. » C'est à ce moment-là qu'ils ont décidé. « Les petits garçons, on va les faire passer par les gens du pays. Et la grande, il faut qu'elle passe à la nage. »

J'ai donc passé le Cher à la nage. Et j'avais, je me rappelle... des chaussures bleu marine avec des semelles rouges articulées, j'étais fière de ces chaussures, c'était des chaussures de jeune fille. Et puis j'avais un grand manteau bleu marine, puisque ça allait être la rentrée des classes, je n'avais qu'une idée fixe, il faut que les enfants rentrent le 1er octobre. Et alors ce manteau m'a sauvée. Parce que les Allemands étaient sur le pont, ont vu quelqu'un qui nageait. Mais alors le manteau s'est gonflé avec l'eau. Et comme ça me pesait terriblement, je l'ai laissé dans l'eau. Et moi, j'ai nagé. Et le manteau était derrière moi, tout gonflé d'eau. Ils ont donc tiré sur le manteau. Je suis arrivée sur l'autre rive. Et je me suis évanouie.

Là, papa était là. Ces gens m'ont ramassée. Ils ont fait un feu de cheminée, ils disaient : « Elle revient à elle ! C'est pas la peine d'appeler le médecin. »

C'est ce jour-là, affirme-t-elle aujourd'hui, dans le car qui l'emmenait de Vierzon à Neuvic-d'Ussel, qu'elle a compris qu'elle serait communiste. Ici, le lien direct entre le trauma et l'adhésion au PCF apparaît de nouveau en toute clarté.

Mais tout le monde n'a pas de point d'attache dans le Midi. Tout le monde n'a pas de ressources financières pour tenir le coup loin de chez soi, sans travailler. Beaucoup se contentent de se cacher. À Paris, ou près de Paris.

Madeleine Y. (celle qui vit avec un Italien des Brigades internationales) ne prend même pas cette peine. Elle reste chez elle, rue Debelleyme, en plein *Pletzl*. « Et nous avions une concierge, une horreur ! Elle dénonçait... parce que son mari était prisonnier. Et pour faire libérer – parce qu'ils ont libéré des prisonniers –, elle dénonçait des jeunes ou des Juifs illégaux. » Pourtant, elle, la Juive, la communiste, la compagne d'un antifasciste, l'institutrice chassée de l'enseignement, il ne lui arrive rien !

Ah ! les concierges ! Quelques-unes résistantes, la plupart opportunistes. Elles inspirent une saine méfiance. Le père d'Iliane K. – celui qui avait dû fuir la Palestine d'avant la guerre parce qu'il s'était syndiqué « chez les Arabes » –, après sa libération d'un stalag (grâce à la complicité d'un major allemand, ancien communiste), revient à Paris « et, le soir même, évidemment, il se sauvait, parce que notre concierge, dont le mari était garçon de café au Wepler, place Clichy, qui était le grand rassemblement des boches de l'époque... Et effectivement on est venu chercher papa le lendemain matin. Nous étions français, on venait le chercher quand même ».

Nous avons quitté Jacques R. le 16 juillet, au moment où sa mère est arrêtée parce qu'elle n'a pas voulu manquer le jour de visite de son plus jeune enfant à l'hôpital de Sainte-Geneviève-des-Bois. Le voici caché, avec son père, à Ozoir-la-Ferrière, dans « une pièce de quatre mètres sur quatre » :

> Or, mon père étant un homme très populaire dans les milieux juifs, il se fait que dans les arrondissements concernés par ces rafles, il y a dix-sept personnes qui au même moment se sont dit : « On va se cacher chez Harschel ! » Et dans notre pièce de seize mètres carrés, on a vu se pointer dix-sept personnes !
> Et là, je suis témoin que ce n'est pas facile de vivre à dix-sept dans une chambre de seize mètres carrés. Il fallait nourrir ces gens. Mon père et moi, je me souviens qu'on était partis dans les bois, on était revenus avec deux paniers de champignons. Comme il était pâtissier, il savait cuisiner et ces braves gens ont mangé des champignons... Jusqu'au jour où mon père a été arrêté...

Ça s'est passé d'une manière assez surprenante. Il y a à Ozoir des filles qu'on appelait des « filles à boches ». Et une des filles a dénoncé mon père, parce qu'il y avait un va-et-vient absolument exceptionnel. Dix-sept personnes qui se cachent ! Les gens sortaient, allaient dans les bois, revenaient, sortaient, revenaient. Et ça, elle l'a signalé à la Kommandantur.

Et, un jour, je me souviens que mon père était assis sur le pas de la porte, en train de repriser des chaussettes. J'étais à l'intérieur et je lisais. Et je vois mon père qui rentre dans la pièce et qui me fait signe, en mettant le doigt sur la bouche, de ne pas parler. Il prend sa veste et, quand je vois mon père sortir, je le suis. Il referme la porte à toute vitesse et j'entends des Allemands, en allemand, dire : « Vous ne fermez pas la porte à clé ? » Et mon père : « Non. Je n'ai rien à me reprocher, je suis sûr que je vais revenir ! »

Il y avait quatre Allemands et un sous-officier. Moi, je sors derrière. J'attends qu'ils soient un peu plus loin pour ne pas me faire prendre. Notre maison se trouvait à une extrémité de la ville. La Kommandantur était à l'autre extrémité. Il fallait donc faire à peu près trois ou quatre kilomètres à pied. Alors la scène se passait de la manière suivante : quatre Allemands, mon père au milieu, le sous-officier devant et toute la population d'Ozoir sur le pas de la porte, tout le long du chemin. Et moi qui marchais à cent mètres derrière. J'avais quatorze ans.

Il y avait un homme qu'on connaissait bien – le coiffeur, qui était communiste par ailleurs –, il a vu que je marchais derrière, il m'a dit : « Ça ne sert à rien, tu ne vas pas aller avec ton père ! Tu rentres chez moi, tu vas te cacher là ! » Et cet homme-là m'a hébergé, et mon père est arrivé à la Kommandantur.

Or l'officier qui commandait la Kommandantur d'Ozoir partait le soir pour le front de l'Est. Et il a été remplacé par un officier autrichien, qui s'est fait donner le rapport de la situation. Mon père s'est donc présenté devant lui. L'officier lui a demandé : « Mais vous êtes là pourquoi ? » Et mon père a dit : « Je suis là parce que je suis juif. » Et l'officier de la Kommandantur a dit à mon père : « Vous ne devez pas quitter Ozoir, vous devez rester sous la surveillance des autorités militaires. Surtout, ne quittez pas votre domicile, rentrez chez vous ! » Et c'était vraiment une manière de dire : « Prends tes cliques et tes claques, et fiche le camp ! »

Il a passé trois nuits là-bas. Quand mon père a été emmené par les Allemands, il avait des cheveux bruns. Et quand il est revenu, il avait les cheveux blancs ! Blancs, blancs, blancs. Après trois jours, on peut avoir les cheveux tout blancs !

Ici encore, on retrouve trois structures à peu près invariantes de tous ces récits. D'abord, la double solidarité. Faut-il qu'elle soit forte, la cohésion de la communauté juive de Belleville, pour que dix-sept personnes – peut-être pas toutes militantes – décident, en une nuit, de « se cacher chez Harshel » ! Mais la solidarité communiste s'exprime, elle aussi, au cours de ces minutes décisives : le coiffeur qui propose au petit Jacques de le planquer. Ensuite, l'ambiguïté de la société française : d'un côté, les « filles à boches » qui dénoncent (fantasme rémanent des années de guerre, dont les chevelures rasées de la Libération signeront l'apothéose) ; de l'autre, le coiffeur qui héberge. Enfin, l'ambiguïté même des forces de répression : même dans la Wehrmacht (pas chez les SS ni à la Gestapo, bien sûr) peuvent exceptionnellement se trouver des officiers qui n'ont aucune envie de faire un travail de police. Seuls les miliciens et autres doriotistes resteront absolument étrangers à ce genre de scrupule.

Quand il est revenu, poursuit Jacques R., après, ça a été une vie très difficile. On vivait dans une telle angoisse de se faire prendre que j'ai le souvenir que, un jour, on s'est demandé si on devait se rendre ! Tellement c'était dur !

On est retournés chez nous. On a mis un cadenas devant le grillage de la porte d'entrée pour faire croire qu'on n'était pas là. Et on s'est planqués comme ça. On ne nous voyait plus, on sortait à la tombée du jour. On se nourrissait de rien. On n'avait réellement rien, rien à manger. On mangeait des glands. On allait à la tombée de la nuit glaner le blé. Avec ces restes de blé qu'on frottait, on avait des grains qu'on passait dans un moulin à café. Avec la chance que mon père soit pâtissier, avec ça on faisait des galettes de je ne sais plus quoi.

On ne sortait plus. Les autres sortaient. Un jour, Ozoir a été encerclé par deux cents Allemands. Et les Allemands savaient précisément dans quelles maisons ils devaient aller chercher les Juifs qui se cachaient. Tout, tout, tout était répertorié. Le temps qu'ils arrivent, on a été prévenus.

On s'est donc planqués dans les bois. Là, les Juifs d'Ozoir-la-Ferrière – femmes et enfants, il y avait une centaine de personnes –, tout, tout, tout a été... Il n'est revenu personne ! J'avais de nombreux copains, des petites copines, je revois des quantités de gens qui étaient des amis de mon père, qui jouaient aux échecs avec lui, il n'est vraiment revenu personne des Juifs d'Ozoir !

La nuit tombée, on a été chez un de nos voisins pour lui demander s'il y avait un moyen de se planquer quelque part. On était quatre survivants : il y a une autre femme, avec un petit garçon de neuf ans, qu'on a retrouvée dans les bois. Et puis ce bonhomme qu'on a été voir, c'était un cheminot, un brave homme, mais il ne pouvait pas nous planquer ou il avait peur, je ne sais pas... Il nous a dit : « Chez le voisin, il y a une espèce de baraquement en tôle ondulée dans lequel il y a des clapiers à lapins. » On a enlevé les clapiers à lapins. « Essayez de vous planquer là-dedans ! »

Ce cagibi en tôle ondulée faisait deux mètres sur un mètre vingt. On était à quatre, il n'était donc pas question qu'on soit à quatre allongés par terre pour dormir. Il y en avait deux qui s'allongeaient, deux qui restaient debout. Comme ça, à tour de rôle. Et je ne sais pas combien de temps on est restés là-dedans, si ça se juge par semaines ou par mois...

Et le voisin venait nous apporter une fois par jour un plat de rutabagas et une cruche d'eau. Il était pauvre, il n'avait pas les moyens de faire mieux. Ce plat de rutabagas nous a permis de survivre. On ne sortait que la nuit. On vivait dans l'obscurité totale, il fallait sortir faire nos besoins la nuit, dans la journée on ne pouvait pas.

Une nuit, on est sortis voir un fermier, pour essayer de lui acheter quelque chose. On a vu dans un champ une espèce de monticule de feuilles de chou, qui fanaient. Quand mon père est arrivé chez le fermier – c'est moi qui faisais la traduction, il ne parlait pas assez bien le français –, il m'a dit de lui demander s'il accepterait de nous donner ses choux, qui étaient en train de pourrir. Et le fermier a dit : « Moi, je ne peux pas. C'est pour mes bêtes. » Alors mon père a expliqué qu'il ne s'agissait pas de bêtes, il s'agissait de quatre personnes qui mouraient de faim. Que c'était vital. Et lui, le fermier, il a dit : « Non, non, non. Les bêtes, c'est vital aussi pour moi. Ça m'est absolument impossible. » Et là, j'ai assisté à une scène qui m'est restée gravée dans la mémoire. Mon père avait comme économies trois louis, qu'il portait sur lui. Il a sorti un louis et il a dit au fermier : « Si tu nous donnes tes choux, moi je te donne ça ! » Quand le fermier a vu le louis, il a dit : « Tu prends les choux ! »

Moi, qui ai vu cette scène, je me suis dit : « Il faut qu'un Juif, pour survivre, ait toujours un louis avec lui ! » Et j'ai toujours eu un louis avec moi depuis... Toujours, toujours... Je ne sais pas si c'est pour ça que je suis devenu bijoutier ! Mais ça, c'est une image qui m'a toujours, toujours suivi.

Alors on a donc, toujours de nuit, été chercher un tombereau. On a chargé le tombereau avec les feuilles de chou. On s'est débrouillés avec le voisin pour trouver des râpes, on a râpé le chou, on l'a mis dans un tonneau. Et puis on a laissé macérer une journée. Normalement ça devait macérer beaucoup plus longtemps que ça, mais on crevait de faim ! Et je me souviens qu'on bavait à l'idée qu'on allait ouvrir le tonneau, qu'on allait avoir notre première ration de chou. Mon père a ouvert le tonneau. Il y avait un rat énorme qui était mort dedans. On prend le rat, on se le balance, on se sert le chou et il ne vient à l'idée de personne de dire : « Mais c'est pas propre ! C'est sale ! » Non, il n'y a rien de tout ça !

Le lendemain du dîner aux choux, Jacques R. prend contact avec la Résistance communiste. Il adhérera au Parti un an plus tard. Ici encore, le lien direct entre l'ultime trauma et l'engagement politique se manifeste dans toute son évidence. Reparaît aussi un vieux trait de la tradition ashkénaze : l'art du conteur, qui ménage son suspense, qui sait amener habilement les trois nœuds du récit – le clapier à lapins, le louis d'or, le rat –, qui le structure comme un roman d'aventures. Et qui énonce une sorte de morale de l'histoire : « Il faut qu'un Juif, pour survivre, ait toujours un louis avec lui ! » Avec le *witz* final : « Je ne sais pas si c'est pour ça que je suis devenu bijoutier ! » Quelle différence avec le ton raide, gourmé, convenu, sur lequel Jacques R. expose les raisons qui lui faisaient approuver, quatre ans plus tôt, le pacte germano-soviétique ! Ainsi donc, Jacques R. parle les deux langues : le « communiste » et le « juif ». Dans cette dilalie ou diglossie réside peut-être une composante majeure de ce *et* (Juif *et* communiste) qui constitue le cœur même de l'énigme que nous tentons de résoudre.

Résister, mais est-ce comme Juif ?

Entendons bien ce que dit Jacques R. : Résistance communiste. Pas Résistance juive. Les FTP, pas la MOI. Sur douze interviewés qui racontent leur Résistance, cinq ont pris part aux combats des FTP, trois à ceux des FFI (dont un dans un maquis de l'Armée secrète, réputée pour son anticommunisme), quatre à ceux des FTP-MOI. Comment se fait la répartition ? Un peu au hasard, semble-t-il. Au gré des premiers contacts, des amitiés, des ordres venus d'en haut et que nul ne prend la peine d'expliquer.

Même un militant pur et dur comme Bernard A. (né en 1924 à Paris, il est au PC depuis 1944) regrette un peu d'avoir ainsi été catapulté d'office « chez les Juifs ». Venant de franchir clandestinement la ligne de démarcation, il arrive à Lyon. Des « copains d'école » lui proposent de venir lutter avec le Bund. Il refuse : les socialistes, « ça ne m'intéresse pas ».

> Et puis il y a eu une jeune fille... qui m'a demandé si je voulais... faire quelque chose contre les Allemands, etc. Elle n'était pas juive. J'ai dit oui. Et puis, un jour, elle m'a présenté un type. On a eu plusieurs rendez-vous. Et le dernier, c'était en novembre, j'ai adhéré aux JC. Moi, je pensais adhérer aux Jeunesses communistes, mais j'ai tout de suite été versé chez les Juifs. Je pensais que... après tout, c'était pas un mal... mais je regrettais quand même... j'aurais voulu être avec les non-Juifs. Mais c'était pas un problème...
>
> Il m'a dit, l'avant-dernière fois : « Tu adhères à l'Armée rouge. » Moi, j'étais très fier des succès que remportait l'Armée rouge. Mais c'était pas mon pays. Et j'ai demandé à réfléchir. La deuxième fois, je lui ai dit : « Moi, l'Armée rouge, je peux pas... J'ai rien contre... Mais moi, je suis d'abord français, mon pays, etc. » Alors il m'a expliqué que ce n'était pas grave, qu'il s'était laissé aller...
>
> Bon, j'étais chez les Juifs ! Donc c'était lié à la MOI, j'en savais rien, je l'ai appris après... C'est tout. On a commencé à faire le travail. On a fait les tracts dans un sablier... sur une terrasse d'immeuble... quand le sable s'écoulait, ça basculait, comme les balances, quoi... Avec un petit trou au fond de la balance... Quand le sable avait fui, les tracts qui étaient sur l'autre côté de la balance tombaient.
>
> Une fois, deux fois, j'ai fait du « travail géorgien », c'est-à-dire qu'on récupérait des armes sur les soldats géorgiens. Mais j'ai pas dû être tellement, aux yeux de mes chefs, tellement dynamisé par cet aspect militaire. J'étais politique, moi, ça me plaisait...
>
> Après je suis devenu responsable de toute la rive gauche, c'était pas difficile, hélas ! on était une poignée... Et puis, vers la fin, on a fait du « travail allemand »... Là, c'était pas militaire, mais... Bon, on distribuait des tracts aux Allemands. Le Comité de l'Allemagne libre de von Paulus [10]. Alors là, c'était vraiment dangereux. Je m'en suis tiré.
>
> Et puis, au lendemain du débarquement, on m'a dit : « Tu passes au "sportif" ! » Le « sportif », c'était les FTP. J'ai rien fait de plus. J'étais

---

10. Friedrich Paulus (1890-1957) : maréchal commandant les armées allemandes sur le front de Stalingrad. Après sa capitulation, il accepte de lancer un appel à la collaboration avec les Russes.

aux FTP, c'était quand même important. Ça me faisait un peu... ça m'impressionnait... J'ai rien fait. Et puis il y a eu le rendez-vous pour l'insurrection de Villeurbanne. Alors j'y suis allé avec les copains. Les copains qui ont été appelés pour attaquer... un garage tenu par les Allemands. Il y a eu quelques échauffourées. Moi, j'étais directement à Villeurbanne. Et là, j'ai vu... effectivement c'était important... j'étais impressionné... Je me demande ce que ça devait être à Paris, quand déjà ce petit bled de Villeurbanne avait une telle atmosphère... J'y ai passé une nuit. Le lendemain, j'ai été envoyé à la Croix-Rousse, avec des grenades lacrymogènes.

La nuit que j'ai passée, je l'ai passée dans une cave. Avant, il fallait manger un peu. Tous les gens étaient descendus comme des fous, ils faisaient des barricades, à Villeurbanne. Curieusement, j'ai été manger un morceau, me laver, chez un couple juif. Je leur ai dit quelques mots en yiddish. Pour montrer que j'étais aussi un Juif. Alors là, ça a été le délire de leur part.

Comme il y avait cinq-six types qui voulaient absolument faire quelque chose dans l'insurrection, mon chef m'a dit : « Tu seras sergent-chef et tu vas t'occuper d'eux. » J'avais un revolver, un petit 6.35, c'est tout petit... sans balles. Après, quand je suis devenu sergent-chef, on m'a donné un barillet avec deux paquets de cartouches. On m'a dit : « Tu ne t'en sers surtout pas ! »

Quand la Libération est arrivée, pour nous, c'était pas un problème, on était mobilisés, on partait... la 1re armée, les Américains, peu importe, on allait se battre... On pensait à la mobilisation générale, ça n'a pas été du tout ça... Tu connais sûrement l'« amalgame » et tout ?... On était tous là à la caserne de la Part-Dieu. Alors tous les capitaines avançaient d'un pas, ils devenaient lieutenants. Tous les lieutenants devenaient sergents. Et moi [il rit], sergent-chef... j'avais jamais vu l'armée... et pourtant j'avais vingt ans, on m'a dit : « Eh bien toi, tu seras première classe ! » Exceptionnellement, parce que sinon j'aurais été deuxième classe ! Ça ne m'a pas plu, je m'en suis entretenu avec des camarades du Parti, ils m'ont dit : « Tu fais comme tu veux. » Alors j'ai décidé de ne rien en faire.

« Mais moi, je suis d'abord français, mon pays, etc. » Tous le disent. Y compris les « étrangers », ceux qui sont venus de leur Pologne natale et qui écorchent encore notre langue. « On était français, on se considérait comme des Français et on se battait pour la France. C'est peut-être grandiloquent, ça représente peut-être beaucoup de choses, c'est peut-être maintenant dépassé, mais c'était ça. » C'est un natif de Przemysl, Nehmias K., le plus emblématique peut-être de nos résistants juifs communistes, qui le proclame avec une calme fierté.

Dès la déclaration de guerre, son père s'engage au 21e régiment de marche des Volontaires étrangers. Lui, Nehmias, qui a treize ans en 1940, voit les Allemands entrer dans Paris.

> Mon père est rentré, il était démobilisé, il a repris le boulot de tailleur. Mais il y avait des gens qui venaient et qui vendaient des timbres en blanc. Ça s'appelait « Solidarité ». Donc mon père versait tous les je ne sais combien de temps sur des timbres en blanc, il n'y avait rien dessus, je ne sais même pas où allaient les sous, parce que ce n'était pas mon problème, je n'étais pas particulièrement intéressé[11].
>
> J'avais quand même retrouvé quelques camarades, qui n'étaient pas des Juifs, qui étaient des gars des Jeunesses communistes. Et on a commencé à distribuer quelques tracts clandestins. Le gars me disait : « Dis donc, Dédé, est-ce que tu peux me distribuer ça ? » Bon, j'ai commencé à distribuer quelques tracts des Jeunesses communistes.
>
> En 1940-1941, il y avait eu cette histoire de L'Humanité qui devait reparaître, pas paraître, et tout et tout... Je ne sais pas, mais je sais qu'il y avait eu à cette époque-là une espèce de scandale avec Cachin, des problèmes dont je ne me souviens même plus. On devait faire reparaître L'Huma, ça ne s'appelait pas L'Huma... En tous les cas, il y a eu des tracts clandestins qui ont été distribués qui ont tenté sans doute de remettre les choses au point, je ne peux pas vous raconter ça, parce que c'est vraiment dans ma mémoire tellement bien enfoui que je ne me rappelle même pas... Je revois les affiches où on demande la reparution du journal L'Humanité, ou du Travailleur, ou je ne sais quoi, parce que c'était pas L'Humanité, je crois qu'on l'appelait d'une autre façon[12]. Si jamais on passait à Ménilmontant, je vous montrerais même là où elles étaient affichées. Et on distribuait des tracts pour justement remettre... en tant que jeunes, parce que des militants du Parti adultes, on n'en avait pas.

---

11. Dès septembre 1940, les Juifs communistes créent une organisation d'aide sociale, Solidarité, avec – au bout de trois mois – 130 comités de rue, 50 groupes de femmes, 20 sections syndicales, une cantine, un dispensaire médical et un journal clandestin. Cf. Stéphane Courtois (sous la dir. de), Denis Peschanski, Adam Rayski, Le Sang de l'étranger ; Les immigrés de la MOI dans la résistance, Fayard, 1998, p. 107 ; Renée Poznanski, op. cit., p. 83 ; Jacques Adler, op. cit., p. 167.

12. Cf. Philippe Robrieux, op. cit., t. 1, pp. 518-20. Le titre du journal négocié avec les Allemands était La France au travail. Cf. aussi Charles Tillon, On chantait rouge, Paris, Robert Laffont, 1977, pp. 320-6.

Et puis après sont arrivées les lois raciales. Et il y a eu une espèce de système d'autodéfense, faite par de jeunes adolescents juifs, qui avaient entre seize ans et vingt ans. Moi, j'étais petit. Et ça m'intéressait beaucoup de voir qu'est-ce qui allait se passer, parce que quand j'entendais et quand je voyais la façon dont « ils » représentaient les Juifs, je me disais : « C'est pas possible ! Je ne suis pas comme ça ! Qu'est-ce que c'est que cette caricature ? » On était des... des... j'en sais rien... il n'y avait qu'à voir l'exposition *Le Juif Süss*[13] pour comprendre tout de suite dans quel état on nous mettait.

Jusqu'au moment où il a fallu s'inscrire au commissariat de police du XIe comme Juifs. Et puis, pendant quelque temps, les choses se sont passées normalement, on était inscrit, il y avait marqué « Juif » sur nos papiers. Mais ça n'avait pas l'air de poser trop de problèmes.

On remarque, au passage, à quel point la mémoire occulte l'épisode de la demande de reparution de *L'Humanité*. Nehmias K. est le seul de tout l'échantillon à y faire allusion. Mais, très naturellement, le souvenir est devenu si flou qu'il perd toute signification politique. La mémoire du militant a tendance, sans aucun trucage délibéré, à enregistrer tout ce qui conforte le système et à scotomiser tout ce qui va contre. Cette naïveté dans l'aveu (Nehmias K. ne semble même pas se rendre compte qu'il s'agit d'un épisode que le Parti a très longtemps essayé de nier) donne encore plus de poids au reste du récit : c'est bien dès la fin de l'été ou au début de l'automne 1940 que Solidarité, émanation du PCF et de sa sous-section juive, commence à organiser une certaine forme de résistance.

Arrive la rafle du 16 juillet 1942. Nehmias et ses parents échappent de peu à l'arrestation. Le jeune homme est dénoncé par un voisin, « qui habite au-dessus du marchand de chaussures ». Il se terre, pendant quelque temps, dans un village de Normandie. Quand il croit le danger passé, il revient à Paris.

On savait qu'il y avait des communistes qui distribuaient des tracts, mais des résistants, on ne connaissait pas. Je sais qu'il y avait des gens

---

13. Nehmias K. confond manifestement le film allemand *Le Juif Süss*, projeté à partir d'avril 1941, avec l'exposition *Le Juif et la France*, qui s'ouvre en septembre 1941 au Palais Berlitz.

– le YASK – qui étaient entrés dans les mouvements de Résistance, les Tyszelman[14], tout un tas de gars, mais je ne savais pas ce qu'ils y faisaient. Résistants, on ne connaissait pas.

Toujours est-il qu'un jour on m'a demandé... de me présenter place de la Madeleine. Il y a un gars qui m'a emmené dans une maison d'édition, c'était des éditions pour les chants de camping. Ce type m'a filé des faux papiers. Et puis il m'a dit : « Ce soir, tu pars à Lyon. »

Alors je m'appelais Étienne Dumont. Prénom que j'ai gardé pendant toute l'Occupation. Avec beaucoup de chance, d'ailleurs... Mais il m'avait fait naître à Mannheim. Et Mannheim, c'est de l'autre côté ! Et moi, je ne le savais pas ! [Il rit.]

Quand j'ai passé la ligne de démarcation, je présente mes papiers. Et l'Allemand me dit : « *Hein, gebort im Mannheim !* » Ah ! nom de Dieu, je ne comprenais rien de ce qu'il me racontait. Pourquoi Mannheim ? Je n'avais même pas vu ma carte d'identité. Je devais avoir l'air complètement ahuri. Parce que j'ai l'impression que, devant mon air complètement idiot, il ne m'a même pas fait baisser la culotte ! Il m'a dit : « Allez ! » Et puis je suis arrivé comme ça à Lyon.

À Lyon, Nehmias s'engage sur ordre aux Compagnons de France, une organisation de jeunesse vichyste. Il y rencontre un jeune Juif belge, qui lui propose de distribuer des tracts :

Mais je ne connaissais pas le Mouvement. Je ne savais pas pourquoi je distribuais. Mais je savais lire ! Et j'ai lu que ces tracts, c'était des tracts du... attends un peu... oh ! là ! là ! ça y est, j'ai perdu le fil de mon truc... c'était les Groupes de combat de la jeunesse. Mais sans aucune autre indication. Et il m'a dit : « Est-ce que tu peux aller dans un cinéma, rue de la République ? Et puis on jette des tracts du premier. » Je dis : « D'accord. »

Toujours est-il qu'on a été au cinéma, et puis on a jeté nos tracts. Et comme on était en uniforme des Compagnons de France, on est sortis sans problème. Nos tracts ont volé partout. Et petit à petit, à force de faire ce genre de truc, ils avaient l'ordre de laisser la lumière allumée au moment des actualités.

Et puis les flics m'arrêtent avec des tracts. Et ils m'emmènent au commissariat. J'étais tout seul. Je me mets à pleurer. « Qui c'est qui t'a donné ces tracts ? – J'en sais rien, je les ai ramassés par terre. » Je sors mes papiers, Compagnon de France. Les flics, c'était des saloperies, me

---

14. Samuel Tyszelman, fusillé le 19 août 1941, après la diffusion d'un manifeste de la Jeunesse communiste, le 13 août, à la Porte Saint-Denis. Cf. Albert Ouzoulias, *Les Bataillons de la Jeunesse*, Paris, Éditions sociales.

filent une baffe sur la gueule, je pleure encore plus. Et puis je dis : « Mais quand même, appelez mon chef ! Lui, il vous dira... » Je serrais les fesses ! J'avais vraiment peur. Et mon chef arrive, auréolé de sa gloire de chef, avec ses trucs qui pendaient, là, il était plein de badges pendus au bras, et il dit : « Mais enfin, vous ne pouvez pas... Étienne, c'est un... » Donc le gars est venu et les flics m'ont laissé repartir.

Et le même soir, je prenais le train pour Grenoble. Là, on m'attendait et je suis allé habiter dans le quartier de la rue des Eaux-Claires, où là il y avait celui qui allait devenir mon beau-frère. Et lui, il faisait partie de l'Organisation spéciale pour faire des sabotages. Il ne savait pas, ou il savait, ce que j'avais fait... Toujours est-il qu'il ne m'a rien demandé. Et puis je voyais bien que ça tournait beaucoup, dans cette maison. Il y avait beaucoup de choses qui me paraissaient un peu bizarres.

Une nouvelle fois, nous constatons l'étrange ambiguïté de certaines institutions relevant de l'autorité et de l'idéologie de Vichy. Les Compagnons de France[15], organisation de jeunesse supposée au service de la Révolution nationale, servent ici de couverture à des actions de Résistance, y compris communistes.

Nehmias travaille comme plongeur dans un restaurant du cours Meyrien.

> Et il y avait un monsieur qui s'appelait Maurice Grando, Grandovitch de son vrai nom, qui toujours me parlait d'« action » : « Tu comprends, il faut aller dans les "actions"... » Mais comme il avait l'accent des *grine*[16], je ne voyais pas pourquoi il me parlait « action, action »... Il y en a un autre qui s'appelle Paul Mossovitch, ils avaient le même accent tous les deux ! Et moi, avec mon accent parisien, je ne comprenais pas ce qu'ils me racontaient !

> Et puis malheureusement, au mois de décembre 1943, celui qui allait être mon beau-frère, son frère et Grando se font arrêter par les Allemands. Moi, quand j'ai su qu'ils avaient été arrêtés, je me suis précipité chez eux, j'ai ouvert la porte, j'ai soulevé le matelas et c'est là que j'ai

---

15. Le Mouvement Compagnon est dirigé par Guillaume de Tournemire, qui fut le plus jeune capitaine de l'armée française. Après avoir inspecté les Compagnons à Randan, le 1er septembre 1941, Pétain leur adresse un message de confiance. Cf. Henri Amouroux, *La Vie des Français sous l'Occupation*, Paris, Fayard, 1961, p. 299-301. Mais *Je suis partout* écrit à leur propos, en janvier 1943 : « Par quel miracle espère-t-on transformer en un organisme révolutionnaire un mouvement qui comprend 90 pour 100 d'attentistes, de revanchards et de gaullistes purs ? »

16. Yiddish pour « verts », c'est-à-dire les Juifs d'Europe centrale et orientale fraîchement débarqués.

vu. Il y avait plein de revolvers, des mitraillettes, tout ce qu'il fallait pour... Ce qui me paraissait bizarre, c'est qu'ils étaient souvent fatigués. Ils ne travaillaient pas, mais ils étaient fatigués ! Et j'ai appris pourquoi, parce que j'ai été dans le même cas...

Ce qui fait qu'une fois qu'ils ont été arrêtés, ils ont été déportés. Et moi, j'ai réussi à me traîner avec la valise pleine d'armes. Et je me suis baladé dans les rues de Grenoble avec ça. Je suis tombé sur un gars qui m'a dit : « Où tu vas ? » Je lui ai dit que je voulais faire sauter la Gestapo ! Il m'a filé deux claques, il m'a pris mes valises, il m'a dit : « Tu rentres chez toi ! Tu vas dans ta chambre. »

Mais comme j'avais déjà le contact avec ces gens, un jour X. est venu me voir et il m'a dit : « Tu sais, Étienne, faut que tu rentres chez les "sportifs[17]" ! » Les « sportifs » ! Le fameux terme « les sportifs » ! Et c'est vrai qu'on était des sportifs ! Mais pas des sportifs à faire de la gymnastique ! Dès l'instant où on devenait des « sportifs », c'était fini les distributions de tracts, c'était armé. C'est-à-dire qu'on avait un revolver et qu'on devenait réellement des « sportifs ». [Il se met à pleurer. Sa voix est couverte de sanglots.]

Là aussi, tu vois, je suis un peu ému. Parce que, d'être « sportif », ça impliquait, ça impliquait, ça impliquait... trois mois. Ça veut dire que notre... notre durée de vie, c'était trois mois ! Si on tenait le choc au bout de trois mois, on avait une chance de repasser encore trois mois ! Les camarades, au bout de trois mois, soit ils tombaient, soit ils étaient arrêtés. Pour donner un exemple, pour bien expliquer ce qui se passait, c'est que parmi nos camarades qui ont été arrêtés, il y en a quatre-vingt-dix qui ont été fusillés. Et dix de déportés. Ça veut dire que les Allemands savaient pertinemment que, quand ils piquaient un gars de chez nous, c'était la mort. Quand on se faisait arrêter comme Juif, on était déporté. Mais quand on se faisait arrêter comme « sportif », c'était clair, c'était le peloton d'exécution ! Avec le fait que pas un seul de nos camarades n'a trahi. Pas un ! On a eu des camarades qui ont été arrêtés, qui ont été torturés, qui ont subi tout ce que les Allemands étaient capables de faire, on n'en a pas eu un qui a lâché un mot. Ça aussi, ça fait partie de ce qu'on appelait notre idéal.

Moi, j'avais à faire avec des camarades qui avaient fait la guerre d'Espagne, qui étaient de vieux militants communistes, c'était des types qui nous avaient éduqués. On était... maintenant on dit « motivés »... mais nous on était motivés au sens qu'on savait très bien que, dès l'instant où on participait à des actions avec un revolver, c'était notre vie qui était en jeu. Mais on était tellement sûrs de notre fait que ça paraissait tout à fait normal. Parce que c'est vrai qu'on voulait venger

---

17. Bernard A. nous a déjà expliqué la signification de ce terme.

les camarades qui étaient arrêtés. Sans savoir où ils allaient. On ne l'a su qu'après la guerre. Quand on a vu les charniers.

Et tout à l'heure, si j'ai eu un moment de... de faiblesse en parlant des « sportifs », c'est parce que le premier « sportif » avec qui j'ai fait le... [il pleure] à une action, il s'appelait Robin, il a été blessé et il a été pris par une femme qui l'a entré dans sa... je ne sais pas s'il a été soigné ou quoi, mais on ne l'a plus jamais revu... Et on en avait plein, comme ça, des camarades qui disparaissaient de la circulation.

Alors je ne raconte pas les exploits, c'est pas la peine, ça n'a rien à voir avec le...

— J'aimerais bien que tu...

— Si, il y a eu... Par exemple, on parle de déraillements. Faire dérailler un train, à la limite ça devenait coutumier. C'est rien de faire dérailler un train ! Mais les Allemands, ils avaient pris l'habitude de faire passer un train de voyageurs devant. Nous, il fallait qu'on sache à quel moment le train de voyageurs passait avant le train de munitions ou le convoi allemand. Ça voulait dire que des petits jeunes comme moi, parce que moi j'avais l'air innocent, j'étais jeune, je partais en vélo de Grenoble pour rejoindre un endroit qui m'était indiqué. Je m'installais sur un talus et j'y passais la nuit. Parce que les convois des Allemands circulaient surtout de nuit. Mais avant il y avait les convois de voyageurs. Donc il fallait avoir une montre. Maintenant, les montres, elles ne font plus tic-tac. Mais on n'en avait pas, nous. On n'était pas riches. Je touchais trois cents francs par mois. Donc je me trouvais sur ce talus, je n'avais pas de montre, j'avais amené un réveil. Et qu'est-ce qui fait plus de bruit qu'un réveil en pleine nuit, quand on sait qu'en bas il y a les gardes-voie qui ont leur trique sur les épaules ? Les gardes-voie, c'était des gens qui étaient requis par les Allemands, qui avaient une trique, qui se baladaient le long de la voie, et puis nous, on était là-haut. J'avais un réveil et ce con-là, il faisait un bruit infernal ! Ce qui fait qu'à la fin je me couchais dessus pour ne pas qu'il fasse de bruit ! Et je sortais ce réveil au moment où le convoi des voyageurs passait. Alors évidemment le convoi des voyageurs faisait plus de bruit que mon réveil, je me recouchais dessus, mais c'était pas tellement précis ! On avait au moins une idée du temps qu'il nous fallait pour faire dérailler ce train. Ça nous permettait de dire : « Bon, on a dix minutes pour faire ça ! » Mais certains de mes camarades avaient une telle pratique dans le déraillement des chemins de fer [il rit] que même dix minutes, à la limite, c'était peut-être un peu trop ! Il y en avait qui savaient vraiment faire ça !

Le garde-voie, on lui sautait dessus, on lui disait : « Tu ne bouges pas ! » Mais le gars, il disait : « Moi, il faut bien que je justifie devant mes autorités que j'ai été... » Alors on lui filait une bonne praline, on lui attachait les bras, on le mettait dans sa cabane et on faisait notre boulot. Et puis on foutait le camp. Et il y en avait un qui restait pour voir le dégât. Et ça, mon vieux, ça fait du dégât !

En plus, en zone Sud, il y avait une seule locomotive qui était capable de soulever les autres locomotives pour les remettre sur les rails. Donc, quand il y avait un déraillement, il fallait qu'elle aille un peu partout pour sortir les wagons qui s'étaient cassé la gueule et les remettre en place, et ça durait deux-trois jours...

Et on a tellement fait du mal aux Allemands que Lyon n'a été bombardé qu'une fois. Ils ont fait mille morts, les Américains. Mes camarades de Carmagnole ont tellement bien fait le travail, ils ont fait sauter un tas d'usines, ce qui fait que les Anglais et les Américains n'avaient plus besoin de venir bombarder Lyon. Ça faisait des victimes civiles en moins. Et nous, à Grenoble, on agissait de la même façon.

Le plus dur aussi, c'était la patrouille. On n'avait pas d'objectif très précis... c'était peut-être un de ces trucs qui m'ont le plus marqué. Moi, j'ai fait une patrouille à trois. Avec deux camarades, dont un qui est toujours ici et un autre qui est interdit de séjour en France. [Il rit.]

Le problème, c'était d'abord de piquer des vélos. Parce qu'il fallait quand même avoir des moyens pour foutre le camp le plus rapidement possible. Et puis après on se baladait en vélo, ou à pied, et on avait un revolver ou une grenade. Moi, j'appréciais les grenades italiennes, parce qu'elles étaient toute petites, on tirait un petit caoutchouc et tu avais une petite cuillère. Alors que la grenade française, fallait tirer sur une espèce de truc en ferraille dont je ne me rappelle plus le nom. Et hop ! on jetait ça, la cuillère foutait le camp et la grenade explosait. Moi, j'appréciais les grenades italiennes, parce qu'on pouvait plus facilement les mettre dans la poche. Donc on se baladait dans les rues de Grenoble, comme ça, à trois.

Je ne me rappelle que celle-là, mais j'en ai fait d'autres certainement. Quand on est arrivés sur le pont de l'Isère, il y avait un banc avec trois Allemands. Qui étaient là avec leur fusil – compte tenu des dérouillées qu'ils prenaient, il valait mieux qu'ils aient leur fusil, parce que sans ça ça aurait été le massacre... Jamais un Allemand tout seul ! Et puis les copains me font signe. D'accord ! On était en vélo, ce jour-là. Je sors la grenade italienne, je tire sur le petit caoutchouc [il rit] et, au moment de leur balancer sur la gueule, ils se lèvent et ils se séparent.

Me voilà avec une grenade dans la main, dégoupillée, le machin en caoutchouc dans l'autre main, et le vélo... Et là, on comprend ce que c'est que d'avoir peur ! Alors heureusement il y avait une porte cochère, on est rentrés tous les trois sous la porte cochère, on a planqué les vélos – en plein jour ! –, je tremblais comme une feuille morte parce que je tenais cette espèce de grenade italienne serrée dans ma main, je n'en pouvais plus ! Et puis mon copain, il essayait de remettre la goupille – voilà, je cherchais le mot ! –, de remettre la goupille dans les trous pour pouvoir être écartés, et puis que le petit bout de caoutchouc pende, là... La chance a voulu qu'il a réussi à la remettre. J'ai écarté mes mains, la grenade ne nous a pas éclaté dans le nez, sinon je ne serais pas là ! Et on est repartis.

Et là, il fallait quand même qu'on fasse quelque chose. Donc il y avait là des gros camions, peints comme la guerre du Golfe, avec des canons derrière tractés. Je suppose que peu de temps après ils allaient bombarder le Vercors. Et ils avaient des canons à longue portée, dont un qui n'avait pas son bouchon – un bouchon en cuir qui permet de... On était là en vélo. Et puis les copains me font signe : « Dis donc, Étienne, tu as vu ? – Bon, allons-y ! » On est passés. Les Allemands étaient assis à la terrasse d'un bistrot. J'ai dégoupillé, j'ai jeté la grenade dans la bouche du canon, j'ai foutu le camp à toute allure. Et je dois dire que, ce jour-là, j'en suis quand même un peu content, j'ai quand même fait ce que j'avais à faire sans avoir à supprimer une vie.

Parce que ce n'était pas un problème ! J'aurais vu un milicien, il y passait ! Et peut-être plus facilement un milicien qu'un Allemand ! Parce que les miliciens, chez nous il n'y avait pas de pardon ! Quand j'étais au restaurant, moi un jour j'étais chargé d'ouvrir le restaurant le matin de bonne heure. Donc j'arrivais très tôt, j'ouvrais la grille. Et puis d'un seul coup j'ai vu arriver Bernard O., avec un petit gars, et devant eux il y avait deux miliciens. Je me suis dit : « Dédé, tu fermes la porte, tu rentres et puis tu te planques ! Parce que ça ne va pas traîner ! » Je me souviens qu'il y avait à côté une marchande de fleurs, avec un petit étalage comme les marchandes des quatre-saisons. Je pensais en moi-même : « Ça va lui péter au cul ! » [Il rit.] Et ça n'a pas loupé ! Les deux copains se sont approchés des deux miliciens par-derrière, ça s'est passé à cinq-six mètres de moi, ils ont sorti le pétard et, par-derrière, ils les ont descendus tous les deux. Et en vélo ils ont foutu le camp... Tout à fait un film américain ! Mais je dois dire que ça ne m'a fait aucun effet ! Je n'ai même pas eu le moindre... le moindre choc. Ça ne m'a rien fait du tout. J'ai vu les types allongés par terre, tout le monde qui criait, la marchande de fleurs qui était complètement paumée, qui ne savait pas ce qui arrivait... Et moi, j'avais fermé le rideau.

Le 6 juin 1944, j'étais clandestin. Complètement. Les copains m'avaient dit : « Maintenant, tu liquides ton restaurant et tu rentres chez nous. » Et au bout d'un moment j'ai eu des problèmes de... de santé et on m'a expédié au maquis, pendant qu'un copain à moi descendait. On a permuté.

Un maquis FTP-MOI, mais il y avait de tout, il y avait des Italiens, des Espagnols, des Yougoslaves, des Russes, des Hongrois, des Roumains... On n'était pas très très nombreux. Peu étaient armés, parce qu'on n'en avait pas des kilomètres, des armes... Mais quand les Allemands, ils ont eu fini avec le Vercors, ils ont attaqué Le Bourg-d'Oisans, où on était nous. Donc il a fallu foutre le camp.

Après, il y a eu le débarquement en Provence. Nous, on a fait demi-tour et c'est nous qui leur courions après. [Il rit.] On en a fait prisonniers beaucoup, dans une petite ville à côté de Grenoble, qui s'appelle Domméne. Quand ils ont vu qui les avait arrêtés, il y en a un qui a dit : « On s'est fait arrêter par des *Schmutzige*. » Des mômes. Des sales mômes. Et puis moi qui comprenais parce que je comprenais un peu le yiddish, je crois que je lui ai foutu un coup de pied au cul !

Et, comble d'ironie, j'ai rendu mes armes à Grenoble, dans la synagogue ! Eh oui ! Les camarades nous ont demandé d'aller à la synagogue et... ils sont rentrés dans la synagogue. Et c'était le *qaddich*[18] pour tous les Juifs. [Il pleure.]

Dès janvier-février 1944, Nehmias (devenu Dédé...) prend sa carte du Parti communiste. Et, en 1948, il obtient la nationalité française... La même structure, ou presque, que l'histoire de Bernard A. : le hasard qui guide les affectations, l'absence de choix délibéré, l'épisode héroïque – et puis les nerfs qui lâchent. Français, Français et encore Français, beaucoup plus que Juif...

À cette histoire dite et redite, Maurice N. (né en 1924 à Paris) ajoute cependant un épisode inédit : l'avant-juin 1940. L'interdiction du PCF ? « Bien avant le pacte », affirme-t-il.

Bien avant le pacte germano-soviétique. Bien avant. Enfin... dans ma mémoire...
— Je ne crois pas...
— Bon, eh bien on regardera. C'est pas... c'est pas évident. Donc tout de suite j'ai commencé à militer. Moi, je militais parce qu'on connaissait des copains. Et on n'a pas supporté d'abord d'avoir été mis dans la clandestinité, alors qu'on avait quinze ans. De ne pas avoir le droit de se réunir, pas le droit de faire de la gymnastique, pas le droit d'aimer les filles qu'on aimait, etc. Donc on a commencé, effectivement,

---

18. Le *qaddich* des orphelins est récité par les personnes en deuil sur la tombe de leur parent ou de leur proche.

à se mettre dans des petits groupes, avec d'autres jeunes. On a commencé à se demander ce qu'on allait faire contre les Allemands. C'est dès 1939, hein ! Dès 1940, pardon, dès 1940.

— Alors ça prend quelle forme, en 1940 ?

— Ça prend... on se réunit, puis on commence à... à écrire des petits textes, à... Ça commence même pas par des textes... Mais en 1940, en septembre-octobre 1940, c'est vrai qu'il y a eu la... il y a eu juin où tout... on est partis sur les routes... Moi, je suis resté à Paris. Ça commence à aller jouer au football... c'est idiot, mais... en septembre, à la Porte de Vincennes, au stade Pershing, avec les soldats allemands qui nous montraient les photos de chez eux, etc. Et nous, en disant : « Mais pourquoi vous êtes là ? », etc. Et on commence à discuter. Avec beaucoup de prudence. C'est vrai qu'on ne savait pas très très bien sur quel pied danser. Mais il y a eu tout de suite le rejet de l'Occupation.

Et on a commencé à recevoir des tracts qui venaient... je ne sais pas... demandant un meilleur ravitaillement, tout ce que vous connaissez... Dès octobre-novembre 1940... Qu'on commençait à mettre dans les boîtes aux lettres.

Il y a eu aussi un réveillon énorme dans la rue des Immeubles-Industriels, chez Lehman, chez Marcel. On s'est retrouvés à peu près trente-cinq copains. Et là, on reste très peu : s'il en reste cinq ou six, c'est le maximum. Les autres ayant été déportés, tués, etc., etc. Voilà.

Maurice N. a adhéré aux Jeunesses communistes en 1939. Rien, cette fois-ci, sur la demande de reparution de *L'Humanité*. Mais le récit des parties de football avec les soldats allemands en septembre 1940 pourrait en étonner plus d'un. Sans compter que le contenu des tracts distribués avant juin 1940 n'est pas précisé : « contre les Allemands » ou contre la « guerre impérialiste » [19] ?

En 1941, on commence à distribuer d'une façon intensive *L'Huma* et un tas de tracts. Avant l'entrée en guerre contre l'Union soviétique. Parce que je continue à le dire, moi... [Il rit.] Vous croyez que ce n'est pas vrai, même si ce n'était pas le fait de tout le monde : en ce qui nous concerne, avant l'entrée en guerre en juin 1941, on a commencé à faire beaucoup de... de propagande. C'est de l'agitation... De l'agitation, pas de la propagande.

---

19. Cf. Jean-Pierre Azéma, Antoine Prost, Jean-Pierre Rioux, *Le Parti communiste français des années sombres, 1938-1941*, Paris, Seuil, 1986, p. 121-124.

— C'est exclusivement entre Juifs ? Ou c'était... ?

— C'était entre Juifs, parce qu'on a reçu comme instructions... Moi, je ne me sentais pas tellement juif. J'ai compris après... C'est vrai que c'était plus facile de recruter autour de nous des jeunes qui étaient... qui avaient les mêmes réactions que nous, qui avaient les mêmes dangers que nous, etc. Donc ça a toujours été entre Juifs, mais par la décision de la direction du Parti.

Le récit de Maurice N. est manifestement plus conforme à l'historiographie officielle du PCF que celui de Nehmias K. Il insiste particulièrement sur ce qui a toujours fait problème (l'entrée en Résistance avant juin 1941), il « oublie » (lui, apparemment si bien informé) les tribulations de L'Humanité en juin 1940. Peut-être faut-il chercher l'origine de cette différence dans le statut et l'itinéraire des deux interviewés au sein du Parti : Maurice N. est déjà militant quand éclate la guerre, alors que Nehmias K. n'adhère qu'en 1944 et ne se sent pas lié par la version « légitime » des événements antérieurs à son adhésion. Maurice N. fait une grande carrière de président de sociétés d'export-import liées au Parti, alors que Nehmias K., après des années d'usine, finit comme technicien supérieur dans le bureau d'études d'une municipalité communiste. Le premier est « tenu » par la discipline de ceux qui doivent tout au Parti ; le second – du reste à la retraite –, même s'il se veut entièrement fidèle, peut se permettre une plus grande liberté de langage et de pensée.

Replié à Lyon, Maurice N. reprend contact avec la Résistance en octobre-novembre 1942 et plonge dans la clandestinité. Son groupe de combat s'illustre d'abord en s'emparant de la ronéo du Comité d'organisation des métaux, ce qui va lui permettre d'imprimer près de vingt titres de la Résistance, dont La Vie ouvrière, L'Humanité et Franc-tireur. « On recevait donc chez nous les manuscrits, Madame tapait, moi je tournais à la ronéo et Madame repartait avec son vélo et les sacoches bourrées de tracts pour donner aux agents de liaison qui distribuaient. » Maurice N. devient responsable de l'Union de la jeunesse juive de Lyon :

Et on a été premiers à l'insurrection de Villeurbanne. La population est descendue, j'ai été le premier dans la mairie de Villeurbanne, Jeannette[20] a été la première à la préfecture de Lyon et la police de Lyon lui a remis leurs armes, etc. Et le lendemain, les FTP sont venus en disant : « Maintenant, vous, les jeunes... C'est nous les chefs... » Le soir, on a été accueillis chez les gens de Villeurbanne et, là, on est tombés chez des gens qui étaient plus ou moins de l'AS[21], qui ont essayé d'envoyer des messages à Londres.

On a l'impression qu'on a été eus, non pas par les gens chez qui on était, mais par les nouvelles qu'on recevait, parce qu'on disait que l'armée française, les FTP, n'étaient plus qu'à quelques kilomètres de Lyon, il fallait qu'on tienne, c'était une question d'heures. Alors qu'ils étaient beaucoup plus loin. Parce qu'ils ont reçu l'ordre d'attendre que l'insurrection soit écrasée. Là aussi, c'est des événements dont on ne saura jamais sans doute le fin mot de l'histoire. Enfin, il y en a peut-être qui le savent !

Tant et si bien que nous, on est partis... Moi, j'ai été nommé responsable politique de tout un groupe, on a été occuper Vénissieux. Et, au fur et à mesure qu'on allait sur Vénissieux, les gens nous rejoignaient. Les gens faisaient des barricades à notre demande, derrière nous ou avec nous. On allait plus loin, jusqu'à Vénissieux, où on a occupé une usine. On a été chercher le ravitaillement pour... on était une quarantaine... et, le temps qu'on va chercher le ravitaillement, le gardien de l'usine a dénoncé cette occupation d'usine, et les Allemands sont arrivés avec un char, une automitrailleuse. Et ils ont tiré malheureusement sur des jeunes, qui étaient tous debout, pas planqués. Et quand on est arrivés, le sol était jonché de gens coupés pratiquement en deux. En dehors des quelques dirigeants qui étaient aguerris et qui ont su, effectivement, se planquer, il y a eu énormément de morts. Et là, il y a eu une dispute comme on en voit dans les films entre responsables militaires et responsables politiques. Moi, j'étais politique. Le militaire me disait : « Il faut continuer à occuper. » Moi, j'ai donné l'ordre de repli. On n'était plus que quelques-uns, une poignée. Et on est revenus à Villeurbanne.

Comme Bernard A., comme Nehmias K., Maurice N. a les nerfs qui lâchent après la bataille. « Parce qu'on n'imaginait pas que ça

---

20. Sa future femme, qui a été agent de liaison d'Adam Rayski.
21. L'Armée secrète : organisation gaulliste, supposée très anticommuniste.

se passerait comme ça. Nous les jeunes, surtout, on pensait que les choses allaient se faire différemment. Parce qu'on est désarmés quelques jours après. » À qui la faute ?

> Parce qu'en fin de compte il n'y a pas eu, en dehors de Casa[22], de Tillon et de deux ou trois autres, la direction du Parti était une direction qui avait... Si, ils avaient fait de la Résistance, mais...
> SA FEMME. – Tellement cachée ! Raymond Guyot[23], je ne l'ai vu qu'à la Libération...
> LUI. – On ne va pas refaire l'histoire de Raymond et des autres !

Assez étrangement, le récit de Maurice N., jusque-là parfaitement conforme à la « ligne », se met tout à coup à « dévier ». Et sur un point crucial de l'historiographie du Parti : la direction clandestine a-t-elle réellement orchestré la Résistance communiste ? Jacques Duclos et Benoît Frachon, entrés dans la clandestinité, ont-ils joué le rôle dirigeant que l'Histoire – celle du moins qu'écrit le PCF – leur attribue ? Mais le libre propos échappé à Maurice N. ne remet, en réalité, rien en cause. Le cloisonnement propre à tout mouvement de Résistance rend en effet tout à fait impossible à un combattant de base de rencontrer les plus hauts responsables. Le seul homme dont le rôle est soumis à interrogation, Raymond Guyot, ne peut guère être soupçonné puisque son passage à Londres et son parachutage en zone Sud sont attestés par des documents incontestables.

Max K., lui, rejoint l'Union de la jeunesse juive en septembre 1943 à Lyon (il a alors seize ans). Et lui aussi se retrouve, comme par hasard, « derrière la mairie de Villeurbanne, ce 23 ou

---

22. Laurent Casanova (1906-1972) : résistant, ministre à la Libération, membre du Bureau politique du PCF de 1947 à 1961, écarté de toute responsabilité en 1961 en même temps que Marcel Servin, en raison, semble-t-il, de ses velléités de déstalinisation du Parti. Fidèle au PC jusqu'à sa mort, il a été « réhabilité » par Robert Hue en 1999. (Cf. Philippe Robrieux, *Histoire intérieure du Parti communiste*, Paris, Fayard, 1984, t. IV, p. 126-127.)

23. Raymond Guyot : communiste dès 1919, il effectue de nombreuses missions pour le Komintern. Réfugié à Moscou en 1940, il est parachuté en France – après un passage à Londres – en 1943. Il est dès lors un des dirigeants de la Résistance communiste. (*Ibid.*, p. 286-292.)

24 août 1944. Je sais plus comment. Et là, j'ai rejoint des gens qui... qui étaient en train de prendre possession de la mairie. Avec en tête un petit détachement de Carmagnole-Liberté ».

> Il y avait une foule gigantesque qui voulait faire quelque chose, et nous, avec nos petits revolvers et deux-trois mitraillettes, on pouvait pas beaucoup les aider. Mais enfin fallait faire quelque chose, donc [le responsable] m'a dit : « Tu seras adjudant, tu en prends une vingtaine, et puis tu organises, tu fais quelque chose avec eux ! » Beaucoup étaient infiniment plus âgés que moi, puisqu'à l'époque j'avais dix-sept ans et quelque chose comme trois mois. Et j'étais pas grand, j'étais maigre comme un coucou, on mangeait pas tous les jours à notre faim. On a monté une barricade, comme on a pu. On a tenu comme ça deux-trois jours. Et au moment où les Allemands sont venus avec des chars et un gros contingent de troupe, on s'est repliés, parce que c'était pas la peine d'aller au massacre.

Blessé au pied, Max K. est hospitalisé à Lyon, où se constitue, au sein du 1er régiment du Rhône, la compagnie Falinover, uniquement composée de volontaires juifs. « Mais ça, ça a pas tellement plu à la hiérarchie militaire. Alors très rapidement ils ont transformé cette unité en 127e FTA, c'est-à-dire 127e régiment des Forces terrestres alpines. Tout ça pour les envoyer sur la touche. »

Aujourd'hui, il reproche au Parti d'avoir dissous l'Union de la jeunesse juive dans les Jeunesses communistes. Et d'avoir minoré la participation des Juifs à la Résistance :

> Il faut bien se rappeler, pour mon expérience personnelle, qu'au printemps de 1944, après l'affaire Jean Moulin et le décapitage de tous les grands mouvements de Résistance, à Lyon même, dans Lyon-ville, il y avait que nous.
> — Que les Juifs ?
> — Il y avait que nous. Les autres avaient complètement disparu. Alors ça veut pas dire qu'il y avait pas des maquis un peu partout, mais dans Lyon, dans la ville, à Lyon et à Grenoble, il y avait que le Mouvement juif, c'est-à-dire l'UJJ d'une part et les actions de MOI... des Juifs de la MOI. C'est incontestable. Et après la guerre, ça a pas plu. D'abord, à Lyon, ça a pas plu beaucoup. Mais nous, on est fautifs. Nous sommes fautifs.

« Fautifs » de ne pas avoir pris eux-mêmes en main la tâche d'assurer le devoir de mémoire. C'est à cette mission que Max et ses camarades se consacrent aujourd'hui.

Remarquons que sur ces quatre récits d'anciens résistants communistes *et* juifs, tous restés aujourd'hui fidèles au Parti, trois font preuve d'un certain esprit d'indépendance par rapport à la ligne (même si nous avons montré que la brève incartade de Maurice N. n'a pratiquement aucun sens politique). Peut-être un passé de héros donne-t-il une certaine forme de courage face aux « vérités » imposées d'en haut. Paradoxalement, le plus « conformiste » (Bernard A.) est le seul qui n'ait jamais été permanent ni du PCF ni d'une municipalité, le seul aussi qui finisse sa vie dans une certaine misère, après la faillite de son commerce. Ce sont, explique-t-il, des « copains communistes » qui l'aident à tenir la tête hors de l'eau. La fragilité de son statut expliquerait-elle en partie sa prudence ?

Ils sont peu nombreux, bien sûr, les Juifs communistes qui rejoignent ainsi les FTP-MOI, Carmagnole-Liberté, voire les mouvements non spécifiquement juifs de la Résistance. Et pourtant ils vont jouer, dans l'imaginaire juif de l'après-guerre, un rôle souvent secret, mais qui va conduire plus d'un jeune à suivre – du moins le croit-il – l'exemple de ces glorieux aînés en adhérant au Parti qui se vante encore d'être « le parti des 75 000 fusillés ».

Le Parti communiste, dans la mémoire de ceux qui ont survécu et qui tentent de retrouver leurs ateliers du XIe arrondissement ou de Belleville, c'est d'abord une micro-société protectrice, un cocon, « une patrie souterraine, flottant quelque part entre limbes et catacombes, mais vivante et tout animée de la certitude de lendemains enchanteurs[24]. »

C'est ensuite un grand producteur d'images mythiques, de légendes refondatrices, qui tendent à reconstruire une identité juive héroïque et positive, face aux stéréotypes du *shtetl*. L'insurrection du ghetto de Varsovie, l'Affiche rouge contribuent, pour la génération des nouveaux militants – ceux qui vont adhérer dans les

---

24. Annie Kriegel, *Ce que j'ai cru comprendre*, Paris, Robert Laffont, 1991, p. 195.

années de la Libération –, à réinventer une judéité dynamique, combative, face à ce que le Parti décrit encore comme la « passivité » des déportés qu'on appelle alors « raciaux » (par opposition aux « politiques », supposés tellement plus courageux).

Dans la mémoire de ceux qui ont vécu ces quatre années de terreur, le Parti communiste est enfin à peu près le seul (et, en tout cas, le premier) à avoir apporté des informations crédibles et tragiques sur ce qu'était en réalité *Pitchi-Poï*, la mystérieuse « destination inconnue » des convois partant de Drancy. Le seul aussi à avoir dénoncé sans relâche la législation antisémite de Vichy, alors que trop de textes de la Résistance (voire de Radio-Londres) concédaient des lambeaux de légitimité à une pseudo-« xénophobie populaire ». Le seul à avoir appelé clairement à une alliance sans faille entre Résistance proprement juive et l'ensemble de la Résistance nationale française.

Chez beaucoup des interviewés de cette enquête, de tels souvenirs fonctionnent longtemps après comme des moteurs d'adhésion.

Voilà donc leur « pré-histoire » – celle des Juifs communistes de notre après-guerre. Ou plus exactement le début de leur histoire, de ce qu'ils ont vécu et qu'ils nous racontent : les dates-butoirs n'ont de sens que pour l'historien, avide – pour la commodité de son récit – de découper rationnellement son territoire[25]. Vingt-huit interviewés (sur cent) ont adhéré au Mouvement communiste avant le 8 mai 1945 (dont neuf avant 1939). Dix-huit sont encore aujourd'hui fidèles au Parti. Sans vouloir en tirer des conclusions statistiques aventureuses, il apparaît que le taux de fidélité semble très sensiblement supérieur à la moyenne arbitraire de l'enquête (un sur deux). Peut-être les épreuves de la clandestinité, avec ses dangers de mort ou de prison, durcissent-elles le tempérament et enseignent-elles à supporter les avanies (aimable litote) d'une vie

---

25. Cf. Daniel S. Milo, *Trahir le temps (Histoire)*, Paris, Les Belles Lettres, 1991. Cf. aussi Paul Veyne, *Comment on écrit l'histoire*, Paris, Seuil, 1971.

militante. Est-ce un hasard si le nombre relatif des persévérants est le plus élevé chez ceux qui ont subi le pire – ceux qui ont vécu les rafles de la France occupée, ou les camps d'internement du roi Farouk ? Peut-être aussi les adhésions de ce temps-là reposaient-elles sur des convictions plus solides, ou moins éphémères...

Pour ceux – la majorité de l'échantillon – qui sont venus plus tard, cette pré-histoire continue à jouer un rôle souvent déterminant : fils ou filles de militants, de déportés, de fusillés... L'étoile jaune des parents, l'album-mémorial de Serge Klarsfeld, les dernières photos, tout cet inventaire du désastre est entassé là, dans un tiroir ; on le montre au visiteur indiscret, on verse quelques larmes... Pour les autres, même si leur famille n'a rien vécu de ce passé, le souvenir de la tragédie a plus d'une fois déclenché la réflexion, l'engagement, l'acharnement à militer : il faut se tenir à la hauteur de ces héros d'adoption, de ces fantômes de l'Histoire que l'on se plaît à faire revivre.

Que commence donc l'après-guerre ! Entre répétition du passé et invention d'un avenir, les Juifs communistes croient choisir la bonne voie, celle qui – rêvent-ils – devrait faire d'eux, s'ils ne le sont déjà, des Français comme les autres, mais tellement plus lucides et courageux que les autres...

2

PORTRAIT DE GROUPE
APRÈS LE SÉISME

(1945-1998)

Dans l'escalier qui mène à mon bureau, tout à côté des portraits de mes arrière-grands-pères – vieillards à barbe et papillotes, le chapeau vissé sur le crâne –, s'épanouit un étrange portrait de groupe : ils sont vingt personnages, les hommes debout, derrière, en manches de chemise, avec leur canotier et leur petite moustache ; les femmes assises sur l'herbe, au premier plan, avec leurs enfants à côté d'elles (et l'un d'eux, cinq ans déjà, a l'air tellement plus triste que les autres : c'est mon père). Toute la branche paternelle, photographiée à Trianon en 1908. On dirait une scène de bord de Marne ou de Seine comme Renoir en peignait. On imagine à peine que les plus âgés ne sont arrivés en France qu'une vingtaine d'années plus tôt, tant ils ont l'air de parfaits petits bourgeois français de la Belle Époque.

Je voudrais aujourd'hui, au début d'un autre siècle, tenter le même cliché avec mes cent Juifs communistes : un portrait de groupe, mais après le séisme de la Shoah. Tous assis sur l'herbe, avec leurs blessures au cœur, leurs deuils, leurs fiertés, leurs espoirs. Lire dans leurs yeux l'histoire de leur propre regard sur leur passé et leur futur, en tant que Juifs, en tant que Français, en tant que communistes. Essayer de montrer comment, dans leur esprit, les « frontières » se déplacent : entre le Juif et le non-Juif, entre le Juif communiste et le Juif non communiste, voire entre le communiste juif et le communiste non juif.

Ni tout à fait semblables, ni tout à fait différents : leur carte d'identité nous réservera sans doute quelques surprises. Comme si le photographe n'avait pas toujours réussi à faire le point.

Après que nous aurons tenté cette anthropométrie imaginaire, nous essaierons de retracer six « aventures », avec quelques-uns de leurs tours, de leurs détours, voire de leurs retours :

Savoir. Pratiquer. Espérer (ou, si l'on préfère, croire en un « ailleurs », ou en une « Terre promise ».) S'intégrer, se différencier. Douter, rompre. Transmettre.

Ainsi s'inscrira la photo de groupe dans l'album de notre mémoire.

I

Carte d'identité

1. Ni tout à fait le même, ni tout à fait un autre

La carte d'identité : voilà bien un objet qui, tout au moins chez les plus âgés de nos interviewés, polarise tous les fantasmes. D'abord sans papiers, l'immigrant tout juste débarqué de l'Est rêve d'une vulgaire carte de séjour. D'une carte de travail aux époques où la xénophobie ambiante restreint l'accès des étrangers aux professions que veulent se réserver les autochtones. Mais très vite le « Polonais », ou le « Roumain », cherche à franchir l'étape suivante : la naturalisation, qui permettra à ses enfants de devenir « des Français comme les autres ». Et, bien souvent, la qualité de communiste interdit, ou ralentit, cette étape indispensable. Entre 1941 et 1944, le cachet « Juif » vient orner le document que l'on avait pourtant tellement convoité. Le rectangle de carton qui devait ouvrir progressivement toutes les barrières les ferme à quiconque se le voit réclamer par un policier.

Les séfarades ne sont pas tous logés à meilleure enseigne. Français par la grâce du décret Crémieux, les Juifs d'Algérie perdent leur nationalité par l'ignominie de Vichy. Leur carte d'identité porte désormais la mention « Indigène ». On sait que le général Giraud, pendant son bref proconsulat, ne se montre guère empressé à leur rendre leurs droits de citoyens. Les Juifs de Tunisie, du Maroc ou d'Égypte sont, pour beaucoup, des nationaux de leur pays de naissance. La carte d'identité française, ils devront la solliciter – et, cette fois encore, les autorités se montreront peu indulgentes à l'égard des communistes.

Le temps a passé. Les voici donc tous pourvus de leur sésame administratif (à la seule exception de quelques irréductibles, trop attachés sentimentalement à la terre de leur enfance).

Non seulement la nationalité, mais aussi la profession et le domicile : en apparence, tout concourt, dans le triptyque sacré qui s'inscrit sur la carte d'identité, à faire de nos Juifs communistes des Français encore plus français (à défaut, peut-être, d'être des Juifs encore plus juifs...). Et pourtant, quelque chose en eux résiste à cette uniformisation radicale. Ni tout à fait le même, ni tout à fait un autre : le Juif communiste ressemblerait au « rêve étrange et pénétrant » de Verlaine.

Profession : la « double carte »

Les Juifs qui adhèrent au Parti, dans les années qui suivent la Libération, ne ressemblent guère au portrait-robot du militant glorifié par les affiches. Ils ne viennent à peu près jamais de la grande industrie, ni de la métallurgie. S'ils sont ouvriers, c'est dans des PME de la confection, de la fourrure, de la bijouterie. En général, ils échappent assez rapidement à l'univers de l'atelier, voire – moins rapidement – de la boutique, ce qui ne les empêche ni d'adhérer ni de militer.

Ils choisissent d'abord un métier qui leur assure la protection d'un milieu juif, parlant éventuellement leur langue, pratiquant une sorte d'endogamie commerciale : fournisseurs juifs, fabricants juifs, sous-traitants juifs, clientèle juive. Mais la volonté de s'intégrer fait ensuite bouger les perspectives : il faut devenir Français, Français à part entière, et encore davantage Français. L'appartenance au Parti peut les aider dans cette ambition intégratrice, mais aussi, tout à l'inverse, faire dévier plus d'une trajectoire ascensionnelle.

C'est qu'en effet les Juifs communistes sont les acteurs d'une double dynamique, dont les effets peuvent s'annuler, mais également se cumuler : une dynamique sociale proprement juive et, plus ignorée, une dynamique communiste.

La première, trop connue, ne nous retiendra guère. Elle s'exerce dans un triple espace : un espace prolétarien parisien, où l'ascension sociale s'appuie sur les mécanismes traditionnels de la société juive ; un espace bourgeois « israélite », où les phénomènes de réseau sont loin d'être annihilés par le militantisme au Parti ; un espace strictement séfarade, où les solidarités d'origine l'emportent sur toutes les autres.

La dynamique communiste nous intéressera davantage : par quel jeu de forces (et dans quel sens ?) peut-elle infléchir les courbes d'une ascension bien réglée ?

Le Parti communiste a longtemps exalté les métiers manuels. Aussi n'encourage-t-il pas toujours ses militants de base à s'évader de l'univers ouvrier. On y est né, on y reste, même si les camarades donnent parfois un petit coup de main pour une promotion limitée, qui rassure, mais exclut toute rupture avec le milieu d'origine, longtemps vivier de l'électorat et du militantisme.

Louis F. (1926, Paris, PCF de 1948 à 1990) débute comme ajusteur-outilleur (le rêve du Parti !), puis fait le « presseur » dans un atelier de confection (retour à la tradition du métier « juif »[1]). Il échoue à créer son propre atelier, devient « mécanicien », se reconvertit dans le bâtiment, revient à la confection et passe les douze dernières années de sa vie active au volant de son taxi.

Nehmias K. (1927, Przemysl, PCF depuis 1944), fils d'ouvrier tailleur, fait ses débuts comme ouvrier d'imprimerie. Après la Libération, il devient tout « naturellement » ouvrier maroquinier, puis ouvrier tailleur. Las d'être *shnayder*[2], il commence une formation de fraiseur et devient métallo pendant plus de vingt ans. Il échange ainsi l'archétype du métier « juif » contre celui du métier « communiste ». Une maladie professionnelle l'oblige à y renoncer. C'est là qu'intervient la solidarité communiste : le Parti le récupère comme technicien dans une de ses municipalités.

---

1. Nancy Green a bien montré à quel point la notion de « métier juif » est un stéréotype dépassé. Cf. *Archives juives*, n° 33-2, 2e semestre 2000, pp. 4-7.

2. *Shnayder* : tailleur, en yiddish.

Le discours ouvriériste exerce parfois ses effets sur plusieurs générations. Si la plupart des enfants de militants connaissent la même ascension sociale que ceux des Juifs non communistes de même statut, il arrive que le goût idéologique du travail manuel ou subordonné se prolonge dans la génération suivante, même si le Parti tient désormais un tout autre discours.

Yves-Marc Z. (1946, Paris, JC/UEC de 1966 à 1973), fils d'un mécanicien-cuir, fait d'excellentes études secondaires au lycée Jacques-Decour. Il est fasciné par le mythe de la classe ouvrière et affirme qu'il refusera d'entrer à l'université. À la demande des parents, le Parti intervient : un communiste a le devoir de prendre des responsabilités dans la société. Le jeune homme passe son bac et, en 1966, entre en sociologie à Nanterre, où il milite à l'UEC. Et puis coup de théâtre : le voici qui oblique vers un CAP de soudeur et qui gagne sa vie en soudant des voiliers !

> Mais, par exemple, j'ai jamais fait menuiserie. Menuiserie, je trouvais ça beaucoup trop snob dans l'extrême gauche française pour la faire. Il fallait que je fasse le métal, quoi. Il fallait que je fasse quelque chose de la symbolique ouvrière. Et révolutionnaire. La menuiserie, c'était la symbolique libertaire. C'était la Révolution de 1848. C'était pas la Révolution à venir.

Dans cette brève réminiscence d'une jeunesse romantique se lit tout le contenu symbolique du rapport juif au Parti communiste (du moins dans les générations qui n'ont connu ni la misère, ni la persécution) : un rêve avorté de fusion avec le peuple (ce qui est la traduction romantique du désir commun d'intégration à la nation française), de rédemption par le travail. Quelque chose qui, par bien des côtés, ressemble au rêve sioniste. Aujourd'hui, après une courte expérience d'écrivain et d'éditeur, Yves-Marc Z. se retrouve responsable d'une importante rubrique dans un quotidien du soir.

Mais le misérabilisme du Parti communiste a fait son temps. De cette idéologie des origines ne subsiste plus qu'une certaine allergie à la boutique, où les jeunes Juifs qui viennent d'adhérer retrouvent sans doute une tendance lourde de leur génération (du moins chez les ashkénazes).

Le PC sait désormais concilier son discours ouvriériste avec sa capacité à intégrer les couches en voie d'ascension sociale. Ceux des Juifs communistes qui parcourent les premières étapes de la promotion socio-professionnelle et socio-culturelle trouvent dans le Parti un instrument d'intégration, qui les met en contact avec des collègues ou confrères non juifs et les préserve, surtout vis-à-vis des parents, du sentiment de trahison des origines. Le PC met ainsi à leur disposition un véritable réseau relationnel, une sorte de franc-maçonnerie idéologique où l'on se serre les coudes, où l'on se fait la courte échelle.

Quelques-uns, dès que la mécanique capitaliste tend à les éjecter du système, trouvent bien vite un point de chute comme permanents du Parti ou de ses satellites. Arlette Y. (1928, Soukh Arhas, PCF de 1953 à 1986), qui milite pour le FLN, ne peut plus enseigner les mathématiques dans son collège algérien : elle plonge dans la clandestinité et se fait récupérer comme rédactrice au journal de la Fédération syndicale mondiale à Prague. Quand Maurice B, est licencié de la SNECMA et incarcéré pour ses actions contre la guerre du Vietnam, il est pris en charge par le Parti à sa sortie de prison et se retrouve permanent au Secours populaire.

Les municipalités communistes peuvent, elles aussi, offrir l'asile à des militants en difficulté. Un certain nombre de nos interviewés ont bénéficié de ce bienveillant système. Quand Sacha R. (1943, Sverdlovsk, JC/PCF depuis 1958) est licencié par son premier patron (juif !) pour faits de grève, il est « repêché par les camarades » : la Ville de Romainville l'embauche comme maquettiste.

En outre, le Parti communiste offre à une minorité de ses militants une carrière professionnelle dans les grandes entreprises de la nébuleuse communiste, où le bénéficiaire accède à la caste des décideurs, tout en ayant l'impression de rester fidèle à ses idées. Un certain nombre de Juifs communistes[3] trouvent là une façon élégante d'utiliser au mieux leur sens supposé des affaires.

Isi A. (1933, Paris, JC/PC depuis 1948) constitue sans doute le

---

3. Sept Juifs communistes (quatre séfarades, trois ashkénazes) de l'échantillon ont bénéficié de ce type de promotion. Aucun n'a quitté le Parti.

plus bel exemple de ces ascensions ambiguës et fulgurantes. À quatorze ans et demi, tout de suite après son certificat d'études, il « embauche » comme apprenti, d'abord dans la maroquinerie, puis dans la confection. « Pour des raisons... disons... philosophiques, [il] refuse de [se] mettre à [son] compte » et, parallèlement à son travail d'ouvrier, il suit des cours du soir aux Arts et Métiers. Il y obtient un diplôme de technicien supérieur en filatures et tissages :

> Ingénieur, je ne pouvais pas. Parce que j'ai essayé. Il fallait faire métrologie. Pour faire métrologie, il fallait faire des années de maths. Et pour faire des années de maths, il fallait faire des maths préparatoires. Ça commençait par les quatre opérations et ça terminait par les intégrales ! Et moi, j'avais quitté par le certificat d'études... Donc j'ai eu du mal à suivre cette filière ! [Il rit.] C'était impossible.

Entendons bien ce langage de « prolétaire », de « damné de la terre », qui dit si bien le désir de se faire pardonner ce qui pourrait passer pour une trahison de classe : grand patron peut-être, mais indissolublement lié à la classe ouvrière par l'origine et par la culture !

Isi A. se perfectionne au Centre technique des industries de l'habillement et entre chez Boussac, où il gagne, dit-il, « dix fois moins que dans la confection ». Autre façon de dire que le premier engagement dans le grand capitalisme relève de l'esprit de sacrifice, non de l'esprit de lucre : la morale prolétarienne est sauve.

> Après Boussac, je suis rentré dans une société d'équipement de confection et textiles. J'y suis resté une quinzaine d'années, je suis arrivé en haut de l'échelle. Les actionnaires avaient mis un nouveau patron, parce que le précédent était décédé. Je ne me suis pas entendu avec lui, je suis reparti dans une autre société, où deux ans après je suis arrivé au directoire. J'ai fini par diriger certaines branches ou certaines sociétés de ce groupe, jusqu'à la fin de ma carrière professionnelle.
> — Je crois avoir compris que c'étaient des sociétés plus ou moins liées à la nébuleuse du Parti ?
> — C'est toi qui as compris ça ! Pour moi, ce n'est pas exact...

Inutile de dire que, malgré le démenti, je confirme tout à fait l'appartenance des sociétés en question à la « nébuleuse du Parti ».

138

Il suffit, du reste, de se référer aux secteurs géographiques qui, d'après Isi lui-même, étaient la spécialité de ces sociétés : le marché des démocraties populaires s'ouvrait de façon préférentielle aux entreprises plus ou moins télécommandées par le PCF.

> — Tu m'avais dit que tu avais accédé au CNPF ?
> — J'y suis toujours. Mon parcours professionnel a fait qu'on a beaucoup travaillé sur les pays de l'Est. Ce qui fait que j'ai quelque expérience du commerce international et que, pour des raisons professionnelles, j'ai des responsabilités syndicales : je suis vice-président du Syndicat des importateurs-exportateurs de X., membre du Comité permanent de la Confédération du Y. qui regroupe cinquante-huit syndicats professionnels. Je suis membre d'un autre syndicat, qui s'appelle le S. – ce sont des sociétés de commerce international ayant des bureaux à l'étranger. Et, à partir de là, je connais très bien le ministère de l'Industrie et le ministère de l'Économie, je suis membre de la Chambre de commerce de Paris.
> — Une situation paradoxale ?
> — Je crois que non. Reconnaissance de... d'un professionnalisme. C'est tout. Je pense que c'est pas trop mal ! Je veux dire que je n'ai jamais mis mon drapeau en allant là-bas, je crois que j'assume un rôle qui a été très important par rapport aux sociétés que je dirigeais, qui permettait une reconnaissance de ces sociétés, d'une manière tout à fait importante. Ce qui fait qu'il y a eu certaines synergies tout à fait intéressantes. Je ne participe pas aux négociations paritaires, parce que là, ma position serait pleinement... [il rit] il me serait impossible de... Par contre, il y a des aspects techniques du commerce international... je ne dis pas qui sont neutres, mais dans lesquels je peux apporter ma contribution. Et pareil pour la Chambre de commerce. Je peux aider des entreprises qui ont des difficultés à mieux s'en sortir. Pourquoi pas ? C'est aussi un rôle qu'on doit avoir dans la société et j'essaie de l'assumer.

L'énumération des titres de prestige accordés par la société capitaliste ne manque pas de charme chez ce vieux militant communiste, après cinquante ans de Parti. Le mélange des deux langues de bois – celle des patrons (la « synergie ») et celle du Parti (« ne pas mettre son drapeau ») – dit bien cet « entre-deux » où tant de Juifs communistes trouvent leur équilibre.

Isaac M. (1922, Le Caire, communiste depuis 1945), quand il arrive en France, commence sa carrière à Interagra, l'énorme conglomérat créé par le « milliardaire rouge » Jean-Baptiste

Doumeng, qui passe pour la principale source financière du PCF. Pour son malheur, Isaac M. y découvre des pratiques commerciales qui lui paraissent peu orthodoxes. Pour le « récompenser », Doumeng l'envoie trois ans... en Sibérie. Isaac M. se fait alors muter dans une autre entreprise du Parti, Sonecop, ou Socomec. Dans l'intervalle, comme beaucoup de ses camarades juifs égyptiens, sa carte du Parti lui a été retirée pendant un an, ce qui laisse ses patrons parfaitement indifférents.

On voit bien comment les deux dynamiques sociales – la juive et la communiste – s'entre-tissent et se combinent pour composer parfois de brillantes carrières. La « double carte » ne gêne guère ; elle peut même constituer un atout supplémentaire.

Domicile : loin du « ghetto »...

Ils habitent la ville. Comme quasiment tous les Juifs de France. Mais, dans la ville, ont-ils encore leurs quartiers de prédilection ? Être Juif *et* communiste, cela signifie-t-il encore un tropisme particulier pour tel ou tel arrondissement, telle ou telle rue ? Bref, une résurrection civilisée du ghetto ?

Eux, les Juifs communistes, ils n'accordent en général à la religion qu'une importance fort mesurée. Mais ils ont un grand désir (ou un grand besoin) de s'appuyer sur le réseau de solidarité spécifique que leur offre le Parti : c'est par ce biais-là que l'on trouve un logement, du travail, des occasions de loisir ou de culture. Ce réseau se concentre, bien sûr, dans les vieux quartiers traditionnels de la judaïcité pauvre. Plus tard, bien plus tard, l'économie de la confection gagnera d'autres territoires. Les crises du communisme distendront le réseau de solidarité tissé par le Parti. La rénovation urbaine bouleversera la démographie sociologique de l'espace parisien ; l'exode vers la banlieue n'épargnera pas la population juive communiste, d'autant plus que l'existence de « municipalités ouvrières » (on dit aussi « démocratiques ») constituera un nouveau pôle d'attraction. Et le PCF prend souvent en main le placement des « camarades » dans les HLM qu'il contrôle.

L'arrivée massive des séfarades, beaucoup moins politisés, crée de nouveaux pôles de concentration, sans contenu idéologique, mais appuyés sur de nouveaux réseaux de solidarité où l'affiliation politique ne joue plus aucun rôle.

Cette dispersion nouvelle, encore accrue par le dynamisme social que l'on prête en général aux Juifs, tend à transformer les anciens quartiers de résidence et de travail en lieux de mémoire, où même les Juifs communistes (et surtout ceux qui ont rompu) ont parfois envie de se ressourcer, de revenir au souvenir des origines, fussent-elles historiquement si proches.

C'est ainsi que le *Pletzl* – le nom yiddish de la vieille concentration juive des IIIe et IVe arrondissements (où les communistes étaient nombreux avant la guerre) – peut devenir aujourd'hui un lieu de symbolisation sociale : le Marais ressuscite en partie comme signe d'une réussite qui ne renierait rien du passé.

Élie T., Juif égyptien, psychanalyste, quitte Villiers-le-Bel, haut lieu des rapatriés d'Égypte, pour un appartement dans les immeubles historiques de la Ville de Paris, rue des Barres. La boucle est bouclée : les anciens taudis juifs du IVe arrondissement, expropriés pendant l'Occupation pour cause de salubrité publique, deviennent cinquante ans plus tard, une fois réhabilités, des logements de luxe où des Juifs « arrivés » (et Élie T. milite toujours au PCF...) viennent savourer les plaisirs de la réussite.

Le XIe arrondissement a lui aussi rassemblé de nombreux Juifs communistes avant la guerre, mais leur présence ne cesse de décroître[4]. Plusieurs rues auraient pu, en ce temps-là, prendre le nom de *yidishe gas* (la rue juive) : la rue Basfroi, la rue de la Forge-Royale, le passage Saint-Bernard...

Mais, par un étrange retournement de l'Histoire, le XIe tend lui aussi à devenir aujourd'hui un lieu de symbolisation juive pour d'anciens communistes qui effectuent une certaine forme de retour à la judéité.

---

4. Selon David H. Weinberg, *op. cit.*, p. 22, d'après la statistique des décès tenue par le Consistoire, un tiers des Juifs décédés entre 1933 et 1939 vivaient dans quatre arrondissements : les IXe, Xe, XIe et XIIe.

Yves-Marc Z., après une enfance dans le IXe, choisit à la quarantaine d'habiter le XIe, boulevard Voltaire, puis avenue de la République. Au fur et à mesure de la redécouverte de sa judéité – il part
étudier le yiddish au YIVO de New York –, il se rapproche du cœur
de la vie juive à Paris.

Gilles S., après une enfance dans le XVIe, choisit le XIe
à quarante-quatre ans, en 1989. Aujourd'hui, rue Jean-Pierre-
Timbaud : à la fois un choix idéologique (« Je retrouve... Jean-
Pierre Timbaud, le saint des métallurgistes, où j'avais été, vingt ans
auparavant, écouter les meetings de la JC ») et un choix ethnico-
culturel (« Je crois avoir donné des signes... Quand on est arrivés,
c'est vrai que le marchand de journaux de la rue Jean-Pierre-
Timbaud vendait un des derniers quotidiens yiddish »).

Mais le cœur de la judaïcité communiste, bien sûr, c'était autrefois Belleville-Ménilmontant. Nous avons déjà longuement décrit
le réseau associatif à travers lequel s'entraidaient, dans les années
trente, les Juifs communistes de Belleville-Ménilmontant et grâce
auquel le Parti maintenait une sorte d'hégémonie sur le quartier.

« C'est vrai que par goût, moi, je me sentais mieux dans ces
quartiers-là. Ça correspondait à nos idées, aussi. Des quartiers...
prolos... voilà. C'est vrai qu'on s'y sentait bien » (Rose S., 1933,
Moscou. Arrive en 1935).

« Ça correspondait à nos idées », « Des quartiers prolos » : il est
clair que le choix topographique correspond ici à un choix idéologique. Autant – sinon davantage – que le désir de regrouper une
famille ou de rejoindre les associés d'un même *landsmanshaft*,
l'idéologie commande la distribution dans l'espace parisien.

Aujourd'hui, les ashkénazes ont laissé place à une importante
population séfarade, souvent très marquée par l'orthodoxie.
L'électorat reste de gauche, mais les socialistes ont remplacé les
communistes.

Parfois même, l'ancien ghetto devient simple lieu de mémoire.
Georges T. (1908, Tunis, communiste de 1934 à 1963), qui n'avait
jusqu'alors habité que les « beaux quartiers », vient finir ses jours
rue de la Présentation :

142

Le meilleur, c'est la chaleur humaine qui existe dans ce quartier. C'est une merveille. Une chaleur humaine, une solidarité... À côté il y a un marchand de nourritures orientales, très connu, il ne parle qu'arabe. Judéo-arabe. Il sait le français, mais il ne parle que judéo-arabe. Combien de fois je rencontre des femmes assises au café... La Vielleuse. Je passe là : « Ah ! Georges !... » Elles me connaissent comme ça... Ah ! c'est très particulier...

Le choix de ces quartiers traditionnels témoignait autrefois d'une sorte de ghettoïsation à double détente : on y venait pour s'y encoconner dans deux réseaux complémentaires, le réseau juif et le réseau communiste. L'exode ultérieur confirme ce double mouvement : on se déjudaïse et l'on choisit, pour un temps, les solidarités communistes en lieu et place des solidarités juives – quitte, dans une phase ultime, à inverser totalement la tendance en revenant sur le territoire de l'enfance (mais ô combien rénové !) pour y dire la nostalgie d'une culture disparue dans laquelle on rêve de se replonger.

On quitte Belleville ou le IIIe arrondissement, après des années de galère, pour les banlieues rouges, où la convivialité juive disparaît. Dans ce nouvel exil, le mobile idéologique rivalise avec le désir de trouver un logement plus confortable, mais aussi meilleur marché. Seuls ceux qui restent au Parti persévèrent aujourd'hui dans ce mode d'habitat. Déserter la banlieue communiste ou la ville ouvrière, c'est presque toujours le signe de la rupture.

Il faut d'emblée faire un sort particulier à la province rouge, qui nous fournit, avec la famille T., une sorte d'idéal-type. Le père, issu de la petite bourgeoisie juive de Metz, décide, par conviction politique, de s'installer comme médecin dans la ville ouvrière de Moyeuvre-Grande, où il est élu conseiller municipal et adjoint à la culture. La mère, secrétaire médicale, les deux filles et le fils adhèrent eux aussi au PCF. Quand ils rompent tous les cinq avec le Parti en 1978, ils doivent très vite fuir Moyeuvre, les uns pour la banlieue parisienne, le fils – Didier T., universitaire à Nancy – pour Nancy et les filles pour Paris : « Le plus dur, ça a été... la réaction du Parti au moment où mes parents ont commencé à être en désaccord avec le Parti. Là, il y a eu un... un déferlement de... de haine insoupçonnée. » D'où la nécessité de quitter Moyeuvre sans aucun espoir de retour.

De plus en plus de Juifs communistes ou ex-communistes habitent en banlieue. Le choix est souvent aidé par le PC : c'est lui qui trouve un logement à ses militants dans une de ses municipalités. Ivry – prototype de la municipalité communiste pure et dure, fief des « orthodoxes » du Parti – a accueilli, ou accueille encore, douze Juifs de notre échantillon.

Mais la rupture avec le Parti crée dès lors problème. Le contact est rompu avec les « camarades », qui font payer au « coupable » le prix de sa « trahison ». À Ivry, le climat se révèle franchement rude pour ceux qui ruent dans les brancards. La vie devient vite invivable pour Jacques et Annette R. Quand celle-ci annonce au fils du maire qu'elle ne reprend pas sa carte, « il a [eu] cette remarque : "Je comprends que tu te sentes très mal à l'aise à Ivry, maintenant." C'est vrai qu'on a quitté Ivry sur la pointe des pieds. On n'a pas voulu faire de scandale, eu égard quand même à toute cette amitié. C'est vrai qu'Ivry, c'était une grande famille et que je n'ai pas voulu partir en claquant la porte ».

Même Sacha R. (1943, Sverdlovsk, JC/PC depuis 1958), qui est pourtant resté au Parti, mais qui a rejoint les dissidents emmenés par Henri Fiszbin dans les années soixante-dix et quatre-vingt, se heurte à une très vive hostilité des communistes :

> Ivry, ça a changé. D'abord parce que je suis devenu très critique. Donc ma manière de vivre le Parti et de vivre la vie militante s'est transformée. Je suis l'ennemi juré de M. [le secrétaire de section d'Ivry]. Quand je suis arrivé à Ivry, je me suis cogné à ce personnage infâme. Il m'a menacé de dissoudre ma cellule, ça a été le couteau entre nous ! Et ça continue ! Donc je suis moins engagé dans la vie sociale d'Ivry, parce que j'ai pris du recul, parce que je suis opposé à tous ces infâmes d'Ivry – ceux qui dirigent. Donc je n'ai plus le même bonheur : si j'y suis, c'est pour d'autres raisons. Je ne milite plus dans la joie de mes certitudes. [Il rit.]

Ici encore, le lien entre territoire et idéologie s'affirme avec violence : on est là *parce que* communiste (c'est le Parti qui trouve le logement) ; on est rejeté *parce qu'*on conteste l'autorité du Parti (les dirigeants locaux ont l'art de rendre la vie impossible).

Mais existe-t-il encore un lien avec une vie juive ? Certes, on s'affirme avant tout communiste, puisque c'est là le sens même de l'implantation dans cet espace. Mais le contact avec la communauté juive n'est pas toujours radicalement coupé.

Léon C. (1917, Paris, PCF de 1934 à 1935 et de 1986 à 1987) a une *mezouzah*[5] sur la porte de son appartement de Montreuil :

> Quand je vois le rabbin de Montreuil, devant tous les communistes qui sont là, parce que, à chaque fois qu'il y a des cérémonies, ils sont tous là, je vais à lui – il me connaît, il m'a fait appel un jour pour un don, je lui ai donné – et, chaque fois que je le vois, je l'embrasse. Ça les emmerde, les autres ! Il est pas ashkénaze, il est séfarade, ça fait rien ! Pour moi, c'est le rabbin de Montreuil et j'ai du respect pour lui. Il sait très bien que je suis pas religieux. Et puis aux autres, ça veut dire : « Allez vous faire voir ! »

Trois forces concourent ainsi à déterminer la distribution des Juifs communistes, ou anciens communistes, dans l'espace Paris-banlieue : la polarisation religion et/ou ethnicité ; l'attirance idéologique ; la dynamique sociale.

Ces trois forces peuvent se combiner, se renforcer l'une l'autre, ou au contraire s'opposer, se contrarier. L'une ou l'autre peut apparaître là où elle ne se manifestait pas, ou au contraire disparaître ou s'affaiblir, laissant le champ libre à celle(s) qui réussit à survivre.

Dans un premier temps – l'avant-guerre et l'immédiat après-guerre –, où les Juifs communistes dans l'espace Paris-banlieue ne regroupent pratiquement que des ashkénazes, les deux seules forces en présence sont la polarisation ethnico-religieuse et l'idéologie (à travers les réseaux de solidarité et l'action des élus municipaux) : d'où la concentration à Belleville-Ménilmontant, dans le *Pletzl* et dans le IXe arrondissement, là où co-existent synagogues, magasins

---

5. *Mezouzah* : « petit rouleau de parchemin contenant certains passages de la Bible, traditionnellement fixé sur les montants de la porte d'une habitation juive » (*DEJ*, p. 738).

yiddishophones et instruments de solidarité et de socialisation propres aux Juifs communistes.

À partir de la fin des années cinquante et jusqu'à la fin des années soixante, voire les années soixante-dix, l'arrivée massive des séfarades complique le jeu des trois forces. Séfarades et ashkénazes les subissent selon des schémas différents.

Chez les ashkénazes, la dynamique ethnico-religieuse cesse de jouer ; la dynamique sociale commence à se faire une place ; la dynamique idéologique connaît son apogée. D'où l'exode hors des quartiers traditionnels, l'investissement progressif de quartiers sans tradition juive, la polarisation autour de municipalités de la banlieue rouge (Ivry, Montreuil, Saint-Denis...).

Chez les séfarades, la dynamique ethnico-religieuse joue à plein ; la polarisation idéologique reste très faible ; la dynamique sociale ne s'est pas encore mise en place. D'où un regroupement d'abord dans un réseau d'hôtels, de meublés, de locations à bon marché des arrondissements de Paris où existent des synagogues séfarades (Belleville, les IXe et XIIe arrondissements). Puis (ou en même temps) le regroupement dans des grands ensembles de la banlieue Nord (Sarcelles, Gonesse...). Dans un deuxième temps, l'arrivée à l'âge adulte de la jeune génération et la révolte contre les familles traditionnelles entraînent l'émergence d'une polarisation idéologique (les banlieues rouges) et d'un retour vers Paris.

Dans un troisième temps, à partir de la fin des années soixante-dix ou des années quatre-vingt, la dynamique sociale devient l'élément majeur, tant chez les séfarades que chez les ashkénazes. On tend à se rapprocher des espaces à forte symbolisation sociale. La désidéologisation, ou la rupture avec le PC, pousse à quitter les banlieues rouges, soit en direction des banlieues sans connotation idéologique (PS ou droite), soit vers Paris. Mais – paradoxalement – une certaine forme de retour à l'ethnicité, voire au religieux, peut inciter à revenir sur les lieux traditionnels de la judaïcité parisienne, désertés au temps de la passion idéologique : Belleville, le Marais, le IXe arrondissement...

II

Carte d'identité

2. Nationalité : République française

Personne ne leur conteste plus le droit de citoyenneté. Et pourtant leur statut de communiste a pu leur donner parfois la sensation, ou la volonté, d'un enfermement, d'une quasi-ségrégation dans ce que le Parti appelle une « avant-garde » et les journalistes un peu pressés un « ghetto ». Comment concilient-ils ces deux tropismes contradictoires ?

Les historiens et les politologues ont souvent dit que les communistes avaient réussi à constituer, au sein de la société globale, une sorte de contre-société, avec ses propres institutions, ses propres lois, sa propre morale. Annie Kriegel voit même là une des clés principales pour pénétrer cet univers[1]. Tout à l'inverse, il me semble que les Juifs communistes se sont d'autant mieux « fondus dans la société dominante » qu'ils se sont, pendant un temps, immergés dans la contre-société communiste.

---

1. Annie Kriegel, *Les Communistes français. Essai d'ethnographie politique*, Paris, Seuil, 1968, p. 6.

147

Micro-société ou contre-société ?

En un certain sens, le maillage très serré des ashkénazes communistes d'immigration récente dans le Paris de l'entre-deux-guerres aboutissait à une double « ségrégation ». Par rapport à la communauté juive elle-même, mais aussi par rapport à la société française tout entière, qui se réduit – un peu schématiquement – à la police, ou aux concierges des taudis de Belleville, souvent suspectées d'antisémitisme.

Travaillant en chambre pour le compte de petits patrons juifs, ne parlant que yiddish, ne fréquentant que le réseau associatif du PCF, y compris pour ses loisirs, le Juif communiste n'entretient ici une relation positive avec les non-Juifs qu'à travers la figure tutélaire de l'instituteur.

À une moindre échelle et sous une autre forme, la situation se prolonge pendant les années d'Occupation. Si le Juif communiste yiddishophone participe à la Résistance, il le fait souvent (mais pas toujours) dans une organisation spécifique, obéissant aux mots d'ordre du Parti bien plus qu'à ceux de Londres.

Mais peut-on dire que cette structure de la micro-société juive communiste dans les années trente et quarante aboutit à une véritable « ségrégation » ? Il serait peut-être plus judicieux d'y voir une sorte de sas d'intégration, de narthex pour les catéchumènes : à la *Koultour Lige*, s'il est vrai qu'on chante ou qu'on lit en yiddish, il n'en reste pas moins que l'on commence aussi à apprendre le français. Dans les groupes de langue des syndicats CGT et du Parti, on se retrouve certes entre soi, mais les dirigeants s'opposent strictement à toute autonomisation, à toute velléité d'indépendance : l'accusation gravissime de « déviationnisme nationaliste petit-bourgeois » n'est jamais bien loin.

Raymonde Y. (1938, Paris, PCF de 1952 à 1985) raconte comment ses parents, nés en Pologne, immigrés en 1926, ont trouvé dans le Parti à la fois un lieu d'accueil et un instrument d'intégration : « Ils étaient français. Avant d'être autre chose. D'abord parce que, quand ils sont arrivés, ils ont été pris en charge par le

148

Parti. Et qu'ils ont été placés dans des familles françaises. » Le père travaille comme correcteur à *Naye Presse* et il participe à la Résistance des FTP-MOI, ce qui témoigne bien – dans les deux cas – de sa double identité, juive et communiste : « Papa pensait toujours qu'il n'aurait que ce que son parti voulait bien lui donner. Il n'a jamais voulu réclamer quoi que ce soit au titre de la Résistance. Si son parti ne l'avait pas demandé, alors il ne demandait rien. » Autrement dit : le père obéit au code implicite de la contre-société communiste. Mais, en même temps, c'est celle-là qui a fait de lui un citoyen français, voire un patriote.

Yves-Marc Z. (Paris, 1946, JC/UEC de 1966 à 1973) rapporte comment son père, lui aussi polonais, immigré à la fin des années vingt, a découvert la fraternité du peuple français à travers le Parti communiste :

> Dans les années 1937-1938, quand il faisait des collages la nuit, il le faisait avec des militants du Parti français et la règle, s'il y avait un problème avec les flics, c'était que lui devait pouvoir s'échapper. Les types, eux, avaient un boulot et ils repéraient bien que parfois mon père n'avait pas bouffé depuis vingt-quatre heures, et donc après un collage ils se retrouvaient dans un troquet et puis ils lui remplissaient la panse.

Les FTP-MOI se révèlent souvent la voie royale pour une naturalisation (pas toujours...) qu'il eût sans doute été, en d'autres circonstances, bien difficile d'obtenir : le statut de héros, ou plus simplement d'ancien combattant, facilite singulièrement les intégrations à venir.

Dès la Libération, du reste, le Parti s'empresse de liquider, dans la mesure du possible, tout ce qui pourrait constituer l'amorce d'une autonomie juive communiste. Seule l'UJRE échappe au massacre, mais dans quel état ! La mémoire de la Résistance proprement juive se fond, autant que faire se peut, dans l'exaltation globale du « parti aux 75 000 fusillés ».

Il est cependant vrai que le PCF fait tout pour que les Juifs communistes, fortement encouragés à s'intégrer dans la société française, s'isolent en revanche quasi hermétiquement de la société juive. Les procès à connotation antisémite dans les démocraties

149

populaires, le complot des Blouses blanches, la solidarité avec les Palestiniens, la condamnation d'Israël pendant la guerre des Six Jours creusent des fossés en apparence infranchissables. Des incidents éclatent en 1967, dans le *Pletzl*, et notamment au Carreau du Temple, entre boutiquiers juifs des deux bords. La guerre à outrance que *Naye Presse* mène contre *Unzer Vort* et *Unzer Shtime*, avec des arguments d'une violence inouïe, constitue un symptôme évident de ce divorce qui s'instaure : le journal communiste accuse ses adversaires « sionistes-bundistes » de s'être alliés avec les néonazis et de préparer un nouvel Auschwitz, il annonce la nomination « par Ben Gourion » d'un « Gauleiter des Juifs de France », tandis que ceux d'en face – la gauche juive non communiste – demandent à toutes les associations de la communauté de chasser désormais de leur sein tous les membres du Parti.

Mais peut-être pourrait-on dire que cette « ségrégation » par rapport à la société juive facilite, paradoxalement, une intégration plus rapide et plus totale à la société française : loin des jeunes turbulents qui brandissent aujourd'hui le drapeau au *Magen David* dans les manifestations ou qui s'inventent, dans leurs écoles, dans leurs journaux, dans leurs réseaux de soutien à l'État juif, quelque chose qui ressemble fort à une double allégeance, les Juifs communistes des années cinquante et soixante sont encouragés à proclamer un patriotisme français à la Aragon, souvent cocardier. Et même si la double allégeance renaît ici, sous la forme d'un attachement sans borne à l'Union soviétique, du moins possède-t-elle cette vertu d'être partagée, en ce temps-là, avec un bon quart du peuple français, donc de permettre une communion d'enthousiasme avec des millions de non-Juifs, autrement dit de renforcer l'intégration à la France. Dans les Festivals de la Jeunesse de Moscou, de Bucarest, de Prague, de Berlin-Est, dans les pèlerinages éblouis au pays du socialisme, les enfants de la MOI et du YASK se sentent aussi français que leurs petits copains envoyés par le Comité d'entreprise de chez Renault ou par le Comité central des activités sociales (CCAS) d'EDF-GDF.

Quand les séfarades communistes (ceux qui ont déjà pris leur carte) arrivent en France, dans les années cinquante, un phénomène

> Moi, j'étais imprégné d'histoire de France. Et pour moi, l'histoire de France, c'est la Révolution française, c'est Bara, c'est la lutte des républicains contre... Les idoles, ça existe ! On avait nos idoles. Moi, c'était Bara. J'ai toujours eu dans la tête cette image de Bara, avec la faux des Chouans qui le massacrent. Ça et les Brigades internationales. Ça a toujours été mes héros.

Bara et les Brigades internationales : la continuité entre la Révolution française et le communisme trouve ici des symboles clairs.

Une fois encore, les séfarades chantent d'autant plus facilement à l'unisson des ashkénazes que l'Alliance israélite universelle les a depuis longtemps imprégnés des idéaux républicains, voire « progressistes » aux yeux de la société coloniale. « On nous a enseigné les auteurs français, les Victor Hugo, les Zola... Les professeurs d'histoire ou de géographie nous enseignaient la Révolution française, la Déclaration des droits de l'homme et du citoyen », raconte ainsi Renée O. (1923, Oran, PCF de 1961 à 1985). « Et c'était bien enseigné. Parce que ces personnes qui venaient de France pour nous faire l'enseignement chez nous, avant qu'il y ait des instituteurs chez nous[2], ils avaient vraiment le sentiment républicain. »

Le système fonctionne, du reste, dans les deux sens : si la fascination pour la Révolution française, à travers l'enseignement de l'école laïque et républicaine, peut conduire certains Juifs sur le chemin du Parti communiste, celui-ci favorise à son tour l'intégration dans la nation française.

Le martyrologe des FTP-MOI fournit, en outre, au Parti communiste un certificat de patriotisme judéo-français auquel nos interviewés, même les plus jeunes, se montrent encore sensibles. La benjamine de l'échantillon, Anne L., née en 1967, n'est pas la moins enthousiaste : « Très longtemps, pour moi, la Résistance, c'était la Résistance juive communiste. Quand j'étais gamine. Que je ne connaissais pas bien l'histoire. Le résistant, pour moi, c'était le gars de la MOI. »

---

2. Ceux de l'Alliance israélite universelle, comme l'indique le contexte.

C'est ainsi que l'exaltation de l'école républicaine, la récupération des valeurs de 1789, l'ode aux combattants des FTP-MOI deviennent des leviers d'intégration, non point tant parce qu'elles effaceraient le passé juif et faciliteraient l'assimilation, mais parce qu'elles s'inscrivent dans un double imaginaire : l'imaginaire français en son noyau le plus solide (la laïcité, la Révolution, la Résistance), mais aussi l'imaginaire juif en ses formes revigorées par la mutation sioniste, fût-ce chez les plus antisionistes des Juifs (fini le temps du ghetto, nous sommes une race de soldats maîtres de leur destin...).

Il n'en reste pas moins qu'il ne faut pas surestimer, comme on le fait souvent, cette fonction intégratrice du Parti communiste. Certains séfarades communistes venus du Maghreb ou d'Égypte nient leur appartenance à la nation française. Le nationalisme arabe, véhiculé par les PC locaux, leur fournit une identité de substitution, parfois revendiquée encore plus de trente ans après l'expulsion de leur terre natale.

> J'ai la sensation d'étrangère, constate Éliane V. (1945, Casablanca, PCM de 1965 à 1973, puis PCF). Mais je me sens pas en sécurité. Je suis angoissée continuellement. Au Maroc, c'est marrant, je suis pas comme ça. Je me sens pas en insécurité. Pourtant, j'ai plus lieu d'être là-bas qu'ici. Mais... je sais pas trop... Je retrouve mon territoire. Ici, je me le suis fabriqué.

> Je suis Europe sans être Europe, je suis français sans être français, lui fait écho Joseph F. (1917, Le Caire, MDLN, puis PCF de 1944 à 1957). La seule chose que je ressente, c'est ce que mes parents m'ont apporté, c'est cette judaïté, en définitive. Quant à la France, que j'apprécie, que j'aime beaucoup, je ne me sens pas vraiment français. Ça, c'est quelque chose qui a été ajouté à mon plan familial.

Pour beaucoup d'autres – la majorité sans doute –, le problème de l'intégration a cessé de se poser. Ils sont français, point final. Leurs parents, déjà, voulaient l'être. L'adhésion au Parti communiste, loin de marquer une étape – voire un prélude – dans un processus d'intégration, en constitue dès lors, tout à l'inverse, une sorte d'aboutissement. Ils se sentent tellement intégrés qu'ils

154

peuvent même se permettre de militer dans un parti que la droite extrême qualifie souvent de « pas français » !

Un Max B., né en Italie de parents saloniciens émigrés en Égypte, arrivé lui-même en France à l'âge de vingt-sept ans, s'enorgueillit de son aïeul, médecin dans l'armée de Bonaparte en Syrie, et de son père qui « récite des tirades entières de Racine et de Corneille ». Une Madeleine S. – toujours la petite fille qui traverse le Cher sous les balles allemandes – rapporte avec fierté la réponse paternelle à un placier du marché de Saint-Quentin qui, dans les années trente, avait « traité un gars de sale Juif » :

> Mon père s'est précipité et il lui a dit : « Je t'emmerde ! Tu es français, tu sais même pas pourquoi. Moi, je viens de Vilna, et j'ai choisi la France. Et je vais te dire pourquoi, pauvre ignorant, parce qu'il y avait le Louvre ! »

III

Savoir

1. Savoir le judaïsme

« La justice est impossible à l'ignorant », écrit Emmanuel Levinas[1]. « On ne saurait trouver parmi tous les commandements de commandement qui puisse se comparer au devoir d'étudier la Loi, disait déjà Maimonide, tandis que ce devoir, à lui seul, égale en importance l'ensemble de tous les autres commandements[2]. » Depuis la Révélation du Sinaï, le Juif est tenu d'apprendre. De savoir. L'impératif survit à toutes les amnésies, à toutes les apostasies. Les plus agressivement athées accumulent parfois encore toute une mémoire issue de l'enfance. Ceux qui renoncent, ceux qui oublient, ceux qui abjurent se tournent alors souvent vers d'autres livres, vers d'autres apprentissages.

Savoir l'être-juif, savoir le communisme : chez les Juifs communistes, les deux exigences se succèdent, se combinent, s'entre-détruisent ou s'enrichissent l'une l'autre, jouent exceptionnellement à cache-cache dans un étrange aller-retour, sans qu'on sache jamais laquelle l'emportera au dernier jour.

Si beaucoup de Juifs communistes « savent » encore très profondément le judaïsme (même si beaucoup d'autres, d'une certaine

---

1. Emmanuel Levinas, *Difficile liberté*, Paris, Albin Michel, 1976, p. 17.
2. Maimonide, *Le Livre de la connaissance*, trad. Valentin Niprowetzky et André Zaoui, Paris, PUF-Quadrige, 1990, p. 178.

façon, l'ignorent), tous – ou presque – « savent » quelque chose de la judéité, de la trace qui leur reste d'une très ancienne et incompréhensible histoire. Ils disent : « Je suis juif », même si la synagogue a depuis longtemps perdu à leurs yeux toute signification ou valeur.

Vierges de tout héritage ?

Un Juif communiste sur quatre, parmi ceux que j'ai interviewés, affirme aujourd'hui que ses parents, déjà militants ou simplement athées, lui ont refusé tout apprentissage religieux. Parmi ceux qui se déclarent ainsi vierges de tout héritage judaïque, les ashkénazes représentent une écrasante majorité (vingt et un sur cinquante, contre seulement quatre séfarades).

Mais l'affirmation carrée, sans nuance, paraît limitée à un tout petit nombre. « Mes parents, de toute façon, se souvient Francine R. (née en 1954 à Paris, ex-PCF), étaient farouchement athées. On a eu une éducation aussi farouchement athée. » Sauf que ses parents, justement, ont aujourd'hui entamé quelque chose qui ressemble à un « retour ». Il ne reste dès lors à Francine que l'interrogation... et le divan du psychanalyste.

Quelques-uns évoquent les conflits familiaux qui ont troublé la quiétude athée de leur enfance :

> Mon père était communiste athée, raconte Jacques R. [le père de Francine]. Ma mère était croyante. Mais les rapports de force dans les familles juives du début du siècle étaient tels que c'était l'opinion du mari qui l'emportait. Donc c'est l'opinion de mon père qui a prévalu. J'ai reçu une éducation laïque, antireligieuse.

Dans les vieilles familles de la grande bourgeoisie israélite, c'est l'acculturation totale, l'immersion séculaire dans la société française, qui interdit parfois tout apprentissage. Noémi V. (née en 1953 à Paris), dont les parents ont changé de nom et l'ont même (croit-elle sans en être vraiment sûre) baptisée dans la religion catholique, n'a bien sûr jamais eu aucune notion du judaïsme. Du coup, elle s'étonne, s'indigne presque d'un certain « retour » chez ses cousins : cela n'a pas de sens, pense-t-elle, puisque la chaîne de transmission a été interrompue.

D'ailleurs, si l'on veut mesurer objectivement l'athéisme « réel » des parents, peut-être suffit-il de poser aux Juifs communistes (mâles, bien sûr) une seule question : vous ont-ils circoncis ? Cinq seulement répondent non. Même les ashkénazes les plus militants, les purs et durs de Belleville, restent encore, dans ces années-là, fidèles au *berit*[3]. Ce qui n'empêche pas les fils de rester, eux, fidèles au Parti dans la proportion de un sur deux.

La bar mitsvah, *une pierre de touche*

La *bar mitsvah*, voilà la pierre de touche. Quelques-uns, rebelles dès l'adolescence, refusent carrément, malgré les pressions d'une famille pratiquante. Ils ne sont que six (dont un seul séfarade) à affirmer ainsi leur souveraine résistance. Trois d'entre eux ont quitté le Parti.

> Je n'ai jamais voulu la faire, raconte Maurice O. (1922, Oran) qui baigne pourtant dans une atmosphère familiale fort religieuse. Oui. Tout en étant le seul connaissant les prières hébraïques. Et puis mon père, comme beaucoup, insistait et courait derrière moi. Je disais : « Non, je ne ferai pas ma communion, parce que ça ne me dit rien du tout. Et puis j'y crois pas. » C'était un principe.

D'autres, tout à l'inverse, accomplissent le rite par forte conviction personnelle. Ne nous étonnons pas si les proportions s'inversent : sur douze ritualisants enthousiastes, seulement deux ashkénazes (dont une fille) ! « Je sais, se souvient par exemple Claude J. (1928, Tlemcen), que, lorsque j'ai fait ma *bar mitsvah*, j'ai eu un petit mouvement de fanatisme religieux. »

Fernand I. (1950, Tunis) tient à peu près le même langage : « Ce qui est extraordinaire, c'est que, en tant que jeune issu d'une

---

3. *Berit milah* : en hébreu, la circoncision (*DEJ*, p. 148 et 248-249).

famille juive, j'y croyais, bien sûr. Je croyais en Dieu... Beaucoup plus, je me rappelle, par crainte que par amour. »

Le premier a quitté le Parti depuis plus de trente ans, le second y milite avec ferveur.

Mais le plus grand nombre des interviewés (quinze sur soixante hommes) avouent s'être simplement inclinés devant la volonté d'un père ou d'un grand-père. Surtout les séfarades (onze contre quatre). Et de raconter avec complaisance le rabbin qui somnole, la prière qu'on apprend phonétiquement en lisant des caractères latins. Le récit le plus caricatural, c'est sans doute celui de Gérard S. (1935, Alger), petit-fils du président du Consistoire :

> Quand j'ai préparé ma communion – ma *bar mitsvah* –, c'était un événement dans le monde de la communauté juive d'Alger, étant donné la situation de mon grand-père. Or, de par la façon dont mon père raisonnait à la maison, ce qu'il lisait, ce qu'il disait, j'ai grandi dans une hostilité totale au fait de faire ma *bar mitsvah*. Je ne pouvais pas à la fois croire que Dieu n'existait pas, et en même temps faire ma *bar mitsvah* ! Les cours devenaient pour moi insupportables. Je ne pouvais pas y croire. Donc le rabbin, qui avait été spécialement délégué pour m'apprendre, a constaté au bout de huit jours que je n'apprenais rien du tout.
>
> Alors mon grand-père m'a appelé : « Il faut que tu fasses un effort. Qu'est-ce qui te rebute dans cette langue ? » Je lui ai dit : « Ce qui me rebute, c'est que cette langue n'est pas comme la mienne. » Il m'a dit une chose épouvantable : « Cette langue, c'est la tienne ! – Mais non, la mienne, c'est le français ! »
>
> Donc je suis passé devant un jury de rabbins où je n'ai pas pu lire un mot – et ils le savaient, d'ailleurs ! – , et j'ai eu mon examen. On m'a simplement demandé une chose : « Apprends par cœur le texte ! » J'ai donc, avec une certaine angoisse quand même, fait semblant de lire un texte que je ne connaissais pas. Il y avait huit cents à mille personnes dans la synagogue !

Ici apparaît de façon aveuglante le cœur du conflit : la langue. Le français, c'est *sa* langue ; l'hébreu, c'est celle du grand-père. Refuser la *bar mitsvah*, c'est accomplir le meurtre rituel du dernier Juif de la famille, donc payer le prix du « passage », de l'entrée quasi religieuse dans la culture française. Gérard S., par cette pantomime, est solennellement intronisé non point dans le judaïsme de ses pères, mais dans la francité des frères qu'il s'est choisis.

L'apprentissage

Mais une certaine dose d'apprentissage paraît demeurer, la règle. Un Juif communiste sur huit, dans le cadre de cette enquête, avait un grand-père ou un grand-oncle rabbin, voire (comme Gérard S.) président d'un consistoire. C'est donc bien évidemment dans la famille que plus d'un militant a appris les rudiments du judaïsme. Surtout, semble-t-il, en Afrique du Nord et en Égypte.

> On était naturellement religieux, affirme ainsi André Y. (né en 1931 à Constantine). C'est-à-dire qu'avec le lait maternel on recevait non seulement le baptême, mais toutes les pratiques religieuses. On vivait ça quotidiennement. Dieu était présent à chaque seconde de notre vie. On mangeait cachère parce qu'on n'imaginait pas ne pas manger cachère. Mais je n'ai pas eu d'instruction religieuse poussée, parce que mon père a été absent dans la période où j'ai été en âge d'apprendre l'hébreu pour ma *bar mitsvah*, parce que c'était la guerre... Mon grand-père avait tenté de m'initier à la lecture de l'hébreu. Il m'a même écrit un alphabet.

Même Annie C. (ashkénaze, née en 1945 à Grenoble), pourtant fille de militante, a reçu de sa mère « une vraie éducation religieuse. Complètement et... et... et... [silence] j'ai toujours envie de dire que ma structure mentale est juive, même si je ne suis pas pratiquante ». Elle a épousé un musulman, dont elle est aujourd'hui divorcée. Elle vit avec un Juif marocain. Elle a quitté le Parti après seize ans de militantisme.

Plus nombreux (et parfois plus satisfaits !) semblent les anciens élèves des institutions juives. Seize Juifs de l'échantillon (neuf séfarades et sept ashkénazes) sont passés par cette filière, dont la moitié sont encore au Parti. Trois ont fréquenté le *héder*[4], dont – nous l'avons vu – Michel Grojnowski à Radziejow en Pologne.

---

4. *Héder* : « type d'institution scolaire largement répandue en Europe orientale jusqu'à

Deux séfarades ont eu recours aux bons soins de l'Alliance israélite universelle : l'un à Tunis, où il a appris l'arabe et l'hébreu (mais il se plaint – lui, le nationaliste tunisien – d'avoir étudié l'histoire juive, et non l'histoire de la Tunisie) ; l'autre à Oran :

> Au lieu de traîner dans les rues, nos parents nous envoyaient à l'Alliance. J'ai pu aller comme ça jusqu'en première, où on faisait justement de la traduction, mais... j'ai aussi rechigné à aller dans cette école hébraïque. J'étais assez avancé, j'aurais pu même faire une école de rabbinat. Mais... j'étais là parce que mes parents m'y obligeaient, je n'étais pas croyant. (Maurice O., 1922, Oran.)

Quelques-uns, à Paris, se retrouvent sur les bancs des écoles ou des lycées juifs : Léon C. (1917, Paris) à l'école Gustave-de-Rothschild, « parce qu'on habitait le XIIIᵉ » ; Alexandre N. (1958, Oran) comme interne à l'école Lucien-de-Hirsch, avenue Secrétan, dans le XIXᵉ arrondissement, mais c'est aujourd'hui étrangement le plus ignorant du judaïsme : il croit, par exemple, que le *hamets* – l'interdiction du levain à la veille de Pessah – se pratique pour Kippour[5].

Au Caire, les familles juives pratiquent un délicieux mélange de rigueur et de laxisme. Isaac M. (1922, Le Caire), par exemple, fréquente l'école maternelle Marie-Suarès, dont sa tante est directrice :

> L'école apprenait l'hébreu, mais on ne dépassait pas le stade de la... des *tefillin*[6]... Et puis je suis passé à l'école Moïse Cattan Pacha, qui est l'école de garçons jusqu'à... jusqu'au primaire.

Sa femme, Rose M. (1924, Le Caire), fréquentait quant à elle l'école Jabès :

---

la Seconde Guerre mondiale, et encore en vigueur dans les communautés très orthodoxes. Le *héder* se composait généralement d'un petit nombre de jeunes garçons, âgés de cinq à treize ans, qui se réunissaient au domicile de leur *rebbe* (rabbin) » (*DEJ*, p. 508).

5. Cf. *DEJ*, p. 475-476.

6. *Tefillin* ou phylactères : « deux petites boîtes (...) quadrangulaires en cuir contenant quatre passages bibliques que les hommes (...) portent au bras gauche et sur le côté pendant l'office du matin en semaine » (*DEJ*, p. 1106).

Si nos parents nous ont mis là, c'est parce que c'était une école juive. Ce n'était pas un enseignement juif, nous avions des professeurs français. Mais tous les ans, quand même, il y avait le rabbin qui faisait une visite à l'école. Alors on était habillées comme des petites filles bien sages, et puis elle faisait une réception extraordinaire, il y avait tout le gratin égyptien qui était invité. Et puis nous, on avait droit à un gâteau. Je crois qu'on chantait. La seule manifestation qu'il y avait dans cette école, c'était ce jour-là. Autrement, pas du tout.

Tout cela n'empêche pas qu'Isaac milite au Parti communiste français depuis 1949 et sa femme, Rose, depuis 1959 (après quelques années de militantisme clandestin chez les Égyptiens). Il semble bien décidément qu'il n'existe aucun lien, ni dans un sens ni dans l'autre, entre un solide apprentissage religieux et la fidélité quasi éternelle au Parti qui a longtemps dénoncé l'« opium du peuple ».

Plus inattendu peut-être : un certain nombre de ces Juifs communistes ont même suivi, dans leur enfance ou leur adolescence, un enseignement chrétien. Quatre ashkénazes et deux séfarades ont vécu cette expérience. Sans traumatisme apparent. Aucun d'entre eux n'a éprouvé, plus tard, la tentation de la *techouvah*[7]. Une seule a quitté le Parti communiste (tout en divorçant de son mari musulman).

Mais le seul apprentissage qui laisse vraiment des traces – parce qu'il s'inscrit dans une poésie, dans la nostalgie d'un parfum, dans une musique –, n'est-ce pas l'exemple quotidien des parents, la façon détachée ou passionnée, paresseuse ou méticuleuse, dont ils épousent, au gré des fêtes, au fil de l'an, les pratiques du judaïsme ? Cette pratique religieuse de l'enfance, nous avons essayé de la mesurer en sélectionnant dix critères : Chabat, Kippour, Pessah, Soukkot, Pourim, Hanoukkah, Roch Ha-Chanah, la synagogue, la *cacherout*, la prière.

---

7. *Techouvah* : le retour au judaïsme.

Les chabat de l'enfance

Trente-six des interviewés (dont seulement treize séfarades) n'ont aucun souvenir d'une quelconque observance de *chabat*. Parfois le père et la mère s'opposent discrètement, mais l'enfant est tenu à l'écart du conflit. « Moi, je voyais bien que ma mère allumait des bougies et qu'elle faisait ses prières le vendredi soir, mais elle se mettait dans un coin, de manière que ça ne gêne personne », se souvient Jacques R. (1928, Lodz).

Le souvenir d'une célébration rigoureuse et complète reste un phénomène presque exclusivement séfarade : sur dix-neuf interviewés qui peuvent encore raconter les *chabat* de leur enfance, deux seulement sont ashkénazes et la moitié ont quitté le PCF.

> Le *chabat*, raconte Jacques F. (né en 1936 à Alexandrie), ça commençait vendredi après-midi : le bain du *chabat*, mon père allait... et encore, très rarement... au *miqveh*[8]. C'était plutôt pour les fêtes qu'il y allait. Non, c'était la grosse bassine qu'on mettait sur le Primus, l'eau commençait à bouillir à midi, et puis on finissait à quatre heures, on prenait avec une tasse, on se mettait de l'eau, c'était vraiment... Bon, les habits propres, la synagogue, prières, Cantique des Cantiques, etc. Quand c'était l'hiver, on sortait de la prière à cinq heures et demie, mon père lisait toute la section de la Torah, de la *sidrah*[9] ou *parachah*[10] du lendemain, avec sa traduction en araméen. Et puis le concierge montait éteindre les lumières.
>
> Le lendemain matin, synagogue, à sept heures et demie, jusqu'à dix heures. On remontait, on prenait le petit déjeuner. Tout ça nous amenait vers onze heures – midi, on repartait à la synagogue... En Égypte, la prière de *minhah*[11] – la prière de l'après-midi – se faisait le samedi à midi et demi.
>
> Retour de la synagogue, re-prière, re-déjeuner. Et puis – alors là, c'était à la fois l'horreur et, en même temps, un très bon souvenir –, pendant une heure et demie, mon père me faisait lire toute la *parachah*

---

8. *Miqveh* : « bain rituel » (*DEJ*, p. 754-755).

9. *Sidrah* : « terme utilisé pour désigner les sections du Pentateuque lues publiquement à la synagogue le *chabat* » (*DEJ*, p. 1053).

10. *Parachah* : section du Pentateuque, lue à la synagogue pendant l'office du matin (*DEJ*, p. 846-847).

11. *Minhah* : « office quotidien de prières qui a lieu l'après-midi » (*DEJ*, p. 825-826).

de la semaine suivante, avec les cantilations, la section des Prophètes...
Et puis alors, en arabe – là, c'était en caractères hébraïques –, le
Choulhan aroukh[12], donc les us et coutumes de la semaine. En hébreu
et en judéo-arabe. Plus, s'il n'avait pas sommeil, des Psaumes. Tout ça
nous amenait vers trois heures et demie. J'allais à la synagogue, qui
était tout près, dans le même immeuble : nous avions un petit oratoire
très orthodoxe. Alors c'était le *derouch*[13], une espèce de sermon-fleuve
qui finissait au coucher du soleil.

Je prenais vraiment mon pied. Alors, le samedi soir, prière, on monte,
havdalah[14], donc cette espèce de prière très longue, des chants très
beaux, qui duraient encore jusqu'à dix heures...

Bien souvent, ce qui remonte à la mémoire, tant d'années plus
tard, c'est le fumet d'une cuisine, le doux parfum des plats qui
ont mijoté toute la nuit sur un feu allumé avant l'apparition de la
première étoile.

Le *chabat*, c'est un grand moment de la semaine, s'attendrit encore
André Y. (1931, Constantine). C'est le moment sacré[15], qu'on vivait
d'une façon très exceptionnelle. Le *chabat*, on arrête de travailler. Ma
mère est allée aux bains maures. Mon père rentre du travail. Mais il est
allé à la synagogue. Quelquefois nous sommes allés, mon frère et moi,
avec lui. Et puis on revient, la table est mise – une table exceptionnelle,
avec une nappe, des fleurs et exceptionnellement une bouteille de vin.
Et puis alors, exceptionnellement, mon père buvait une goutte d'ani-
sette. Ça veut dire que c'est un événement. Le couscous, le pain – le
pain est fait par ma mère, mon frère ou moi nous l'apportons au four,
la cuisson, c'est un pain de ménage. On donne un pain pour les pauvres.
La table est bien mise, on s'assoit et – évidemment tout le monde est
là, il n'est pas question que quelqu'un ne soit pas là – on fait la prière,

---

12. *Choulhan aroukh* (« table dressée ») : « titre donné à la codification classique de
la loi religieuse juive *(Halakhah)* rédigée par Joseph Caro de Safed et annotée par Moïse
Isserles de Cracovie » (*DEJ*, p. 239-241).

13. Il s'agit probablement de la *derachah*, « sermon prononcé à la synagogue à l'occasion de *chabat*, des fêtes et d'autres occasions particulières » (*DEJ*, article « Homilé-
tique », p. 530-533).

14. *Havdalah* : « prière récitée à la clôture du *chabat* et des fêtes marquant le passage
d'un jour consacré à un jour de semaine ordinaire » (*DEJ*, p. 502).

15. Cf. notamment Joëlle Bahloul, *Le Culte de la Table dressée. Rites et traditions de
la table juive algérienne*, Paris, Métaillé, 1983, p. 212-223.

on bénit le pain, le *qiddouch*[16], etc. On mange le couscous, évidemment. Un repas traditionnel.

Et le lendemain, la même chose. On mange la *t'fina*[17], c'est-à-dire un plat fait à l'étouffée, le plat est mis sur un *kanun*[18] avec la cendre sur la braise, de façon que ça puisse cuire lentement du vendredi soir jusqu'au samedi. Sans allumer de feu. C'est la tradition. Ça, ma grand-mère faisait comme ça.

Ces deux-là, Jacques F. et André Y., ont aujourd'hui quitté le PCF. Mais beaucoup de ceux qui racontent ainsi, avec des larmes dans la voix, les *chabat* de leur enfance sont restés des militants sans peur ni reproche.

Kippour, ou les accommodements

Kippour, c'est le seuil minimal de la pratique religieuse. Aussi ne faut-il guère s'étonner que, dans la génération des parents, l'absence totale de célébration reste une relative exception : dix-huit interviewés seulement (dont trois séfarades) n'ont gardé aucun souvenir des Grands Pardons de leur enfance. « Je ne savais pas ce que ça voulait dire », résume sèchement Jacques R. (celui dont la mère se cachait pour allumer les bougies du vendredi soir). Parfois même, à la limite, Kippour offre l'occasion tant attendue de manier la provocation : « D'abord ils mangeaient, se souvient André N. (1925, Belgique), alors qu'ils devaient jeûner, et ensuite ils mangeaient du jambon... »

Mais la célébration intégrale demeure, une fois de plus, un privilège séfarade : sur vingt-huit interviewés qui évoquent des Kippour absolument conformes à la règle, tels qu'on les fêtait dans leur enfance, cinq seulement sont ashkénazes. Remarquons que, dans l'enquête de Doris Bensimon et Sergio Della Pergola, 64,8 %

---

16. *Qiddouch* : « prière récitée le *chabat* et les jours de fête, en général sur une coupe de vin, afin de sanctifier la journée » (*DEJ*, p. 933-935).

17. *T'fina*, ou *d'fina*, ou *dafina* : « ragoût sabbatique » (cf. Joëlle Bahloul, *op. cit.*, p. 294).

18. *Kanun* : « brasero à trépied » (*ibid.*, p. 291).

des Juifs de plus de quinze ans déclaraient jeûner à cette occasion [19]. Même si ces chiffres doivent être pris avec précaution, il n'en reste pas moins que les Juifs communistes paraissent, en ce qui concerne ce rite majeur, issus de familles où la pratique se révèle très inférieure à la moyenne (trois fois et demie moindre).

> Il fallait être rentré à la maison à tout prix à cinq heures, se souvient Jacques V. (1913, Tunis). On allait à la synagogue. On rentrait, j'essayais de voler de l'eau, de boire un peu, mais enfin je n'étais pas très courageux, parce qu'on me surveillait. Et puis on fabriquait une liqueur de coing que toutes les mères de famille faisaient macérer dans une décoction de cannelle. On mettait aussi un parfum de girofle et on y piquait aussi des clous de girofle, ce qui était censé permettre aux défaillants par suite du jeûne de se remonter.
> Et c'était la journée à la synagogue. Mon père y était toute la journée. Moi, j'y étais pour traîner, comme tous les gamins, dans le quartier. Et puis il y avait le moment solennel, celui de la *neïlah* [20]. Les femmes venaient, il y avait une espèce de mezzanine, mais elles ne venaient qu'à la fin, vers les cinq heures, vers l'arrivée du *maghreb*... enfin du crépuscule. Arrivaient les filles, arrivaient les épouses, arrivaient les enfants qui cessaient de se balader dans la rue. Et puis après il y avait la bénédiction solennelle par le père devant ses enfants, il y avait le *chofar* [21], la corne...
> Enfin on rentrait à la maison et, là, il y avait la citronnade, le *boulou* – c'est un pain assez grand qui était fait avec de la semoule, des amandes, des écorces d'orange. Dans certaines familles, on servait du café à ceux qui le voulaient. Et puis on allait rendre visite aux gens de la famille. Ou on attendait les visites.

Jacques V. a plus de soixante ans de Parti derrière lui. Il a longtemps été permanent. Il a dirigé des affaires dont les liens avec le

19. Doris Bensimon et Sergio Della Pergola, *La Population juive de France : sociodémographie et identité*, Paris, CNRS, The Institute of Contemporary Jewry, The Hebrew University of Jerusalem, 1986, p. 250.
20. *Neïlah* (abréviation de *Neïlah chearim*, « fermeture des portes du ciel ») : « cinquième et dernier service de prières de Yom Kippour [...]. La *neïlah*, prononcée normalement au début du coucher du soleil, est considérée comme la dernière occasion de demander le pardon pour l'année précédente [...] » (*DEJ*, p. 808).
21. *Chofar* : « corne de bélier. Instrument à vent "naturel" propre à émettre certains sons précis, et dans lequel on sonne durant les jours de fêtes consacrés à la pénitence, au repentir et au pardon » (*DEJ*, p. 238-239).

167

PCF ne faisaient guère mystère. Mais les parfums des Kippour tunisiens de son enfance flottent encore dans son appartement d'octogénaire, quelque part tout en haut de Belleville.

Pour d'autres, c'est la musique qui fredonne encore ses chants à leurs oreilles. Un vieil ashkénaze comme David T. (1919, Paris) :

> Et il allait à la synagogue, papa, maman aussi, mais moins maman, oui, juste pour *Yom Kippour... Yom Kepper...*, enfin je vous le dis *Yom Kippour* parce qu'on dit comme ça maintenant, ils allaient à la synagogue et j'allais avec lui, je l'accompagnais, bien que je ne... [silence] je n'étais... mais j'aimais écouter, je le dis encore à ma femme, le *hazzan*[22]... j'aimais ces chants, je disais : « Ils sont formidables », c'est ça qui me frappait. Et il me reste...

Ou un presque jeune homme venu du Maroc comme Jean-Charles D. (1950, Casablanca), qui évoque « les chantres espagnols sublimes : un souvenir absolument extraordinaire ».

David T. est toujours au Parti. Jean-Charles D. l'a quitté, après avoir exercé d'importantes responsabilités aux Jeunesses. L'un et l'autre, malgré la différence de génération et de culture, pourraient sans doute communier ensemble dans l'extase du *Kol Nidré*[23].

Mais Kippour, comme Chabat, cela peut devenir une simple obligation sociale, une façon de se conformer, une fois l'an, à la coutume. Et là, pour la première fois, les enfances ashkénazes ressemblent presque à celles de leurs cousins séfarades (onze contre quinze).

« On ne m'aurait pas interdit de manger, raconte Pauline T. (1927, Paris), mais ma mère me donnait des sous, elle me disait : « Tu vas manger, tu t'achètes quelque chose chez le boulanger, mais tu ne montes pas à la maison ! »

---

22. *Hazzan* : « Dans son acception moderne, le terme hébraïque de *hazzan* désigne le chantre qui conduit le service de la prière à la synagogue, dont l'office est fréquemment rémunéré » (*DEJ*, article « Chantre et musique synagogale », p. 211-213).

23. *Kol Nidré* : « titre et premiers mots d'une déclaration en araméen qui sert de prélude à l'office du soir de Yom Kippour et permet aux fidèles de se délier de "tous vœux, obligations, serments, promesses et engagements" à caractère religieux contractés durant l'année, s'ils ont été prononcés involontairement, sous l'impulsion du moment ou sous la contrainte » (*DEJ*, p. 625-627).

« Oui, l'assurance-vie ! » ironise Jean N. (1943, Tunis). « Donc, on faisait Kippour. On bâfrait avant et on bâfrait après. »

Tous ceux-là affirment, en tout cas, que le respect de Kippour n'avait alors « rien de religieux ». « La tradition, sans plus. » La formule, à un ou deux mots près, se retrouve à plusieurs reprises. On « faisait semblant » : là aussi, l'expression revient plus d'une fois.

Pessah, ou la fête de la liberté

Pour les Juifs communistes, Pessah prend souvent une dimension plus politique que religieuse : fête de la liberté, de l'émancipation, qui peut se lire en termes quasiment laïques. C'est peut-être pourquoi l'absence de toute célébration dans les souvenirs d'enfance paraît tout à fait exceptionnelle : six interviewés seulement (dont un seul séfarade) ne trouvent vraiment rien à raconter.

Mais vingt-neuf interviewés – presque un record –, dont sept ashkénazes et vingt-deux séfarades, se souviennent encore des moindres détails : l'opposition entre les deux traditions (celle de l'Est et celle du Sud) atteint ici des proportions inégalées.

Écoutons le récit à deux voix de Rose et d'Isaac M. – elle est née en 1924, lui en 1922 –, qui ont l'un et l'autre passé leur enfance au Caire :

> ELLE. – La tradition était suivie. Le pain n'entrait pas à la maison. On mangeait du *matsah*[24]. Et puis il y a des plats spéciaux à cette fête, qu'on faisait et que j'essayais de faire, mais que je ratais, malheureusement.
>
> Tout ce qu'on mangeait était à base de ce pain azyme. Par exemple, pour déjeuner le matin, il y avait toujours, pendant les sept ou huit jours de Pâque, des beignets, en espagnol on les appelle *biñueles*. C'était une pâte qui était faite avec de la poudre de pain azyme et des œufs. On en faisait des beignets, recouverts d'un miel qu'on fabriquait soi-même. À midi on mangeait comme d'habitude, mais à la place du pain il y avait du pain azyme.

---

24. *Matsah* : « pain non levé fait à partir d'une pâte totalement dépourvue de levain ou de levure et qui est cuit au four avant le début de la fermentation » (*DEJ*, p. 717-718).

Lui. – Les *miñas* ?...

Elle. – Les *miñas*, oui, bien sûr... C'est un plat à base de pain azyme, de la viande, des œufs battus, par couches... Et puis tout ça se met au four et ça donne une espèce de... tourte, avec des couches superposées de pain azyme mouillé, de viande, d'œufs, etc., c'est délicieux. Quand on le réussit. Moi, je ne suis pas arrivée à le réussir.

— Et le *seder*[25] de Pessah ?

— Alors mon père le faisait. Et c'était très agréable. Il faisait toutes les prières. Je me souviens qu'au moment où il disait les Dix Plaies d'Égypte[26], il fallait tourner la tête pendant que maman versait le vin et l'eau dans une cuvette. Et papa déclinait les Dix Plaies d'Égypte. [À son mari :] Tu te souviens des Dix Plaies d'Égypte ? *Dam*, c'est le sang[27]... *Tsfarda*, les grenouilles[28]... Enfin, il les énumérait. Et puis tous les enfants devaient tourner la tête pour ne pas regarder cela, parce que c'est comme si elles défilaient devant nous, toutes ces plaies. Et puis il y avait une petite mise en scène : le plus jeune, ou la plus jeune de la famille, devait aller à la porte[29]. Et... je ne sais pas quel rôle je jouais, mais ça me plaisait énormément. C'est drôle, j'ai oublié. [À son mari :] Tu te souviens, toi ? L'enfant qui partait, qui se mettait derrière la porte...

Lui. – On mettait donc une serviette sur l'épaule du plus jeune des enfants et cette serviette devait contenir une *matsah*. Et l'enfant devait aller à la porte. Et je crois que ça voulait représenter la Traversée du Désert.

Elle. – Et les parents avaient toujours une place, à table, pour quelqu'un qui frapperait à la dernière minute[30]. Il y avait cette tradition aussi.

---

25. *Seder* : « Le *seder* est devenu le rite ou l'ensemble de rites familial par excellence de commémoration de la sortie d'Égypte et de la délivrance miraculeuse de la "maison d'esclavage". Un ordre symbolique de récitations et de dégustation de plats rituels est appliqué, qui exprime pédagogiquement la louange, l'action de grâce et la joie » (*DEJ*, p. 1036-1038). Voir aussi Gérard Garouste, Marc-Alain Ouaknin, *Haggada*, Paris, Assouline, 2001.

26. C'est le « *maggid*, ou lecture de la première partie de la *Haggadah*. Elle commence par les quatre questions, puis le récit des dix plaies qui précédèrent l'exode d'Égypte [...] » (*DEJ, ibid.*).

27. Les eaux du Nil changées en sang (c'est la première plaie). Cf. *DEJ*, p. 888.

28. L'invasion des grenouilles (deuxième plaie).

29. C'est le « *yahats* : la *matsah* intermédiaire est rompue ; une moitié est dissimulée aux regards [...]. Une tradition veut que les jeunes enfants soient invités à la chercher, après le repas, avec promesse de récompense à qui la trouve » (*DEJ*, p. 1038).

30. « Après le repas, la porte du logis est entrouverte et le prophète Élie est symboliquement accueilli. À l'origine, la porte devait être ouverte pendant toute la durée du *seder*, exprimant ainsi que tout pauvre ou nécessiteux était le bienvenu et invité à partager le repas du *seder* » (*DEJ*, p. 1037).

— Qui est-ce qui posait les quatre questions[31] ?

— Je pense que c'était ma mère... Parce que c'est eux qui étaient les deux religieux. Nous n'avons pas reçu d'éducation religieuse, ma sœur et moi, parce que nous étions des filles.

Entendons, dans ce double entretien, les deux mots clés qui nous en livrent le sens. Le *jeu*, d'abord : « une petite mise en scène », le « rôle que je jouais »... Le *seder*, c'est une représentation théâtrale : les enfants y jouent à représenter la sortie d'Égypte, mais le jeu d'enfants reçoit ici la consécration des adultes.

La *langue*, ensuite. Tout ce qui touche à la bouche se dit en espagnol : les *miñas*, les *biñueles*. Tout ce qui relève de la légende religieuse retrouve le vieux parler hébreu : *dam, tsfarda*. À l'inverse de Gérard S., qui refusait de dire les mots de ses ancêtres, Rosette et Isaac s'en gargarisent, même si, à plus de soixante-quinze ans, ils ont du mal à en retrouver les sonorités. Ils se veulent juifs *et* séfarades. Cette fidélité aux origines, ils vont la transposer en fidélité politique : malgré les avanies assez stupéfiantes que le Parti leur fera subir, ils ne le quitteront jamais, ils se battront pour y rester, alors que tout les invite à partir. Comme si le rapport au judaïsme et le rapport au Parti se situaient parfois dans une sorte de relation homothétique, où l'attachement pour l'un engendrerait l'attachement pour l'autre, et inversement.

Notons, une fois de plus, à quel point la mémoire juive, fût-elle communiste, se nourrit de saveurs, ressuscite en évoquant des recettes de cuisine (je pourrais presque en publier un recueil...). Au point que Carlo L. (1930, Lvov), un des rares ashkénazes à exalter les Pessah de son enfance, se souvient d'un grave dilemme qui avait agité sa famille :

> Il y a eu une polémique avec ma mère, on a pris un monsieur comme juge, qui avait une bonne connaissance de l'hébreu, sur le problème suivant : est-ce que, à Pessah, on est autorisé ou non à utiliser de l'ail ?

---

31. « Formule traditionnelle récitée lors du *seder* de Pessah. Ces quatre questions, généralement posées par le plus jeune des participants, sont devenues dans la conscience populaire synonymes des premiers mots de la *Haggadah* : *Mah nichtannah* "En quoi [cette nuit] est-elle différente [des autres nuits] ?" » (*DEJ*, p. 641-642).

Mon père pensait qu'il ne fallait pas l'utiliser et, voilà, ça a déclenché un problème.

Le *Mah nichtanna* (les Quatre questions) et la lecture de la *Haggadah*[32] alimentent encore toute une anamnèse. Éliane V. (1945, Casablanca) se rappelle même que la querelle du sionisme venait parfois compliquer le *seder* :

> Et... et puis il y avait les... les sept, les dix ou les sept... sur les Palestiniens... et ce fameux passage : « L'année prochaine en Palestine[33]... », en Israël..., qui – une fois grands – a soulevé énormément de conflits... enfin, de conflits... gentils. Je demandais à mon père gentiment de ne pas le dire.

Quelques-uns peuvent encore, tant d'années plus tard, réciter les questions en hébreu. Ou dire les prières, qu'ils marmonnent à mon intention, mi-sérieux, mi-ironiques, toujours attendris, même s'ils proclament leur athéisme.

Mais, comme pour Kippour, le souvenir des Pessah de l'enfance se dégrade souvent en récit d'une simple formalité sociale, d'une réunion familiale où l'on accumule les nourritures sans plus se soucier des célébrations ni des symboles. C'est plus ou moins le cas de trente interviewés – record absolu –, également répartis entre séfarades et ashkénazes.

Le plus brutal, c'est Albert D. (1929, Paris) : « On fêtait ? on mangeait des *matses*, on mangeait des *kreplekh*[34], on faisait des

---

32. *Haggadah*. « récit, narration. Terme hébreu équivalant à *Aggadah*, mais qui désigne spécifiquement le texte utilisé pour la célébration domestique de Pessah, ainsi que le volume contenant ce rituel » (*DEJ*, p. 456-457). La *Aggadah* est « la partie non juridique des textes rabbiniques classiques. La littérature rabbinique se divise en deux grands ensembles : la *Halakhah* et la *Aggadah*. La première comprend tous les débats et décisions d'ordre juridique ; la seconde, tout le reste » (*DEJ*, p. 27-28).

33. « Le *seder* s'achève sur la millénaire formule *La-chanah ha-baah bi-Yeroucha-layin* ("l'an prochain à Jérusalem") » (*DEJ*, p. 1038).

34. *Kreplekh* : « boulettes bouillies, fourrées de viande, que l'on mange spécialement à Pourim, le septième jour de Soukhot, et la veille au soir de Yom Kippour. Ou boulettes sans viande, fourrées au fromage, que l'on mange spécialement à Shavuoth » (trad. JF du dictionnaire yiddish-anglais d'Uriel Weinreich, New York, Yivo Institute for Jewish Research, 1990, p. 381 de la partie en yiddish).

172

kneidlekh[35], on faisait la carpe farcie, la poule au pot, ah ! ça, ça y allait ! Mais pour le reste, c'était même un dédain et un rejet de la religion. »

« Pour faire plaisir à la grand-mère », ou à n'importe quel parent : ils répètent tous la même formule d'excuse, sans qu'on puisse vraiment savoir s'ils ne réinterprètent pas l'histoire, s'ils ne biaisent pas leurs souvenirs pour se conformer aux nouveaux modèles que leur a inculqués le Parti...

Pourim et Hanoukkah, les fêtes de l'enfance

Le système de réinterprétation qui a joué pour Pessah (une fête de la liberté, une fête du jeu, une fête de la langue), on le voit tout particulièrement à l'œuvre lorsque remontent les souvenirs de Pourim[36] ou de Hanoukkah[37], ces fêtes de l'enfance.

Pourim, c'est d'abord pure nostalgie, douce évocation des sucreries, des gâteries – ni commémoration d'Esther et de Mardochée, ni exécration d'Aman. Hanoukkah, cela ne rappelle plus guère la victoire des Maccabées, mais l'« innocent paradis plein de plaisirs furtifs ». Séfarade avant tout, ce jardin d'Éden : treize contre deux pour Pourim, sept contre trois pour Hanoukkah – et les malheureux ashkénazes qui pleurent ainsi le temps jadis sont en majorité d'Alsace ou de Lorraine, où la laïcisation des Juifs n'avait sans doute pas suivi le même rythme que dans la région parisienne.

Écoutons Arlette Y. (1928, Soukh Ahras) :

> Pour Hanoukkah, mon père avait une petite *hanoukkiyyah*[38] très artisanale. Elle fonctionnait avec des mèches de coton trempées dans

---

35. *Kneidlekh* : boulettes fourrées aux fruits ou à la viande, cuites au four ou bouillies.

36. Pourim : « fête mineure [...] pour commémorer le salut des Juifs de l'Empire perse qui ont échappé aux intentions destructrices d'Aman, le grand vizir, ou Premier ministre, du roi Assuérus » (*DEJ*, p. 891-893).

37. Hanoukkah : « fête qui dure huit jours à partir du 25 kislev et commémore la victoire des Maccabées sur les Syriens qui entendaient détruire la religion juive et helléniser la totalité de leur royaume » (*DEJ*, p. 476-478).

38. « *Hanoukkiyyah*, aussi appelée *menorah* de Hanoukkah : chandelier à huit branches qu'on allume solennellement lors de la fête de Hanoukkah » (*DEJ*, p. 478).

l'huile. J'aimais beaucoup. Elle était toute cabossée. C'était beau, on était autour de lui le soir, il allumait les bougies, on faisait la prière. Et puis je crois qu'on faisait des beignets quelquefois... Ça, c'était au début de Hanoukkah ou à la fin ?... Donc c'était beau, il y avait des lumières, il y avait une certaine solennité. Ça me plaisait. Hanoukkah, c'était une fête que j'aimais. Quand j'étais enfant...

Pour moi, Pourim, c'était bien sûr l'histoire d'Esther. Mais comme je n'allais pas à la synagogue, je ne savais pas ce qu'on y faisait ni ce qu'on y disait. J'ai lu dans le Livre qu'il paraît que... quand on prononce le nom d'Aman, on entend des trépignements – là, je n'ai pas vécu ça. Pour moi, Pourim, c'était des gâteaux ! Alors là, les gâteaux, c'était Byzance ! C'est plus culinaire qu'autre chose !

La bouche, toujours la bouche. « C'est vrai que c'était centré sur la table. Comme je le disais, c'est la bouffe » (Éliane V., 1945, Casablanca). Pour l'un « les noix », pour l'autre « les bonbons », pour un troisième « les fruits secs », pour tous « les gâteaux ». Joëlle Bahloul a très bien montré à quel point les rites alimentaires constituent le cœur même de la grille de lecture à travers laquelle les Juifs déchiffrent le monde. « La réglementation alimentaire des Juifs, écrit-elle, est consignée dans la Bible, code des codes, où le peuple hébreu enregistre sa perception de l'univers, sa cosmologie, mais aussi son histoire, son éthique et les détails de son existence quotidienne. L'aliment n'est donc pas ici placé uniquement dans l'ordre des soins du corps, mais s'inscrit aussi au registre de la mythologie, si ce n'est de la métaphysique[39]. »

Un freudien ne s'étonnerait sans doute pas de cette *fixation orale* de l'enfance[40]. Osons une hypothèse un peu farfelue : chez un certain nombre de Juifs communistes, les restes (ou les souvenirs) de judaïsme apparaîtraient ainsi, face à cette immense autoré-pression des désirs que constitue souvent le militantisme[41], comme un retour à l'*eros* infantile !...

---

39. Joëlle Bahloul, *op. cit.*, p. 43.

40. Sigmund Freud, *Trois essais sur la théorie de la sexualité*, trad. B. Reverchon-Jouve, Paris, NRF-Idées, p. 72-73 et 95-99.

41. Cf. Jacques Frémontier, *La Vie en bleu. Voyage en culture ouvrière*, Paris, Fayard, 1980, p. 124-148.

L'appartenance au Parti introduit parfois dans cette idylle comme un parfum de lutte des classes. Retrouvons Jacques V., ce Juif tunisien qui évoquait si bien les coings à la cannelle et le *boulou* aux écorces d'orange qu'il dégustait pour Kippour :

[À Pourim], chaque famille envoyait à l'autre des plats chargés de gâteaux et la règle voulait qu'on rende avec un plat, on ne rendait jamais un plat vide. L'angoisse de ma mère, c'est qu'elle n'avait pas de gâteaux, parce qu'on n'avait pas les moyens. Alors elle se débrouillait, il y avait des oranges pour rendre, avec une orange dans l'assiette. Mais c'était pour nous une espèce de truc un peu mélangé : on était contents d'avoir des gâteaux, mais on avait le sentiment qu'on n'avait pas le droit.

Dans le même esprit, Pourim – du moins dans les souvenirs – introduit le jeu, l'argent, dans une enfance souvent pauvre et qui, pour la génération de la guerre, ne se déroule pas vraiment sous le signe de la plus franche drôlerie. Écoutons cette fois-ci André Y. (1931, Constantine), le mari d'Arlette :

Le quartier juif était transformé en un immense casino ou tripot. Tout le long de la rue, il y avait des petits kiosques comme à la Fête de *L'Huma* [il rit], où on pouvait jouer à tout. Tous les jours, on pouvait jouer de l'argent – des petites sommes évidemment, quatre sous, etc. C'était une foire, mais dont la dominante était le jeu – le jeu d'argent. C'était le seul jour où c'était autorisé. Tout le monde jouait. Dans toutes les familles, on joue aux dés. C'était la tradition publique de l'histoire d'Esther : le sort des Juifs s'était joué aux dés[42]...
Alors mon grand-père, par exemple, quand il avait un moment, il a gagné beaucoup de pièces (des petites pièces d'un sou, trouées, des dix sous, des choses comme ça...). Quand il avait un tas d'argent, il le prenait et puis il jetait ça, et puis tous les gosses ramassaient. Mais il y en avait qui jouaient sérieusement. Il y en avait qui jouaient leur paie, il y en a qui jouaient leur maison. Il y en a un qui joue son alliance et puis, l'année d'après, il essaie de récupérer son alliance ! [Il rit.] C'était la terreur pour certaines familles ! Les femmes de joueurs, c'était leur terreur. C'était pas la fête des femmes ! [Il rit.]

---

42. La fête de Pourim s'appelle aussi la fête des Sorts.

L'argent, s'il faut en croire le bon docteur Freud, symbolise ce que le traducteur appelle pudiquement les fèces[43]. Si nous nous obstinions dans notre fantasmagorie freudienne, nous dirions que le souvenir de Pourim fait passer nos Juifs communistes du stade oral au stade anal ! Toujours l'*eros* de l'enfance ! Ou encore que « le jeu, – ce qui fait son charme – est aussi un aléatoire : une redistribution des cartes » : « Dans un monde régi par la chance, nul ne porte la responsabilité de son échec ou de sa victoire. Ni honte, ni gloire, ni faute[44]. » Pourim entretient le rêve du Juif qui passe du statut de victime, d'objet de l'Histoire, à celui d'homme qui peut disposer de son destin, jouer son avenir – donc ne pas accepter comme un donné intangible celui qui lui avait été imparti : nous verrons que c'est là, justement, une des fonctions fantasma-tiques qu'assume le Parti communiste dans l'imaginaire des Juifs qui y adhèrent. Autre lecture : le jeu comme « stratégie sociale ». « On joue pour affirmer symboliquement son appartenance de classe. Pratique conviviale qui dit la fidélité aux traditions[45].... » Pourim, ou l'affirmation d'une judéité au sein d'un monde non juif.

Cette fonction identitaire, le souvenir de Hanoukkah la remplit plus clairement encore. En allumant la *hanoukkiyyah*, on veut souvent signifier que l'on refuse ou que l'on ignore Noël : on fixe une frontière entre soi et les autres. « Ah ! on ne fêtait pas Noël. Ça n'existait pas. D'ailleurs, Hanoukkah, ça nous semblait... une fête comme ça, quoi » (Max K., 1927, Nancy). « Même pour la période de Noël, où tous mes petits copains avaient des cadeaux, moi je n'avais pas de cadeaux. [Il rit.] Je n'avais pas de cadeaux, d'une part parce que, bon, c'était Noël et ce n'était pas une fête pour nous » (Carlo L., 1930, Lvov).

L'un et l'autre, Max et Carlo, appartiennent encore au Parti communiste. Peut-être tiennent-ils ainsi à marquer une autre fron-tière : on délimite un territoire (Juif, en plus de communiste), mais on décide qu'on est tout de même à cheval entre ici et ailleurs. À

---

43. Sigmund Freud, *Cinq psychanalyses*, trad. Marie Bonaparte et Rudolph M. Lœwenstein, Paris, PUF, 1967, p. 386-7.
44. Jacques Frémontier, *op. cit.*, p. 101-107.
45. *Ibid.*, p. 102.

la fois dedans et dehors. Dans et hors la société « bourgeoise ».
Dans et hors la judéité. Entre les deux.

Évoquer Pourim et Hanoukkah, c'est aussi revendiquer une
histoire : pour des Juifs communistes, si férus de Révolution française, de Commune ou de Résistance, là encore une autre histoire,
tout aussi rebelle, tout aussi glorieuse, mais *autre*.

> On avait les *orechas de Amán*, raconte Isaac M. (1922, Le Caire), les
> oreilles d'Aman, ce salaud qui voulait tuer Esther. Et la pendaison
> d'Aman aussi, on la faisait, et on mettait l'œuf au milieu, et on était
> heureux de manger l'œuf qui représentait le cadavre d'Aman. Oui, oui,
> on célébrait Pourim.

La gourmandise nourrit ici le patriotisme : Esther comme paradigme de la femme juive héroïque au service de son peuple.
Isaac M., vétéran du Parti, réinvestit la *megillah*[46] comme une
espèce de pré-épopée de la MOI. Cette petite translation historique,
Élie T. (1944, Alexandrie) la reproduit à son tour lorsqu'il évoque
les Hanoukkah de son enfance cairote :

> Hanoukkah, c'était pas du tout Christnoucah ! C'était pas Christmas !
> [Il rit.] C'était Hanoukkah au sens le plus... historique du terme. Et c'est
> peut-être la seule prière dont je me souviens par cœur. Alors justement,
> là aussi, c'était la tradition sociale, c'était le combat contre l'injustice,
> pour la liberté, etc.

C'était aussi, bien sûr, l'exaltation de la famille : Pourim et
Hanoukkah, ces jours lointains de l'enfance où la famille existait
encore, où les générations se retrouvaient, où les grands-parents
– si différents par la culture, parfois par la langue – ressuscitaient
l'illusion d'exercer une autorité, de perpétuer la tradition millénaire.

---

46. *Megillah* : mot hébreu pour « rouleau ». Désigne aujourd'hui le seul rouleau
d'Esther, qu'on lit à la synagogue pour Pourim (*DEJ*, p. 720).

Soukkot, ou le peuple sans toit

Soukkot retrouve plus ou moins les mêmes sens, mais presque exclusivement chez les séfarades : quatorze récits, dont seulement trois chez les ashkénazes (d'Alsace, bien sûr). À la fois jeu de l'enfance, affirmation d'identité, exaltation de la famille... C'est Viviane C. (1958, Casablanca) qui en parle avec le plus de passion :

> Dans les fêtes juives en général, il y en a une que j'aime beaucoup, c'est Soukkot. La fête des Cabanes. C'est un souvenir d'enfance et, du coup, j'ai toute une théorie. Je pense qu'à travers la fête de Soukkot on peut dérouler toutes les fêtes juives. Que c'est une sorte de... de... condensé des fêtes juives.
>
> Parce que c'est une fête de l'abondance... Un truc de célébration des vendanges, de la nouvelle année. Ça a une symbolique, comme ça, qui est... qui est...
>
> Et en plus, c'est une belle idée, comme ça, en soi, de sortir de chez soi, finalement... De dire qu'on n'a pas toujours eu un toit... [Elle rit.] Je trouve que c'est assez... assez ça... [Elle rit.] Finalement, pour avoir une approche la moins... terrible [elle rit] de la religion, je choisirais plutôt celle-là.

Peut-être le Parti communiste représente-t-il – du moins pour les Juifs d'immigration récente – une façon de se trouver un toit, dans la traversée du désert. Ou de « sortir de chez soi », pour ceux qui se croyaient installés et à qui les années d'Occupation ont enseigné la précarité des murs et des clôtures. À la fois, contradictoirement, chercher une protection et courir le risque de l'aventure de la cabane de roseaux dans les sables.

Roch Ha-Chanah, ou « la tête de quelque chose »

Roch Ha-Chanah soulève moins de passion, moins de nostalgie (douze entrées, à peu près également réparties). On souhaitait la bonne année à la famille, on se rendait à la synagogue avec les

178

grands-parents, même quand on avait cessé de croire... Et surtout on se régalait – toujours la nourriture, dernier ciment des identités.

> Roch Ha-Chanah, c'était la fête, il y avait je ne sais pas combien de dizaines de plats, des omelettes de tout genre, une tête de poisson, une tête d'agneau, parce que la tête de l'année, ça devait être inauguré avec une tête de quelque chose. On mangeait du mouton, en général. Et, évidemment, on faisait les prières. C'était mon père et mon oncle qui les faisaient. Et moi, peut-être, je les faisais avec eux. Mais je n'étais pas très compétent. Pas aussi compétent. Mon père n'y croyait pas, mais il le faisait. (Joseph F., 1917, Le Caire.)

La synagogue épisodique

Fréquentaient-ils, enfants, la synagogue – et à quel rythme ? Jamais, répond une petite minorité (treize, dont dix ashkénazes), qui se partage moitié-moitié entre membres du PCF et démissionnaires. « Jamais. Je sais pas comment on entre, si on a droit ou pas, j'en sais rien. Avec la *kippa* ? La *keppa* [*sic*] ? J'ai jamais été dans une synagogue. Je suis passé devant, beaucoup, mais entré, non, jamais », tranche Michel T. (1953, Paris), fils d'un exclu célèbre. « Je n'ai jamais été dans un temple là-bas... euh... une synagogue. Sauf un jour, pour distribuer des tracts à la sortie ! » lui fait écho en riant, par-delà la Méditerranée, Henriette B. (1928, Le Caire).

Mais presque la moitié de l'échantillon (quarante-cinq sur cent, dont vingt-huit séfarades) se souvient d'incursions plus ou moins fréquentes, plus ou moins convaincues, parmi lesquelles on ne parvient guère à distinguer franchement l'épisodique de l'assidu. En tout cas, à établir une taxinomie irréfutable.

« Uniquement à Kippour », disent les uns. Ce qui n'empêche pas certains d'« avoir horreur de ça ». Ou pour un mariage. Mais comment classer quelqu'un qui s'interroge : « Pour Kippour ? J'y allais... ça a dû m'arriver. Ceci dit, j'y allais pas systématiquement. J'allais très très peu à la synagogue » ?

D'autres y allaient exclusivement quand ils rendaient visite à un parent, surtout dans l'est de la France, où l'athéisme n'avait pas encore tout à fait droit de cité. À Metz, à Colmar, le grand-père ne tolérait guère, en ce temps-là, que le jeune Juif s'abstînt d'aller à la synagogue pour le *chabat*. Le petit-fils du président du consistoire d'Alger (une ville où l'absence de religion ne devait guère être plus prisée) manifeste ses sentiments de rébellion par le refus de la *kippa* (et le refus du mot lui-même, pour bien montrer que l'on choisit l'assimilation, fût-elle seulement linguistique – rappelons qu'il s'oppose à la *bar mitsvah*, justement à cause de la langue) :

> Quand on allait à la synagogue, parce qu'il fallait de temps en temps aller à la synagogue, différent est le fidèle, le Juif qui met un mouchoir sur la tête et ceux qui mettent un calot. Ceux qui mettent un calot, ça veut dire qu'ils l'ont acheté et c'est quelque chose qui représente quelque chose. Et de mettre un mouchoir, ça veut dire qu'on s'en fout.

Mais quelques-uns ne dissimulent pas, tout à l'inverse, qu'en leur adolescence ils éprouvaient du plaisir à fréquenter les offices. Claude B. (1931, Tiaret) se souvient qu'en Algérie il y allait tous les jours. Et que, transplanté à Paris pour suivre une classe de math sup, il sèche les cours pour aller à la synagogue le jour de Kippour.

Les crevettes de la cacherout

Mangeaient-ils cachère chez leurs parents, au temps de leur enfance ? Un éclat de rire tient souvent lieu de réponse. Et de multiplier les anecdotes pour témoigner de l'incrédulité qui prévalait dans leur famille (vingt-quatre réponses, dont quatorze chez les ashkénazes).

> Je me souviens, raconte Roland Y. (1923, Alfortville), ça remonte à très vieux, des années 1934, nous partons en vacances au bord de la mer, avec un oncle, ma grand-mère nous accompagne, c'était à Saint-Cast. Il y avait une location, mais il fallait aller le premier soir dans un hôtel. On y va, on sert au bord de la mer, des crevettes, des mollusques, des crustacés... On mangeait tous ça, sans aucune gêne. Et alors mon oncle dit à la patronne : « Ma mère est au régime, elle ne peut pas manger ça. – Oh ! elle dit, ça ne fait rien, on va lui faire une tranche

180

de jambon ! » [Il rit.] Alors il dit : « Non, ça ne va pas non plus ! Plutôt un steak ! » Donc elle a fait un steak. Et ce n'était pas de la viande cachère, c'était en Bretagne. Elle apporte un steak. Et, comme on fait en France quand on fait un steak grillé, elle met un gros morceau de beurre dessus. Alors ma grand-mère écarte le beurre avec fureur et elle mange son steak ! C'est pour vous dire que ce n'était pas la rigueur assurée !

On se vante de manger du porc, des biftecks de cheval, du fromage, des coquillages. On raconte avec délices les provocations du père, les tentatives de conciliation ratées de la mère. Ce qui n'empêche pas d'adorer la cuisine juive. « Chez moi, on mangeait juif, se rappelle Marianna K. (1942, Paris – celle dont le père a été fusillé). La carpe farcie, des choses comme ça... Mais aucune pratique religieuse. – Pas cachère ? – Non. Pas cachère du tout. »

Mais près de la moitié (quarante et un, dont trente et un séfarades) se souviennent, tout à l'inverse, d'une *cacherout* familiale plus ou moins stricte, plus ou moins tolérante. Ils paraissent bien rares, ceux qui évoquent un respect absolu de la règle. Josyane B. (1933, Bougie), par exemple. Et pour cause : son père était grand rabbin de Constantine ! Josyane, elle, milite au PCF depuis 1966. Quatre ou cinq autres énumèrent les rites rigoureux de leur enfance : les trois vaisselles, la séparation du carné et du lacté, l'abattage rituel, la prohibition des aliments impurs. Mais tous, ou presque, s'empressent aussitôt de nuancer leur propos, de relativiser l'orthodoxie de la cuisine maternelle. On insiste beaucoup sur le « libéralisme », la « tolérance », le « nature ». Écoutons un vieux permanent, investi de hautes responsabilités au Parti depuis toujours, comme Max K. (1927, Nancy) – un homme de l'Est, comme par hasard :

> On appliquait les règles dans la vie de tous les jours, mais pour moi, c'était... c'était d'une manière laïque. Parce que je n'avais... je n'avais aucun sentiment, ni même mon frère aîné d'ailleurs, du point de vue religieux. On subissait les choses, sans... Ça ne nous gênait pas, ça faisait partie de notre vie.

Arlette Y. (1928, Soukh Ahras) a elle aussi été longtemps permanente, mais elle a quitté le Parti en 1986. Elle raconte :

> Quand j'ai été adolescente, mon père acceptait que je mange du jambon dans ma chambre. Il tolérait que je mange du fromage si j'en avais envie. Il ne le faisait pas, lui, mais il acceptait que je le fasse. Il était ce qu'on appellerait aujourd'hui un homme libéral. Pour nous, les enfants. Pour lui-même, je crois qu'il a toujours été... très rigoureux dans sa pratique.

Suprême paradoxe : le père de Maurice B. (1925, Livry-Gargan) « achetait des choses cachères quand il allait au PC » ! Eh oui ! en ce temps-là, le Comité central siégeait carrefour de Châteaudun, à deux pas des synagogues de la rue Cadet ou de la rue Buffault !

C'est qu'en effet le Parti communiste est très profondément ancré dans la francité : on y boit, on y mange avec allégresse. Une reprise de cartes, une fête du Parti, c'est l'occasion de ripailles où le vin rouge arrose généreusement les cochonnailles. Le côté fâcheusement puritain de la *cacherout*, l'idée de restriction – ou de pureté diététique – qui la sous-tend, sont profondément étrangers à l'univers des militants[47]. Quand un Juif communiste se souvient des pratiques alimentaires de son enfance, il a tendance à les relire à travers la grille de lecture du Parti, qui exalte le plus et non le moins, l'excès ou la dépense plutôt que la rétention ou l'économie. Mais il est évident que bien des communistes non juifs partagent le même code, puisqu'il est né – nous l'avons dit – de la tradition française bien plus que de la culture partisane.

---

47. Le militant communiste affiche – ou affichait jusqu'aux années soixante-dix et peut-être plus tard encore... – une morale sexuelle rigoureuse (même si, en pratique, on observe assez souvent des transgressions de la règle). Mais l'idée de restriction volontaire de la nourriture lui est étrangère. Cf. Jacques Frémontier, *La Vie en bleu*, op. cit., p. 199-210.

182

La prière « par la manchette »

Et la prière ? Ont-ils prié pendant leur enfance ? Se rappellent-ils encore quelques bribes ? Quelques-uns, pas beaucoup (quatorze, dont seulement quatre ashkénazes, mais huit membres actuels du Parti) :

> Et je ne me couchais jamais sans faire *Chema Israël*[48], on ne se mettait jamais à table sans *mayim aharonim*[49], on n'avait pas le droit de manger sans.
> — Vous pouvez déchiffrer de l'hébreu encore aujourd'hui ?
> — Non. J'étais toute contente quand je reconnaissais le *lamed*[50]. Mais je me souviens de toutes mes prières en hébreu. Pas jusqu'au bout... (Annie C. 1945, Grenoble.)

Avec souvent une insistance étrange sur le caractère forcé de cette pratique. Maurice N. (1922, Oran) raconte qu'il se faisait « harponner » par sa sœur aînée « pour faire les prières, que je faisais parce qu'on me tenait par la manchette [il rit], mais je n'étais pas... je n'étais pas croyant ». Carlo L. (1930, Lvov) se rappelle que son père mettait les *tefillin* tous les matins : « Après treize ans, il me demandait de le faire, je l'ai fait pendant quelque temps, mais plus par obligation, pour lui obéir, que par compréhension de ce que ça pouvait représenter. Donc, dès que j'ai pu m'en dispenser, je l'ai fait. Je crois que je n'ai jamais été croyant. »

Au fond, « savent »-ils vraiment moins le judaïsme que la moyenne des Juifs de France ? Les communistes ashkénazes ont eu une enfance moins pratiquante que leurs camarades séfarades. Certes. Exactement comme les non-communistes. Peut-être ont-ils

---

48. Premiers mots « du verset où s'exprime et s'affirme la profession de foi fondamentale du judaïsme : "Écoute, Israël, le Seigneur est notre Dieu, le Seigneur est Un" » (*DEJ*, p. 223-225).

49. « Rinçage symbolique des doigts précédant les actions de grâce après les repas » (cf. *DEJ*, p. 719).

50. Douzième lettre de l'alphabet hébraïque ; correspond au L.

moins jeûné pour Kippour que d'autres adolescents juifs, mais la différence tient sans doute pour une part au militantisme de leurs parents. Encore que même ce discriminant-là soit moins opératoire qu'on ne pourrait s'y attendre.

La jeune génération a-t-elle été moins éduquée dans le judaïsme que les précédentes ? Oui, sans doute, chez les ashkénazes. Chez les séfarades, la décrue est moins visible.

Plus intéressant que cette comparaison purement quantitative : il nous semble déjà que la façon dont certains Juifs assument l'héritage religieux qu'ils ont reçu préfigure en quelque sorte la relation qu'ils vont entretenir avec le Parti. Le refus du religieux (et plus particulièrement de la *langue* du religieux) traduit souvent, dès l'adolescence, une volonté d'intégration dans la culture française, dont le PCF sera l'un des vecteurs ou des « passeurs ». Mais l'indépendance d'esprit dont le jeune Juif fait preuve en rompant avec la synagogue de ses pères engendrera parfois, des dizaines d'années plus tard, une nouvelle révolte contre le parti-Église ou le parti-famille. À l'inverse, le « faire-semblant » qu'imposent parfois les parents ou les grands-parents à leurs enfants rétifs se retrouvera peut-être dans la pratique du double langage qui, s'il faut en croire Edgar Morin – séfarade agnostique et ex-communiste –, serait l'un des traits majeurs du militantisme[51].

Mais, contrairement à ce que certains voudraient nous faire croire, l'être-juif ne se réduit pas au religieux. Savoir la judéité, aux yeux des Juifs communistes, importe souvent plus que savoir le judaïsme. C'est tout l'enjeu de leur aventure et, sans doute, de leur identité malgré tout préservée.

---

51. Edgar Morin, *Autocritique*, Paris, Seuil, 1970 (1975 en collection « Point Politique », p. 54).

IV

Savoir

2. Savoir la judéité

Peut-être faudrait-il un poète pour dire ce qui ne peut se définir – l'être-juif quand s'est perdue la croyance, quand s'est aboli le geste, quand s'est épuisée la lecture. « Rose de personne[1] » ? Mais cela sent la traduction, l'huile qui n'est point de H̱anoukakh, la langue radicalement étrangère (celle, justement, qui déchire la langue – et d'abord celle du poète).

Ce qui dans l'être-juif ne se réduit pas à la religion, ni peut-être même à la mémoire, ni – je parle pour moi – à l'être-ensemble.

Si le judaïsme comme religion se révèle en partie étranger à beaucoup de Juifs communistes, l'identité juive – dans la diversité de ses dimensions morales, psychologiques, culturelles – est assez largement revendiquée. Nous constaterons que, même niée – ou plutôt déniée –, elle se manifeste encore par le mode d'expression du déni.

Tant aimée, tant regrettée,
la Commission centrale de l'enfance

C'est ici que le jeu de cache-cache (ou d'aller-retour) entre l'être-juif et l'être communiste commence à se manifester avec le plus d'évidence. Le Parti communiste français, souvent accusé de

---

1. Paul Celan, *La Rose de personne*, trad. Martine Broda, Paris, Le Nouveau Commerce, 1979.

vouloir effacer la judéité de ses membres pour mieux les façonner sur le modèle unique du militant, se révèle plus ambigu que ses détracteurs ne voudraient nous le faire croire[2] : tout à l'inverse, c'est sans doute le seul qui tente, à travers la Commission centrale de l'enfance auprès de l'UJRE, de sauvegarder et de transmettre, dans des circonstances historiques particulièrement rudes, une certaine forme – peut-être dégradée, amputée, appauvrie, mais... – de culture juive laïcisée. D'autres – par exemple, l'OSE, les Éclaireurs israélites, l'Œuvre de protection de l'enfance juive, le Service d'évacuation et de regroupement des enfants – ont rempli une mission plus ou moins identique, mais aucune de ces organisations ne dépendait, comme la CCE, d'un parti politique français[3].

La Commission centrale de l'enfance, créée en juillet 1942, après la rafle du Vél'd'Hiv, a en effet joué, à la Libération, un rôle déterminant dans la formation intellectuelle, idéologique, affective de près de 1 500 enfants de déportés[4]. Grâce à une campagne de souscription qui avait permis de récolter six millions de francs, six Maisons d'enfants, regroupant 370 pensionnaires, purent être ouvertes dès 1945. D'autres colonies et camps de vacances allaient bientôt suivre. Il est piquant de constater que le *Joint*[5] contribua, jusqu'au procès Slansky en 1952, au financement de l'expérience.

Nous verrons bientôt à quel point l'éducation donnée dans ces foyers se voulait « progressiste ». Mais ce que les articles de revue ou les témoignages semblent ignorer, c'est la part accordée à l'apprentissage de la judéité. Le « 14, rue de Paradis », siège quasi mythique de l'UJRE, a tout de même été – malgré les relents d'anti-

---

2. Cf. notamment Annie Kriegel, *Communismes au miroir français*, Paris, Gallimard, 1974, p. 181-183.

3. Le Bund a sauvé, pour sa part, une soixantaine d'enfants, mais ne peut être qualifié à proprement parler de parti politique français.

4. Cf. Jean Laloum, « La création des Maisons d'enfants. L'exemple de la Commission centrale de l'enfance auprès de l'UJRE », *Pardès*, 16, 1992, p. 247-265 ; Robert Bober, *Quoi de neuf sur la guerre ?*, Paris, POL, 1993, et *Berg et Beck*, Paris, POL, 1999 ; Colloque des Amis de la CCE, 11-12 février 1995, Paris-Sorbonne, « Hier Juifs progressistes, aujourd'hui Juifs... », Paris, Les Amis de la CCE, 1996.

5. American Joint Distribution Committee, fondé aux États-Unis en 1914 pour venir en aide aux réfugiés juifs à travers le monde. Souvent accusé, dans les procès staliniens des années cinquante, d'être une officine de la CIA !

sémitisme émanant de l'URSS et de ses satellites – un lieu de diffusion d'une certaine culture spécifiquement juive :

> On apprenait quand même des chants yiddish, se souvient Rose S. (1933, Moscou). Et on apprenait l'histoire du ghetto de Varsovie, on nous parlait de quelques écrivains yiddish, de quelques poètes yiddish, et puis on n'était qu'entre Juifs ! C'était des Juifs qui faisaient la fête, donc il y avait toujours une connotation juive, soit par les chants, soit par les récitations, soit par les danses. C'était la *Horah*, c'était toutes ces choses-là – c'était pas la *Paimpolaise*, quoi !

Quatorze des cinquante ashkénazes de l'échantillon ont vécu cette expérience. Tous ont ensuite adhéré au PCF. La moitié y sont encore. Entre les uns et les autres le torchon brûle parfois. Mais la commune nostalgie permet des rapprochements éphémères.

L'attendrissement n'empêche pas la lucidité. L'analyse des contradictions reste sévère. Yves-Marc Z. (1946, Paris), par exemple, fréquente vers onze ou douze ans, non les Maisons (il n'est pas fils de déporté), mais les « colos » de la CCE :

> Il y avait un cours de yiddish, à l'époque, aux Jeunes Bâtisseurs. Mais ça, c'est l'ambiguïté de l'UJRE : Juif, pas Juif, Juif communiste, c'est l'ambiguïté permanente de cette organisation, qui à la fois... avait un mépris pour la vie polonaise et pour ce qui s'était passé en Pologne, s'opposait aux bundistes d'une manière violente. Et puis il y avait... Liouba, une espèce de vieille yiddishiste, qui donnait des cours au tableau noir de yiddish à des mômes.

Joseph A. (1944, Rome), qui débarque rue de Paradis à huit ans, se veut lui aussi parfaitement lucide :

> L'éducation qu'on a reçue était une éducation théoriquement communiste, mais dans les faits les gens qui étaient là, c'était surtout des femmes extraordinaires qui étaient nées à Vilna, en Lituanie ou en Pologne, et qui étaient des pédagogues extraordinaires pour l'époque, qui étaient juives comme on ne peut pas être plus juives, même s'il y avait une pensée qui était un peu plaquée là-dessus, elles nous faisaient des cours de yiddish, etc., c'est-à-dire qu'elles nous ont ancrés dans une pensée juive, en contradiction complète avec les orientations idéologiques du niveau le plus élevé, des responsables.

187

« *Tu es ta langue* »

La langue, voilà en effet le cœur vivant de toute culture. Langue sacrée comme l'hébreu, donc figée dans des rites, dans des bandelettes. Langue censurée comme le yiddish – ce « jargon » – ou le ladino – cette pièce de musée –, c'est-à-dire « la langue du halètement, la langue de l'allaitement, la langue à peine articulée des exclamations, des mots qui ne représentent encore rien, qui sont comme autant de chuchotements, de fragments, de soupirs, de flèches plantées dans [la] chair, de caresses esquissées, de gifles jamais assenées, et qu'adultes nous retrouvons tous un jour à notre grand étonnement au décours d'une phrase, au décours d'une émotion[6] ». Langues de la dénégation, écrasées par le langage académique dominant. « Tu es ta langue et ta langue ne vaut rien », suivant la formule de Jacques Hassoun. Ou encore : « Je me confonds avec ma langue, et celle-ci est ignorance au regard du discours du Maître – à ce titre, je ne saurais que l'ignorer[7]. »

L'hébreu, langue morte ou langue mère ?

L'hébreu n'est pas ignorance, mais science, ou pire : croyance. Comment dès lors ne point le refuser quand on s'affirme incroyant, ou savant d'autres savoirs ? « Parce que c'était la langue religieuse. Donc il n'y avait aucune raison d'apprendre l'hébreu », proclame très clairement Sacha R. (1943, Sverdlovsk).

D'autres se contentent de l'ânonner. Parce que l'hébreu est toujours identifié au grand-père, c'est-à-dire à la pré-histoire, celle d'avant l'exil qui fut si souvent délivrance. Même un lettré, un universitaire comme Alain F. (1947, Casablanca) – le membre du

---

6. Cf. Jacques Hassoun, *L'Exil de la langue. Fragments de langue maternelle*, Paris, Point hors ligne, 1993, p. 70.

7. *Ibid.*, p. 84-85.

188

Comité national –, qui l'a appris au *Talmud Torah*, se heurte à la même autocensure : « Je connais l'alphabet, je reconnais certains mots, je comprends certains mots. Mais je suis incapable de le parler. » Ce qui signifie langue morte, épigraphie, inscriptions et belles-lettres – tout, sauf la vie.

Quelques-uns pourtant ont fait de vrais efforts, tous séfarades (huit sur cinquante), et surtout les Égyptiens. « Ma langue maternelle, c'est l'hébreu et l'arabe. Les deux en même temps. Puisque, à la maison, mes parents voulaient strictement parler en hébreu » (Annie E., 1936, Alexandrie). Le plus brillant, le plus éloquent pour dire l'amour de la langue mère, c'est Albert J. (1922, Le Caire), qui a quitté le PCF en 1952, après neuf ans de militantisme :

> Je parle et j'écris l'hébreu. D'abord parce que ça a été pratiquement ma première langue. J'étais, au jardin d'enfants, dans les écoles de l'Alliance. On avait une monitrice qui était de Palestine, j'apprenais l'hébreu et des chansons en hébreu, j'ai même joué des pièces de théâtre à l'âge de quatre-cinq ans en hébreu, le mari d'Esther, Assuérus... Ensuite on apprenait les prières en classe, puisque le professeur d'hébreu était le chantre. Et ensuite j'ai été à la Makkabi[8], et là encore il y a ce véhicule, qui est la chanson. Je connaissais deux cents à trois cents chansons hébraïques. C'est un véhicule magnifique. La première fois que je suis allé en Israël, j'ai parlé hébreu parce que je connaissais ces chansons. Et les gens se retournaient parce que c'était du vieil hébreu. Alors c'était amusant. Donc l'amour de l'hébreu est resté. Par les chansons. À chaque fois que j'allais dans un village israélien, je le trouvais dans un refrain d'une chanson, que ce soit en Galilée, que ce soit dans le Neguev, etc., ça me rappelait une chanson où on parlait de ça.

Et quand Daniel G. (1928, Alger), un ancien du FLN algérien, un collaborateur des *Cahiers palestiniens*, rencontre des Israéliens au colloque de Tolède, son cœur bondit, malgré le poids de l'idéologie, malgré l'héritage de toute une vie vouée au combat de la nation arabe :

---

8. En Égypte, organisation de scouts sionistes.

189

Je voyais des Israéliens parler hébreu entre eux, ça m'a fait un choc, parce que je me suis dit : « C'est une nation ! Une vraie nation ! » Mais j'ai jamais ressenti l'existence de cette nation comme en entendant ces Juifs parler hébreu, comme ça, entre eux, comme une langue « Passe-moi le sel ! ». [Il rit.] Alors que j'ai toujours entendu l'hébreu dans les prières. Et en même temps, je me suis senti totalement étranger à cette nation. Ils parlent hébreu, et cette écriture, c'est pas la mienne ; cette langue, c'est pas la mienne ; cette littérature, c'est pas la mienne ; cette histoire, c'est pas la mienne. Parce que si je prends une histoire, la mienne, c'est pas celle-là.

« Pas la mienne » : le message est répété cinq fois. Comme si le locuteur avait besoin de s'en persuader lui-même. La langue apparaît ici comme le lieu même de la contradiction : propalestinien militant, mais fier de reconnaître Israël comme nation ; se voulant Algérien, mais contraint par le refus algérien à se vivre comme Français ; religieux d'éducation, mais athée par conviction. L'hébreu, langue de la prière devenue langue de « passe-moi le sel », symbolise à la fois la fierté juive et le sentiment d'un monde qui se dégrade, où ce septuagénaire ne retrouve plus ses repères. Dès les premiers mots de notre entretien, Daniel G. exprime déjà cette difficulté à se situer : contestant les termes mêmes qui déli-mitent mon travail, il se définit par une triple négation. Ni vraiment Juif (« Je suis juif si les Juifs sont attaqués ») ; ni strictement communiste (il a quitté le PCA en 1956) ; ni « en France » (il n'a jamais milité qu'en Algérie). Mais cette triple négation, il démontre dans la suite de l'entretien qu'il vaudrait mieux la réévaluer comme dénégation : Juif, il l'est par tous ses pores ; communiste, il en revendique plus que jamais la qualité ; Français « en France », il s'en prévaut par une pirouette où nous retrouvons, au terme de ce détour, le primat de la langue : « C'est un exil dans un endroit où je suis... dans ma langue. »

Le yiddish, ou « la langue de personne[9] »

Pour les ashkénazes, le yiddish est lui aussi le lieu d'une contradiction fondamentale : à la fois langue du *trauma*, celle qu'il faut oublier pour oublier l'horreur, et langue qui ne doit pas mourir, qu'il faut ressusciter pour obéir au devoir de mémoire. On ne s'étonnera donc pas qu'il soit, chez les Juifs communistes, source d'innombrables conflits, d'innombrables censures, mais aussi d'ineffables nostalgies.

> Il paraît que, jusqu'à trois ans, j'ai parlé yiddish, raconte Isi A. (1933, Paris, JC/PC depuis 1948). Ça, c'est possible, je n'ai aucun souvenir. Faut savoir que mon père a été arrêté lors des premières rafles en 1942, il a fait partie du deuxième convoi pour Auschwitz. Donc moi, j'avais six ans. Donc les souvenirs de mon père sont des souvenirs relativement vagues, ce qui fait que mes souvenirs, on ne parlait pas yiddish. C'est avec ma mère ; mon père, j'ai des souvenirs beaucoup plus vagues. De ce que je crois me souvenir, mon père ne me parlait pas yiddish, mais français.
> — Donc toi, tu ne parles pas du tout yiddish ?
> — Je n'ai jamais appris, mais ce n'est pas tout à fait exact.
> — Tu ne parles pas yiddish ?
> — Je parle allemand. Donc, ayant travaillé dans des ateliers de confection où j'ai entendu parler yiddish, si on parle yiddish je comprends.
> — Tu peux lire la presse ?
> — Alors non, pas du tout. Je comprends. Mais si je parle, je ne parlerai pas yiddish, parce que sinon je ne saurai plus si c'est du yiddish ou de l'allemand. Donc je réponds en allemand, en général. Comme ça, au moins, les choses sont claires. [Il rit.]

Claires ? Certes, répondrait sans doute Jacques Hassoun. La langue du bourreau plutôt que la langue des victimes. Le comble de l'autocensure. De l'autorépression. Sans compter que la déportation du père est explicitement citée comme le point de départ de l'amnésie.

---

9. Rachel Ertel, *Dans la langue de personne*, Paris, Seuil, 1993 ; cf. aussi Régine Robin, *L'Amour du yiddish*, Paris, Sorbier, 1984.

Isi A. milite au Parti communiste depuis 1948. Nous avons vu qu'il réussit, en même temps, cette assez jolie contradiction de siéger dans les instances dirigeantes du CNPF. Faut-il comprendre que c'est pour lui une autre façon de parler la langue des dominants, voire celle des oppresseurs ?

Le père de Jacqueline A. (1944, Montauban) a été, lui, arrêté et déporté avant sa naissance :

> Quand j'étais à l'OSE[10], j'avais huit ans, c'est là que ma mère était partie sans me dire au revoir et qu'elle m'avait laissée. On avait des cours de yiddish. Mais pour moi, ce n'était rattaché à rien du tout. Je connais toutes les lettres yiddish. Je les ai apprises quand j'étais gamine. À part les cours de yiddish, je n'ai vraiment rien retenu. Sauf que peut-être on disait, avant chaque repas : *Mit a gut, gut apetit.*

Le yiddish, ou la langue de l'abandon, de la souffrance indicible. La langue dont on ne peut « vraiment rien retenir ». Il ne restera de « rattaché à [quelque chose] », dans l'être-juif, que la nourriture, la cuisine ashkénaze, celle qui justement donne « bon appétit ».

Pour d'autres, le yiddish, c'est ce qu'il faut oublier pour « devenir de bons Français ». La langue que les parents eux-mêmes interdisent. Ou, tout à l'inverse (à moins que ce ne soit la même chose), celle que l'on interdit aux parents. Voire celle que l'on s'interdit à soi-même, comme Rosette F. (1927, Paris), la femme de Louis F. : « Moi, j'ai fait un refus au milieu familial. Enfin... c'était pas conscient... Ça me gênait d'être différente des autres et je me suis jamais intéressée au yiddish. Je le comprends, mais j'ai jamais su le parler ! Et j'ai jamais fait d'effort ! »

Et pourtant, quand Rosette voyage en Israël, elle est choquée du refus du yiddish par les Israéliens : « Enfin, bon, moi, ce que je... ce que j'espérais trouver en Israël, je l'ai pas trouvé du tout ! » Le yiddish, lieu de la contradiction insurmontable et néanmoins sans

---

10. L'Œuvre de secours à l'enfance. Créée à Saint-Petersbourg en 1912, elle trouve refuge en France à partir de 1933. Pendant l'Occupation, elle secourt près de 6 000 enfants juifs. À la Libération, elle prend en charge 2 000 orphelins. (Cf. les *Cahiers de l'Alliance israélite universelle*, n° 25, janvier 2002, pp. 63-65.)

cesse revécue. Un peu, diraient certains, comme de marier judéité et Parti communiste. Rosette, elle, en a quasiment perdu la parole.

Mais, si l'on fait exception des Israélites dont la famille est installée en France depuis des générations, une bonne moitié des ashkénazes communistes entretiennent avec le yiddish un rapport d'amour-nostalgie, voire d'amour-passion. Les plus vieux, bien sûr : la moyenne d'âge des yiddishophones que j'ai interviewés est de soixante-neuf ans au 1er janvier 2000, soit quatre ans et demi de plus que l'ensemble de l'échantillon.

> C'est ma langue maternelle, rappelle Annette R. (1930, Paris). Si par hasard j'ouvre une radio et que j'entends les chants yiddish que chantaient ma mère, mon père, je suis profondément remuée. On a toutes les cassettes de tout ce qui peut sortir, je crois, en chants yiddish. Parce que c'est mon enfance... Je suis rattachée à tout ça. À toute une culture yiddish.

D'où son « désappointement », à elle aussi, quand elle va en Israël. Tout comme son mari, Jacques R. (1928, Lodz), qui lui fait écho. Il correspond en yiddish avec ses cousins argentins. Rien ne l'émeut plus, à Natanya, que d'entendre des enfants parler yiddish :

> L'un des reproches les plus importants que je fais à l'État d'Israël, c'est d'avoir contribué à la tuerie du yiddish. Je leur en veux é-nor-mé-ment. Énormément. Énormément. L'un de mes reproches que je me faisais à moi, c'est de ne pas avoir transmis ni le judaïsme ni le... Si, le judaïsme, je l'ai transmis sans m'en rendre compte... Mais disons : le yiddish, à mes enfants. Et de savoir que mon fils chante dans un groupe musical en yiddish, entendre mon fils chanter en yiddish, c'est très, très, très réconfortant !

Joseph A. (1944, Rome) analyse une fois de plus avec finesse cet amour de la langue, qui est aussi la langue de l'amour :

> Le yiddish, c'était soit la langue (c'est le cas de ma femme) dans laquelle les parents se disputaient, donc une langue tensionnelle, si je puis dire, une langue conflictuelle, soit au contraire la langue de l'affection. Donc ce qui était juif était très important, parce que ce qui était juif était lié aux sentiments. Alors qu'intellectuellement la tendance était

plutôt externe : française, nationale, affectivement ça se transmettait comme ça, donc à travers le non-dit.

Alors quel est le contenu de cet implicite ? Il y en avait beaucoup, autour de nous, qui parlaient avec un accent yiddish très prononcé. Ça créait des crises extraordinaires de rigolade entre nous. Et des moments d'émotion intense. Parce que ça correspondait à... je dirais à une certaine... positivité. C'était positif, parce que c'était des gens dont on ressentait, alors qu'ils ne le disaient jamais, combien ils avaient souffert et qui étaient optimistes, qui riaient... C'était d'une intensité extraordinaire.

La même image revient souvent : le « bain ». « On était quand même dans un bain global de yiddish, de Juifs, de révoltés, de révolutionnaires, de pogroms, de misère de la Pologne... » (Émile S., le mari de Rose S.).

J'ai baigné dans un climat yiddishophone complet, lui fait écho Marianna K. (1942, Paris – celle dont le père, FTP-MOI, a été fusillé). C'est familial, c'est ma mère, c'est mon beau-père, c'est la langue de l'enfance. Affectif qui passe par l'estomac... C'est la langue... pas la langue seulement pour manger, mais la langue de ce que je mange. De ce que j'aime. C'est... la fidélité à mon père, bien qu'il n'ait jamais été un Juif religieux d'ailleurs, c'est pour ça que je ne le suis pas non plus.

Le « bain », comme un liquide amniotique, comme un souvenir de l'utérus maternel. Marianna a mis, plus tard, un point d'honneur à devenir agrégée de lettres modernes. Mais une grave maladie l'a privée de la mémoire du passé immédiat. Elle ne se souvient que du lointain. La guerre, peut-être ?...

Le yiddish entretient ainsi, chez les Juifs communistes, un rapport d'autant plus complexe avec le Parti que celui-ci a œuvré pour la conservation de cette langue. Si bien que beaucoup d'ashkénazes associent encore, dans leur nostalgie, leur amour du yiddish et le souvenir ébloui du Parti de la grande époque – celle où l'on s'enorgueillissait d'être « le premier parti de France ».

Le ladino, ou la « langue prolongée »

Le ladino reste, lui, un objet d'autant plus précieux qu'il se fait rare : « langue prolongée », comme dirait Jacques Hassoun, plutôt que morte, « madeleine proustienne dont le goût à jamais perdu relancera une quête interminable pour un accent passé ou une musique engloutie[11] ». Seuls quatre des interviewés séfarades (trois d'Égypte, un de Salonique) le parlent encore. Ou le parlaient, au temps où vivait leur grand-mère, venue de Grèce ou de Turquie. Comme Jacques P. (1923, Le Caire) :

> Donc, avec les mamans, on a continué jusqu'au bout. Et puis après, j'ai essayé, avec des gens qui faisaient une thèse de ladino, à l'Université ou bien au Centre... Rachi. On avait fait des réunions pour voir ce qu'on pouvait récolter au point de vue culture ladino, pour obtenir des subsides, etc. Mais ça n'a pas donné grand-chose. C'est une langue qui n'est pas complètement morte, mais qui est en train de mourir complètement.

Ce conservateur de langues mortes est toujours au Parti communiste, depuis plus de cinquante ans. Comme deux des autres concertants de ce quatuor de septuagénaires. On pourrait presque se demander si le « communiste » n'est pas lui aussi, pour ces vieux messieurs, quelque chose comme une « langue prolongée » dont le ladino serait, en quelque sorte, le paradigme.

L'arabe, ou la langue de l'autre patrie

Si le polonais semble largement ignoré des ashkénazes, l'arabe, lui, autre langue d'accueil, bénéficie chez les séfarades d'une aura singulière (vingt-deux interviewés sur cinquante). Même ceux qui ne l'ont jamais su, parce que leurs parents rêvaient d'une intégration totale à la culture française, regrettent aujourd'hui cette

---

11. Jacques Hassoun, *op. cit.*, p. 68.

ségrégation linguistique, qui leur paraît, à juste titre, symbole de morgue coloniale. Mais était-ce vraiment une « langue d'accueil », cette langue dans laquelle Maimonide rédigeait son *Commentaire de la Michnah* – dont ses treize articles de foi –, Juda Halévi son *Kouzari* et Ibn Gabirol sa *Source de vie* ?

Quand Claude-Raphaël D. (1942, Sfax) parvient au terme d'une longue psychanalyse, il retrouve en lui « tout un pan de [sa] sensibilité, de [sa] mémoire, de [ses] souvenirs, de [son] vécu affectif... qu'[il avait] un petit peu perdu. Et qui s'était enfoui sous ces strates d'idéologie, de culture, de savoir, de... de... ».

> Et j'ai trouvé, j'ai retrouvé en moi – et ça, Dieu sait que c'est important pour qui a pratiqué un petit peu Lacan –, j'ai retrouvé une langue. J'ai retrouvé le judéo-arabe en moi, alors que mes parents le parlent, ma mère me le parlait, mais c'est surtout ma grand-mère maternelle.
>
> [Cette langue] dit des choses que d'autres langues ne disent pas. Ou ne peuvent pas dire. Alors j'ai retrouvé ça, parce que c'est la langue dans laquelle j'ai baigné. Et, du coup, dans ma psychanalyse, j'ai retrouvé ça, je me suis aperçu que ça pouvait parler comme ça en moi. Mais ce n'est pas l'hébreu.

Et c'est ainsi – nous le verrons – que commence la *techouvah* de Claude-Raphaël, son grand retour au judaïsme qui aurait sans doute bien étonné ses camarades de la cellule Léon-Moussinac, dans le XIVe arrondissement...

Cet hymne à la langue arabe, beaucoup de nos séfarades communistes l'entonnent. Écoutons par exemple Albert J. (1922, Le Caire), lui qui chantait déjà si bien l'amour de l'hébreu, la langue-mère :

> Je me récite même à haute voix des vers de poésie arabe. Ils sont superbes. La poésie la plus riche du monde et la moins connue au monde. La littérature arabe est une littérature magnifique. Et moi, j'étais bercé par la langue arabe.

Comme une autre patrie, un ailleurs qui est aussi un chez-soi, un symbole du déchirement, de la *galout*[12] qui est au cœur de l'être-juif.

---

12. *Galout* : « terme hébreu utilisé dans la Bible pour désigner l'exil, la captivité » (*DEJ*, p. 425-428).

La langue maternelle de mes parents, c'est l'arabe, rappelle Daniel G. (1928, Alger – l'ancien du FLN). Nous sommes des Berbères, nous sommes de là-bas... et la France c'est un ailleurs. On a toujours vécu là-bas, ma grand-mère ne savait même pas parler français. Mes parents, leur langue maternelle, c'est l'arabe. Moi, je parle arabe. J'aime les musiques arabes. [Il rit.] Je suis de là-bas, quoi.

Le Parti communiste peut alors signifier, pour ces hommes partagés, la synthèse de l'entre-deux, le dépassement de Babel.

Les cuisines juives, ou « la langue de ce que je mange »

Mais le savoir de la judéité prend aussi des formes moins académiques : « L'affectif qui passe par l'estomac », disait Marianna K. « La langue de ce que je mange. » Nous avons déjà vu à quel point le souvenir des fêtes religieuses de l'enfance se condense autour de quelques saveurs... La cuisine juive, chez les Juifs communistes (mais sans doute également chez beaucoup d'autres qui n'ont jamais connu un tel engagement), apparaît souvent comme le dernier refuge de la judéité, ce qu'il reste quand on croit avoir tout oublié. Mais aussi l'espace des ambiguïtés, des contradictions, des dénégations, voire des « retours » plus ou moins avoués, des réconciliations plus ou moins assumées [13].

Nostalgie, nostalgie... « C'est toujours très agréable de manger des plats que tes parents faisaient quand tu étais toute petite. Ça te remet dans un bain d'enfance », reconnaît clairement, parmi tant d'autres, Francine R. (1954, Paris), la fille de Jacques (l'homme au clapier à lapins...) et d'Annette. Au point que le regret des jours enfuis gomme souvent le religieux, pour ne plus laisser apparaître que le familial, le convivial : le *gefilte fish*, on le mangeait le dimanche, « jamais le samedi » (Yves-Marc Z., 1946, Paris) ; on mélange, dans le souvenir, le *krupnik* – la soupe à l'orge – et le rôti de porc (Jean Z., 1924, Paris) ; on joue sur les mots en baptisant

---

13. Cf. notamment Joëlle Bahloul, *Le Culte de la Table dressée. Rites et traditions de la table juive algérienne*, Paris, Métailié, 1983.

« russe » le brave *hering* ashkénaze (mais on va l'acheter spéciale-ment rue Cadet – pour se dissimuler des voisins ? –, alors qu'on habite dans le *Pletzl*...), ou « méditerranéenne » la *t'fina* chère aux séfarades du Maghreb.

Parfois même, la nostalgie prend une forme singulière : le regret du Parti d'autrefois se mêle à celui de l'enfance, comme si le vert paradis se teintait légèrement de rouge ou que la faucille et le marteau venaient rejoindre la poupée ou le pistolet à bouchon dans le tiroir aux jouets cassés. Nehmias K. (1927, Przemysl) se souvient des odeurs de la boucherie cachère de son oncle, mais aussi du stand de l'UJRE, à la Fête de *L'Huma* :

> ... parce qu'il y avait des petites femmes juives qui vendaient des gâteaux. Alors moi, j'y allais, je me tapais un bout de *hering* avec un *shnaps*. Ma femme, elle, prenait du *shtrudl*[14] et elle préférait celui de ma mère... Ma mère faisait un *shtrudl* terrible... Les copains me voyaient : « Ah ! tiens, K., t'es bien le fils à ton père ! » Maintenant, on ne les voit plus. Alors un jour j'ai demandé : « Mais comment ça se fait qu'il n'y a plus le stand de l'UJRE ? » On m'a dit : « Ils sont trop vieux, maintenant... » Moi, ça me fait de la peine. Parce que c'était une tradition. J'arrivais à la Fête de *L'Huma* et puis j'allais directement au stand de l'UJRE.

Quelques-uns, pourtant, refusent. La cuisine, c'est aussi le lieu où l'on affirme bruyamment sa francité, où l'on rejette avec violence les saveurs du *mella* ou du *shtetl*. « Moi, en plus, je ne mangeais pas de la cuisine de ma mère ! » proclame Rosette F. (1927, Paris), celle qui refusait déjà si fortement de parler yiddish (mais qui était si choquée qu'on ne le parle plus en Israël !). « J'ai fait un rejet. Ma mère me faisait des petits plats, je mangeais des pommes de terre sautées, du jambon, des escalopes, enfin je ne mangeais pas les plats cuisinés... » Elle récuse l'identité juive. Elle lui substitue l'identité communiste, elle s'y raccroche, au point de prétendre qu'elle est encore au PCF, alors qu'elle en est partie, comme son mari. Samuel D. (1936, Paris) a « oublié », comme par hasard, le nom de tous les plats que lui faisait sa mère. Et quand

---

14. *Shtrudl* : gâteau aux fruits.

sa femme veut lui en préparer, il refuse d'en manger – non qu'il dénie sa judéité, mais il applique, sans plus réfléchir, la « ligne » qu'imposait autrefois le PC (on n'est pas juif, on est bourgeois ou ouvrier !) : c'est lui qui veut me flanquer à la porte quand il apprend que je ne suis plus membre de son bien-aimé parti. Sa femme, justement, Hélène D. (1936, Paris) – elle qui ne reprend sa carte que pour éviter le divorce –, voudrait bien se rebeller, mais elle n'ose pas, et elle regrette :

— Vous faites de la cuisine yiddish ?
— Non, parce que mon mari n'aime pas ça, et je regrette aussi que je me suis laissé, justement, avoir et maintenant, au fond, je regrette. Mais enfin je peux vous faire un très bon *shtrudl* et un très bon bouillon. [Elle rit beaucoup.] Non, il y a une très grande nostalgie... Une très très grande nostalgie... Beaucoup de regrets. Je crois que je ne referais pas... si je remontais trente ans en arrière, je ne serais pas tout à fait pareille !

La cuisine comme un des lieux de la tyrannie conjugale – celle du mari sur la femme (mais peut-être l'inverse est-il parfois vrai ?) : là où l'on est contraint de répudier la judéité, voire de rester au PCF.

Mais d'autres – beaucoup plus nombreux – en reviennent à la « pratique ». Non celle de la prière, du *tallit* ou des *tefillin*, mais celle du *gefilte fish* ou de la *t'fina*. On constitue même, entre parents et amis, de vraies petites coopératives de spécialistes. Chez Suzon E. (1944, Livry-Gargan), par exemple :

Dimanche prochain, on se retrouve entre copains, on va faire de la cuisine juive... Chacune va faire quelque chose. Moi, je suis très spécialisée dans le foie haché, que je hache maintenant à la main, parce qu'avant je le faisais à la machine et qu'on m'a fait des réflexions ! Je sais faire du poisson... la carpe farcie... Et puis, si je ne sais pas complètement la faire, je prends maman sous le bras, elle nous a donné un cours une fois, c'était très, très rigolo. C'est vrai que c'est une cuisine que j'aime. Mais que je ne fais pas depuis très longtemps. Disons : depuis cinq-six ans... Quand maman a dit qu'elle n'avait plus envie de faire, je me suis dit qu'il fallait que je prenne le relais. C'est drôle, parce que c'est mon fils qui a dit à sa grand-mère, il y a quatre-cinq ans : « Mémé, il faut que tu m'apprennes ! » Alors elle a fait devant lui. Il n'a jamais refait, mais elle a fait devant lui.

199

> On est un groupe, disons, d'une dizaine, d'une quinzaine de personnes. Donc, à nous tous, à nous toutes, on arrive à faire un repas qui est un vrai repas, qui ressemble au goût que l'on a, nous. C'est-à-dire où l'on retrouve les goûts de la maison. La carpe farcie... Maman est d'origine polonaise, donc elle est très sucrée. J'ai un copain dont la mère était russe, elle est très poivrée ! Donc ma carpe à moi n'est pas sa carpe à lui !

La grand-mère, la mère, le fils... : la cuisine juive reste souvent le dernier morceau de judéité que l'on a encore envie de transmettre. C'est ici, et ici seulement, que se retrouve la tradition biblique de la transmission ininterrompue.

Musiques « juives » ou musiques « orientales » ?

La bouche pour parler la langue juive, pour manger la cuisine juive, le nez pour évoquer les odeurs souvent fortes du *mella* (mais jamais du *shtetl*), les oreilles pour écouter les musiques de la judéité : comme si l'être-juif tenait toujours au corps – à l'immersion physique dans un magma qui dit l'ailleurs, l'autrement-être, la différence. Ce corps qu'il faut « marquer » par le *berit*, que la tradition imposait de purifier par des bains, par des rites.

Mais, dès qu'il s'agit de musique, ashkénazes et séfarades ne l'entendent pas, justement, de la même oreille. Les premiers affichent, proclament, revendiquent la tonalité proprement juive des mélodies qui les plongent dans une sorte d'extase.

> Les chants juifs, moi, je ne peux pas... Les chants juifs, la musique juive... ça me... je ne peux pas, je tombe raide. Pas possible. C'est trop dur. [Elle pleure.] Trop fort. La chanson yiddish *Yo mame*, bon Dieu !... je suis prête à courir des kilomètres pour ne pas l'entendre. C'est in-sup-por-table. On a tous ses folies. (Iliane K., 1923, Tel-Aviv.)

Jacques K. (1930, Paris) chante à la chorale *Mit-a-tam*, qui dépend de la CGT. Quand il entend des femmes juives chanter des chants yiddish, il éclate en sanglots :

200

... parce que mes parents, ils avaient un atelier et puis il y avait des finisseuses... et elles chantaient toute la journée, c'était des femmes *yid*... Et quand les filles... par exemple, elles répètent, les sopranos, ou d'autres voix, quand elles répètent à deux voix un chant, le *s'brent*[15], c'était les chants qu'on chantait dans l'atelier. Mon copain, il me dit : « Et puis elles chantent merveilleusement bien. » Et puis moi, ça me... ça me prend aux tripes, parce que ça me rappelle... Quand il y a un copain, là, ça m'est arrivé une fois, j'avais les larmes aux yeux : « Mais tu pleures ! – Écoute, ferme-la, laisse-moi tranquille, fous-moi la paix, parce que vraiment elles sont en train de chanter, c'est merveilleux ! »

Tout à l'inverse, les séfarades qui appartiennent encore (ou qui ont appartenu) au Parti communiste tendent à gommer le caractère juif des musiques de leur enfance : musique « orientale », disent-ils, « andalouse », « arabe »... « Beaucoup plus Bassin méditerranéen, beaucoup plus maghrébine, dans ma tête, que juive de façon identitaire », précise même l'Oranais Philippe P. (1936, Paris). Comme si la musique leur offrait une occasion rêvée d'affirmer leur volonté de mixité, de syncrétisme, qui a souvent constitué le véritable fondement de leur engagement politique. Écoutons Maurice et Renée O. (1922 et 1923), ce vieux couple de coiffeurs venus d'Oran, l'un et l'autre en rupture avec le Parti depuis 1985 :

LUI. – Nous ne voulons pas nous séparer de nos deux cultures. Moi, je vous dis franchement, je suis extrêmement sensible à la musique orientale.
ELLE. – Nous vibrons à la musique orientale... andalouse, disons. Influencée, parce que l'Oranie est près de l'Espagne et elle est beaucoup plus influencée par la musique andalouse que dans le Moyen-Orient.

Ainsi donc, la judéité, ils la ressentent encore le plus souvent dans leurs tripes, dans leur cœur, dans tous leurs sens – odeurs, saveurs, appétits, harmonies... Peut-être pourrait-on même imaginer, non sans quelque provocation (mais sans aucune preuve),

15. *S'brent* : littéralement, *Ça brûle*. Chanson yiddish de Mordekhai Gebirtig (1877-1942), écrite à l'occasion d'un pogrom en 1938. Appel à la résistance. Gebirtig a été assassiné dans le ghetto de Cracovie.

qu'ils « savent » mieux l'être-juif que leurs compatriotes catholiques ou protestants ne connaissent le christianisme ou la chrétienté.

Mieux encore, ce « savoir-l'être-juif » va peut-être jouer un rôle, fût-il inconscient, dans la genèse de leurs convictions politiques. Il va se mêler inextricablement à leur « savoir-le-communisme », souvent moins profond, pour donner un mixte étrange, aux composantes à la fois complémentaires et contradictoires, oscillant sans cesse entre l'implosion et l'immutabilité, la dégénérescence et la recomposition éternelle.

V

Savoir

3. Savoir le communisme

« Le marxisme est une science », répétait-on à l'envi dans les cellules du PCF. Il fallait donc l'apprendre, le posséder, voire le transmettre. Ce « savoir » faisait de ses détenteurs une quasi-élite, une « avant-garde », seule capable – s'il fallait en croire la vulgate – de déchiffrer le sens de l'Histoire, donc de mener les combats du prolétariat. Ce qui devait satisfaire, du moins en apparence, des Juifs élevés depuis des siècles dans le culte de la connaissance. Entre la transmission familiale et l'apprentissage, les Juifs communistes ont souvent été les premiers de la classe.

Le communisme en héritage

Une forte majorité des communistes ashkénazes (trente-cinq sur cinquante) n'ont même pas eu vraiment besoin d'apprendre : ils ont reçu le communisme en héritage. Le père (voire la mère) a sa carte. Il emmène l'enfant à la Fête de *L'Huma*, aux processions rituelles qui, deux ou trois fois l'an, promènent d'un pas lent le « peuple communiste » de la République à la Nation, au Père-Lachaise. Il lui fait chanter *L'Internationale*, *Le Chant des partisans*, *La Varsovienne*... Parfois, les réunions de cellule ont lieu à la maison : le petit garçon, ou la petite fille, s'initie au cérémonial du « rapport » hebdomadaire (le résumé des éditoriaux de *L'Humanité*), de la distribution des tâches (qui « collera » ? qui vendra *L'Humanité-Dimanche* ?), des discussions où personne n'est jamais en désaccord (sauf sur des virgules), du café servi par la mère, pour clore la réunion, vers dix heures du soir. Quand la famille habite une « banlieue rouge », bien sûr, l'imprégnation est encore plus forte. Tout l'entourage est communiste, ou pour le moins sympathisant : le gardien de la cité HLM, le président de l'Amicale des locataires, celui de l'Association des parents d'élèves, le café du coin, l'employé de mairie, l'assistante sociale, le maître d'école... L'attachement aux idées « progressistes » remonte parfois fort loin : « Aux municipales de 1912, raconte Jacques T. (1925, Paris), mon grand-père et ses quatre fils, habillés de redingotes et de chapeaux hauts de forme, avaient été à la mairie du Xe, voter pour Marcel Cachin, qui se présentait alors comme socialiste. » Fidèle à cette tradition, son père vote Front populaire en mai 1936 et amène le petit Jacques au mur des Fédérés.

Maurice B. (1925, Livry-Gargan) garde la trace des combats à coups de poignées de poivre dans lesquels, avec son père, il affrontait en ce temps-là les groupes d'extrême droite. Pauline T. (1927, Paris) apportait chaque matin leur gamelle à ses frères qui occupaient leur usine.

Parfois, pourtant, la judéité vient se rappeler au bon souvenir des parents et quelque peu troubler cette idylle rouge de l'enfance : communistes, d'accord, mais à condition que cela soit au milieu d'autres Juifs (mieux encore : d'ashkénazes parlant yiddish !) : « Ils vivaient dans une cellule avec des *goïm*, c'était impensable pour eux », se souvient Yves-Marc Z. (1946, Paris). « Leur vie sociale était entièrement yiddishiste... et communiste. Mais, alors que d'autres ont été dans des cellules de quartier, eux ont totalement refusé le brassage. » Pour ceux-là, comme pour beaucoup d'autres Juifs communistes de la première génération, le complot des Blouses blanches marquera, nous le verrons, la fin d'un rêve.

Contrairement à une idée reçue, les séfarades n'échappent pas tous à cet héritage. Neuf d'entre eux (sur cinquante) ont eu un parent communiste (trois en Algérie, trois en Tunisie, trois en

Égypte). Le père de Claude-Raphaël D. (1942, Sfax), « libre penseur », adhère au Parti communiste tunisien entre 1935 et 1937 :

> Ça a créé, dans la famille et parmi ses enfants, une sorte de fierté que le père ait pu adhérer au Parti communiste tunisien dans ces années du Front populaire. Moi-même j'ai adhéré au Parti communiste, mon frère aux Jeunesses communistes et ma sœur, sans avoir jamais été au Parti, a fait du syndicalisme dans l'enseignement, elle a toujours été entre le SNES, etc. Donc le modèle du père a pas mal influencé la famille.

En l'occurrence, le poids de l'héritage, en apparence si prégnant, se révélera bientôt plutôt léger : non seulement Claude-Raphaël va quitter le PCF, mais il va se diriger vers le sionisme et une certaine orthodoxie religieuse.

Mais, pour la plupart, les séfarades communistes appartiennent à des familles « libérales », c'est-à-dire modérément opposées au colonialisme, révulsées par le racisme antiarabe, favorables à une certaine émancipation de leur pays d'origine.

> Ils se sont barrés du Maroc parce qu'ils ne pouvaient pas voir le régime du roi en peinture, explique Jean-Charles D. (1950, Casablanca). La première valeur, c'était l'antiracisme. Et au Maroc, l'antiracisme, c'était une valeur extrêmement révolutionnaire.

Quelques-uns pourtant, surtout chez les séfarades, sont issus de familles franchement de droite (neuf sur cinquante). Mais ces Juifs communistes hors normes restent l'exception : c'est dès l'enfance que s'apprend le plus souvent cet étrange savoir, cette culture hautement codée qui constitue le fondement même, si rude à déraciner, de l'appartenance au Parti.

Quelques-uns – tous des ashkénazes – se sont doublement nourris de ces *nursery rhymes* communistes : ce sont, nous l'avons vu, les pensionnaires des Maisons d'enfants, ou des colonies de vacances, créées par la Commission centrale de l'enfance auprès de l'UJRE[1]. Ils emploient tous aujourd'hui le même mot : on y

---

1. Pour retrouver l'atmosphère de ces Maisons d'enfants, on pourra lire les deux récits de Robert Bober, *Quoi de neuf sur la guerre*, Paris, POL, 1993, et *Berg et Beck*, Paris,

« biberonnait » le communisme. Écoutons, par exemple, Joseph A. (1944, Rome) – celui qui analysait déjà si bien l'ambiguïté foncière de la CCE face à l'apprentissage de la judéité :

> Depuis l'âge de huit ans, on chantait les chants révolutionnaires et on faisait des présentations, des chœurs parlés sur Brecht, etc. On était biberonnés de culture communiste : c'était presque une certitude qu'on allait devenir communiste. La mobilisation et la sensibilisation commençaient extrêmement tôt, puisque moi, je suis allé rue de Paradis, j'avais huit ans !

Sacha R. (1943, Sverdlovsk) qui, lui, contrairement à Joseph A., milite encore au PCF (mais parmi les « rénovateurs »), tient le même langage :

> On m'a envoyé dans les patronages, tous les jeudis, de la rue de Paradis. Et donc là, à la CCE, j'ai biberonné à cette double culture, qui est la culture juive et la culture communiste. Qui a été la mienne pendant toute mon enfance. Que je retrouvais à la maison. J'étais cerné. Je ne pouvais pas y échapper ! Et ça a donné l'homme que je suis.

Pour les enfants de déportés, la rue de Paradis, c'était aussi un lieu de tendresse : « La CCE, c'est ma famille », proclame Marianna K. (1942, Paris), fille d'un fusillé de la MOI (et pourtant elle ne témoigne d'aucune indulgence envers le Parti, qu'elle a quitté dès 1970). Ou Jacqueline A. (1944, Montauban), dont le père est mort à Auschwitz :

> Après c'était la voie toute tracée, c'était les chansons révolution-naires, c'était Louba avec son intégrité, ses exigences de la vérité... Et puis ce qu'elle racontait sur les pays socialistes, l'Union soviétique... Au moins un idéal qui était intéressant, quoi. Au moins un endroit où j'étais bien, quoi.

Un lieu de culture, où le culte de Staline se mêlait à une véritable initiation littéraire ou artistique que l'école, abandonnée trop tôt,

---

POL, 1999. L'article de Jean Laloum dans *Pardès* (n° 16, 1992), « La création des Maisons d'enfants. L'exemple de la Commission centrale de l'enfance auprès de l'UJRE », apporte de nombreuses informations.

n'avait pu dispenser : « La rue de Paradis, ça a été aussi l'ouverture vers... vers la littérature, vers les musées, vers le théâtre, vers **tout** un tas de choses que je n'aurais pas eues à la maison », reconnaît Suzon E. (1944, Livry-Gargan), elle aussi en rupture depuis plus de vingt ans.

Sur les bancs de l'école

Pour les autres, le communisme, cela s'apprend comme une science (puisque c'est supposé en être une) : dans les livres (Politzer encore et toujours[2]), sur les bancs du lycée ou de l'université, où les enseignants marxistes ne sont pas rares, voire – après l'adhésion – dans ce que le Parti appelle ses « écoles » (école de trois jours, de dix jours, école fédérale, école centrale). Bref : comme n'importe quel communiste, juif ou pas juif.

Sauf, comme d'habitude, les Juifs d'Égypte. Ceux-là, qui se recrutent surtout chez les étudiants, ou dans la bourgeoisie relativement aisée, prennent vraiment le marxisme au sérieux :

> Le professeur d'histoire nous enseignait les quatre lois de la dialectique marxiste, revues et corrigées par Staline, raconte ainsi Jacques F. (1936, Alexandrie). Matérialisme dialectique, matérialisme historique, etc. En sixième, cours de religion entre guillemets : c'était un certain Zuckerman qui nous expliquait l'histoire de Caïn et Abel comme une querelle entre agriculteurs et nomades. *L'Origine de la famille et de la propriété privée* d'Engels était au programme en troisième. Donc c'est très très particulier. La politique est venue par là.

Isaac M. (1922, Le Caire) égrène les mêmes souvenirs : « Nous avons ingurgité une quantité colossale de bouquins qu'il fallait lire. Et ça comprenait *Que faire ?* aussi bien que *Le Capital* et *Salaire, prix et profit*, et toute une somme de bouquins, dont il ne me reste pas grand-chose. »

---

2. Georges Politzer, *Principes élémentaires de philosophie*, Paris, Éditions sociales, 1966. C'est le premier livre que les écoles du PCF donnaient à lire. Peut-être ne faut-il pas s'étonner qu'il soit aujourd'hui « épuisé ».

Aussi ne faut-il pas s'étonner si tous se disent « scandalisés » à leur arrivée en France par « un manque de culture désolant, un manque de connaissances générales désolant, des comportements abusifs » (Isaac M.). Ici, en effet, on préfère s'initier avec *Fils du peuple*, l'autobiographie signée par Maurice Thorez[3], comme Jacqueline A. (1944, Montauban) qui le lit « dans les cabinets », « parce que c'était le seul endroit où j'étais tranquille. Et quand j'ai fini de lire ce bouquin, je me suis dit : « Eh bien oui, je comprends. Je ne peux qu'être communiste. »

Mais peut-être, après tout, cette ignorance importe-t-elle peu. En tout cas aux yeux des dirigeants du PCF. De la même manière que nous avons distingué un savoir-le-judaïsme d'un savoir-la-judéité, il faudrait sans doute, en marge ou au-delà d'un savoir-le-communisme, inventer un nouveau concept : quelque chose comme un savoir-la-communisticité (qu'on me pardonne cet affreux néologisme !). Il s'agit en effet, non d'une accumulation de connaissances livresques, ni d'un catalogue de principes théoriques pas toujours bien digérés, mais d'une véritable culture populaire, à l'aune de laquelle se reconnaît le vrai militant, juif ou non juif : une certaine façon de s'habiller, de manger, de boire, de fumer, de parler, de fraterniser. J'ai même entendu un responsable des élus municipaux faire remontrance à l'une de ses ouailles qui roulait à bicyclette : « C'est bon pour les gauchistes ! Un communiste roule en voiture. » Le vélo, c'est un sport (très prisé chez les communistes, parce que clairement plébéien), pas un moyen de locomotion.

Et d'abord cette culture se définit par un certain langage : pas seulement la fameuse « langue de bois » (les organisations satellites s'appellent bien sûr « démocratiques », de même que les municipalités dirigées par le Parti ; il faut toujours « tenir la chaîne par les

---

3. Maurice Thorez, *Fils du peuple*, Paris, Éditions sociales internationales, 1937. On sait depuis longtemps que cet ouvrage a été en réalité commandé à un « nègre », Jean Fréville, de son vrai nom Eugen Schkaff (par parenthèse un Juif communiste), qui l'avait en partie sous-traité à un autre nègre, également juif, mais bientôt exclu du PCF, Viersbolovicz, ex-gérant de la librairie de *L'Huma* (cf. Philippe Robrieux, *op. cit.*, t. IV p. 243-246) !...

deux bouts », « renforcer l'unité à la base », « mener une action de classe et de masse », « lutter contre les provocations » ; les démocraties dites populaires sont les seules à connaître le « socialisme réel », etc.), mais surtout un certain idiolecte de la convivialité. On ne dit plus « camarade », mais « copain » ; on « offre un pot » (du vin rouge exclusivement...) à chaque reprise de carte, chaque nouvelle adhésion, chaque « opération portes ouvertes » ; on tutoie systématiquement tout membre du Parti, fût-il secrétaire général.

Le militant se distingue aussi par son goût des kermesses où la bière coule à grands flots. Assister à la Fête de *L'Huma* relève à la fois du devoir d'état et du plaisir de la communion avec les vrais de vrais, les métallos, les ménagères.

Dans chacune de ces figures d'un militantisme un peu débonnaire, fortement fraternel, fort en gueule et en bouteille, beaucoup de Juifs communistes excellent. Ils y trouvent comme une intégration à la puissance deux : non seulement à la nation française, mais à son peuple. Les voilà tellement bien intégrés qu'ils peuvent même se permettre de contester la capacité de la République des élites à intégrer aujourd'hui les laissés-pour-compte, les exploités – ce qu'ils ont peut-être été, il y a longtemps, eux-mêmes ou leurs pères.

Savoir le communisme, ce serait peut-être surtout, pour un Juif, posséder une grille de lecture du monde. Et là, nos Juifs communistes, à l'instar de leurs ancêtres, se révèlent imbattables. Bernard Lazare avait dressé leur portrait avant la lettre : « L'ouvrier juif ne peut faire un travail matériel sans penser, sans se faire une idée du monde et de la société ; il raisonne faux, observe mal souvent ; mais il systématise ; il est logicien et va jusqu'au bout une fois parti. Le porteur d'eau juif a sa sociologie et sa métaphysique[4]. »

Ce savoir nouveau (ou cette résurgence d'un savoir ancien) détruit-il le vieux savoir-la-judéité, voire l'obsolète savoir-le-judaïsme ? En est-il un greffon ou un bâtard ? Peut-il un jour

---

4. Bernard Lazare, *Le Fumier de Job*, Paris, Circé, 1996, p. 60.

provoquer, comme par une tardive défense immunitaire, un rejet qui serait retour ? Dans cet univers où l'idéologie ne prend son sens que si elle engendre une *praxis*, il nous faut, pour évaluer les relations parfois perverses de ces savoirs antagonistes, faire le détour de la pratique (religieuse ou politique).

VI

Pratiquer, croire

1. Adhérer

Tout commence (ou tout finit ? ou mieux : tout continue ?) le jour où l'impétrant, jeune ou vieux, « prend sa carte ». Il *adhère*. Autrement dit : il colle. À quoi ? À la « ligne » ? Au groupe ? « Ça colle », dit le langage populaire. Ce qui veut dire : tout va bien, il n'y a rien à redire. Voire... Cela signifie-t-il qu'il « décolle » de la judéité ?

À peine « encarté », il *milite*. *Miles*, le soldat : il obéit, il se bat, il attaque. Pratique d'un certain reliquat de judaïsme, pratique d'un nouveau code de militantisme : est-ce incompatible ?

Juif, il est l'homme d'une Terre promise. Communiste, il est l'admirateur d'un autre Canaan, promesse plus récente, mais réalité plus ancienne. Entre ses deux Jérusalem – celle d'*Israël* et celle d'*URSS*, celle de la tradition et celle de la Révolution –, comment modulera-t-il ses choix ? Comment vivra-t-il les déceptions de l'une et l'autre ? Comment supportera-t-il le choc avec l'Histoire, c'est-à-dire le réel ?

Homme de certitudes, il finira sans doute par se poser des questions. Par douter peut-être. Jusqu'à la *rupture* ? Et s'il rompt, sera-ce pour des raisons juives ?

Une petite carte blanche, avec la faucille et le marteau ainsi que douze carrés pour y coller les timbres : on la reçoit parfois sous enveloppe, par la poste, si l'adhésion se produit en cours d'année. Mais, le plus souvent, le nouvel impétrant est invité à une fête amicale, la « reprise des cartes », où un dirigeant local vient faire un bref discours et où l'on boit un verre de rouge en l'honneur de ceux qui viennent de franchir le pas. Ou bien encore le secrétaire de cellule se rend au domicile du novice et lui remet le document symbolique, tout en le convoquant à la prochaine réunion.

Et si le jeune Juif qui vient d'adhérer est issu d'une famille traditionnelle ? Et si, il n'y a pas si longtemps, il respectait encore tel ou tel rite ? Comment va-t-il concilier l'opium du peuple et ses toutes fraîches convictions ?

Adhésion et crise de la foi religieuse

Adhésion + foi religieuse = crise. L'équation ne comporte qu'une seule inconnue : la crise interviendra-t-elle avant ou après l'entrée au Parti ? Dans les deux cas, la religion sera toujours défaite, mais bien souvent elle ne perdra qu'une bataille, et l'issue de la guerre restera ouverte.

Avant : c'est l'hypothèse la plus fréquente. Sur quinze Juifs communistes de l'échantillon qui ont connu ce cas de figure, treize sont séfarades, dont neuf appartiennent encore aujourd'hui au Parti.

Parfois la crise prend les apparences d'une belle scène héroïque, avec nuit d'interrogations, face à face avec le Vide, défi, serment juvénile... Écoutons par exemple Micheline T. (1936, Tunis), qui vit une sorte de révélation pascalienne à l'envers :

> Dans ma jeunesse, il y a eu d'abord une rupture. J'ai attendu Dieu. J'ai grandi dans un monde où l'existence de Dieu ne faisait pas question. Mais, au moment de l'adolescence, j'ai connu une véritable crise religieuse où je voulais sentir la présence de Dieu. Je me rappelle une nuit très très précise du mois de juillet de je ne sais quelle année, où j'attendais la manifestation de l'Existence divine. Et ça ne s'est pas produit. Et le lendemain, il y a eu à la fois une grande déception et une

grande libération. Le monde est sans Dieu, on fera avec ! Et donc il y a eu une période de rejet. Évidemment en partie contemporaine de mon engagement dans le Parti communiste.

Jacques F. (1936, Alexandrie), dans sa lointaine Égypte, vit, à peu près au même âge et la même année, une aventure à la fois semblable et différente, parce que déjà plus teintée d'Histoire, plus marquée par la tragédie récente :

> La vie était rythmée par les fêtes, les prières. Et j'y adhérais très très fort, jusqu'à quatorze ans et demi-quinze ans. Quand ça s'est cassé, ça s'est cassé définitivement. Plus jamais je n'ai été croyant. Je vais avoir cinquante-neuf ans, je reste athée. Complètement athée. J'adore le religieux, mais je suis athée.

Écoutons bien cette dernière phrase : peut-être résume-t-elle de façon lumineuse la situation existentielle des Juifs communistes. Alors que beaucoup de Juifs laïques déclarent « détester le religieux », peut-être les communistes – parce qu'ils ont le goût du cérémoniel, l'habitude du « texte caché », le sens du Livre – sont-ils plus enclins que d'autres à épouser cette passion inattendue !

> — Comment s'est faite la cassure ?
> — Oui, la cassure est très simple. En août... j'allais avoir quinze ans... le jour du *Tichah be-Av* – la commémoration de la chute des deux Temples. Assis par terre, la veille au soir toutes les lumières éteintes, une bougie par terre, les vêtements les plus déchirés, mes oncles et mon père des cendres et de la poussière, qu'ils allaient chercher dans les cimetières, sur le front... Et le lendemain matin, tout à coup ça me saute aux yeux, c'est une élégie. Une élégie qui rappelle le Martyre des Dix qui sont morts pour la Sainteté du Nom divin. Le premier, on lui arrache je ne sais pas trop quoi, le second on le brûle vivant, le troisième... Et puis, à un moment donné, il y en a un qui hurle si fort que sa voix monte au Ciel. Et les Anges disent : « S'il y a un autre cri comme celui-là, je ramène la Terre au *tohu bohu* originel et je suis délié de mon serment concernant le Déluge. » Et je dis : « Dieu est un menteur ! »
> À ce moment-là, c'était l'inquisition contre les Juifs, on le savait puisque l'Égypte était un lieu de transit vers Israël, donc nous avions eu les Hongrois qui étaient venus, rescapés des camps, les femmes yougoslaves, sur lesquelles il y avait eu des expériences, donc on a su

très très vite, on a vu tous les rescapés des camps défiler. Donc, dès 1945, on le savait.

Et donc je me suis dit : « Ou Dieu est pervers, ou il est menteur. Enfin il n'existe pas, quoi. Il ne mérite pas d'exister. » Et c'était fini. Dieu a cessé d'exister définitivement. Et le marxisme est venu très vite relayer ça.

Pour d'autres, c'est le refus du jeûne de Kippour qui brise le charme et ouvre la voie de l'adhésion :

> Et moi, je ne pouvais pas m'arranger. Tout d'un coup, je voyais une pratique du judaïsme qui... qui n'allait pas avec la vie de tous les jours. Moi, je ne faisais pas strictement *chabat*, ma mère le faisait, mais ce n'était pas contre elle, c'était ma découverte à moi : la fille qui prenait conscience, très alertée par la guerre d'Algérie, par l'idée de s'engager, de militer. Que c'était ou l'un, ou l'autre. Donc j'ai dit à ma mère que je ne voulais plus faire mon *Chema Israël*, plus faire Kippour. Voilà comment je suis entrée au Parti. (Annie C., 1945, Grenoble.)

Certains enfin rompent avec la religion parce qu'ils ont accumulé des lectures qui les ont, croient-ils, désabusés : « Des matérialistes, des Français du XIXe siècle comme Le Dantec », explique Claude B. (1931, Tiaret). « Victor Hugo », se souvient Joseph F. (1917, Le Caire). « Sartre », affirment Marcel H. (1950, Oran) ou Alain F. (1947, Casablanca), celui-ci ajoutant, pour la bonne bouche, Aragon et Nizan. Bref, de bons étudiants français, correctement amoureux de littérature française, d'autant plus assoiffés d'intégration, de similitude, qu'ils viennent d'au-delà des mers.

Après l'adhésion, réplique l'autre moitié du chœur (neuf interviewés, tous séfarades, dont cinq sont restés au PCF). Ici encore, c'est autour du jeûne de Kippour ou de la proscription du levain à Pessah que se fait le plus souvent la cassure : la bouche, l'estomac, la nourriture, voilà ce qui constitue comme d'habitude la référence juive la plus profonde.

> La première fois où j'ai arrêté de jeûner à Kippour, se souvient Albert J. (1922, Le Caire), c'était un acte comme de se jeter à l'eau, j'ai franchi le Rubicon ce jour-là. Ça me posait des problèmes insolubles, parce que parfois il y avait une réunion d'organisation le

vendredi soir et je me battais avec les camarades, je ne peux pas...
« Mais comment ? Tu es un petit bourgeois ! – Mais non, c'est parce
que je ne peux pas faire de peine à ma mère, etc. » C'était une lutte
constante entre le désir de ma mère de me ramasser, autour d'un plat
bouillant de poule, et les exigences de... de... de mes idées.

D'un côté, le « désir de la mère », le bouillon de poule ; de
l'autre, la « réunion d'organisation ». Le dilemme est cornélien. Et,
comme chez Corneille, c'est la voie la plus rude qui l'emporte.

Claude J. (1928, Tlemcen) arrive à Paris, âgé de dix-sept ou dix-
huit ans. Il suit l'enseignement de Manitou[1] :

> Je suivais toujours les rites religieux, mais d'une façon formelle, je
> n'avais pas le sentiment d'être devenu athée. Et puis, venant à Paris,
> militant dans les cellules... Bizarrement, un jour, je me suis aperçu que
> j'avais mangé du pain, un camarade juif s'est moqué de moi : « Tiens,
> tu manges ? » Je ne m'en étais pas rendu compte. On était Pâque. Et
> puis je me suis rendu compte que je n'avais plus la foi. Ça s'est passé
> comme ça. De façon très insignifiante.

Adhérer, quand ? comment ? pourquoi ?

Ils sont juifs. Ils subissent l'attraction du mouvement communiste. Les uns vont adhérer sans même songer à leur judéité, on
dirait presque : *bien qu'ils soient juifs.* Les autres suivront un
chemin plus obscur, plus lié à des raisons secrètes : ils rejoindront
le PC *parce qu'ils sont juifs.*

Le Parti n'aime guère ce genre de raisons. On adhère pour des
raisons de classe. Point final. Le reste n'est que mauvaise littérature
petite-bourgeoise. Nehmias K. (1927, Przemysl), vétéran des FTP-
MOI, met les points sur les *i* : « Je ne me suis jamais posé la
question : "Est-ce que je me bats parce que je suis communiste,
parce que je suis juif ou parce que les Allemands... ?" »

---

1. Manitou : Léon Askénazi, dit Manitou (1922-1996). Ancien directeur de l'école
d'Orsay (centre du renouveau de la pensée juive en France). Philosophe, exégète de la
kabbale. Un recueil d'articles et de conférences a été publié en 1999 chez Albin Michel,
sous le titre *La Parole et l'écrit, 1. Penser la tradition juive aujourd'hui.*

Dans les récits de l'adhésion, tous les stéréotypes du ralliement banal se déclinent sur les trois itinéraires que valide l'histoire officielle du Parti.

Les premiers (chronologiquement parlant) avancent, triomphants, sur le chemin qui mène *de l'antifascisme à l'anti-impérialisme*. On adhère après le 6 février 1934, pour lutter contre les ligues. On prend sa carte dans l'enthousiasme du Front populaire. On rêve de rejoindre le combat héroïque des républicains espagnols. Les exploits de l'Armée rouge nourrissent l'admiration pour Staline, figure tutélaire de la victoire sur le nazisme : on a l'illusion de s'engager dans les bataillons de Stalingrad ou de planter la faucille et le marteau sur la Porte de Brandebourg. Les batailles se font ensuite moins héroïques : il faudra donc, désormais, les mimer. L'Appel de Stockholm[2] ou la campagne *Ridgway go home* ou *Ridgway la peste*[3] fournissent un décor de rechange, une liturgie qui donne l'exaltation de revivre les temps de gloire. De Gaulle, tel que le décrit *L'Humanité*, réincarne pour quelques années le mythe jamais usé du danger fasciste, de l'apprenti dictateur. On adhère pour s'opposer au « coup d'État fasciste, militaire et policier ». Charonne et ses morts renouvellent la dramaturgie lointaine du 6 février 1934, provoquent de nouvelles vocations de militant. Le Chili enfin, le coup d'État (celui-là véridique) de Pinochet offrent peut-être la dernière occasion de se prendre, en adhérant, pour un héros de la résistance à la Bête immonde.

De l'anticolonialisme aux nationalismes du tiers-monde : voilà le deuxième parcours type que vont suivre bon nombre de Juifs communistes, à l'image de leurs compatriotes non juifs, issus comme eux du Maghreb ou d'Égypte. Des séfarades, donc, pour la plupart (quinze sur dix-sept), et qui – devant les désenchantements

2. Le 18 mars 1950, le Mouvement mondial des partisans de la paix (créé en avril 1949), très lié au Kominform, lance l'Appel de Stockholm contre la bombe atomique. Les communistes français déploient d'immenses efforts pour recueillir des dizaines de milliers de signatures.

3. Au printemps 1952, le général Ridgway est nommé commandant suprême des forces de l'OTAN en Europe. Il vient de Corée. Les communistes l'accusent d'y avoir mené la « guerre bactériologique ». Ils organisent une grande manifestation de protestation le 28 mai, qui tourne à l'émeute. Jacques Duclos est arrêté.

et les amertumes d'une Histoire particulièrement cruelle – vont plus tard massivement quitter le Parti (douze sur dix-sept) :

> Je considérais comme intolérable, se souvient Micheline T. (1936, Tunis), la domination de petits Blancs qui n'avaient aucune qualification pour nous dominer et pour dominer la population musulmane dans son ensemble. Si on était patriote, on entrait au PC. Donc c'est un patriotisme anticolonial, mais universaliste, qui rêvait d'une Tunisie républicaine, démocratique, qui aurait respecté les droits des individus, etc. C'est tout cela que j'attendais du Parti communiste tunisien.

Inutile de dire qu'avec de telles prémisses, on ne fait pas de vieux os au PC (qu'elle quitte en 1968...) !

Les seuls à s'obstiner, ce sont des Juifs d'Égypte (cinq sur cinq). Peut-être parce qu'Henri Curiel leur offre, après l'exil, un nouvel aliment à leur anticolonialisme. Peut-être aussi parce qu'il s'agit d'une micro-société où le militantisme se vit comme un élément d'une convivialité nostalgique.

De l'anticapitalisme à l'Union de la gauche : voilà enfin la troisième voie d'accès au PCF que Juifs et non-Juifs empruntent avec le même entrain (bientôt douché par les avatars du couple Mitterrand-Marchais). Berlinguer se dresse, sous la bannière de l'eurocommunisme, comme le héros de ces néophytes.

Il est une quatrième voie, moins glorifiée par le Parti, qui tente cependant un certain nombre de romantiques, dont bien sûr quelques Juifs. Ce que l'on pourrait appeler : *du mythe ouvrier au fantasme du PC*. On est né bourgeois, on « rencontre » la classe ouvrière (ou l'on croit la rencontrer), on s'enflamme, on s'imagine que le Parti communiste en est l'incarnation ou l'avant-garde. On adhère. Ce que les militants n'apprécient guère : « démarche gauchiste », « illusion petite-bourgeoise »... Yves-Marc Z. (1946, Paris) va même – nous l'avons vu –, alors qu'il poursuit des études de sociologie à Nanterre, jusqu'à passer un CAP de soudeur et à s'engager sur des chantiers. Philippe P. (1936, Paris) prend conscience, des années après avoir rendu sa carte, qu'au Parti il a « découvert une classe qui [lui] était complètement étrangère ».

Mais le Parti apprécie encore moins que l'on adhère pour *des raisons spécifiquement juives.* Je te demande quelle est ta classe, camarade. Pas ta religion. Encore moins... quoi ?... ta « race » ?... non, ce n'est pas possible !... ton « peuple » ?... quelle horreur !... Sauf, bien sûr, quand le Parti n'a guère le choix, quand cela l'arrange. Dans la Résistance, par exemple, où des Juifs servent au premier rang, comme poseurs de bombes, lanceurs de grenades, maîtres en déraillement des trains.

Fils ou fille de militants, né à Belleville, nourri au lait de la tradition révolutionnaire : il y a des enchaînements auxquels on n'échappe guère. Chez les ashkénazes des années trente à cinquante, la carte se transmet d'une génération à l'autre : « J'ai été communiste presque de naissance », proclame Roland Y. (1923, Alfortville.) ; « Par fidélité à mon papa », surenchérit Marianna K. (1942, Paris), fille d'un fusillé de la MOI. Au point que, chez un jeune d'aujourd'hui, cette *mimesis* peut même faire hésiter à franchir le pas. « Jusqu'à l'âge de dix-sept ans, avoue Anne L. (1967, Ivry), je n'ai pas voulu m'engager. Je n'ai pas voulu le faire parce que je ne savais pas si c'était moi qui pensais ou si c'était mes parents à travers moi. »

N'exagérons tout de même pas cet automatisme. On connaît bien des enfants de militants qui, à l'inverse, s'insurgent contre la figure paternelle, soit en se faisant les apôtres du libéralisme mondialiste, soit en rejoignant les groupes trotskistes ou maoïstes.

Chez certains séfarades, tout au contraire, – surtout chez les filles –, c'est la révolte contre la famille qui conduit tout droit au communisme :

> Moi, explique Nadyne V. (1956, Tiaret), j'ai été complètement traversée par ce que je crois comprendre maintenant, à savoir que les Juifs, dans mon enfance, étaient des gens incultes, des gens, je dirais grossièrement, capitalistes. Et donc ce serait en rupture avec ça, contre cette appartenance-là, que j'ai adhéré au Parti.

Viviane C. (1958, Casablanca) tient à peu près le même langage :

> Donc, moi, je m'opposais vraiment à mon père et à... et à mes frères. Et ça se finissait toujours très très très mal, les repas. Ça se finissait toujours par des crises... Non, c'était assez violent...

218

Tout se mélangeait un peu. J'étais une fille. Mon père, il est quand même d'une éducation... maghrébine. [Elle rit.] Très traditionnelle. Quand même, on lui apporte ses chaussons et tout le reste... Donc ça se manifestait aussi par le fait... que je voulais accéder à une autre forme... [elle rit] de rapport et de liberté. Et donc, comme j'étais une fille, je n'avais pas le droit de ci, ni de ça.

À quatorze ans, Viviane adhère donc aux Jeunesses communistes, sans prévenir ses parents. Elle refuse de se laisser inscrire dans une école juive. Elle « cache systématiquement tout » chez elle. Le Parti est l'expression rêvée de sa révolte.

Le traumatisme de la Shoah constitue sans doute le mobile d'adhésion le plus puissant. Sur les quarante-trois ashkénazes de l'échantillon ayant adhéré après la guerre, trente-deux ont eu au moins un parent déporté – « vingt et un membres de ma famille », calcule Roland Y. ; « plus de cent », surenchérit Jacques R. Auxquels il faut encore ajouter quatre séfarades, parmi ceux qui avaient déjà une partie de leurs oncles et tantes, cousins et cousines installés en France. Sur ces trente-six victimes privilégiées de l'Holocauste, treize militent encore au Parti communiste.

Combien de vocations communistes sont-elles nées, ou se sont-elles confirmées, devant la porte à tambour de l'hôtel Lutetia, quand s'affichaient les listes de rescapés et que se prolongeait, jour après jour, l'attente vaine !...

Jacques K. (1930, Paris), par exemple : son père, son frère, son grand-père, sa grand-mère... tous à Auschwitz.

> Et puis, quand on est revenus et qu'on allait à l'hôtel Lutetia pour voir, c'est là qu'un déporté nous a appris que mon père et mon frère... Mon frère a été étranglé par un *kapo*, il était soi-disant arrivé en retard à un repas. Mon père, quand il a appris ça par la suite, paraît-il qu'il s'est jeté sur les fils de fer. Comment mon grand-père et ma grand-mère sont morts, ça je ne sais pas, mais ça on l'a su.

Il se rend en pèlerinage à Auschwitz avec sa petite-fille. Il montre les photos.

> Et je crois que c'est ça qui fait qu'on a... on avait besoin... on avait besoin d'ag... de réagir, on avait besoin de réagir devant toutes ces

choses qu'on a connues après et puis qu'on nous a montrées après. Et je crois que le Parti communiste... enfin... était une forme, pour nous, de... de... de combattre le fascisme, le nazisme.... Et ça, je crois... je crois que c'est fondamentalement ça et aujourd'hui, avec... enfin, on continue parce que j'ai des amis et tout, on continue, on a cru... enfin, on croit à une société, mais aujourd'hui, devant une montée du lepénisme, eh bien oui, je resterai communiste. Absolument.

Le lapsus qui substitue, pour une demi-seconde, le passé composé au présent (« on a cru... enfin, on croit... ») dit assez la tragédie de ces hommes et de ces femmes pour qui le communisme a été une telle foi, une telle façon d'échapper au trauma de l'Holocauste (« besoin d'ag... de réagir ») et qui se retrouvent aujourd'hui si démunis...

Samuel D. (1936, Paris) – qui veut me mettre à la porte parce que je ne lui ai pas dit que j'avais quitté le Parti – a sans doute quelques solides raisons de se montrer, comme on dit, « sectaire » : son père a été arrêté le 1er septembre 1943 ; il a été déporté à Auschwitz le 7 octobre 1943 ; il est mort en janvier 1944. L'attachement viscéral au Parti est l'unique moyen que Samuel ait trouvé pour se raccrocher à la vie, pour croire encore à quelque chose :

> Ça, c'est clair. Chaque fois que je faisais une action au point de vue militant, c'était justement pour honorer la mémoire de mon père. Mon père est mort en janvier 1944. J'ai appris ça après, parce qu'il y avait dans son convoi une personne qui m'a signalé qu'en fait il en avait tellement marre qu'il s'est suicidé sur les fils électriques. Il n'a pas été gazé. De toute façon, il a préféré mourir avant d'être choisi, il n'était peut-être pas du genre à se bagarrer... du genre à piquer la bouffe des autres pour vivre. Donc il devait être physiquement moins fort que les autres et il a préféré se suicider avant d'être choisi pour aller au four crématoire. Ceci étant, celui qui m'a raconté ça, lui, il est revenu !

Dans ces deux cas, remarquons-le bien, le fils insiste sur le fait que son père s'est volontairement donné la mort, qu'il n'a pas été gazé. C'est qu'en effet le discours communiste (et gaulliste[4]...) de

---

4. On peut encore en entendre un écho, cinquante-trois ans plus tard, dans la déposition de Pierre Messmer au procès de Maurice Papon à Bordeaux.

l'époque distingue soigneusement entre les « déportés politiques » – les héros qui se sont battus dans la Résistance – et ceux qu'on appelait les « raciaux », qui, eux, se seraient laissé assassiner sans combattre. Ce qui ne va pas, parfois, sans quelque frustration douloureuse. Jacqueline A. (1944, Montauban) était encore dans le ventre de sa mère, quand la police est venue arrêter son père en avril 1944. Son grand-père et sa grand-mère ont déjà disparu en juillet 1942, dans la grande rafle du Vél'd'Hiv :

> Nous, nos parents, ils étaient juifs, ils ont été victimes de la Shoah. Et pourquoi nos parents, c'était des cons qui se sont fait prendre, alors que les autres, c'était des résistants ? Bon, ils ont résisté, c'était des nobles ! J'ai remarqué qu'on est nombreux à penser ça... Et pourquoi, nom d'un chien, on a exalté tous les résistants ? Et les autres, c'était quoi ? Des pauvres types, des pauvres cons, et alors ? J'exagère exprès. Mais j'ai très mal ressenti ça. En plus, à la CCE, vous aviez toutes les photos, alors pourquoi il n'y aurait pas eu la photo de mon père ?

Quelques-uns n'ont pas cette révolte. Jean Z. (1924, Paris) a perdu dans la Shoah sa grand-mère, deux sœurs de son père, deux sœurs de sa mère et leurs enfants. Il exalte pourtant, par contraste, le courage d'une de ses amies, « déportée politique » :

> Elle avait vu les Juifs en déportation, elle avait quand même une opinion qui n'était pas très heureuse.
> — C'est-à-dire ?
> — C'est-à-dire que le... la couardise de beaucoup qui croyaient que, par des courbettes, ils allaient gagner leur vie, et c'était pas souvent le cas en tout cas... Alors que, même en déportation, elle a réussi à résister.

Le traumatisme de la Shoah renforce encore l'immense prestige de l'Union soviétique. Jacques R. (1928, Lodz) n'en finit pas d'exprimer « la reconnaissance [qu'il] devait à l'Armée rouge qui, par son avance, a permis aux Juifs qui ont survécu d'être encore vivants. D'avoir été l'armée qui avait libéré Auschwitz ».

Le père d'Annette R. (1930, Paris) – l'épouse de Jacques – est mort, quelques jours après sa sortie de Drancy, des suites des mauvais traitements.

221

> Bien sûr que la Shoah et que la Libération, pour moi, c'était des millions et des millions de Soviétiques qui avaient payé de leur vie... C'est vrai que la Shoah, pour moi, oui, bien sûr, a joué un grand rôle. D'ailleurs, par la mémoire de tout ce que j'ai pu passer à mes enfants. Je crois qu'il n'y a pas un seul livre sur la Shoah, écrit par les écrivains progressistes et communistes, qui ne soit pas dans notre bibliothèque. Je crois que là [elle rit], on a dû faire le plein.

Elle a quitté le Parti communiste en 1981, après quarante-six ans de militantisme, mais elle n'envisage même pas une lecture de la Shoah qui ne soit estampillée par l'histoire officielle, telle que l'écrivent les « progressistes et communistes ».

Même ceux qui ont aujourd'hui pris pleine conscience de l'effondrement de l'idéologie communiste et de l'hégémonie présente des idées dites « libérales » refusent de démordre de cette certitude toute simple : seul le Parti, à l'image de l'Union soviétique, s'est vraiment battu contre le fascisme. Joseph A. (1944, Milan) a déchiré sa carte en 1967, ce qui lui a tout de même laissé le temps de la réflexion. Il affirme encore :

> Je pense que le fait que mon père ait été déporté a joué dans cet engagement parce que... l'engagement au PC était aussi synonyme de « plus jamais ça ! ». On considérait à l'époque qu'il n'y avait que le Parti communiste français qui luttait réellement pour que ça ne se reproduise plus. Alors que les autres ne faisaient rien ! Ce qui n'est pas tout à fait faux. Parce que les non-communistes passifs ont beau jeu maintenant de dire : « C'est scandaleux ! », alors qu'eux n'apportaient rien, n'ont rien fait pour que ce contre quoi le Parti communiste explicitement luttait ne se reproduise pas. Il y a très peu de gens qui, dans les années cinquante et le début des années soixante, ont eu une position active pour défendre des valeurs qu'ils ont reprises par la suite et qu'ils ont opposées au communisme. Très peu. La plupart du temps, ils n'ont rien fait et leur grande gloire, c'est de ne pas avoir été au Parti communiste. Donc une définition par la négative.

Faut-il donc comprendre que l'on adhère parce que l'on voit dans le Parti communiste le meilleur rempart contre l'antisémitisme ? Contrairement à toute attente, l'argument est aujourd'hui peu invoqué. Sans doute la suite de l'Histoire occulte-t-elle désormais les motivations que l'on affichait peut-être fièrement il y a cinquante ans.

Beaucoup plus fréquenté paraît un autre chemin spécifiquement juif vers l'adhésion : *le culte, ou la* mimesis *des héros FTP-MOI.* Dieu sait pourtant que le Parti (pas plus, du reste, que les gaullistes) ne s'est guère démené pour entretenir cette mémoire... Le seul nom qui émerge de l'Affiche rouge, c'est celui de Manouchian, un des rares non-Juifs. Si les banlieues rouges multiplient les rues Jean-Pierre-Timbaud, Gabriel-Péri ou Danielle-Casanova, combien célèbrent ainsi le souvenir de Marcel Rayman, de Joseph Tyszelman ou de Joseph Epstein ? Et pourtant la génération des jeunes Juifs de 1945 – ceux qui ont connu les rafles dans les ateliers-taudis du XIe ou du XXe arrondissement, ceux dont les pères vendent encore *L'Humanité-Dimanche* du côté de Couronnes ou de Belleville – brûle d'imiter l'exemple glorieux de ces aînés à peine plus âgés qu'eux.

Yves-Marc Z. (1946, Paris) passe toutes ses vacances d'adolescent dans les colonies de l'UJRE :

> Et puis tous ces portraits de résistants fusillés dans les dortoirs... Il y avait une espèce de folie, comme ça, qui... En fait, ça pèse sur les gosses, quoi. Et je me rappellerai toujours une bataille au polochon, où les savates traversent le dortoir et le portrait d'un résistant fusillé s'effondre par terre. Et la directrice arrive... en larmes. C'était l'émotion vraiment absolue, quoi.
>
> En tous les cas... la notion d'héroïsme est déjà très présente. Et en colo, rue de Paradis, les gosses, il y a sans cesse : « Si on était torturés, est-ce qu'on parlerait ? » Alors, quand on a treize ans ou quatorze ans !... Je trouve ça totalement effrayant... [Il rit.] Et à l'époque, quand on me demande ce que je veux faire comme métier, un truc qui revient sans cesse, c'est correspondant de guerre.
>
> Pour beaucoup de militants, il y a l'obsession d'être aussi héroïque... que ses parents, ou que les membres de sa famille, ou que les adultes de l'entourage.

À dix ans, il adhérera à l'UJRE. À quatorze ans, il rejoindra les Jeunesses communistes. Et quand le Parti lui semblera trop tiède, trop embourgeoisé, il se retrouvera – pour un temps – aux Comités

Vietnam de base, qui flatteront davantage sa nostalgie de l'héroïsme. À défaut que l'Histoire lui fournisse une occasion de glorieux sacrifices, il devra se contenter d'un combat par procuration.

> Dès qu'en 1941 ont paru les premières affiches de fusillés, se souvient André N. (1925, Belgique), en particulier celle où Tyszelman a été fusillé par les nazis – ils mettaient sur les affiches le plus souvent « Juif et communiste » –, les communistes avaient tout naturellement notre sympathie. Parce qu'ils apparaissaient comme ceux qui se battaient effectivement contre les Allemands.
>
> J'ai été le premier communiste de la famille. Sans aucune fausse modestie, je sais très bien dire : « J'ai été le premier ! » Et, en février 1945, j'ai donné mon adhésion à la section du IIIe arrondissement. Mon adhésion n'était pas du tout fondée sur des positions de classe. J'ai adhéré au Parti pour tout ce que les communistes en France et les Soviétiques – dont je vénérais l'Armée rouge et ses dirigeants, y compris Staline – représentaient à mes yeux comme antifascisme, parce que j'exécrais par-dessus tout le racisme, à travers l'hitlérisme.

Ils sont ainsi des dizaines – et pas seulement chez les ashkénazes – à se nourrir de ces souvenirs épiques, à fantasmer leur adhésion comme une façon d'imiter les héros, de reprendre le même combat.

Même des séfarades, qui n'ont pas vécu l'Occupation, qui n'ont connu l'épopée de la Résistance communiste que par les livres d'hagiographie publiés par le Parti, rêvent d'imiter ces héros de légende.

Micheline T. (1936, Tunis) adhére au Parti communiste tunisien à l'âge de seize ans. Elle appartient à une famille de la petite bourgeoisie juive.

> Et puis il y a eu un moment où j'ai l'occasion, avec quelques autres... d'entrer dans le personnage, qu'on avait trouvé dans la littérature, dans les histoires héroïques qu'on nous racontait de la Résistance, de la Révolution bolchevique, etc. Ça, ça a duré trois jours ! [Elle rit.] C'est pas très long ! On a l'idée absolument farfelue... irréaliste, d'écrire un tract que nous, étudiants français juifs, nous allons diffuser dans la Medina aux abords de la Grande Mosquée, c'est-à-dire de la Zitouna, qui est l'université de théologie. Où les étudiants sont complètement

arabophones, encore en costume traditionnel... En fait, on ne rencontre pas de gens avec notre bobine dans le secteur !...

Mes camarades ne sont pas plus tôt arrivés qu'ils se font arrêter. Et ils sont interrogés par la police. Nous savons par cœur comment un héros doit se comporter en cas de répression. On attendait tous l'occasion de bien se conduire ! Or, manque de pot, ils ne comprennent pas les ruses de la police qui dit : « Nous savons déjà tout, donc si nous vous posons des questions, c'est juste pour vérifier. Vous étiez bien hier avec telle ou telle personne ?... », ils répondent bêtement : « Oui, j'étais bien avec... », bref...

C'est une catastrophe, d'abord parce qu'ils ne jouent pas leur rôle héroïque, ils s'en aperçoivent après coup et ils sont très malheureux ! Ensuite parce qu'il y a un deuxième coup de filet, et donc je suis convoquée à la police et gardée une journée. Et enfin et surtout parce que ça a provoqué une discorde épouvantable entre des gens qui étaient des amis très chers. On ne pouvait plus se regarder en face après, puisqu'on n'avait pas eu les mêmes attitudes.

Alors pour moi, qui étais une bonne stalinienne, [elle rit], je me suis bien conduite ! J'ai eu mon moment d'héroïsme. Et en même temps le désenchantement qui a suivi, j'ai perdu mes amis. Ça a été une expérience cuisante, dont je me souviens encore sans plaisir.

Tous les éléments de la *mimesis* se retrouvent dans ce bref récit, mais – grâce à l'ironique lucidité de la narratrice – sur le mode de la comédie. Le langage est en effet celui du théâtre. Il s'agit d'« entrer dans un personnage », dont on a trouvé le modèle « dans la littérature, dans les histoires héroïques qu'on nous racontait » ; on connaît son rôle « par cœur », sauf que les camarades « ne jouent pas leur rôle héroïque » ; la police, hélas ! connaît le sien. Un mot revient par quatre fois : « héros », « héroïque », « héroïsme ». Le décalage avec le réel (celui des étudiants de la Zitouna, celui de la police, celui des jeunes membres du Parti) apparaît dans toute sa cruauté dérisoire. Il faut cependant plus d'une expérience comme celle-là (fût-elle « cuisante ») pour éloigner une adolescente enthousiaste de cette pantomime de l'action qu'on appelle le militantisme : Micheline T. adhérera au PCF à son arrivée en France, le quittera en 1958, reprendra sa carte en 1965 et ne rompra définitivement qu'en 1968.

VII

Pratiquer, croire

2. Ces militants qui pratiquent le judaïsme

Les voici donc officiellement communistes. Ils possèdent leur carte. Ils participent aux réunions de cellule. Cessent-ils pour autant de respecter le minimum de pratique qui, pour beaucoup de Juifs, constitue le fonds irréductible de la judéité ? Essaient-ils de concilier quelque chose ? Rompent-ils, si elle a survécu, avec la tradition de leur famille ?

Militants, ce qui veut dire un peu plus qu'adhérents. Le Parti exige beaucoup de ceux qui renoncent au simple compagnonnage pour s'engager pleinement dans ses rangs. Presque autant que la synagogue, lorsqu'elle revêt les habits de l'orthodoxie et impose ses six cent treize commandements. Obéissent-ils au doigt et à l'œil ? Et surtout comment vivent-ils les désillusions de leur confrérie, les traumatismes de l'Histoire ? Survient-il un moment où ce qu'il leur reste de judéité supporte mal les contraintes de ce qu'ils appellent peut-être encore le « camp progressiste » ?

Ceux qui refusent

Nombreux sont ceux qui refusent toute espèce de lien avec la loi du judaïsme.

Cela commence peut-être le jour du mariage (du moins après la guerre). Près d'un sur trois, dans notre échantillon global, choisit d'épouser un non-Juif, ce qui – compte tenu de notre ignorance de la date exacte des noces – ne doit guère différer de la moyenne de la judaïcité française[1]. Et, curieusement, les séfarades font cette fois jeu égal avec leurs cousins venus de l'Est. La cérémonie exclusivement civile s'impose de plus en plus.

Ni l'une ni l'autre de ces transgressions ne semble particulièrement liée au militantisme ou à l'athéisme des parents. Il s'agit bien, la plupart du temps, d'une décision souveraine, à l'abri de toute pression familiale.

Un fils naît bientôt. Faut-il le circoncire ? Le refus délibéré semble encore minoritaire (mais la moyenne d'âge de l'échantillon explique peut-être cette modération). « Non, vous plaisantez, quelle horreur ! » s'exclame Iliane K. (1923, Tel-Aviv, PCF depuis 1944). Les autres font plutôt part de leurs hésitations, voire des très vives interventions de la famille. Il faut entendre Béatrice C. (1923, Tunis, PCT de 1942 à 1961) raconter, cinquante ans plus tard, ses mésaventures :

> Alors, quel drame aussi ! Il faut vous dire que le Parti communiste tunisien était, à l'image du Parti français, antireligieux dans l'âme. Je ne me suis pas mariée religieusement. Quand mon fils est né, je ne l'ai pas circoncis. Ce qui a désespéré mes beaux-parents. Ce qui a provoqué la visite d'un cousin très religieux qui a essayé de me convaincre. Bref. On ne l'a pas circoncis.

Et la *bar mitsvah* ? Les mêmes, bien sûr, renouvellent leur refus : « Mon fils n'a pas fait sa communion non plus. Donc, à l'âge de

---

1. Dix-huit mariages endogamiques (dont quatre avant guerre) et treize exogamiques (un avant guerre) chez les ashkénazes, contre dix-neuf (dont trois avant guerre) et quinze (aucun avant guerre) chez les séfarades. Total : trente-sept endogamiques (dont sept avant guerre), vingt-huit exogamiques. Mais sur huit mariages contractés avant guerre, un seul exogamique (une ashkénaze). Cf. Doris Bensimon et Sergio Della Pergola, *op. cit.*, p. 130-131. D'après cette enquête, menée de 1972 à 1976, « en région parisienne, un ménage sur cinq (19,7 %) de tous ceux qui ont participé à l'enquête est formé d'un(e) conjoint(e) juif(ve) et d'un(e) partenaire non juif(ve). [...] Parmi tous les ménages existant en région parisienne, formés en France et comportant un partenaire non juif, un sur huit était mixte jusqu'en 1935, un sur six entre 1936 et 1955, un sur trois entre 1956 et 1965, un sur deux entre 1966 et 1975. Parmi toutes les personnes juives se mariant entre 1966 et 1975, une sur trois a épousé un(e) partenaire non-juif(ve) ».

treize ans, comme tous ses copains faisaient la *bar mitsvah*, il se sentait très frustré, je lui ai fait un très grand anniversaire pour avoir des cadeaux » (Béatrice C.).

Les parents meurent. Les enterrera-t-on religieusement ? Là, comme on pouvait s'y attendre, les engagements idéologiques du défunt jouent le plus grand rôle. Quitte à donner un petit coup de pouce, lorsque la situation n'est pas tout à fait claire. Restons, une fois de plus, avec Béatrice C. :

> Ma mère elle-même, quand elle est morte, je me suis interrogée. Je me suis dit : « Elle ne m'a jamais demandé qu'on lui fasse un service religieux. » Donc je ne l'ai pas fait. La seule chose qu'elle m'ait dite, quand mon mari a été incinéré, elle m'a dit : « C'est ce qu'il y a de mieux. » Ma sœur n'a pas voulu, je la comprends très bien. Je lui ai dit : « Tu veux un service religieux ? » Elle m'a dit non. Quelquefois, j'ai eu un peu de remords. J'ai regretté de ne pas parler hébreu, de ne pas faire le *qaddich*[2] moi. Faire quelque chose pour elle. Mais pas faire venir les rabbins.

Inutile d'ajouter qu'on refuse la *cacherout*, qu'on ignore les fêtes, qu'on boycotte la synagogue, quitte à s'affronter parfois brutalement à la famille. Même Josyane B. (1933, Bougie, PCF depuis 1966), pourtant fille de grand rabbin :

> — Vous n'assistez plus aux *seder* familiaux ?
> — Ça m'est arrivé une ou deux fois. Mais à ces moments-là, des heurts ou des discussions m'ont amenée à refuser de participer à des *seder* familiaux. Je l'ai fait après pour mes vieux parents. Les soirs de Yom Kippour, par exemple, ne pouvaient pas se passer sans un éclat entre mes frères et moi.

---

2. Prière en araméen « récitée par les personnes en deuil sur la tombe de leurs parents ou de leurs proches [...]. Dans la version récitée à l'enterrement, on ajoute un passage évoquant la résurrection des morts » (*DEJ*, p. 929-930).

« *Pour faire plaisir aux parents...* »

Mais la majorité des Juifs communistes de l'échantillon s'en tiennent à une pratique diluée, non théorisée, plus sociologique que proprement religieuse. On évite de s'opposer frontalement, on négocie des compromis, on fait semblant.

Le mariage à la synagogue ? Pourquoi pas, si ça peut « leur » faire plaisir... Écoutons le couple de Betsalel, dit Carlo L. (1930, Lvov, PCF depuis 1951), et de sa femme raconter leurs souvenirs :

— Vous vous êtes marié religieusement ?

— Oui. Je crois que ça faisait plaisir aux parents. Ça ne nous a pas posé de problèmes. La cérémonie religieuse, elle a eu lieu dans le Ve...

— Vous avez cassé le verre ? Vous avez fait tout ce qu'il fallait ?

— Ah oui !

ELLE [qui vient d'arriver]. – On a été critiqués par le rabbin, qui est adorable, mais il nous a critiqués parce qu'on n'était pas croyants. [Elle rit.] Et qu'il nous a traités d'intellectuels. Tu ne te rappelles pas ?

— Vous aviez été au bain rituel avant ?

— Ah non, non ! [Ils rient tous les deux.] On était allés le voir, comme il se doit, avant la cérémonie.

ELLE. – On l'avait choisi aussi, parce qu'on avait des amis qui s'étaient mariés là, c'est une toute petite synagogue... Mais comme j'aimais beaucoup la poésie, je lui ai dit ce qui me rattachait, c'est parce que je trouvais que le Cantique des cantiques était un des plus grands poèmes. [Elle rit.] Et il en a fait référence dans son... [Elle rit.] Tout à fait.

Ils sont tous les deux restés au Parti. Leur fille, Anne L., née en 1967, y a adhéré à son tour. Très typiques, l'un et l'autre, de la relation décontractée que beaucoup de Juifs communistes entretiennent mollement aujourd'hui avec la pratique religieuse. Ne pas faire de vagues.

Parfois le passage à la synagogue relève presque de la farce, comme pour Jacques P. (1923, Le Caire, communiste depuis 1942) et sa femme Odette P. (1920, Le Caire, communiste depuis 1942) qui, déjà militants, se marient au Caire vers la fin de la guerre :

« On était pressés, parce que ça se passait le matin, vers dix-onze heures, et on avait une réunion à une heure. Et on voulait que ça finisse vite... Nos parents étaient désespérés de nous voir mener ça tambour battant pour pouvoir partir. »

D'autres préfèrent la bonne vieille pratique de la bénédiction par un rabbin, mais pas à la synagogue. Parfois pointe cependant, dans le récit, quelque chose comme une nostalgie de la croyance, une sorte de pari pascalien : et si c'était vrai ? et si, faute d'y gagner, on était sûr au moins de ne pas y perdre ? Comme Madeleine S. (1929, Saint-Quentin, PCF de 1947 à 1980) – celle qui, le 16 juillet 1942, partait dans Paris à la recherche de sa grand-mère pendant que la police envoyait sa mère au Vél'd'Hiv :

> Alors j'ai dit à mon mari : « Papa va nous faire... une cérémonie chez lui, il suffit d'un anneau... » Alors on a fait ça chez moi, sans rien d'autre que ça. Mon mari a accepté. S'il n'avait pas accepté, je ne me serais pas mariée, parce que ça aurait voulu dire trop de choses.

Elle a quitté le Parti bien des années plus tard. Émile G. (1925, Paris), l'ancien déporté de Buchenwald, lui, y est resté. Ce qui ne l'empêche pas de maintenir une certaine ambiguïté sur son rapport au religieux. Un simple « caprice », bien sûr... :

> Je me suis quand même marié, c'est un détail, c'est un caprice, j'ai voulu quand même un rabbin. Pourquoi ? Je ne pourrais pas vous le dire. C'était... ça n'avait pas une signification extraordinaire pour moi.
> — Le rabbin est venu dans la salle... ?
> — ... où on a fait la réception. C'est tout.
> — Et il a dit les prières ?
> — Prières, voilà. Et puis, bon, ça a été tout. Mais enfin, ça a été un caprice de ma part parce que, si je n'avais pas insisté, ma femme de l'époque se serait passée de... de la manifestation, de la cérémonie religieuse.

Ne jamais tenter de passer en force, préférer le compromis à l'affrontement : voilà le *b a ba* de la sagesse telle qu'aime à l'enseigner le Parti. La circoncision du fils, par exemple. On se tient dans une position mi-chèvre, mi-chou. On circoncit le premier, pas le second. Ou, surtout, on confie la tâche à un médecin, si possible juif, pas à un rabbin ni à un *mohel*[3]. Encore et toujours Madeleine S., celle qui n'aurait pas pu se passer d'une bénédiction à son mariage :

> J'ai eu deux fils. Quand mon aîné est né, gros problème. La circoncision. Alors ce que je refusais absolument, c'est de dire que j'allais la faire par hygiène. Moi, je voulais que Romain et Laurent soient circoncis. Mon mari, absolument pas. Mes deux belles-sœurs ont eu des enfants, elles se sont mariées avec des Juifs. Elles ne l'ont pas fait. Donc moi, fallait pas que je le fasse. Dans ma cellule il y avait X qui était un médecin et qui était juif en plus, et alors il vient quand le petit naît, il me dit : « Tu sais, il faut que tu le nettoies bien, ton fils. Tu lui décalottes son zizi. Tu le nettoies bien. » Je lui dis : « Et pourquoi ? » Il me dit : « Parce que, si tu fais pas ça, il risque d'avoir un phymosis. – Ah ! bien, j'ai dit, alors si je veux être complètement tranquille, je n'y toucherai jamais. Et si je peux même laisser une couche sale, eh bien je ne manquerai pas de le faire ! » [Elle rit.] Alors il a éclaté de rire. « Pourquoi ? Tu voudrais l'opérer ? – Ah ! je dis, comment ! » Et on l'a opéré dans une clinique, par un chirurgien juif, qui m'a dit : « Vous voulez que je lui fasse une prière ? » [Elle rit.] Je lui ai dit : « J'irai pas jusque-là, mais ça ne me dérangerait pas. » [Elle rit.]
>
> Mon deuxième fils, il a pas été question que ce soit autrement. J'ai dit à mon mari : « Romain, je veux qu'il soit circoncis. Pas par un *goy*. Pas avec une cérémonie religieuse. Mais je veux qu'il soit circoncis. » Donc je l'ai pris et je l'ai emmené à l'hôpital Rothschild, avec un biberon. Mais là, j'étais déjà très fermement décidée. C'était un vrai désir.

Les autres multiplient les arguments d'hygiène. C'est fou, le nombre de phymosis qui peuvent se déclarer chez les fils de Juifs communistes !

Pour l'enterrement des parents, les positions – qui paraissaient quelque peu figées dans l'atmosphère de certitudes idéologiques où baignait encore, pour peu de temps, la Libération – tendent désormais à s'assouplir.

---

3. C'est « un spécialiste dûment formé et qui doit être un Juif pratiquant » (*DEJ*, p. 248-249).

On affirme que l'on n'y croit pas, qu'on agit par simple respect de la volonté du défunt, qu'il n'y a là aucune démarche religieuse. Mais on observe rigoureusement le rite – on en rajoute même un peu, comme Jacques V. (1913, Tunis), soixante ans de Parti derrière lui (sans compter la prison et les affaires plus ou moins mystérieuses) :

> On a fait exactement ce que la religion demande qu'on fasse, on a respecté totalement et dans l'intégralité... D'ailleurs, tout le monde a été surpris qu'on ait fait intégralement... J'ai un frère qui est également communiste. Et j'ai dit : « De toute façon, on fera tout. » Et donc ils sont allés à la prière... Et aux anniversaires de décès de mon père, on est allés à la prière.
> — Vous y allez toujours ?
> — Oui. Et c'est moi qui leur rappelle. Moi, souvent j'allais à la synagogue, je leur faisais un don, je leur disais : « Je veux que vous fassiez une prière, je vous donne le nom, vous faites une prière. » Je veux marquer, quoi. C'est ma manière de penser à lui. Et puis je me dis : « Ouais, peut-être que... De toute façon, je sais qu'il aurait voulu ça. » Je sais pas si c'est religieux... Pour moi, c'est pas religieux. C'est plus...

Ils sont une dizaine, très exactement répartis entre ashkénazes et séfarades, à tenir ce discours qui ressemble peut-être à de la dénégation.

D'autres, moins nombreux – apparemment des purs et durs –, s'en tiennent à des compromis bizarres. Madeleine Y. (1917, Paris), la vieille institutrice du *Pletzl* – au Parti depuis 1936 –, semble battre en ce domaine tous les records d'ambiguïté :

> Maman a voulu, bien que mon père n'était pas croyant, qu'on fasse une prière. Alors, sur la tombe de mon père, ma mère avait appelé le... le *reb*, qui a fait une prière juive, et à côté mon frère faisait une prière catholique !
> — Et elle-même ?
> — Non, elle n'était pas croyante.
> — Donc on l'a enterrée civilement ?
> — Oui, oui, oui. Je l'ai enterrée civilement.

Même Samuel D. (1936, Paris, PCF depuis 1955) – celui qui voulait me mettre à la porte de chez lui, parce que je ne lui avais pas dit que j'avais rompu avec le Parti – se montre moins pointilleux quand il s'agit d'observer ou de refuser le rite :

> À l'enterrement de ma mère, mes sœurs ont fait mettre une étoile de David sur le faire-part. Et elles ont fait dire une prière, mais pas par un rabbin. À son enterrement, il y avait plus d'une centaine de personnes. Par rapport à l'UJRE et compagnie, elle était quand même très connue.

Le semi-respect des fêtes autorise toutes les réductions symboliques : non, non, je vous le jure, cela n'a rien à voir avec la religion, c'est juste pour dire que... Pour dire quoi, au fait ?

La famille, avant toute chose. Écoutons un militant aussi convaincu que Marcel H. (1950, Oran, PCF depuis 1969), membre d'un comité fédéral, pas du tout du genre à discuter la « ligne » :

> Il y a des restes de pratique, je crois. Parce que les restes de ma pratique ont été fondés sur la communauté avec mon père. C'est-à-dire qu'en fait je ne croyais pas, mais il m'est arrivé de le rejoindre. Je ne sais pas si on peut appeler ça une pratique. Ça mérite discussion. Il m'est arrivé de le rejoindre le jour de Kippour, ou à d'autres périodes, à la synagogue, de manière explicite, il savait que je ne croyais pas. Ou il savait que j'étais à ses côtés. Donc c'est vraiment un lien familial. Un élément de pratique communautaire, je veux bien.

Bien souvent, l'affirmation identitaire le dispute à l'exaltation familiale. Communiste sûrement, mais juif tout autant, quels que soient les avatars de l'Histoire, les malheurs ou les tragédies des illusions perdues. La plus belle histoire de fidélité, c'est peut-être celle de Daniel G. (1928, Alger), membre du Parti communiste algérien de 1941 à 1956, puis du FLN jusqu'en 1966. Condamné à vingt ans de travaux forcés, il est interné à la prison de Lambèze :

> Moi, j'ai toujours revendiqué mon... Moi, j'ai fait Yom Kippour, en automne 1957 ou 1958, à Lambèze, dans une salle commune, moi qui suis athée, au milieu de deux cent soixante personnes, eh bien ! j'ai jeûné pour Kippour. Ouvertement. Pour m'affirmer en tant que tel. Les

musulmans jeûnaient pour Ramadan, je me suis dit : « Moi, je suis pas musulman. Je suis algérien. Je vais jeûner pour Kippour. » C'était la seule façon de me distinguer. [Il rit.] Et d'ailleurs, si je vous raconte, là, comment ça m'a touché... comment mes camarades, ils ont risqué la cellule, ils ont risqué le cachot pour me faire une cuisine chaude qu'ils m'ont apportée ensuite, le soir, à la rupture du jeûne... Un plateau avec un café chaud, avec un plat cuisiné. Ils ont dit : « Voilà, Daniel, tu vas rompre ton jeûne comme ça... » Des musulmans ! C'est vous dire que c'était une fleur, quand même ! Je vous raconte ça, c'est authentique. Je savais que mon père, pour Kippour, il me demanderait : « Est-ce que tu y as pensé ? », je voulais lui dire oui.

Sans atteindre à ce niveau de symbole, beaucoup s'obstinent à maintenir la Loi, malgré les ricanements du conjoint, l'incompréhension des camarades, la méfiance – sûrement – des « responsables ». Madeleine S. (1929, Saint-Quentin), toujours elle, l'adolescente sauvée par son manteau flottant sur le Cher :

J'ai toujours jeûné de toute ma vie. Même quand j'étais, comme dirait mon frère, foldingue du communisme. Je jeûnais. Je faisais à manger pour les enfants, pour mon mari. Tout le monde mangeait à table, moi je ne mangeais pas. Et il y avait une petite bougie toute la journée. C'était pour moi quelque chose de... d'indispensable. Et j'allais à *masker neshomes*[4], c'était le seul moment de l'année où j'allais à la synagogue. C'était très fortement ancré pour moi. J'avais des grosses discussions avec mon mari là-dessus... Je lui disais : « Mais enfin, le nombre de communistes qui ont des responsabilités et qui font la communion de leur fille ! Je vois pas pourquoi moi, je jeûnerais pas à Kippour. »

Une fête « de gauche » ?

Pour d'autres enfin, la fête juive, et surtout Pessah, se transforme en commémoration historique et quasiment patriotique. D'aucuns protesteraient (antisionisme à l'appui) et corrigeraient en disant : célébration philosophique, quelque chose comme une fête de la Liberté, de l'émancipation des esclaves. Bref, une fête de gauche !

---

4. Prière pour les morts, l'après-midi de Kippour.

On n'imagine pas le nombre de Juifs communistes qui, sous le couvert de ce discours « politiquement correct », célèbrent aujourd'hui leur *seder* en toute bonne conscience laïque, voire révolutionnaire. Quitte à s'en tirer, comme Jacques F. (1936, Alexandrie, communiste de 1953 à 1968), par une pirouette dialectique :

> Une fête que je fais – une seule –, c'est Pâque, le *seder* de Pessah. Kippour jamais, par principe. Pessah, c'est une fête de la Libération. Kippour, on s'adresse à Dieu. Si Dieu n'existe pas, je ne veux pas m'adresser à Dieu. Jeûner, c'est l'affliction, c'est pardonner ses péchés. Moi, je trouve ça rigolo, les gens qui jeûnent et puis qui sortent rompre le jeûne avec du jambon-beurre ! C'est stupide ! [Il rit.] Non, non, je travaille à Kippour, je mange à Kippour. [Il rit.]
>
> Il y a cette transmission : mes petites-filles adorent venir à Pâque, le soir du *seder*, qui a lieu ici. C'est moi qui le dis. J'ai horreur du *seder* laïque, actualisé. C'est le *seder* traditionnel, avec un petit avertissement au départ du style : « Il a bien fallu qu'ils nomment un sauveur, ils l'ont nommé Dieu, mais soyons sérieux, tout le monde sait que Dieu n'existe pas, maintenant on peut commencer ! » [Il rit.]

Même Bernard A. (1924, Paris), avec ses cinquante-cinq années de Parti – fidèle entre les fidèles –, se gargarise d'un discours d'excuse, qui insiste sur le caractère « laïque » de la fête. Et l'auto-dérision permet de faire passer la pilule :

> C'est donc un repas laïque. Mais c'est quand même marquer le... moi, ça ne me gêne pas. Personnellement, si j'avais une autre femme, enfin... une femme qui n'était pas proche de ça, je ne sais pas... si j'aurais fait. Si, pour marquer le coup. Et Dieu sait que ça n'a rien de religieux. Alors les sourires, les sarcasmes, « que tu le veuilles ou non, c'est quand même la religion ! », ça ne me gêne pas ! De toute façon, après nous, notre fille ne le fera absolument pas.

Le Talmud Torah *de l'Espace Marx...*

Ce qui étonnera peut-être le plus, c'est que des responsables de haut niveau, des membres du cercle dirigeant du Parti, n'éprouvent plus aucun besoin de se dissimuler pour accomplir le vieux rite symbolique. Même un membre du Comité national (l'ex-Comité central), comme Alain F. (1947, Casablanca, UEC/PC depuis 1968), participe toujours au *seder* chez ses parents (il est vrai que son père a été magistrat rabbinique et son arrière-grand-père grand rabbin du Maroc) :

> — J'y vais, oui. Je fais ça régulièrement depuis... depuis que mes enfants sont tout petits, parce que... je suis le seul à avoir épousé une *goy*. Dont je suis en train de divorcer, d'ailleurs. Ce qui conforte mes parents dans l'idée que j'avais fait... Ils ont mis quatre ans à recevoir mon épouse. Et puis après, ils l'ont adoptée. Mais mes enfants ont toujours assisté au *seder*.
>
> Non seulement mon garçon est circoncis, mais mon garçon... qui n'avait aucune formation religieuse et aucune pratique, est venu me réclamer de faire sa *bar mitsvah*, je soupçonne convaincu par son cousin germain que c'était un moment extraordinaire pour... pour ramasser plein de cadeaux, plein de sous. Mais en même temps, quelque part, c'était une forme d'identification à son père. Il l'a négocié avec son grand-père, ou son grand-père l'a négocié avec lui un peu dans mon dos. Et puis ils sont venus me dire : « Bon, on a décidé que... » Alors ça s'est passé ici. L'identification a joué, parce que l'enfant a... a dit : « Je veux bien faire ma *bar mitsvah*, mais je ne veux pas aller au *Talmud Torah*, c'est toi qui vas me former. » Alors, comme moi j'ai une formation réelle de ce côté-là, je... j'ai... ça me... ça me plaisait... à la fois ça me flattait un peu, puis j'y voyais bien quand même quelque chose qui était de l'ordre... qui était de l'ordre de l'identification à son père... Il n'était pas question que je dise non ! C'était pas pensable. Donc je l'ai fait.

On aimerait assister à ce spectacle : un membre du Comité national, co-responsable de l'Espace Marx (ce qu'on appelait autrefois l'Institut Maurice-Thorez), recréant un *Talmud Torah* pour son fils (qui, selon une interprétation traditionnelle de la Halakhah, ne serait du reste pas juif !)...

Le hasard a voulu que, le jour de l'assassinat de Yitzhak Rabin, Robert Hue se trouve à Marseille, en compagnie d'Alain F. :

> [Il] apprend qu'il y a une cérémonie à la synagogue de la rue Breteuil le soir même et il me dit : « Il faut que j'y aille. Tu prends contact avec le Consistoire. » J'ai organisé tout ça. Et il me dit : « Tu viens avec moi ! » Et je suis allé avec lui.

Et je me suis retrouvé dans cette synagogue que j'avais fréquentée avec mon père, à une place qui n'était pas la mienne, parce que moi, j'étais dans la salle. J'étais un peu devant, parce que mon père était... avait travaillé au Consistoire, quand il est arrivé à Marseille, donc il était dans les places... Mais là j'étais carrément dans les places d'honneur, à côté de Hue, vraiment c'était lui qu'on avait mis là, mais comme je l'accompagnais... on m'a mis à côté. Donc, bizarrement, je me suis retrouvé dans une situation...

Certains membres de la synagogue m'ont reconnu. Et quelque part ils étaient un peu... ils étaient fiers !... Ils étaient assez fiers, parce que j'étais à la droite de Hue, donc ça leur donnait une image, au fond, d'un parti où... Bizarrement, peut-être que, au fond, ça les rassurait de voir... que des gens issus de leurs rangs avaient des responsabilités dans un parti...

Eh oui ! Même le Parti donne droit à des « places d'honneur » ! Même le Parti s'enorgueillit de sa reconnaissance par la synagogue...

Gilles D. (1954, Bône, PCF depuis 1973), lui, a été chef du service Société à *L'Humanité*. Au moment de l'interview, il appartenait au cabinet d'un ministre communiste :

La signification [de Pessa<u>h</u>], c'est une chose que j'ai découverte assez tard. Franchement, chez mes parents, chez mes grands-parents, l'idée que ça puisse représenter tout simplement l'abolition de l'esclavage n'est absolument pas une idée acquise. On a ce grand plat avec les herbes amères, avec l'œuf, avec l'os et tout ça. Et si tout à coup un gamin autour de la table demandait : « Mais pourquoi ? Qu'est-ce que ça veut dire ? », la réponse la plus courante de ma mère ou de mon père, c'était : « C'est comme ça. On l'a toujours fait comme ça. »

Je crois que c'est à Pessa<u>h</u> que le côté particularité d'être juif apparaît de manière forte. C'est-à-dire aussi bien dans ces symboles, qui ont un côté très mystérieux, quand on est gamin, de voir ces choses, comme ça, dans les... dans les grands plats, le dernier jour, avec les herbes qu'on met dans la maison, le pain azyme, enfin tout ça... Et puis la durée aussi, le fait que ça dure une semaine, tout ça fait que... Pessa<u>h</u>, c'est plus familial, quoi. Lié à la maison, à la tradition.

— Aujourd'hui, vous faites encore des *seder* ?

— C'est chez ma mère et, en général, nous y allons tous pour le premier et le deuxième soir. Et pour le dernier soir.

— Et c'est vous qui lisez la *Haggadah* ?

— C'est collectif. Parce que c'est quand même assez long. [Il rit.] On se passe le relais, quoi. Un neveu, moi-même et d'autres... Pour ceux qui ne savent pas lire très bien l'hébreu, on la lit en français.

— Vous êtes capable de la lire en hébreu ?

— Euh... ça dépend des prières. Le *qiddouch*, oui. Le *qaddich*, oui. Les prières les plus courantes, j'arrive à les lire. J'ai des repères visuels qui font que c'est presque automatique. Pour la *Haggadah*, je ne dirais pas pareil. Il y a des passages, oui, et d'autres plus difficiles.

Gilles D. ne s'arrête évidemment pas en si bon chemin. Quand il reçoit sa mère chez lui, il cuisine cachère. Il continue à « marquer le coup » pour *chabat*, même depuis la mort de son père : « On se retrouve encore le vendredi soir et... Il y a toujours un neveu, moi-même ou d'autres pour dire le *qiddouch* et bénir le vin. » Il va à la synagogue une fois par an, pour Kippour. Il s'est même battu, au temps où il était conseiller municipal d'opposition au Blanc-Mesnil, pour faire bâtir une synagogue dans sa commune.

Tous séfarades, tous relativement jeunes, bien sûr, ces Juifs communistes qui intègrent ainsi une dose non négligeable d'observance religieuse au milieu de leur militantisme quasi professionnel : pour eux, la tradition ne s'est jamais interrompue ; l'éveil à l'idéologie n'est pas né d'un affrontement avec une famille conservatrice ; l'« exil » en France ne déchire pas les liens du sang ni de la tendresse. Sauf peut-être chez les jeunes filles, qui trouvent dans le communisme une arme dans leur rébellion contre la servitude de leur sexe.

Chez les ashkénazes, il semble bien qu'on hésite davantage entre le conflit et le compromis. Peut-être pas vraiment plus que chez n'importe quel Juif « laïque » issu d'une famille traditionnelle. Sauf que l'irruption de l'idéologie complique les choses, les irrite, les aigrit. Jacques R. (1928, Lodz, PCF de 1944 à 1978) va rester des années sans adresser la parole à son père, qui l'accuse de stalinisme (alors qu'ils ont vécu ensemble la sombre épopée du clapier à lapins et du baril de choux fermentés). Il faudra l'approche de la

239

mort pour que le conflit s'apaise et que le fils, finalement, se retrouve sur les positions du père : plus Juif enfin que communiste.

On remarquera que nous ne nous sommes pas encore posé la question de l'après-rupture. Qu'advient-il de la pratique religieuse dès lors que l'on a quitté le Parti ? Nous y reviendrons longuement lorsque nous aurons décrit et analysé les itinéraires du déchirement.

VIII

Pratiquer, croire

3. Militer au Parti

Ils ont pris leur carte. Dans l'euphorie copieusement arrosée d'une Fête de *L'Huma*... Dans le coup de cœur d'une grande « campagne » nationale où la colère et l'amour viennent à point nommé composer le juste mélange qui enivre les néophytes et les promet à la vocation du dévouement, du sacrifice... Dans la froide résolution d'une grève, où les militants apparaissent comme les seuls à savoir doser la rigueur d'une revendication et la souplesse d'une négociation...

Un immense bain d'intégration

Juifs, pas Juifs ? D'emblée, ce que le jeune Juif communiste découvre, c'est un immense bain d'intégration : tu appartiens à la jeunesse du monde, tu participes au plus grand mouvement d'émancipation collective que l'Histoire ait jamais connu, fonds-toi dans cette masse exaltante, deviens l'un des soldats de la Révolution qui se prépare. Non pas même un Français comme les autres, mais un communiste comme les autres.

La cérémonie d'initiation, le rite d'immersion d'où l'âme et le corps sortent régénérés, c'est d'abord, dans les années cinquante, le pèlerinage aux sources. Le jeune adhérent est extrait de sa famille ; il est sélectionné (immense honneur, qui se mérite en réalisant des ventes records de « vignettes ») pour représenter « la France » dans tel ou tel Festival de la Jeunesse (qui se tient, bien sûr, dans la capitale d'un « pays socialiste »). Il vit, pendant plusieurs semaines, au milieu de jeunes du monde entier qui, tous, partagent un même enthousiasme « révolutionnaire ». Il en revient marqué pour la vie. Une douzaine d'interviewés (dont seulement trois séfarades) racontent cette expérience inoubliable.

Berlin, Bucarest, Prague, Budapest, Moscou... : les dates s'enchevêtrent dans la mémoire. La structure est toujours la même : on n'a pas l'intention d'y aller (ou l'on dissimule qu'on en a l'intention), on se dévoue pour y envoyer les copains, on est tellement bon militant que le Parti vous y envoie presque malgré vous, pour vous récompenser. Et, une fois là-bas, comme vous êtes tout de même français (« donc débrouillard »), il vous arrive des aventures qui n'étaient pas prévues au programme.

C'est ici que la réinvention de l'Histoire commence peut-être à jouer son rôle quelque peu pervers : l'une affirmera qu'elle a été « gênée par le culte de Staline » ; l'autre se souviendra que « c'était l'horreur ! parce qu'il y avait des gens qui attendaient dehors, des jeunes, pour avoir, après les cantines, la nourriture qui restait, une fois qu'on avait mangé » ; une troisième se « rappelle Hélène Luc[1], qui dirigeait la délégation, qui nous expliquait que les Roumains seraient là, qu'ils nous diraient un tas de choses qu'il fallait pas écouter. Que c'était des traîtres » (Raymonde Y., 1938, Paris).

Au Festival de Bucarest, Raymonde Y. rencontre un médecin juif qui l'emmène à un mariage dans sa famille. « Et là aussi, ils nous disaient des choses. C'est vrai qu'on percutait pas du tout. On était partagées entre les croire et ne pas les croire. » Mais les trois témoins que nous citons ont, tous, quitté le Parti : la vision rétrospective se libère d'autant mieux que s'est effacée la peur de « mal dire ».

Moins radical comme immersion, mais presque aussi efficace

---

1. Hélène Luc, longtemps présidente du groupe communiste au Sénat ; épouse par ailleurs de Louis Luc, chef du service politique de *L'Humanité*.

comme rite d'initiation : le voyage organisé par France-URSS, LVJ[2] ou Tourisme et Travail. Nous verrons plus loin comment le pèlerinage aux Terres promises du socialisme change peu à peu de sens, à mesure que les mythes s'effritent.

Pas toujours besoin d'aller si loin : le simple plongeon dans la classe ouvrière française peut suffire à laver de tous les péchés. Certes, les jeunes ashkénazes qui adhèrent dans les années cinquante appartiennent encore, pour beaucoup d'entre eux, au prolétariat juif de Belleville ou du *Pletzl*. Mais leurs cadets des années soixante, ou leurs cousins séfarades, à peine armés de leur carte toute neuve, font parfois des découvertes désarmantes. Un sur quatre se plaint d'avoir dû supporter, au sein même de sa cellule, des propos antisémites.

La petite Madeleine S. (1929, Saint-Quentin) vient tout juste de prendre sa carte à la cellule Staline-Saint-Jean (!), dans le quartier où elle habite à Saint-Quentin. Elle rentre chez elle en compagnie de son secrétaire de section et rencontre dans la rue des copains qui lui demandent des nouvelles de quelques amis communs :

> Et alors ce M. [le secrétaire de section] sort : « Mais c'est tous des youpins, ceux-là ! » J'ai dû changer de couleur ! J'ai blêmi. Ça, c'était ma première adhésion...
> Pourquoi suis-je restée dans ce parti ? Malgré ça. Je vais vous dire pourquoi, parce que Jean C. [un professeur communiste] est revenu le lendemain matin, il a discuté longuement avec moi. Il m'a convaincue en fait que, effectivement, c'était l'ignorance, etc., etc. Mais c'est quelque chose qui m'avait beaucoup... Oh ! là ! là ! je me rappelle encore, sur le coin de la porte, je me suis dit : « C'est pas possible ! » C'est quelque chose que vous ne pouvez pas admettre. Vous rentrez au Parti justement pour ne plus jamais entendre ça, et vous entendez ça dès que vous y êtes ! Ouaaaah ! Bon, ça, c'était une des premières surprises.

Ce genre d'incident, on m'en raconte plus d'une vingtaine. Mais l'on se garde, en général, d'en tirer des conclusions hâtives. Un communiste se vante d'être réaliste.

---

2. Loisirs, Vacances, Jeunesse : une organisation, très liée au Parti, qui – comme son nom l'indique – organise des vacances à bon marché pour les jeunes, notamment dans les pays socialistes.

Quelques années plus tard, Max K. (1927, Paris), devenu administrateur de *L'Humanité*, envoyait une lettre légèrement amère à son propre journal :

> « Par nature, par essence même, le Parti communiste n'est pas, ne peut pas être un parti antisémite. Il n'en reste pas moins qu'il est constitué de gens et que certains sont antisémites. On ne peut pas l'éviter. Nous sommes plongés dans une société qui est ce qu'elle est. Donc il y a des antisémites. » Et je disais que moi, j'ai subi l'antisémitisme à l'intérieur du Parti. Il y a longtemps. Oh ! c'était l'antisémitisme de connerie, quoi. Mais faut pas laisser passer !

Remarquons comme l'« essence » du Parti communiste s'oppose ici à son « existence ». Le « matérialisme historique » peut s'accommoder parfois de quelques pirouettes légèrement idéalistes. Ou, comme le résume plus brutalement Jean-Charles D. (1950, Casablanca), ex-dirigeant national des Jeunesses : « Des racistes et des cons au PC, j'en ai repéré tout de suite. J'ai très vite compris qu'il n'y avait rien qui ressemble plus au PC que la France... »

Militer dans « le premier parti de France », ou le temps de la passion

Peut-on parler du militantisme sans distinguer selon les époques ? On ne milite pas de la même façon quand on frôle, aux élections de novembre 1946, les 29 % du corps électoral, et que le Parti affirme – en 1947 – rassembler plus de huit cent mille adhérents[3], et quand – un demi-siècle plus tard – un score de 8 % paraît un objectif souhaitable et qu'on avoue perdre 3 à 4 % d'effectifs tous les ans...

Tout commence dans la passion, dans le dévouement absolu ; tout se dégrade, peu à peu, en train-train quotidien, en maigres

---

3. Cf. Jacques Fauvet, *Histoire du Parti communiste français*, t. II, Paris, Fayard, 1965, p. 215 : « Le dernier chiffre officiel présenté avant le XIe Congrès en juin 1947 était de 809 030... »

réunions de vétérans amers... « Les réunions sont rares, reconnaît par exemple Jacques P. (1920, Le Caire), du fait qu'à Châtillon il n'y a plus beaucoup de communistes, deux ou trois cellules qui se réunissent ensemble, au moins quatre ou six personnes qui se réunissent. »

Ces récits, c'est *aujourd'hui* qu'ils nous sont contés, *aujourd'hui* qu'ils sont réinterprétés à la lumière des années qui ont suivi, qu'ils sont pesés avec le poids d'amertume que charrient l'échec du système, l'effondrement des croyances, le triomphe obtus de tout ce que l'on a combattu pendant toute une vie. Essayons de distinguer ce qui, dans ces années militantes, appartient au fonds commun de tous les adhérents du Parti, et ce qui – quoiqu'on le nie ou le dénie – relève d'une interrogation proprement juive, d'une inquiétude juive, d'un refus d'obtempérer qui trouve ses racines dans un passé juif, une culture juive, une histoire juive.

Peut-être ont-ils combattu dans les rangs des FTP-MOI. Peut-être ont-ils perdu dans la Shoah les êtres les plus chers. Peut-être, plus communément encore, se contentent-ils d'admirer passion-nément les exploits de l'Armée rouge, qui a « libéré les camps », ou l'héroïsme du « parti aux 75 000 fusillés ». Être un Juif au Parti communiste français, dans ces mois qui suivent la Libération, cela ne peut se vivre dans l'indifférence radicale à la judéité, dans l'oubli délibéré de ce que l'on n'appelle pas encore les « racines ».

On se souvient que c'est à la grande synagogue de Lyon que les volontaires de la MOI-5ᵉ bataillon FTP viennent rendre leurs armes. À peine démobilisés, les anciens cherchent à se regrouper ; ils refusent de se quitter. Avec l'Union de la jeunesse juive, émanation du PCF, ils fondent le Groupe Espoir.

> J'ai créé une troupe de théâtre importante, se souvient Maurice N. (1924, Paris), on a joué, j'ai cherché quelque chose qui ressemble un peu à la culture juive, alors on a monté *Athalie* ! [Il rit.] Et on l'a montée, au théâtre de Villeurbanne, avec beaucoup de succès dans la presse. J'ai fait la mise en scène, j'avais le rôle le plus important, c'est normal pour un jeune communiste qu'il soit le premier !

Athalie comme symbole de la culture juive ! Voilà sans doute un des effets les plus inattendus de cette éphémère symbiose franco-judéo-communiste qui va traîner ses malentendus pendant quelque temps encore.

D'année en année, le Parti apprécie cependant de moins en moins les relents de « nationalisme petit-bourgeois » que toute organisation se disant spécifiquement juive ne manque pas, pour lui, d'exhaler. Dès 1945, Michel Grojnowski, qui a passé la guerre dans son stalag, est chargé de reprendre en main l'UJRE : il est convoqué par Jacques Kaminski, responsable du secteur juif au Comité central, qui lui confie la tâche de remplacer le résistant Alfred Grant au secrétariat de l'organisation. Il tente de timides objections :

> « Tu veux m'envoyer dans une organisation de résistants. Moi qui n'étais pas là, qui n'étais pas dans la Résistance, comment veux-tu que je puisse travailler là-bas ? – Ça ne fait rien, ça ne fait rien ! »
>
> J'y suis allé. Adam Rayski[4] était le secrétaire général. Moi, je suis devenu secrétaire. Lederman[5] était le président. On a commencé à travailler. À l'époque, l'UJRE était une très grande organisation, qui avait une influence très importante dans les milieux juifs. Rayski travaillait en même temps à la *Naye Presse*. On discutait une heure chaque matin. Quand il faut, il faut !

Albert D. (1929, Paris) a, lui aussi, connu cette brève période de la Libération où les jeunes Juifs communistes pouvaient encore espérer mener leur double combat, à la fois comme Juifs et comme Français. À quatorze ans, en 1944, il participe à la création des Cadets :

---

4. Adam Rayski, principal animateur de la Résistance communiste juive, retourne en Pologne, après la guerre, pour y exercer d'importantes responsabilités. Il rentre en France après la vague antisémite dans son pays natal et quitte le Parti communiste. Il a raconté son expérience dans de nombreux ouvrages, dont *Nos illusions perdues*, Paris, Balland, 1985, et *Le Choix des Juifs sous Vichy, entre soumission et résistance*, Paris, La Découverte, 1992. À noter également de très nombreux articles dans des revues, notamment *Les Nouveaux Cahiers, Pardès, Archives juives...*

5. Charles Lederman (1913-2000), un des dirigeants de la Résistance juive communiste, a été avocat et sénateur communiste.

246

... qui était à l'époque un mouvement énorme. Alors, bien sûr, on était très près du Parti communiste. Il y avait un homme qui était responsable, un petit bonhomme qui s'appelait Youdine[6], qui était pied-bot. Lui, c'était Staline ! Quand on avait bien milité, qu'on avait vendu *Droit et Liberté*[7] ou collé des tracts, on était reçus par Youdine. Il avait un énorme bureau et nous, on arrivait avec nos foulards rouges, il nous recevait en nous félicitant comme s'il avait été Dieu le Père !

Et puis on a milité – mais vraiment milité ! – dans ces mouvements ! Les filles n'étaient pas les dernières ! Et on a eu très rapidement plusieurs ennemis, qui étaient les bundistes – les sionistes, ça n'existait pas à l'époque ! Les bundistes qui étaient rue Béranger, qui étaient vraiment les ennemis à abattre avec les trotskistes, les titistes, etc.

On te téléphonait : « Camarade, tu dois aller donner des tracts, tu dois aller faire du porte-à-porte », c'était pas croyable ! Nous étions des mômes de dix-sept ans ! de quinze à dix-huit ans. Et les très vieux, c'était dix-neuf/vingt ans, qui étaient des responsables. On faisait des colonies de vacances, des conférences, des réunions, du militantisme à ne plus savoir où donner de la tête.

Et puis, peu après, qu'est-ce qui s'est passé ? Il s'est passé la période stalinienne. Le Parti a commencé à carrément noyauter ce mouvement. En disant que nous étions sectaires, que les jeunes Juifs devaient rejoindre l'Union des jeunesses républicaines de France, ou des Filles de France. Il y a eu naturellement, à l'intérieur, des taupes, des copains qui ont commencé à radiner et à essayer, peu à peu, de nous noyauter. Je trouve que c'était vraiment idiot, c'était dynamiter des mouvements qui étaient très forts, très disciplinés, très intellectuels, très politisés, et qui auraient pu continuer. Naturellement, on n'acceptait pas la moindre déviation...

En 1951, les mouvements ont été dissous, purement et simplement. Et ça a été le début du déclin de l'UJRE. Alors que cette UJRE avait fait un énorme travail pendant la Résistance, elle était liée aux FTP-MOI... Ils se sont sabordés et ils ont saboté ce mouvement de jeunesse. Ça a été un de mes regrets de jeunesse, d'avoir tué ces mouvements-là.

Remarquons tout de même que le bundiste, à l'instar du trotskiste ou du titiste, est désigné comme l'ennemi à abattre. Le « sioniste », quant à lui, n'existe même pas. La lutte interne à la judaïcité l'emporte clairement sur le combat anticapitaliste.

---

6. Il signe, au début des années cinquante, des éditoriaux dans *Naye Presse*, notamment sur le procès Slansky, qui sont des modèles du genre... ultra-stalinien !
7. Le journal du MRAP.

Cinquante ans plus tard, il reste encore de solides militants, purs et durs, qui n'ont pas digéré cette absorption par les organisations du PCF. Tel Max K. (1927, Nancy), l'ex-administrateur de *L'Humanité*, qui malgré ses hautes responsabilités n'a jamais accepté de mettre sa langue dans sa poche :

> On a dissous l'UJJ, on l'a intégrée dans l'UJRF. L'UJJ à Lyon, pour autant que je m'en souvienne, c'était le mouvement de jeunes le plus dynamique. Le plus actif sur le plan culturel, sur le plan politique, sur tous les plans. Le fait de s'intégrer dans une structure nouvelle et qu'on dissolve l'UJJ a fait disparaître de nos rangs la majorité. Parce que très rapidement l'UJJ est devenue un MJC[8] *bis*.
>
> À Lyon et à Grenoble, il n'y avait que le Mouvement juif, c'est-à-dire l'UJJ d'une part et les... Juifs de la MOI. C'est incontestable. Et après la guerre, ça n'a pas plu. Mais nous, on est fautifs. Ça veut dire qu'on s'est intégrés complètement dans la société de l'époque, en oubliant, et moi-même j'ai oublié, pendant tout un temps, ce que nous avions fait, ce que nous avions été.

Petits soldats de la guerre froide

Oublier : voilà le maître mot des Juifs communistes à la Libération. Même si l'on n'a que le mot de « mémoire » à la bouche. Devenir (ou redevenir) des Français comme les autres. L'hyperactivité militante du Parti, pendant ces premières années de la guerre froide, va beaucoup les y aider.

Pas de répit ! À peine débarqués à Paris, après leur expulsion d'Égypte, Isaac et Rose M. (tous les deux nés au Caire, lui en 1922, elle en 1924) se jettent dans la bataille de l'Appel de Stockholm[9] :

> LUI. – Nous avons été parmi les champions, ma femme et moi, du ramassage des signatures contre la bombe atomique. Et ma femme était enceinte. Et nous avions la trouille que Ridgway lâche la bombe atomique en Corée. Nous nous y sommes mis à fonds perdus... à corps perdu.

---

8. Mouvement de la Jeunesse communiste.
9. Cf. plus haut, p. 216, note 2.

ELLE. – Ça faisait dix jours que je venais d'avoir mon fils... J'ai estimé... qu'il fallait absolument que je fasse quelque chose. Et qu'on avait ce petit être dont nous étions responsables.

Alors, « staliniens » ? Oui, bien sûr. Plutôt cent fois qu'une. Séfarades tout autant qu'ashkénazes. Jacques F. (1936, Alexandrie) se souvient même d'avoir, en 1953, à Alexandrie, participé à la création d'une cellule juive du Parti communiste égyptien. « Et donc *Promotion Staline* juive du Parti communiste, enfin une histoire assez folle ! » Ce qui lui vaut un an de prison... et l'expulsion vers la France.

Chacun s'ingénie à trouver *le* cadeau, *son* cadeau, pour le soixante-dixième anniversaire du tyran bien-aimé.

> C'était quelque chose de délirant, de délirant ! se souvient Annette R. (1930, Paris). Devant tous ces cadeaux qui étaient exposés, rue Jean-Pierre-Timbaud, on se demandait : « Mais vraiment ! » Les gens donnaient ce qu'ils avaient de plus cher, qui avait appartenu à leurs gosses peut-être morts pendant la guerre, tués sur le front, ou déportés. Mais vraiment c'était du délire !

Jacques P. (1923, Le Caire), par exemple, confectionne une poubelle miniature dans laquelle il enfouit, entourées d'un ruban, les douze adhésions qu'il a collectées en une semaine.

La mort du Petit Père des peuples semble plonger nos Juifs communistes dans une affliction sincère. Raymonde Y. (1938, Paris) exige une minute de silence au lycée Victor-Hugo : les enseignants s'inclinent. Seule, ou presque, Micheline T. (1936, Tunis), qui se définit pourtant comme « bonne stalinienne », se rappelle avoir eu une réaction de rejet : « J'ai assisté à une réunion, au Parti communiste tunisien. Les camarades ont pleuré. Et ça m'a paru absolument intolérable. C'était un comportement religieux qui était exactement ce que je refusais dans ma tradition familiale. » Comme quoi le refus d'une certaine forme de judéité peut constituer un premier apprentissage de la liberté de penser.

Non aux guerres coloniales !

Mais, comme toujours au Parti communiste, un combat chasse l'autre et balaie les doutes qui ont pu naître de la précédente bataille. Militer contre les guerres coloniales, voilà de quoi oublier bien vite les mauvais relents qui peuvent venir de l'Est. Nul ne le dit plus clairement qu'André Y. (1931, Constantine) :

> Dès 1951 ou 1952, je me suis branché sur les problèmes coloniaux. Et, depuis ce moment-là jusqu'en 1965, c'est l'Algérie qui a dominé mes préoccupations et tous les autres problèmes ont été pour moi secondaires. Tous ces événements qu'il y a eu avec Staline et autour de Staline, tout ça, je suis passé à côté !...

André Y., comme un certain nombre d'autres Juifs communistes d'Algérie, va bientôt rejoindre le combat du FLN pour l'indépendance. Il est condamné à de la prison. Et son immense déception, après l'indépendance, c'est de ne pouvoir obtenir automatiquement la nationalité algérienne :

> Pour les Juifs, il y avait un problème particulier, c'est que les Juifs étaient en Algérie avant les Arabes ! Et maintenant on va leur demander de remplir des formalités pour être citoyens algériens ! Alors ça devenait insupportable parce que des Arabes ou des musulmans qui avaient trahi leur cause, ou leur pays, ou leurs frères, étaient automatiquement algériens. Et eux devaient faire des formalités parce que...
> Moi, parce que j'ai revendiqué ça, je me suis fait traiter de sioniste en Algérie ! Par un gars avec qui j'avais milité dans la clandestinité ! Quand je lui ai dit : « Moi, je vous ai soutenus, quand vous étiez opprimés, quand vous n'étiez pas considérés comme des citoyens à part entière. Je te demande de me soutenir, moi, quand je veux être juif ici ! » Il m'a dit : « Tu es sioniste ! »

Sa femme, Arlette Y., institutrice à Bône, adhère quant à elle en 1953. En 1957, avec son mari, elle entre dans la clandestinité. Le Parti l'envoie à Prague, comme rédactrice permanente au journal

250

de la Fédération syndicale mondiale. Revenue en France après l'indépendance, elle ne quittera le PCF qu'en 1986.

Claude B. (1931, Tiaret) adhère pendant ses études à Paris, à l'occasion des manifestations contre la venue de Ridgway. Il est renvoyé, pour motifs politiques, de son école d'ingénieurs et se retrouve professeur de mathématiques en Algérie. De 1949 à 1955, il milite au Parti communiste algérien. Revenu en métropole en 1954, il essaie d'y créer une section du PCA. Le PCF s'y oppose et le verse à son groupe de langue[10]. En 1956, il décide de rendre sa carte (pour ne pas gêner le Parti) et de rejoindre le FLN : « À ce moment-là, le FLN avait fait un groupe de *Juifs algériens pour la négociation.* Donc on a milité pendant un an, jusqu'au moment où on était tous grillés. Et moi, je suis parti en Tunisie en 1957. » Il y travaille, comme permanent, à l'Union générale des travailleurs algériens.

Il revient en Algérie après l'indépendance. Il milite avec la gauche du FLN. Le coup d'État de Boumediene met fin à ses espoirs. En 1973, il rentre définitivement en France. Plus question de réintégrer le PCF : le vote des pouvoirs spéciaux à Guy Mollet a représenté pour lui une rupture définitive.

Claude J. (1928, Tlemcen) adhère, lui, au PCA en 1947, pendant ses études de philosophie à la faculté d'Alger. Il est nommé pion à Sidi Bel Abbès : « J'ai fait partie de cette génération imbécile qui rêvions uniquement de faire de la politique... Les réunions, c'était de huit heures du matin jusqu'à minuit, deux heures du matin. » Il « monte » à Paris en 1948, est muté automatiquement au PCF, se retrouve dans la cellule de philosophie de la Sorbonne, avec Emmanuel Le Roy Ladurie, François Matheron, Mona Ozouf.

---

10. La règle de l'Internationale communiste est formelle : sur chaque territoire national, il ne peut exister qu'un seul parti communiste. Le PCA ne peut donc exister en tant qu'organisation sur le sol français. Mais, pour faire face aux problèmes de compréhension linguistique, le PCF a mis sur pied des groupes de langue (comme le groupe de langue yiddish avant guerre), où le militant d'origine étrangère retrouve les camarades qui parlent la même langue que lui. L'appartenance au PCF est alors purement formelle ; c'est le groupe de langue qui constitue, en marge – mais sous l'autorité – de celui-là, l'espace réel du militantisme.

Après le déclenchement de l'insurrection algérienne, Claude J. Et ses camarades du groupe de langue décident de « travailler avec le FLN », dont la nouvelle ligne, définie au congrès de la Soummam[11], multipliait les « professions de foi laïques et démocratiques » :

> Le PC nous avait convoqués et nous avait dit, dans leur style sibyllin habituel : « Ce que vous faites, c'est parfait. On vous approuve. Mais, vous comprenez, dans ces cas-là... vous restez des communistes, mais vous devez rendre votre carte. » Ce qui, pour nous, semblait normal. Si vous êtes arrêté dans une activité clandestine, il n'est pas normal qu'on vous trouve avec une carte du PC. Voilà comment s'est fait mon passage, très simple, dans le travail... une tentative de travail avec le FLN.

À l'intérieur du FLN, Claude J. essaie, en bon communiste, de développer une ligne idéologique proche des positions du Parti : « combat de classe, unité avec le peuple français, pas de racisme, discussion avec les messalistes[12] pour les amener à changer de positions, éviter les attitudes de violence, etc., etc. » Échec.

> Ensuite, H. et A. étaient venus me demander de lancer un mouvement parmi les Juifs algériens, au nom du FLN. Ce n'était pas très dangereux, ça pouvait valoir seulement quelques années de prison. Mais ça me semblait absolument stupide. J'avais dit à H. : « Tu veux appeler les Juifs algériens... pour qui la nationalité française, ça signifie la fin de l'esclavage sous le racisme musulman, etc. Et tu vas leur demander de prendre parti contre la France ! Ça va être un immense éclat de rire. » Je lui ai dit : « C'est un pet que tu mets en place. » Alors il avait insisté.
> J'avais donc lancé ce petit mouvement des Juifs, on avait réussi à réunir cinq noms. Cinq noms ! Comme je l'avais prévu, on a sorti ce petit papier qu'on a envoyé à tous les journaux. Et ça a été un silence total, dans toute la presse. Je me rappelle encore H., furieux, me disant : « Salaud, tu n'as rien distribué du tout ! » Et moi, une grande rasade de rigolade. [Il rit.]

---

11. Congrès tenu dans le maquis en 1956.
12. Partisans de Messali Hadj, le fondateur du Mouvement national algérien (MNA). Pendant toute la guerre d'Algérie, le FLN et le MNA se livrent un combat acharné pour le contrôle du soulèvement algérien.

Après ce premier échec, le FLN leur demande de rédiger une brochure et de l'envoyer dans toutes les synagogues.

> Et à ce moment-là, on a eu droit quand même à une réponse. Cette fois, c'est le... comment il s'appelle ?... l'UGIF mondiale ?...
> — Ah oui ! l'Alliance israélite universelle...
> — Un nom comme ça... qui a fait paraître un communiqué dans *Le Monde*, déclarant qu'elle n'avait rien à voir avec cette bande d'énergumènes. [Il rit.]

Ainsi s'achève cette histoire de Pieds Nickelés juifs et communistes. Les quatre itinéraires que nous avons ainsi résumés semblent tous obéir à un même cycle, respecter une même structure : c'est l'histoire de quatre jeunes gens issus de milieux très modestes, ayant reçu une forte éducation religieuse et ayant pratiqué le judaïsme jusque tard dans leur adolescence. Indignés par le racisme colonial, ils adhérent au Parti, s'aperçoivent que la position des communistes face à l'émancipation nationale reste ambiguë, décident de se radicaliser en rejoignant le FLN. Le parti les « couvre », mais leur demande de rendre leur carte. Le FLN, peu à peu converti à l'arabisation intégrale, finit par les décevoir. Ceux qui choisissent de revenir au PCF y trouvent le gîte et le couvert. Aucun de ceux-là n'y milite plus depuis le début des années quatre-vingt-dix. Peu de communistes auront connu expérience plus désespérante : trahis à la fois par les Algériens et par le Parti.

Le rêve des « Tunisiens »

Beaucoup moins tragique, mais guère moins désespérante : telle pourrait se résumer l'expérience des Juifs communistes de Tunisie. Jeunes bourgeois dotés de tous les privilèges de la culture, ils rêvent de continuer leur vie dans cette Tunisie indépendante pour laquelle ils ont lutté pendant des années. Et les débuts du bourguibisme semblent justifier un tel optimisme : les uns gardent leur chaire à l'université ou au lycée ; un autre exerce en toute tranquillité sa profession de gynécologue ; seul Jacques V., qui dirige une affaire d'export-import avec les pays de l'Est, connaît des ennuis avec la police : accusé d'espionnage, arrêté par la DST, il passe quelques mois en prison.

Mais tous souffrent, en réalité, de la même contradiction insurmontable : communistes, ils se mettent eux-mêmes en marge de leur communauté juive ; Juifs, ils ne seront jamais acceptés comme vrais Tunisiens par ceux dont ils se sont crus les compatriotes. Béatrice C. (1923, Tunis) décrit cette aporie avec une lucidité parfaite :

> [À la Libération,] nous avons eu une période où nous avons bénéficié de la sympathie des Juifs, on pouvait compter sur les bourgeois juifs qui donnaient de l'argent au Parti. En réalité, nous avons été déphasés complètement. Nous – les Juifs –, nous aurions dû militer parmi les populations juives. Or je me souviens qu'en pleine folie, moi, femme et juive, j'allais distribuer le journal en arabe aux portes des entreprises. C'est vrai que la masse des Juifs était contre nous. Au sein du Parti, on a bien pris conscience assez vite qu'il fallait arabiser le Parti. Donc la présence de trop de Juifs, surtout dans les appareils dirigeants, n'était pas souhaitable. Nous nous sentions déchirés et entre deux chaises. La masse des Juifs, à part les jeunes, était hostile à nos positions. Nous étions des traîtres. Traîtres à la cause juive.

Résultat : après l'indépendance, beaucoup de Juifs communistes restent. Mais toute promotion leur est interdite, tant dans la société civile que dans leur parti.

> Lorsque l'indépendance a été proclamée, se souvient Georges T. (1908, Tunis), Bourguiba a commencé par élaborer une Constitution, dont l'article premier était : « La Tunisie est une république démocratique et musulmane. » Ah ! Alors déjà, c'était un coup ! Pour nous. Démocratique, on veut bien. Mais musulman, qu'est-ce que ça a à faire ? Grande émotion dans les milieux juifs du Parti.
>
> Cette émotion est allée en s'amplifiant. Bourguiba n'a pas ennuyé les Juifs, mais il a arrêté leur évolution. C'est-à-dire que celui qui était deuxième secrétaire au ministère des Finances, il n'arrivait jamais au poste supérieur. Celui qui était assistant à Tunis Air, on ne lui donnait jamais le titre de pilote, etc. Enfin, on les brimait. Sans les brimer. On les brimait quand même... Les Français étaient partis, les Italiens étaient partis, il ne restait que les Juifs, en dehors des musulmans.
>
> Un jour, ils sont venus me voir, ils m'ont dit : « Qu'est-ce qu'on

fait ? On va s'en aller ? Mais c'est contraire à la ligne du Parti. » La ligne du Parti ! C'est un mot qui dit quelque chose !

Je n'ai fait ni une ni deux. Je suis allé voir le secrétaire du Parti. Il m'a dit : « Mais qu'ils s'en aillent ! C'est le cours de l'Histoire. Ils n'ont plus rien à faire ici. »

Et c'est ainsi qu'ils partent tous pour la France – le premier, Georges F., dès 1961, et le dernier, Paul A., en 1977. Encore une histoire d'amour trahi, qui finit dans l'amertume. Le seul qui garde un pied à Tunis, Serge Z. (1948, Tunis), jouit de trop de privilèges pour renoncer, même aujourd'hui, à sa nationalité tunisienne. Fils de militants de haut niveau, devenus des notables du régime Ben Ali, il se convertit à l'islam pour pouvoir épouser une musulmane. Il franchit tous les échelons de la hiérarchie du Parti, accède au Comité central. Puis il s'éloigne « sans éclats » et devient vice-président de la Ligue tunisienne des droits de l'homme. Son remarquable réseau de relations dans le monde arabe lui permet de diriger la filiale d'une multinationale de l'audiovisuel.

Juive communiste au Maroc : « C'est quoi, cette bête-là ? »

L'échantillon ne comportant qu'une seule Juive ayant appartenu au Parti communiste marocain (les autres « Marocains » ont adhéré au PCF après leur arrivée en France), sans doute serait-il abusif d'extrapoler à partir de son unique expérience. Écoutons pourtant son récit, trop semblable à ceux de ses « cousins » de Tunisie pour ne point correspondre à un même paradigme. Éliane V. (1945, Casablanca) adhère en 1965. Son frère est déjà membre du Comité central, mais elle lui cache son adhésion.

> Être communiste au Maroc... c'était pas évident. C'est plus confortable en France. Et être une Juive communiste, encore moins. Et une fille, encore moins. [Elle rit.] J'avais toutes les tares ! [Elle rit.] On le lui a caché. Parce que c'était : « Passe ton bac, passe ton bac ! Et après... on verra... » Et puis, à la fin de l'année scolaire, les copains du Bureau politique lui ont dit : « Écoute, faut que tu le saches quand même... »

À partir de ce moment-là, c'était plus facile pour moi aussi. J'allais beaucoup au cinéma... c'était un bon alibi pour aller aux réunions de cellule [elle rit], qui se passaient dans des quartiers... pas fréquentables, selon la bonne...
— Pas fréquentables, ça veut dire arabes ?
— Bah oui ! Arabes, et puis très populaires, donc pas fréquentables selon la... les Juifs du Maroc. Et puis même une certaine bourgeoisie marocaine. Faut pas rêver. Donc... c'est vrai, je continuais à aller au cinéma, on me racontait les films ! [Elle rit.]

En 1966, elle distribue des tracts dans le *mella* à la veille des élections municipales marocaines.

Très mal vu par les Juifs. Je me suis fait tabasser plus par les Juifs. Qui m'ont traitée de tous les noms, de pute, de gamine... Ah oui ! c'était très mal vu. Et c'est toujours très mal vu.
Et puis c'est le boucher de ma mère qui lui a dit... : « Ah ! ta fille, tu sais, elle... » [Elle rit.] Alors elle est rentrée. « Ouvre-moi le tiroir que tu fermes si bien ! » Je me suis pris une raclée. « Alors ça ne suffit pas, un ? Non, maintenant il faut que je m'angoisse pour les deux ! » Donc, le soir même, ils ont pris la décision : « Tu pars en France ! Si tu veux faire des bêtises, tu n'as qu'à partir en France ! »

Elle revient travailler au Maroc en 1970. Elle recommence à militer :

Alors ça avait été très dur, parce qu'en plus tous les copains parlaient vraiment qu'arabe et moi, j'avais beaucoup de mal à les suivre. Et puis j'étais la seule femme, j'étais juive. Et faut pas rêver, les copains, ils se demandaient : « C'est quoi, cette bête-là ? »

Harcelée par la police marocaine, désorientée par les innombrables scissions du Parti, stupéfaite du ralliement au roi que pratique la direction, elle capitule. À partir de 1973, c'est au Parti communiste français qu'elle militera, non sans y connaître également quelques problèmes...

Juifs communistes d'Égypte :
un « procès de Moscou à Paris [13] *»*

À peine installés en France, au lendemain de leur expulsion, les Juifs communistes venus d'Égypte se trouvent pour la plupart confrontés à une situation ubuesque, qui pourtant ne les conduira pas tous à la rupture : leur attachement au Parti est tellement fort que beaucoup d'entre eux supporteront toutes les avanies, persuadés que leur idéal importe davantage que les faiblesses de la direction ou les médiocrités de leurs camarades.

Ils débarquent à Marseille. La plupart, comme Jacques et Odette P., se rendent dès le lendemain matin au siège de la section communiste pour prendre leur carte du PCF. Ils remplissent leur « bio », où ils racontent une vie militante qui doit paraître singulièrement complexe et agitée aux yeux de leurs nouveaux compagnons de lutte. Ils se jettent à corps perdu dans l'hyperactivité politique des années cinquante. Beaucoup militent en même temps au GEP, le Groupe des Égyptiens progressistes, sous le contrôle du Bureau colonial du Comité central, alors dirigé par Élie Mignot. Dans une première étape de la normalisation, Élie Mignot les oblige à choisir : ou bien le GEP, ou bien le PCF – ce qui est tout à fait conforme à la tradition du mouvement communiste.

Et puis, à une date qui varie beaucoup selon les récits (certains parlent de 1950, d'autres de 1952 ou de 1953...), un ordre incompréhensible arrive du « 44 », le siège du Comité central : « Tous les camarades juifs communistes qui viennent d'Égypte doivent rendre leur carte. » « C'est venu brutalement, comme un tonnerre dans un ciel d'été. Moi, ça m'a assommé. Je suis resté K-O debout », se souvient Albert J. (1922, Le Caire).

> Et j'ai rendu ma carte. Les camarades de cellule ont continué à venir me voir, de façon un peu... étalée. Comme par hasard, c'était toujours les Juifs de la cellule [il rit] qui venaient me voir.

---

13. *Un procès de Moscou à Paris* : c'est le titre du livre de Charles Tillon (Paris, Seuil, 1979).

Alors, parallèlement à ça, il y a des cellules qui ont dit non. Prenez la cellule d'Odette C., ils ont dit : « On ne veut pas qu'elle rende sa carte. » Et elle n'a pas rendu sa carte. Elle a continué à militer. D'autres à qui on a dit : « Tu rendras ta carte, mais interdiction d'avoir des rapports avec des camarades ! » J'avais un ami d'enfance, qui était dans ma cellule, qui était l'un des plus âgés, quand il me voyait, il passait sur l'autre trottoir. Et puis les camarades ont dit : « Écoute, fais une seconde bio [14], fais une troisième bio... – Alors, des bios, j'en ai envoyé deux ou trois : s'ils les ont perdues, c'est que c'est pas la peine d'en faire ; s'ils les ont, j'ai pas besoin d'en faire. Ou bien ils me réintègrent, ou bien on n'en parle plus ! » Et je suis resté sur ces... entrefaits.

Albert J. est un des seuls, justement, à ne jamais réintégrer le Parti. Les autres se battent... et, en général, gagnent. Isaac M. (1922, Le Caire) est l'un des plus combatifs. En avril 1950, militant modèle, il est « proposé » comme membre du Comité de section et de la Commission politique. Le camarade de la fédération, chargé de « suivre » la section, épluche les candidatures. Il commence par éliminer deux anciens résistants (dont un Juif) qui, pour leur malheur, ne se sont pas battus dans les FTP, mais dans un maquis de l'Armée secrète :

> Après la lettre L, la lettre M. « M. Isaac. Mais comment, camarades ? Le camarade M. est arrivé l'année dernière et vous voulez en faire un membre du Comité de section ? C'est aberrant ! Je demande au camarade M. de quitter la réunion immédiatement. Je demande à la Commission politique de le décharger de sa responsabilité de secrétaire de cellule et au CDH [15]. Enfin, vous ne vous rendez pas compte, camarades ! Deux mille cinq cents *Huma-Dimanche* entre les mains d'un camarade qu'on ne connaît pas ! Qui vient d'arriver ! » Alors le camarade Isaac M. prend ses cliques et ses claques, il est onze heures du soir, il rentre à la maison.
> J'ai été proposé à trois ou quatre conférences de section, et à trois ou quatre reprises un émissaire de la Commission politique venait : « Tu sais, on n'a rien contre toi, mais... » C'était vraiment une situation grand-guignolesque.

---

14. C'est la biographie que, sans doute jusqu'aux années soixante, tout nouvel adhérent devait remplir, avec notamment l'indication précise des opinions politiques de ses parents, de ses amis, de ses relations.

15. Comité de diffusion de *L'Humanité* : c'est la petite organisation décentralisée qui coordonne la diffusion militante de la presse communiste.

Ce n'est qu'en 1961 que la situation d'Isaac M. sera enfin régularisée et qu'il reprendra son ascension parmi les petits cadres du PCF. La version des événements que donne sa femme, Rose M. (1924, Le Caire), est nettement plus sombre. Elle est convoquée à la section, un jour de 1953 (la date n'est pas très sûre) :

> Ils nous ont demandé si on connaissait Henri Curiel. Ah bien oui qu'on connaissait Henri Curiel ! D'autant plus qu'on l'avait hébergé pendant trois mois. Il est arrivé en France, clandestin. Il n'avait pas de papiers. Et, bon, il est venu habiter chez nous. Il n'y avait pas de raison qu'on ne continue pas à le voir. Alors on nous a dit : « Vous choisissez. C'est ou le Parti, ou Curiel. Vous choisissez. »
>
> Et ils nous avaient demandé de ne pas le... de ne pas le fréquenter. De ne pas fréquenter nos amis égyptiens. De ne plus fréquenter personne. Et nous avons accepté ! C'est terrible, parce que moi, j'ai téléphoné à mes amis, surtout une amie qui m'était très chère. Je lui ai dit : « Tu te rends compte ! Au Parti, on me demande de ne pas vous voir ! » Elle me dit : « Eh bien alors ! On se verra pas. Ça va durer quelques mois, ça peut pas durer longtemps. » Ça a duré plus de dix ans. Ils ont, en quelque sorte, fauché une partie de nos amitiés.

Peu importe. Le Parti avant tout. Elle reste. En 1955, elle est de nouveau convoquée à la section par un secrétaire :

> « Qu'est-ce que tu faisais à Vienne en juillet 1953 ? » Et alors je lui dis : « Eh bien, je ne faisais rien du tout, puisque je n'y étais pas. » Il m'a dit : « Et pourtant on t'y a vue. » Alors il m'a posé des tas de questions. Et il fallait que je réponde que j'y étais ! Et je maintenais que je n'y étais pas. Et après ça, je m'en vais à ma réunion des Femmes françaises[16], et là je me mets à pleurer à chaudes larmes, parce que je me rendais compte qu'on me traitait comme une espionne. Et que moi, j'étais très très attachée au Parti. Et je ne comprenais pas qu'on me fasse ce tour-là. Alors, à la fin de la réunion, arrivent N. [le secrétaire de section] et sa femme. Et ils essaient de me consoler, tous les deux. Et N. : « Tu sais, Rosy, je te pose cette question, ça ne vient pas de moi. On m'a demandé de te les poser. Je veux que tu le saches. »

---

16. Union des femmes française : organisation des femmes communistes (et, éventuellement, sympathisantes), longtemps dirigée par Eugénie Cotton.

La suspicion la poursuit pendant plus de trente ans. Un jour des années quatre-vingt, à une remise de décoration, une conseillère municipale communiste s'approche d'elle :

« Alors, Rosy, tu y étais, à Vienne ! » Les années étaient passées, c'était fini. On nous avait retiré nos cartes, mais on nous les avait rendues. Je me souviens de N. qui avait dit, devant... deux cents, trois cents personnes : « Nous rendons les cartes aux camarades M., nous les aimons et leur faisons confiance. » Donc, pour moi, c'était fini. Terminé. Eh bien ! des dizaines d'années plus tard, cette Maria D. s'approche de moi et me dit : « Alors, Rosy, tu y étais, à Vienne ! » Je dis : « Eh bien non. Pourquoi ? – Eh bien ! parce que j'ai la photo. Tu y es, sur la photo ! »

Pourquoi cet ostracisme contre les Juifs communistes égyptiens ? Jacques P. (1923, Le Caire) avance une explication aussi étrange que toute l'affaire :

Au fur et à mesure des recoupements, on a... on croit du moins que ça a été l'affaire Marty. Comme Marty, à un moment donné, avait été en Égypte, il avait eu des contacts avec des dirigeants de nos organisations, quand ça a été su, ils se sont méfiés des Égyptiens qui étaient venus et qui ont adhéré au Parti, on leur a enlevé leurs cartes.
— On vous l'avait retirée à vous aussi ?
— On l'a retirée à nous aussi.

Comme tous les autres, juifs ou non juifs, Isaac, Rose, Jacques et Odette, participent à tous les combats militants depuis ces années de trouble. Rien ne les distingue alors de n'importe quel communiste français. Ils connaissent les mêmes enthousiasmes, les mêmes déceptions, peut-être les mêmes ruptures. Ce qui les distingue, en ce domaine, de leurs camarades non juifs est si intrinsèquement lié à leurs rapports avec l'URSS et avec Israël que nous ferons d'abord le détour par Moscou et par Jérusalem avant d'analyser les grandes crises du couple infernal qui unit (ou désunit) tant de Juifs et les communistes.

Sur le terrain, contre Le Pen

Le seul combat où des Juifs communistes montrent en tant que tels, semble-t-il, une pugnacité particulière, c'est la lutte contre le Front national. Yves-Marc Z. (1946, Paris) s'est fait passer, pendant des mois, pour un de leurs militants et a publié son journal de voyage au cœur du parti d'extrême droite. Elisa T. (1926, Oran) mène le combat sur le terrain, en plein Vitrolles. Fernand I. (1950, Tunis), responsable du Parti à Montataire, passe son temps dans les cités à tenter de désamorcer les conflits raciaux, à expliquer, à organiser les rencontres :

> Le Front national, il faut le prendre en face, et puis se battre. Parce que moi, j'ai pas envie d'être, bon... Juif, communiste, arabe... [Il rit.] Je me fais écrabouiller ! [Il rit.] Mais... je pense que c'est une lutte... je pèse mes mots, c'est une lutte à mort. Le fascisme est quelque chose de terrible, quoi. Terrible, terrible. Moi, je suis optimiste, moi. Jamais je ne serai pessimiste. Jamais. Jamais. Je suis réaliste par moments. Par moments, je suis peut-être utopiste. Je suis rêveur. Mais je pense que... faut faire comme ça, quoi.
> — Le copain de Vitrolles m'a dit qu'il sentait une montée de l'anti-sémitisme.
> — Ah oui ! Terrible ! C'est vrai. Terrible, terrible. Oui.
> — Comment ça se manifeste ?
> — Ça se manifeste, ça se manifeste... « Les youpins, c'est eux qui ont le pouvoir, c'est eux qui ont le fric, c'est les Juifs qui dirigent, sales youpins... » Moi, quand on me parle de ça, moi je... j'ai une réaction nette. Je leur dis qui je suis. Les yeux, ils s'ouvrent, ils se révulsent... Je pense qu'ils doivent le savoir.
> Chez les beurs, c'est par rapport à ce qui se passe surtout en Israël. Chez les Français, je pense que l'antisémitisme, il n'a jamais été battu. Il a couvé. Et de temps en temps, dans des situations de crise, il explose. Mais je sens l'antisémitisme, moi, je le sens.
> Et d'ailleurs, quand je dis à certains que je suis d'origine juive, ils sont contents ! Ils me regardent venir, et après je parle avec eux. Et je pense qu'ils arrivent à comprendre. Je n'accepte pas la phrase : « Toi, tu n'es pas comme les autres... » Ça, je n'accepte pas ça. Je suis ce que je suis, point à la ligne. Je fais partie d'une petit grain de poussière de

ce pays, quoi. Il faut qu'ils m'acceptent. Je pense que je... je serai dans quelques années... dans cette terre. C'est là mes racines. Bien. C'est comme ça. Faut pas se raconter d'histoires.

Ces itinéraires militants, dans leur diversité, sont-ils sensiblement différents de ceux qu'ont vécus les communistes français non juifs ?

Sans doute faut-il distinguer selon les origines et selon les générations.

Chez les ashkénazes, la génération d'avant-guerre et de l'immédiat après-guerre marque, en général, très fortement sa singularité au sein de l'univers communiste. Ils sont, pour beaucoup d'entre eux, fraîchement immigrés (ou tout juste éclos de la deuxième génération) : l'amour du yiddish, l'assez large concentration dans des quartiers-ghettos, les habitudes culinaires en font un groupe un peu à part, qui participe plus que tout autre à la mobilisation antifasciste dont le Parti se veut le catalyseur. Les souvenirs (ou, tout simplement, la fascination) de la Résistance et le poids de la Shoah les amènent à en rajouter dans l'hyperactivité militante. Le PCF, pendant longtemps, n'hésite pas à cultiver leur différence : l'UJRE, les Maisons d'enfants de la CCE, *Naye Presse* s'efforcent d'entretenir la flamme d'une judéité laïque, très vite en lutte contre les organisations juives non communistes et contre l'influence supposée de l'État d'Israël. Le 14, rue de Paradis constitue la forteresse de cette illusion d'autonomie.

Seuls les rares Israélites de la bonne bourgeoisie qui se sont aventurés au PCF jouissent de leur ancienne intégration dans la société française, en rien différents de leurs « camarades » de même origine sociale.

À partir des années soixante (la date pivot est-elle 1967 ?), les ashkénazes communistes semblent quelque peu se « banaliser » : le yiddish cesse peu à peu d'être la langue familiale, la dispersion urbaine dissout les ghettos et essaime les militants dans les banlieues, l'intégration progresse à grande vitesse, accélérée par le

262

dynamisme social des Trente Glorieuses, qui ne les laisse évidemment pas sur le bord de la route.

Mais les années quatre-vingt ouvrent peut-être une nouvelle étape. Les ashkénazes communistes ne restent pas tous étrangers au mouvement dit du « retour aux racines » (avec toutes les ambiguïtés qu'une telle notion peut comporter). Le réapprentissage du yiddish (au moment même où *Naye Presse* cesse de paraître[17]) en est parfois le signe le plus visible. Une association comme celle des Amis de la CCE déploie une activité importante, publiant un bulletin trimestriel.

Chez les séfarades, la génération d'avant les indépendances marque, elle aussi, sa très forte spécificité. En Égypte, en Tunisie, en Algérie, au Maroc, des Juifs occupent des postes de responsabilité majeurs dans les différents partis communistes : qu'on songe à Henri Curiel[18], Hillel Schwartz[19] ou Marcel Israël[20] au Caire, à Maurice Nisard[21] à Tunis, à Henri Alleg[22] à Alger. Les militants de base, eux, ont tendance à se constituer en sectes, à la fois isolés dans la communauté juive, coupés des masses arabes et ignorés des colonisateurs (sinon pour de sporadiques persécutions policières). Ils combattent pour l'émancipation de leur pays d'origine, qui s'empresse de les expulser (Égypte), de les marginaliser (Tunisie), de les condamner (Algérie).

La génération militante d'après l'arrivée en France – apparemment fort peu nombreuse – joue, tout à l'inverse, le jeu de l'intégration totale. Souvent en révolte contre leurs parents, ces jeunes séfarades se veulent en général avant tout des communistes comme les autres, tout juste un peu plus sensibles à la cause des immigrés.

Quelques-uns, pourtant, ne refusent pas d'afficher ce qu'il leur

---

17. *Naye Presse* en yiddish disparaît en 1993. Une édition française subsiste, mais *Presse nouvelle* renonce à la périodicité quotidienne.

18. Fondateur du Mouvement égyptien de libération nationale (MELN).

19. Responsable de l'Iskra.

20. Responsable de Libération du peuple.

21. Ex-secrétaire général du Parti communiste tunisien.

22. Ex-rédacteur en chef d'*Alger républicain*, organe du PCA. C'est un ashkénaze envoyé en mission en terre séfarade.

reste d'identité juive. La Fête de *L'Huma* abrite en 1993 une exposition sur *Les communistes et les Juifs*, organisée par le fils d'un magistrat rabbinique de Salé. Des responsables de niveau non négligeable ne craignent pas d'afficher une certaine fidélité à leurs origines.

Peut-être en réaction contre l'israélophilie très prononcée de leurs aînés, certains séférades communistes esquissent même parfois une relation plus décontractée, plus critique, mais non dénuée de tendresse, à l'égard d'Israël.

IX

Espérer ou les Terres promises

1. Si je t'oublie, Jérusalem...

La Terre promise, ce fut longtemps la France. L'émancipation marquait la fin de l'exil. La Révolution française se lisait comme « le signe de la venue des temps messianiques[1] ». Peut-être pourrait-on dire, de la même façon, que les Juifs américains continuent sans doute à « messianiser » les États-Unis, ce qui ne les empêche pas – bien au contraire – de mythifier (et de financer) la lointaine Israël.

Mais la Terre promise n'a peut-être pas tenu toutes ses promesses. Pour les Israélites – ceux qui se targuent d'une installation séculaire –, Vichy a trahi l'engagement républicain qui leur assurait citoyenneté et sécurité. Pour les immigrés récents, la République elle-même – la troisième du nom – n'hésitait pas à limiter leurs droits, à leur marchander l'accès au travail, à la nationalité, à l'égalité.

De cette double déception naît le dédoublement de la Terre promise. Jérusalem ou Moscou : c'est toujours ailleurs que renaît l'espoir, que se renouvelle la promesse.

Être juif et communiste, cela passe souvent pour un choix tranché, exclusif : étoile rouge contre *Magen David*. Et pourtant les itinéraires individuels ont plus d'une fois sinué, connu d'étranges

---

1. Shmuel Trigano, *Un exil sans retour. Lettres à un Juif égaré*, Paris, Stock, 1996, p. 289. Cf. aussi Martin Buber, *Gog et Magog, op. cit., passim.*

allers-retours. Dans le foisonnement de nos cent entretiens, c'est cette complexité qu'il importe de dégager, au-delà des images d'Épinal.

Comme l'a très bien montré Enzo Traverso, « la culture marxiste resta prisonnière d'une interprétation de l'histoire juive, héritée dans une large mesure des Lumières, qui identifiait émancipation et assimilation, qui n'arrivait à concevoir la fin de l'oppression juive qu'en termes de dépassement de l'altérité hébraïque[2] ». L'idée même de sionisme lui est donc radicalement étrangère. Mais l'URSS va contribuer à brouiller les cartes : l'existence d'une « nationalité juive », la création du Birobidjan constituent une sorte de pantomime soviétisée de la résurrection d'Israël. Cette confusion idéologique explique en partie les contradictions ou les revirements que traduisent des dizaines d'entretiens.

La haine originelle

Les plus vieux militants – ceux qui ont adhéré avant ou pendant la guerre – restent le plus souvent prisonniers du refus théorique exprimé tout aussi bien par Trotski que par Lénine (seize entretiens sur cent). Ou, s'ils en sont libérés, ils se souviennent. Dans cette tranche d'âge ou de militantisme, ashkénazes et séfarades rivalisent d'hostilité à l'égard de tout « retour » en *Eretz Israel*.

Les « Égyptiens » sont peut-être les plus en pointe dans ce combat. Le Hadeto, c'est-à-dire le mouvement d'Henri Curiel, crée même une Ligue antisioniste. « On n'avait pas à défendre la terre d'Israël, puisque personne ne nous avait mis dehors, personne ne nous avait brimés, personne ne nous avait discriminés », explique Odette C. (1922, Le Caire, adhésion en 1948).

Mais les « Tunisiens » ne sont pas en reste. « Là, pas d'accord au départ avec la création de l'État d'Israël, se rappelle Georges F. (1917, Tunis, adhésion en 1943). Étant anticolonialiste, je ne peux pas être d'accord pour qu'on colonise un pays. » Et de préconiser

---

2. Enzo Traverso, *Les Marxistes et la question juive*, Paris, La Brèche, 1990, p. 27.

que l'on réinstalle les Juifs d'Europe de l'Est dans les pays d'où ils ont été chassés ou qu'ils ont fuis à la suite des persécutions.

> Quand Israël a été créé, affirme même Béatrice C. (1923, Tunis), nous étions désespérés. Pourquoi ? D'une part, parce que, vivant la chose du côté arabe, on voyait bien la frustration ou l'injustice pour les Palestiniens qu'on chassait de leur territoire. D'autre part, nous en étions quand même conscients : notre vie au PC allait devenir impossible. Nous allions subir les répercussions du conflit judéo-arabe. Même, je m'étais dit : « Est-ce qu'on pourra continuer à vivre ici ? »

Luttant pour la décolonisation aux côtés d'Arabes nationalistes, les séfarades communistes n'ont peut-être pas d'autre choix. Mais les plus vieux ashkénazes partagent tout à fait cette haine originelle. Jean Z. (1924, Paris, adhésion en 1956) est un des plus virulents :

> J'étais pas antisémite, et pour cause, mais antisioniste. Je ne comprenais pas pourquoi les gens allaient s'installer dans un pays dans lequel ils n'avaient rien à faire. Pour moi, c'était uniquement une base religieuse. Et quand on me disait : « Non, pas du tout, ce sont pas des religieux, ils veulent la terre de leurs ancêtres. » Mais nos ancêtres, moi les miens... mes enfants, du fait qu'ils sont nés en France, sont français et je vois pas du tout ce que j'ai à faire là-bas.

Contrairement aux apparences du discours, le père de Jean Z. était né à Varsovie, était arrivé en France en 1920 et avait choisi de mourir à Jérusalem...

Pour une fois, Madeleine Y. (1917, Paris, adhésion en 1936) se permet, à ce sujet, une mini-révolte contre l'URSS, voire contre le Parti :

> Ah ! je suis contre l'État d'Israël ! Dès l'origine, j'étais contre. Mais je comprends que tous ces Juifs qui sont venus, chassés de Pologne, de Russie et qui ont subi les pires martyres, qui sont venus des camps, aient voulu être chez eux. Ça, je le comprends ! Mais j'étais pas d'accord ! Malgré tout.
> — Au départ, l'URSS vote pour et le Parti communiste français est pour.
> — Oui, oui, oui, oui... Mais moi, je n'étais pas pour !

L'an prochain à Jérusalem : une brève idylle

Mais la plupart des militants se révèlent plus disciplinés que la vieille institutrice de la rue Froissart. Ceux qui avaient déjà rejoint les rangs du Parti se pressent en foule, en 1948, au grand meeting organisé au Vél'd'Hiv par le PCF pour célébrer la naissance de l'État d'Israël.

> Nous étions quatre cents, raconte Albert D. (1929, Paris), on est arrivés au Vél'd'Hiv, nous étions le premier mouvement de jeunesse juive de France et nous venions, nous, apporter le... – tout le monde savait qu'on avait l'étiquette communiste, bien sûr... Les bundistes ne pouvaient pas être là, puisque c'était les pires ennemis ! Et nous venions apporter notre quitus, par notre présence, à la création de l'État d'Israël.

Jacques R. (l'homme qui se cachait dans un clapier à lapins), pourtant ancien résistant et membre du Parti depuis 1944, s'est même tellement enthousiasmé ce jour-là qu'il a eu d'étranges tentations :

> De nombreux copains sont partis en Israël, ça a fini par m'influencer et j'avais décidé de m'engager. Comme, à l'époque, Israël avait le soutien de l'Union soviétique... Pour les Soviétiques, c'était une manière de diminuer la sphère d'influence des capitalistes anglais. Donc ils aidaient Israël, les armes arrivaient de Tchéco. Je savais donc que je restais dans la ligne. J'ai un ami qui s'appelle Krasucki. Il a passé des heures à m'expliquer que mon devoir de prolétaire se faisait ici. Et pas là-bas ! Il m'a convaincu. J'ai suivi avec sympathie la lutte de mes copains juifs pour l'indépendance d'Israël. Et je suis resté là.

Les plus disciplinés, les plus inféodés (ceux qui travaillent pour les entreprises du Parti), les plus « sectaires » (celui qui voulait me flanquer à la porte) nuancent tout aussitôt leur enthousiasme : « Nous les avons soutenus, mais pas longtemps. »

> À l'époque, ça a été quelque chose de bien, reconnaît du bout des lèvres Samuel D. Quelque chose de très positif. On savait que l'URSS avait fortement appuyé dans ce domaine-là. On espérait aussi que ça donnerait un pays démocratique. On a été fortement déçu très rapidement. Voilà. Conclusion : depuis cette époque, j'estime qu'Israël

n'a pas une position très juste. Qu'elle a eu souvent une position d'enva-hisseur ou d'attaquant. Sauf un certain... un certain... la guerre de Kippour. Autrement, ça a été souvent l'agresseur.

David T. (1919, Paris) ne dissimule pas qu'il a tout juste éprouvé les sentiments que le Parti lui demandait d'exprimer :

> Moi, je le voyais, à cette période, comme le Parti le voyait. On était... contents. Je crois que c'est l'URSS qui a reconnu, la première, Israël. Et comme j'étais un peu programmé... ou conditionné... Non, mais un peu beaucoup !... [Il rit.] Je le voyais un peu comme... *L'Humanité* le présentait. On était contents qu'Israël existe, mais j'étais contre le sionisme, bien sûr, tout comme la tendance du Parti. On disait : « Il y a les sionistes de gauche, qui sont un peu meilleurs que les sionistes de droite. » Enfin, c'est comme ça qu'on le voyait.

La tentation sioniste

Pourtant, beaucoup – un sur cinq – se souviennent d'avoir connu, avant leur adhésion (mais parfois après...) de fortes tentations sionistes. En majorité, des séfarades (treize sur vingt). Quelques-uns (six, dont quatre séfarades) sont même allés jusqu'à tenter une *aliyah*[3], bien vite avortée.

Rares, semble-t-il, sont les ashkénazes promis à un avenir de militants communistes qui subissent dans leur jeunesse l'appel d'*Eretz Israel*.

Alain E. (1944, né dans un maquis de Lot-et-Garonne) s'inscrit à l'âge de huit ans aux Éclaireurs israélites de France. Sa sœur part pour Israël et l'invite. Il hésite. Scandalisé par le discours des Éclaireurs sur le sort des Palestiniens, il renonce. Il quitte les Éclaireurs à dix-huit ans, au moment où il va adhérer au PC.

Hélène D. (1936, Paris), la femme de Samuel, entre au *Drokh*[4] à dix-sept ans :

---

3. En hébreu, « montée », c'est-à-dire l'immigration en terre d'Israël (*DEJ*, p. 43).

4. En hébreu : Chemin. Mouvement de jeunes pionniers sionistes de gauche, créé en 1934 en Argentine. Se fond ensuite dans l'*Anah*, qui elle-même rejoint l'*Ihud Habonim*. (Cf. *Encyclopedia judaïca*, t. 8, p. 1240.) Cette référence sera désormais abrégée en *EJ*.

Et quand ma mère a vu que j'étais... pour elle, j'étais manipulée et leur objectif principal, c'était d'aller en Israël, c'est par un revers de gifle [elle rit] que je n'ai plus eu le droit d'aller à ces réunions et de rentrer à la maison ! Et je me suis inscrite donc effectivement aux Jeunesses communistes, j'avais dix-neuf ans.

Aline S. (1940, Paris) tente l'expérience :

J'ai été six mois en Israël, en 1963-1964. J'étais en voyage d'agrément chez ma tante. Comme j'avais des accrochages avec mes parents, je suis restée chez ma tante. Et elle m'a fait rentrer dans un *oulpan*, c'est-à-dire dans une école juive, pour apprendre l'hébreu. Et puis... j'ai eu un pressentiment... je suis partie juste à temps, parce que ma tante me préparait un mariage.

Les séfarades ont connu, pour un quart d'entre eux, des tentations plus vives ou des expériences plus exaltantes. Les chemins les plus inattendus peuvent mener au Parti communiste. C'est ainsi que Raphaël T. (1922, Alger) passe par... le *Betar*[5] avant d'adhérer, à vingt-huit ans, au PCA, puis – quatre ans plus tard – au PCF :

J'étais prêt à partir, à quitter l'Algérie en 1948, avant la création de l'État. Je voulais faire mon *aliyah*. Quand j'étais jeune, ma grand-mère m'avait mis dans le scoutisme juif et j'avais eu envie de partir. J'avais dix-sept ans ou seize ans et demi...
— Vous apparteniez à une organisation sioniste quelconque ?
— On nous avait mis au *Betar*... [Il rit.] Vous voyez, mon parcours est quand même assez... Je me souviens qu'il y avait une chanson que l'on chantait, c'était *Israël, Israël, Sur les deux rives du Jourdain...* Pour le *Betar*, Israël, c'était le Grand Israël, de la Méditerranée à la frontière irakienne. Donc je voulais partir.
Une chose qui m'avait frappé, c'était la résistance anti-impérialiste des Juifs de Palestine vis-à-vis de l'occupant anglais. Il y en a un qui m'avait frappé, un Israélien qui s'appelait Dov Gruner. Dov Gruner a été pendu par les Anglais, à la prison de Haiffa, et c'était un petit peu mon héros, parce qu'il s'était battu contre les Anglais. J'avais dit : « Si j'ai un garçon, je l'appellerai Dov. » Et mon fils s'appelle Bernard Dov.

---

5. Abréviation de *Berit Tempeldor*, un mouvement sioniste de jeunes activistes, fondé en 1923 à Riga et atteignant une importance significative dans les années trente, surtout en Europe de l'Est. Classé à droite. (Cf. *EJ*, t. 4, p. 714.)

Josyane B. (1933, Bougie), fille du grand rabbin de Constantine, rejoint en 1950 le *Bené Aqiva*[6] pour protester contre l'expulsion des enfants juifs de l'école publique, dont ses frères et sœurs avaient été victimes sous Vichy :

> À partir de là, je suis devenue sioniste. J'ai estimé que les Juifs qu'on exterminait se devaient d'avoir un pays pour eux. La Palestine était donc le pays revendiqué. Donc c'était pour moi tout à fait normal qu'on le leur accorde.

Elle part, trois étés de suite, travailler dans un *kibbouts*. À chacun de ses retours en Algérie, elle participe à ce qu'elle appelle le « travail idéologique » pour convaincre les jeunes Juifs pieds-noirs de la vérité sioniste.

> — Et pendant toutes ces années, vous vous sentiez d'accord avec l'État d'Israël, sa politique, son idéologie ?
> — Oui, parce que pour moi il n'y avait qu'un but : faire que ce pays existe et se développe. On sentait simplement une petite nuance, c'est que les postes clés étaient pris par des gens qui arrivaient d'Europe centrale, puisqu'ils avaient quitté les pogroms, étaient arrivés là. Et les Nord-Africains étaient moins...

C'est la guerre des Six Jours qui la fait basculer :

> Complètement, parce que j'estime qu'on n'a pas, par la force et par les armes, à s'installer dans des endroits où les autres sont, en estimant : ça nous appartient. C'est impossible. Je ne sais pas si vous connaissez Jérusalem ? Eh bien ! c'est pas possible qu'on puisse dire qu'il y a une mosquée et une synagogue à côté, que les uns sont bons et les autres mauvais, qu'il faut détruire une synagogue... euh... une mosquée pour installer sa synagogue. Ça, c'est quelque chose qui est inadmissible.

---

6. Les enfants d'Aqiva. Aqiva ben Yosef : « Nationaliste et patriote fervent, il soutint avec enthousiasme la seconde guerre contre les Romains. [...] À l'âge avancé de quatre-vingt-dix ans, il fut finalement condamné à mort et exécuté » (*DEJ*, p. 92-93). « Mouvement de jeunesse du *Ha Po'el ha-Mizrachi*. Fondé à Jérusalem en 1929, sous la direction spirituelle du rabbin Kook » (*EJ*, t. 4, p. 490).

En 1962, Josyane B. adhère au MRAP[7] pour exprimer sa haine de tous les racismes (y compris, bien sûr, celui des Israéliens à l'égard des Arabes). En 1966, tout naturellement, elle rejoint le PCF – qu'elle n'a jamais quitté depuis lors.

Les scouts de la *Makabia* ou le *Drokh* en Égypte, le *Bené Aqiva* ou *Ha Chomer ha-tsaïr*[8] en France : il n'est pas de mouvement sioniste, de gauche ou de droite, qui n'ait accueilli dans ses rangs de futurs communistes.

Une *aliyah* rêvée et avortée : voilà souvent le déterminant de l'adhésion. Ou encore une *aliyah* des parents qui se termine en désastre et qui fonctionne, dans l'imaginaire de l'enfant, comme une sorte de « scène primitive ». Hubert B. (1953, Tunis) part pour Israël à l'âge d'un an et y reste onze mois. Il s'invente des souvenirs d'enfant solitaire, méprisé ou ignoré par ses petits camarades ashkénazes. Il « revoit » le camp d'accueil, entouré de barbelés ; il répète le discours de son père, tailleur dans un *kibbouts*, qui dénonce la « nomenklatura sioniste ». Bref, quand ses parents le mettent dans une colonie de l'OSE[9], puis le font entrer à *Ha Chomer ha-tsaïr*, sa réaction ne peut être que négative « pour leur dire que je n'étais pas intéressé pour retourner en Israël ».

Mais d'autres franchissent le pas. Ils y vont à l'âge adulte. Parfois l'expérience tourne court, comme pour Annie E. (1936, Alexandrie) qui y reste cinq mois et abandonne « pour une raison très simple : il y avait un racisme, entre guillemets, entre les ashkénazes et les séfarades ».

Deux Juifs tunisiens, en revanche, vivent une aventure qu'**ils** ne sont pas près d'oublier. L'un, Claude-Raphaël D. (1942, Sfax), fait une première expérience du *kibbouts* en 1965, avec les Éclaireurs israélites de France. En 1970, il revient d'un long voyage en Asie :

7. D'abord appelé Mouvement contre le racisme, contre l'antisémitisme et pour la paix, puis Mouvement contre le racisme et pour l'amitié entre les peuples. Organisation satellite du PCF.

8. *Ha Chomer ha-tsaïr* : mouvement de jeunes pionniers sionistes-socialistes, créé à Vienne en 1916, afin de préparer les jeunes à la vie en *kibbouts*.

9. Organisation de secours aux enfants. Cf. Renée Poznanski, *op. cit.*, p. 166.

Je me suis dit : « Tiens, après tout, pourquoi je ne me fixerais pas en Israël ? » J'ai toujours gardé d'Israël l'idée que c'est un peu, non pas un paradis, mais un pays où je pourrais réaliser un sorte d'idéal. L'idéal étant le *kibbouts*. Vous voyez comment ça se connecte avec le communisme.

En 1970, il prend des contacts sans lendemain avec l'université de Jérusalem.

Il venait d'y avoir la guerre des Six Jours, donc Israël était devenu un pays impérialiste, etc., etc. – et là, vous voyez comment le communisme, en permanence, altère... se mêle avec mon histoire... J'avais eu des conversations très violentes avec des Israéliens. « Mais qu'est-ce que ça veut dire ? On est devenus des impérialistes, des nationalistes ! » Et j'étais d'ailleurs beaucoup plus propalestinien que je ne le suis aujourd'hui.

Revenu en France, il adhère au PCF, où il milite de 1973 à 1979. Après sa rupture, nous verrons qu'il tentera de nouveau l'*aliyah* et que, après un deuxième échec, il deviendra un admirateur du Grand Israël et du Likoud. Entendons bien qu'à son premier voyage, il revient d'Asie. Voilà un errant, un homme qui, chassé à quinze ans de sa Tunisie natale, se cherche un ancrage. Israël pourrait très bien faire l'affaire. Sauf que le communisme – autre refuge – « en permanence altère... se mêle avec [son] histoire... » On ne saurait mieux dire le va-et-vient, le méli-mélo, l'enchevêtrement du rêve sioniste et du rêve communiste, l'un et l'autre dans leur fonction de « foyer », de « cabane » (*soukka* ?), de cachette où trouver protection contre les vents d'exil.

L'autre Juif tunisien, Fernand I. (1950, Tunis), adhère aux Jeunesses communistes en 1965, mais rompt en mai 68 :

Je m'attendais pas du tout à ce qu'on... que ça se termine comme ça... J'étais écœuré. Et là, j'y croyais plus. Ça s'est éteint. Mes potes, ils ont été vivre dans les Cévennes, le Larzac et tout le truc. Moi, j'ai pas voulu faire comme eux, ça me faisait chier de... de... J'ai... j'ai voulu faire mieux qu'eux. J'ai été vivre dans un *kibbouts*. D'abord, ça a été quelque chose d'enthousiasmant. Extraordinaire. Pendant un an, j'ai connu des choses fantastiques. Et puis j'ai appris l'hébreu, je parle hébreu. Ça a été un déclic extraordinaire pour moi. Ça m'a permis de véritablement découvrir... la Palestine, la cause palestinienne.

Je ne supportais pas l'autre côté de la barrière. C'est-à-dire je rencontrais des Palestiniens qui venaient travailler, ils étaient considérés comme des chiens. C'était pas possible. Mais, sinon, je garde un souvenir extraordinaire du *kibbouts*. J'ai bien fait de le faire. Je ne regrette pas.

Il rentre en France. Il travaille. Il perd son emploi. Il divorce. Il se remarie. Il s'ennuie dans le béton de Chanteloup-les-Vignes :

Et puis on a décidé d'aller voir un peu en Israël. Alors là, deuxième claque de... On est restés huit mois. Avec mon épouse. L'armée m'a emmerdé... [il soupire] il a fallu que je fasse l'armée. Enfin je me suis battu, quoi. Et puis il y a la France encore, une deuxième fois... Ça me manquait de nouveau. Et là, la Palestine, ça m'a tapé un coup dans la tête. Là vraiment je me suis senti... pas responsable, mais... il faut que je fasse quelque chose !

Et je suis revenu. Le 30 décembre 1977. Le 2 janvier, j'ai été à la Fédération de l'Oise du Parti communiste français, prendre ma carte. Ma femme et moi, on a adhéré. C'est pas eux qui sont venus, c'est moi qui y suis allé. Et puis, depuis, ça fait vingt ans. Eh bien ! je... c'est mon parti, quoi. [Il rit.] Je suis retourné dans ma maison, quoi, voilà.

Une *aliyah* retournée, ou détournée : sionisme et communisme se nourrissent ainsi parfois l'un l'autre, s'entre-tissent, s'enchaînent. Bien loin de s'opposer comme adversaires historiques irréductibles, ils apparaissent souvent, au fil des histoires individuelles, comme les deux faces d'une même interrogation devant l'Histoire, comme les deux phases d'un même mal de vivre.

Le « porte-avions de l'impérialisme »

Très vite, pourtant, Israël devient – pour la propagande soviétique, donc pour celle du PCF – un avant-poste de l'impérialisme américain au Proche-Orient. Ou encore, suivant la formule consacrée de la langue de bois, le « porte-avions de l'impérialisme. »

C'était la période de la guerre froide, explique Michel Grojnowski. Nous en avons subi matériellement les conséquences. Nos Maisons d'enfants, qui étaient dirigées par la Commission centrale de l'enfance, obtenaient une subvention mensuelle du *Joint*[10]. Ils nous ont coupé les vivres. Déjà, on sentait cette atmosphère. L'attitude officielle envers Israël ne changeait pas, mais...

Ou, sur un ton plus « café du Commerce », dans la bouche du *shnayder* Jacques K. (1930, Paris) : « Mais enfin, pour moi, l'État d'Israël... c'est une question... Israël a été revendiqué... enfin revendiqué ?... par les Anglais, je vous fais pas l'Histoire, aux Américains... tout ça, c'est une question de pétrole. »

Alors, près d'un cinquième des interviewés (dix-sept, dont dix séfarades) s'enferment dans *un refus pur et dur* : « Ça ne m'intéresse pas ! Je refuse de cautionner une politique, voire un État, que je condamne... »

Ce qui peut même aller jusqu'à un amalgame sionisme-nazisme : « Je ne suis jamais retourné en Pologne et je n'ai jamais voulu aller en Israël », proclame Maurice B. (1925, Paris), le militant ultra-orthodoxe qui anime le Comité Honecker. « Parce que... je savais ce qui se passait avec... les organisations fascistes d'Israël qui s'étaient constituées là-bas. » On remarquera la double équation : Israël = Pologne des pogroms, et Israël = terre d'organisations fascistes...

Cet amalgame, les plus vieux militants n'hésitent pas à le ressasser, comme vérité de *Manifeste communiste* (pour ne pas dire : vérité d'Évangile !). Quand je demande à Georges F. (1917, Tunis, adhésion en 1943) s'il est allé en Israël, il me répond : « Non. Quand j'ai un principe, je m'y tiens. [Il rit.] J'ai refusé d'aller jouer en Italie au temps de Musssolini. J'ai refusé d'aller jouer en Espagne au temps de Franco. Et là, sans vouloir assimiler, tant qu'il n'y avait pas le problème réglé... »

Tous tiennent le même raisonnement : aller en Israël aujourd'hui, ce serait cautionner l'occupation des Territoires et l'asservissement

---

10. American Jewish Joint Distribution Committee, créé aux États-Unis en novembre 1914. C'est la principale organisation juive d'assistance. Cf. Élie Barnavi (sous la dir. de), *Histoire universelle des Juifs*, Paris, Hachette, 1992, p. 204.

des Palestiniens. Ce qui donne lieu à d'immenses disputes quand les parents israéliens viennent en France passer des vacances en famille. Telle Béatrice A. (1916, New York, adhésion en 1936) :

> Alors je leur ai dit : « Mais enfin, comment pouvez-vous admettre d'aller occuper des pays arabes ? des pays qui ne sont pas les vôtres ? » La réponse était merveilleuse. « Toute l'Histoire, m'ont-ils dit... Tout le monde est allé occuper du terrain chez le voisin. Pourquoi pas nous ? »

Tous avertissent : « Nous irons en Israël le jour où vous aurez fait la paix avec vos voisins. » Ce discours entonné à dix-sept voix, inutile d'en décliner toutes les nuances (il n'y en a guère), d'en répéter tous les refrains.

Isaac M. (1922, Le Caire, adhésion en 1945), qui s'était fait la même promesse, décide quand même d'y aller en 1992, parce qu'il ne voudrait pas mourir sans avoir vu Jérusalem. Hélas ! il se casse le ménisque au moment du départ, puis – à peine remis – souffre d'un anévrisme de l'aorte. Il n'ira jamais plus. Sa femme, Rose, interviewée une autre semaine, propose une autre version de cet acte manqué : c'est à cause de l'« acte d'Hébron[11] » qu'ils ne seraient pas partis. Peu importe : un psychanalyste dirait sans doute qu'ils n'ont pas voulu briser leur vœu.

Les autres, tous militants ou futurs militants, se contentent d'*un simple pèlerinage*. La plupart y trouvent ample confirmation de leurs présupposés idéologiques : les *kibboutsim* ne sont pas du « socialisme réel » ! Israël relève du pur et simple colonialisme. Les seize interviewés (sept ashkénazes, neuf séfarades) qui racontent leur voyage, carte du Parti en poche, rivalisent de colère dans leur compte rendu.

Le racisme : « Ils emploient les méthodes de Hitler. Ils ont bien appris de lui. C'est dégueulasse » (Lydia G., 1916, Alep, adhésion en 1941). Ou Renée O. (1923, Oran) : « Je suis juive, mais quand je vois ça, je deviens antijuive ! »

---

11. Le crime commis par un colon juif contre des musulmans en prière à la mosquée ; 29 morts (25 février 1994).

Le militarisme : écoutons Alain F. (1947, Casablanca), membre du Comité national :

> Le voyage en Israël m'a complètement confirmé que j'avais à faire à un État militarisé, qui... qui... impérialiste, qui refusait la... la paix avec les Arabes et qui s'était fait... comment dirais-je ?... le... anti... outil des pénétrations impérialistes... colonialistes et impérialistes au Moyen-Orient.

On remarquera comment l'irruption de la langue de bois, quelque peu inattendue chez cet universitaire à la parole parfaitement contrôlée, traduit sans doute un embarras, une difficulté à exprimer le « retournement dialectique » de l'URSS et du PCF, qu'il se garde de condamner formellement, même avec un recul de quarante et quelques années.

Le socialisme des *kibboutsim* : « Si le socialisme, c'est celui des *kibbouts*, alors moi, je ne suis pas socialiste ! Je te dirai même mieux : je suis antisocialiste » (Bernard A., 1924, Paris, adhésion en 1944).

Du reste, aucun ne cache ses préjugés : « J'y allais en tant que juge », reconnaît Odette P. (1920, Le Caire, adhésion en 1942). « Et c'est pas le voyage qui allait nous faire changer d'avis », confirme son mari, Jacques P. (1923, Le Caire, adhésion en 1942).

Au point que Sacha R. (1943, Sverdlovsk, adhésion en 1958) se sent mal à l'aise parce qu'il a peur d'être pris... pour ce qu'il n'est pas :

> J'y allais avec beaucoup d'appréhension et d'esprit critique. J'ai mal vécu cette semaine. Jérusalem, je l'ai visitée en traversant les quartiers occupés, où j'étais dévisagé avec beaucoup d'hostilité par les commerçants et la population arabes. J'étais très mal à l'aise, parce que j'étais occupant et je n'aimais pas être occupant !

Tout anti-israélien qu'il soit, il s'identifie donc à l'« occupant » plutôt qu'à l'« occupé ». Comme si le Juif communiste en Israël était condamné à une sorte de dédoublement de la personnalité : à la fois Juif et Palestinien, oppresseur et opprimé. Ou pire : à une fission de son être, la partie juive de lui-même consentant, non sans troubles de conscience, à l'accompagner dans son voyage, tandis que la partie communiste reste désespérément en rade, maugréant et réprouvant, prête à se venger dès que la douane de sortie aura été franchie.

La guerre des Six Jours : un drame de famille

Dans ce petit milieu des Juifs communistes, la guerre des Six Jours provoque un véritable séisme. Certains déchirent leur carte, d'autres rompent avec leur famille, des commerçants se brouillent avec leurs clients ou leurs fournisseurs. La fidélité de ceux qui décident de rester en sort renforcée pour des années : il faudra désormais, non des cataclysmes (ils sont blindés), mais l'usure du temps, la lassitude des combats quotidiennement perdus, pour venir à bout, le cas échéant, de leur militantisme.

Même Michel Grojnowski reconnaît le trouble qui s'empare alors des esprits. En 1967, le Parti lui demande de reprendre la direction de *Presse Nouvelle Hebdo*, l'édition française de *Naye Presse* :

> Je savais que l'UJRE était affaiblie. C'était après la guerre des Six Jours. Le responsable de la section des cadres m'appelle : « Le Parti se trouve aujourd'hui, dans le secteur juif, dans des difficultés énormes. Énormes ! Je ne sais pas si tu te rends compte ! Je vais te raconter une histoire personnelle. Ma femme est juive séfarade. Une bonne militante. Depuis la guerre des Six Jours, il y a une séparation entre nous, on ne se comprend plus. Elle est pour Israël. » J'ai compris que la situation était très sérieuse. J'ai accepté.

Sur trente-six interviewés qui évoquent, toujours avec passion, ces souvenirs vieux de plus de trente ans, sept (dont cinq séfarades) revendiquent encore le soutien qu'ils avaient alors exprimé à Israël.

Un seul a rendu sa carte du Parti en ces jours de colère : Raphaël T. (Alger, 1922), membre du PCA depuis 1950 et du PCF depuis 1962 (celui qui était passé par le *Betar*). « Et là, comme... tout en gardant mes idées... de gauche... communistes, j'ai quitté le

PC au moment de la guerre des Six Jours. Là, je me suis remis en cause. » Cela se passe de façon assez cocasse : un jour, il partage un taxi avec un « camarade », qui lui explique que « pour lui, communiste français, catholique, Israël devrait pas exister » :

> Il croyait que les Israéliens en 1948 étaient venus s'installer en Palestine, en chassant un peuple qui avait déjà un État. Ce qui était complètement faux. Aujourd'hui il y a encore des Juifs, de jeunes Juifs, qui n'ont pas vécu cette époque, qui s'imaginent que l'État existait. Quand j'ai vu ça, j'ai dit : « Moi, écoute, je m'arrête. Je descends. » Et je suis parti.
> Et j'ai eu quelques problèmes... de cellule. J'ai expliqué ma position et je leur ai dit : « Bon, moi je me retire pour le moment. On verra plus tard. » Plus tard... j'ai eu raison, parce que... ça a changé. Et voilà comment c'est arrivé.

Micheline T. (1936, Tunis), elle, attendra encore un an – le commode mai 68 – pour suivre le même chemin :

> Mon sang n'a fait qu'un tour et je suis venue en train, de là où j'étais, pour assister à une réunion de cellule et pour dire à mes camarades : « Vous devez réaliser que la destruction de l'État d'Israël comme État colonial n'est pas une position tenable. » Et à ce moment-là, j'ai même avancé un argument tout neuf pour moi : « Qu'est-ce qui fait que tous les Juifs orientaux ont dû quitter les pays arabes ? »

Quelques-uns regrettent de ne pas avoir eu le courage de rompre dès ce moment-là. Arlette Y. (1928, Souk Arhas), celle qui a dû s'exiler à Prague pendant la guerre d'Algérie, s'en souvient avec remords :

> Au moment de la guerre des Six Jours, j'ai eu le premier et le seul accident de voiture de ma vie ! C'était le matin, je partais prendre mes cours et je venais d'entendre qu'Israël... que les troupes avançaient partout... enfin, d'après les radios, d'après les journaux, Israël allait être mangée ! Mais c'était faux ! Je me sentais toute tremblante. J'étais plus maîtresse de moi et je sais pas ce qui s'est produit... Enfin, je me suis retrouvée contre un mur d'une entreprise ! La cause arabe, la cause palestinienne, on n'entendait que ça. Le mal était... le mal juif ! [Silence.]
> Vraiment... j'aurais dû ! J'aurais dû partir à ce moment-là ! Claquer

la porte ! J'avais pas encore été en Israël... Puisque j'y suis allée *après* la guerre des Six Jours, bien sûr ! J'aurais dû dire : « Écoutez, non, ça suffit ! Et puis l'antisémitisme, ça ne peut pas durer ! » J'aurais dû. J'aurais dû. Je ne l'ai pas fait. Et puis après, on est piégé. Parce que si on ne l'a pas fait à un moment, pourquoi le faire à un autre ? On est englué dans ce genre de truc.

Elle attendra dix-neuf ans – 1986 – pour transformer cette velléité en décision irrévocable.

Madeleine S. (1929, Saint-Quentin) – celle qui avait eu à supporter des propos antisémites dès sa première réunion de cellule – , devenue quelques années plus tard violemment pro-israélienne, doit affronter tous les jours son mari qui, lui, s'en tient rigoureusement à la ligne pro-arabe du Parti :

> Et c'était mon fils, qui était un petit gamin à l'époque, qui avait dit : « Ah ! là ! là ! La guerre des Six Jours, mes parents, ils s'engueulent tout le temps ! Tout le temps, tout le temps. Si ça finit pas, ils vont divorcer ! » [Elle rit.] Alors, ça m'est resté. Ça voulait dire qu'on s'engueulait beaucoup sur ce sujet.

Madeleine S. ne divorcera et ne claquera la porte du PCF qu'en 1980.

Même des militants purs et durs – de ceux qui sont restés au Parti quoi qu'il arrive, ou qui ont franchi quelques échelons importants de la hiérarchie – avouent aujourd'hui qu'ils soutenaient à l'époque la cause d'Israël. Alain F. (1947, Casablanca), pourtant membre du Comité national, le reconnaît non sans courage : « En 1967 j'avais été ébranlé et, alors que j'étais déjà sympathisant du PC, je n'ai pas suivi le PC dans sa condamnation de l'intervention israélienne, ce qu'on appellera l'*agression israélienne*... Je n'ai pas suivi, parce que je n'y arrivais pas, ce n'était pas possible. »

Marcel H. (1950, Oran), membre du Comité fédéral des Bouches-du-Rhône, que son interview permettrait de classer plutôt du côté des orthodoxes, n'hésite pas, lui non plus, à « avouer » : « J'étais complètement solidaire de l'armée israélienne. Et j'étais... à l'écoute de toutes les informations sur ce qui se passait en Israël.

En même temps, j'étais déjà militant, même... pas politique, mais j'étais déjà militant. [Silence.] »

Mais la plupart (vingt-neuf sur trente-six, dont dix-neuf ashkénazes) s'en tiennent à la position tranchée du Parti : Israël est l'agresseur, les Juifs pro-israéliens se font les complices d'une agression impérialiste.

Beaucoup doivent alors faire face à la colère ou à l'incompréhension totale de leurs proches. Jacques R. (1928, Lodz) – celui qui avait dû se cacher dans un clapier à lapins avec son père – se brouille justement avec ce père le jour où...

> Et là où la rupture avec mon père a été totalement consommée, c'est quand en 1956 il y a eu la guerre des Six Jours [*sic*]. Et là, mon père a fait un revirement absolument inimaginable pour moi. Moi qui ai été communiste de par l'influence que mon père avait exercée sur moi, voir mon père défendre Israël, retourner à une pratique juive, c'est incroyable !
> — Et quand il est mort, tu étais encore brouillé avec lui ?
> — Non, non, non. Ça a duré un certain nombre d'années. Mais ma femme a usé de son influence pour expliquer que, quand un père n'a qu'un seul fils et qu'un fils n'a qu'un seul père, ça ne peut pas durer toute une vie. Alors, par la suite, j'ai renoué des relations avec mon père... Mon père n'était pas sioniste, il était pro-israélien. Imprégné jusqu'à la moelle de culture juive. Et moi, j'étais militant communiste. Voilà.

Jacques R. a lui-même quitté le Parti en 1978. Et il est devenu à son tour, nous le verrons, un partisan inconditionnel d'Israël.

Mais l'histoire familiale la plus terrible, c'est Maurice B. (1925, Livry-Gargan) – le membre du Comité Honecker – qui la raconte :

> Ma mère est décédée en 1967, c'est-à-dire trois ou quatre mois après la guerre des Six Jours. Ma mère a eu beaucoup de mal à passer ce cap. Elle revoyait, dans cette situation de guerre, avec tout ce que cela comportait – il y avait des déclarations de Choukheiry [12] à l'époque, il y avait tous les extrémistes qui étaient prêts à bouffer du Juif, ce qui n'a pas aidé, il y avait les extrémistes juifs qui étaient prêts à bouffer

---

12. Ahmed Choukheiry fonde l'OLP en 1964 et en reste le président jusqu'en 1969. Son programme vise à « rayer Israël de la carte ».

de l'Arabe... Je me rappelle, elle a beaucoup souffert entre juillet et septembre. Je ne voudrais pas accuser les événements de l'avoir fait mourir, elle est morte d'un cancer, un foyer qu'on n'arrivait pas à détecter, c'était intraitable. Est-ce que les événements ont précipité sa mort ? C'est fort possible. Parce qu'elle était très, très, très touchée par ce qui se passait. Au point de devenir antiarabe. Des trucs qui lui échappaient, en disant des choses qui sortaient du bon sens, quoi.

Alors là, je le lui ai dit, quand il y a eu cette guerre des Six Jours, il y a eu le Comité national qui s'est constitué en faveur d'Israël, dans lequel ils ont fait adhérer Darquier de Pellepoix[13] ! Oui ! Alors j'ai dit à ma mère : « Tu m'expliqueras pourquoi on accepte Darquier de Pellepoix ! En admettant que tu aies raison, un antisémite comme ça, qui s'est occupé des affaires juives pendant l'Occupation, qui aurait dû normalement faire de la prison, sinon plus... » Alors j'ai expliqué à ma mère, mais elle avait très, très peur de ce qui se passait. Elle craignait beaucoup pour les Juifs qui se trouvaient là-bas. Et puis elle est décédée. Assez brutalement.

Il faut imaginer cette scène de tragédie : le fils militant qui harcèle sa mère agonisante – bien sûr, il n'est pas responsable de sa mort ! – en lui débitant des mensonges de propagande (auxquels il croit sincèrement, bien sûr) pour essayer de démolir ses convictions les plus profondes. Et la mère qui meurt. Et le fils qui raconte l'histoire trente ans plus tard sans la moindre trace de regret ou de remords.

Tel n'est pas le cas de Rosette Z. (1934, Paris) : son père rend sa carte et elle essaie, face à lui, de justifier la position du Parti. Elle est aujourd'hui toujours militante, mais franchement moins sûre d'elle-même : « Du moment que le Parti disait, c'est qu'il avait raison. Moi, quand même, je dois dire, j'ai eu très longtemps la foi du charbonnier. »

Quelques-uns enfin, commerçants, artisans, médecins, se trouvent, dans l'exercice de leur profession, au cœur de conflits inexpiables.

Bernard A. (1924, Paris) – le héros de la libération de Villeurbanne –, qui s'était acheté non sans mal une boutique de confection

13. Darquier de Pellepoix remplace Xavier Vallat au Commissariat général aux questions juives le 17 juillet 1942. Après la Libération, il se réfugie en Espagne.

pour dames près du Carreau du Temple, se trouve en butte aux représailles des partisans acharnés d'Israël :

> On a cassé mes vitrines. Fallait donner de l'argent... On disait : « C'est du racket ! » Mais les gens le donnaient vraiment avec ferveur et ils auraient donné, s'ils pouvaient, deux fois plus... J'ai refusé. L'assurance a joué. On a rétabli les vitrines du magasin. On me les a cassées une deuxième fois. Alors j'ai toujours refusé.
> Alors ça, ça nous a choqués ! Ça nous a beaucoup perturbés ! Pas seulement ma femme et moi, mais les autres amis. Ça nous a beaucoup frappés. Beaucoup. Maintenant, c'est passé. Ça fait partie de la lutte politique.
> J'ai été voir les flics. Ils m'ont dit : « Vous donnez des noms ?... » J'ai dit : « Non. Contre X. » Ils m'ont dit : « C'est les Arabes ? » Je ne réponds pas. Ils m'ont dit : « Laissez tomber ! Vous savez bien qui c'est ? » J'ai dit oui. Ils m'ont dit : « Ou vous dites, ou vous ne dites pas ! » J'ai dit : « Je ne peux pas dire ! » Je savais qui c'est. Jamais j'aurais fait ça. Parce que justement, comme eux je suis juif. Mais, en plus, moi je suis... communiste.

Maurice O. (1922, Oran), qui tient un salon de coiffure à Solférino, se dispute à longueur de journée avec ses habitués – « énormément de Juifs d'Europe centrale » –, allant jusqu'à les mettre dehors lorsque la discussion devient trop passionnée.

Il n'est pas jusqu'au docteur Jacques T. (1925, Paris) qui ne connaisse des ennuis au Centre médical de Saint-Ouen :

> J'ai été pressenti pour verser de l'argent pour Israël... La rhumatologue qui travaillait avec moi au Centre, je lui ai dit que je n'étais ni solidaire ni concerné, elle m'en a voulu, on ne s'est pas parlé pendant des années. Par la suite, j'ai fait une autocritique partielle, j'étais pas solidaire, mais c'est une erreur de ne pas se sentir concerné.

Bref, il ne faisait pas toujours bon, en ce temps-là, se déclarer Juif communiste. Comme le disait fort bien le président Mao dans un de ses aphorismes immortels, « la Révolution n'est pas une partie de plaisir ».

Cette année à Jérusalem...

Faut-il ajouter que la Révolution, justement, n'est plus tout à fait ce qu'elle était ? Plus les années passaient, moins l'antisionisme frénétique s'imposait comme article de foi aux Juifs communistes. Le rapport à Israël tendait – et tend toujours – à se décomplexer. Des militants convaincus (y compris au plus haut niveau de la hiérarchie) font de plus en plus naturellement le voyage et n'hésitent pas à en rapporter des impressions plutôt positives. En tout cas, moins catégoriquement hostiles.

Même Michel Grojnowski, peu suspect de déviationnisme, s'y rend, pour la seule fois de sa vie, juste après la guerre de Kippour :

> Dans les *kibboutsim* où on allait, on sentait une atmosphère lourde : là il y avait un tué, là deux tués. Mais le pays est très beau. Ils ont fait énormément de choses. C'est un pays qui a un avenir. Qui s'enrichit toujours de nouveaux immigrés. Il faut dire que les Juifs du monde entier les aident énormément. Ils n'auraient jamais pu réaliser tout ça sans cette aide.

Il n'est pas exclu que le souvenir ait été ici réélaboré pour s'adapter à la nouvelle ligne politique du PCF (celle de 1995, année de l'entretien, et non celle de 1973, année du voyage). Cette réécriture de la mémoire peut, du reste, être inconsciente (et non pas relever d'un opportunisme délibéré) : c'est lui, Grojnowski, qui – seul de toute l'enquête – a exigé de réécrire ou de censurer certains passages de l'entretien. Or il n'a pas tiqué devant ces quelques phrases. On peut donc imaginer qu'il a sincèrement « intériorisé » le virage pris par son parti.

Isi A. (1933, Paris), militant depuis 1948 et dirigeant de grosses entreprises liées au Parti (bien qu'il refuse de reconnaître ce lien), accomplit le pèlerinage en 1992 :

> C'est un pays merveilleux. Très intéressant. Tu prends la Bible, tu as le meilleur guide pour visiter ce pays ! Des images qui sont fabuleuses. Ce qui a été fait dans ce pays est prodigieux. Tu prends une route, d'un côté il y a des pierres et des pierres, et puis de l'autre côté il y a un

terrain cultivé : on dirait qu'ils ont ensemencé des pierres d'un côté et puis de l'autre côté il y a de la terre. Mais, politiquement, il y a des choses que je ne conçois pas : être aussi raciste, alors qu'on est juif, ça me semble difficilement conciliable.

Or c'est un des interviewés qui essaie de contrôler le plus son propre discours et ce que j'en transcris. Le seul, par exemple, qui exige – à toutes fins utiles – de photocopier ma grille d'entretien. On peut donc supposer que ce passage correspond tout à fait à ce que le Parti est disposé à assumer, au moment où Isi A. répond à mes questions.

Camp David, Madrid, Oslo, la poignée de mains Rabin-Arafat, Wye Plantation... Difficile de se montrer plus palestinien que l'OLP ! Rares étaient dès lors (entre 1994 et 1998, lors des entretiens) ceux qui ne consentaient pas à s'interroger quelque peu, à remettre en question quelques certitudes bien établies.

Rosette Z. (1934, Paris), par exemple, elle qui s'alignait sur la position du Parti au moment de la guerre des Six Jours, au risque de discussions amères avec ses parents. Elle fait le voyage en avril 1995 :

> Ah ! moi, Israël ne m'a jamais intéressée. Je m'y intéresse depuis que j'y suis allée. À ma grande honte d'ailleurs, parce que ma connaissance, elle se fait comme ça, par bribes... et c'est vrai que je ne connais rien aux problèmes israéliens, parce que je n'ai même pas cherché à savoir et à comprendre. Pour moi, Israël, c'était l'agresseur, et puis voilà. [Silence.] Mais enfin... je pense que... j'aurais dû quand même m'y intéresser un peu plus. Pas du tout pour une allégeance quelconque, bien sûr que non. Mais avec un esprit un peu plus ouvert et critique, quoi. [Elle rit.]

Et quelques-uns de ceux qui, par principe, n'y étaient jamais allés commençaient à envisager que peut-être... Ainsi Anne L. (1967, Ivry), militante et fille de militant, la benjamine de l'échantillon, avoue :

> Autant j'ai pu être vraiment très virulente et très antisioniste, même anti-israélienne, dans ma période d'adolescence, autant maintenant je suis plus circonspecte. C'est vrai que j'évolue lentement. Autant j'étais

radicalement opposée à y aller, autant depuis un an ou deux je me pose la question. J'irai « voir ma famille » ! [Elle rit.] J'irai « faire un tour » ! On ira « visiter » !

Mais d'autres – beaucoup d'autres, et non des moindres – vont déjà franchement plus loin. Ils plaident pour une réévaluation complète de la politique du PCF face aux problèmes d'Israël et du Moyen-Orient. Écoutons une fois de plus Alain F., le membre du Comité national – celui qui enseigne la Torah à son fils pour le préparer à sa *bar mitsvah* !... Il organise à la Fête de *L'Huma* une exposition sur *Les Juifs et les communistes* :

> Et j'ai fait un panneau où j'ai rappelé que... que le sionisme, à l'origine, était un mouvement de libération nationale. J'ai montré que... que la contradiction était venue du fait que l'État d'Israël avait... avait nié sa fondation originelle et s'était... embarqué, à partir de 1956, dans une... s'était fait... l'outil des pénétrations impérialistes et... colonialistes au Moyen-Orient. Et que, à partir de là, il y avait eu effectivement une contradiction. Et que c'était peut-être... à cette contradiction-là qu'il fallait attribuer le... la rupture qui va s'opérer entre le PC et les Juifs et l'État d'Israël. Et je montre que, aujourd'hui, les conditions ont changé, qu'il y a deux peuples, il y a une terre, il faut la partager, il y aura deux États, etc.
>
> J'avais envie de régler un peu tout ça avec ma propre histoire. Je fais ce panneau. Et, bizarrement, *Tribune juive* rend compte de cette expo en disant : « Tonalité nouvelle, intéressant, etc. » Et elle signale un panneau signé « d'un certain Alain F. qui... dénote un discours nouveau du PC à l'égard d'Israël ».
>
> Discours nouveau du PC ? Franchement, ça fait un peu rigoler place du Colonel-Fabien ! Je n'avais concerté ce texte avec personne. Or, c'est vrai que, progressivement, on va commencer à tenir un discours... toujours affirmation des droits des Palestiniens, etc., mais on va commencer à ouvrir des relations avec les forces progressistes israéliennes.

« Nouveau » ? Oui. Mais soyons dialectique, dans la meilleure tradition des virages historiques du PCF : « On a toujours dit que... », mais « c'est vrai que progressivement... ». Il s'agit de ne pas effrayer le militant de base, qui craint comme la peste les brusques changements de ligne. Et, comme d'habitude, le tournant est amorcé par un franc-tireur, un homme que personne ne connaît

286

et qui est supposé parler en son nom personnel. Remarquons tout de même un léger dérapage : « la rupture qui va s'opérer entre le PC et les Juifs et l'État d'Israël ». Non point seulement donc avec Israël comme État, mais aussi avec « les Juifs » dans leur ensemble, ce qui est l'aveu d'une contradiction interne (puisque Alain F., par sa seule existence – mais aussi par celle de milliers de Juifs au sein du Parti –, démontre justement le contraire).

> — Vous y êtes allé ?
> — Oui. En août 1968. J'ai réglé mon compte avec Israël... J'y ai passé six semaines avec les copains, j'ai fait mon voyage initiatique, mais après 1968. Donc j'y suis allé avec des réticences à l'égard de l'État d'Israël, que je trouvais... très... Je suis allé là-bas avec un peu de préventions. J'ai fait quinze jours de *kibbouts*. Dans un *kibbouts* d'extrême gauche. C'était un *kibbouts* laïque. Après, je me suis baladé en Territoire occupé.

Tous les mots comptent : le voyage est à la fois un « règlement de compte » et un « voyage initiatique », ce qui dit bien l'ambiguïté du projet. On se rend en Israël avec des « préventions », des « réticences », mais bien sûr on se protège des miasmes ou des tentations en choisissant un *kibbouts* « laïque » et « d'extrême gauche ». Tout est programmé : il n'y aura pas de mauvaise (ou de bonne) surprise.

> — Et pendant toutes ces années, vous adhérez totalement au discours du Parti sur les relations israélo-palestiniennes ?
> — Alors... après mon retour d'Israël, je vais même être un petit peu plus radical. Au sein du PC, je défends tout le temps une position qui consiste à dire : « Certes la reconnaissance de l'État d'Israël, oui, évidente. Mais aujourd'hui le problème est de sortir les Palestiniens du trou... du trou où on les a mis. »
> Et ensuite j'évolue progressivement... Non, je n'ai jamais changé, j'ai toujours considéré qu'il fallait la création d'un État palestinien. Mais... disons que je me calme... elle sera moins caricaturale et moins... moins gauchiste, disons. Les accords d'Oslo, je n'ai pas de réticences[14].

« Je n'ai jamais changé », mais « j'évolue progressivement » : toujours la même position dialectique, qui reflète parfaitement

---

14. Entretien réalisé le 21 février 1997.

– nous l'avons vu – la façon dont le PCF habille ses retournements stratégiques.

« J'évolue » : voilà le maître mot des militants... les plus évolués. Celui qui va le plus loin dans cette direction, c'est Gilles D. (1954, Bône), l'ancien chef du service Société de *L'Humanité*, qui appartient au moment de l'entretien, au cabinet d'un ministre communiste :

> Ça m'a longtemps déchiré, cette situation, parce que j'ai longtemps vécu Israël comme un... comme une entité, un pays, pour lequel évidemment j'ai quand même... je ne sais pas... je ne dirai pas une affection, pas du tout, c'est pas ça, c'est... En tout cas, tout ce qui s'y passe forcément m'intéresse... et dont l'existence est pour moi quelque chose... d'indispensable. Et donc longtemps ça m'a déchiré de voir que ce pays-là, qui est quand même... qui est quand même dirigé par des gens qui sont censés être... les mêmes valeurs spirituelles que les miennes, commettent des choses absolument abominables. Alors... c'est un truc qui a eu un effet de repoussoir. Alors là, vraiment, Sabra et Chatila ! Les massacres, le fou furieux Goldstein[15], enfin, ça a été vraiment des moments très très durs.

« Déchiré » : le mot y est deux fois. Pour qu'il y ait « déchirement », il faut au moins deux morceaux. D'un côté, l'« affection », les « mêmes valeurs spirituelles », l'« indispensable » (mais toujours avec une restriction, scandée trois fois par un « quand même ») ; de l'autre, le « repoussoir », « des choses absolument abominables »... La dualité des sentiments s'exprime jusque dans la double façon de définir Israël : « une entité, un pays ». « Entité », c'est le mot qu'utilisent ceux des pays arabes qui refusent de reconnaître l'existence de l'« entité sioniste » ! Gilles D. dit bien, avant même de tenter le premier pèlerinage, la schizoïdie fondamentale du Juif communiste qui ne se renie pas comme Juif. L'« entre-deux » : sans doute retrouverons-nous cette figure majeure au cœur même de notre problématique.

Il va, pour la première fois, en Israël « en 1991-1992 ».

---

15. Baruch Goldstein, Juif ultra-religieux qui a tiré au fusil-mitrailleur sur les fidèles à la mosquée d'Ibrahim à Hébron.

La plus grande révélation... le plus grand choc, ça a été de découvrir un pays totalement divisé. Un pays qui... qui est à une situation d'affrontement... pour le moment verbale, mais d'une dureté qu'on ne connaît pas ici. Entre la gauche et la droite, mais surtout entre ceux qui veulent imposer vraiment une espèce d'orthodoxie, une chape de plomb religieuse sur le pays, et ceux qui ne veulent pas de ça, etc. Du coup... ça a modifié complètement mon attitude à l'égard d'Israël, c'est-à-dire que je me suis dit : « Le meilleur combat à mener pour Israël, c'est d'être aux côtés de ceux qui veulent la paix, de ceux qui veulent négocier et s'entendre avec les Palestiniens, et de ceux qui veulent un État laïque et un judaïsme d'abord ancré dans l'Histoire, dans la mémoire, et non pas dans une orthodoxie absolument terrifiante, qui fait régresser toutes les valeurs humaines. » Et ça, pour moi, ça a été un déclic, quoi.

« Un pays totalement divisé » : Gilles D. découvre donc un pays qui lui ressemble – « déchiré » comme lui. D'où la « révélation », le « choc », le « déclic » : Israël agit ici comme un miroir. Là où d'autres Juifs communistes (autrefois, sans doute, la majorité d'entre eux) ne voient que leur part maudite – celle qu'ils croient renier (alors qu'elle leur est, bien malgré eux, si proche) –, faite de violence, de refus de l'Autre, d'enfermement ghettoïque, Gilles D. aperçoit une figure du double, c'est-à-dire de lui-même.

Depuis... là encore je me suis engagé, à travers un certain nombre d'associations, à travers La Paix Maintenant, à travers des papiers que j'envoie de temps en temps ici ou là, à travers des pétitions que je signe et que je fais signer, parce qu'on me demande toujours de recruter justement des signatures... [il rit] de Juifs séfarades sur des pétitions pour le soutien au processus de paix.

Pour moi, ça a été un drame terrible, l'élection de Netanyahou. Cela dit, je pense que Peres a une grande part de responsabilité. Je ne suis pas dupe sur qui était Rabin à une époque, mais pour moi il a eu l'intelligence de comprendre un certain nombre de choses. Mais sinon ça a été un drame...

Donc je vis au rythme de ce pays, d'une lecture un peu identique à celui de la France, c'est-à-dire un combat mené à l'intérieur entre progressistes et non-progressistes.

Autrement dit, Gilles D., parti d'une reconnaissance du double, milite maintenant pour une politique qui tienne compte de cette dualité fondamentale. Et peut-être esquisse-t-il ainsi une figure matricielle du Juif communiste : celui qui pourrait (ou aurait pu) briser le monolithisme ou le mono-idéisme du PCF, retrouvant, par un détour, la tradition du « lire aux éclats », du *maloqet* talmudiste, c'est-à-dire d'une discussion où « la conciliation n'est pas recherchée [...]. Aucune synthèse, aucun troisième terme ne vient supprimer la contradiction[16] ».

> — Et maintenant que Netanyahou est au pouvoir[17], vous continuez à y aller ?
> — À chaque voyage, j'ai l'impression qu'on voit de plus en plus de barbus. On est au bord de quelque chose d'assez grave, si les choses n'évoluent pas. Alors, là-dessus, moi je suis très inquiet, parce que... parce que... parce qu'ils sont prêts à tout...
> Ce qui est intéressant, c'est que la réaction est très forte. Je crois que, contrairement à d'autres pays qui sont menacés par les intégristes religieux, en Israël il y a quand même des... il y a des ressorts, il y a des mobilisations, qui sont quand même très importants.
> Et puis je pense sincèrement que le réalisme de cette société, qui est quand même ultra-libérale, je pense que la logique du libéralisme et de l'argent ne peut pas s'accommoder de cette montée de l'intégrisme. Depuis l'arrivée au pouvoir de Netanyahou, les milieux d'affaires sont catastrophés, parce que le tourisme a enregistré une chute vertigineuse, les investissements sont en recul, la Bourse s'est effondrée. Et donc... je pense que cette pression-là... peut faire revenir le Likoud, en bon parti de droite qu'il est, à un positionnement de classe, pour...
> Même à Jérusalem, on voit maintenant, dans les ruines des synagogues brûlées, des boutiques Benetton, des trucs très chics, des joailliers de marque... Il y a un truc qui est en train de se construire face aux remparts, *David's Village*, ce sont des appartements ultra-luxueux, des trucs qui vont coûter des fortunes, ça m'étonnerait que ça puisse s'accommoder de la montée de l'orthodoxie.

Par un paradoxe qui n'est pas sans charme, Gilles D. en arrive ainsi à découvrir dans le capitalisme et dans le mondialisme le talisman qui préservera Israël de la peste intégriste. Face aux hommes en noir, faisons confiance au dollar ! Dans cette optique

---

16. Cf. Marc-Alain Ouaknin, *Lire aux éclats*, Paris, Quai Voltaire, 1992, p. 41-43, et *Le Livre brûlé*, Paris, Lieu commun-Seuil, 1993, p. 133-135.

17. Entretien réalisé le 10 février 1997.

– lui qui est expert, puisqu'il y a longtemps travaillé –, il critique la « vision monolithique » que L'*Humanité* donne de la société israélienne :

> Quand il y a un événement qui touche les Palestiniens, on va unilatéralement prononcer un réquisitoire contre le gouvernement israélien. Et je crois qu'il faut le faire, parce que c'est très grave. Et on ne va jamais valoriser la mobilisation et l'opposition qui se manifestent à l'intérieur de la société israélienne contre ce qui vient de se passer. Et ça, c'est vachement dangereux d'occulter cet aspect. On alimente l'idée que cette société a une vision totalement unilatérale de la question palestinienne. Il n'y a pas de volonté de s'appuyer sur une frange de la société israélienne contre une autre.
>
> La dernière fois que je suis allé en Israël, j'en ai rapporté un reportage. Je voulais complètement briser avec la tradition de L'*Humanité*. C'est-à-dire, c'est « Untel a dit, le ministre a dit, le chef lui a répondu... », voilà. Et donc j'ai fait un reportage en racontant Israël, mais vraiment en partant des immigrés roumains dans un café à Tel-Aviv, en partant d'un type qui s'occupe d'un centre d'éducation pour Palestiniens israéliens, voilà, raconter comme ça au jour le jour. Et... il y a eu un problème pour passer ce reportage. Non pas de la part de la direction du journal, qui avait adhéré à cette idée-là, etc., mais de la part de la rubrique internationale. Finalement c'est passé, mais il y a eu une opposition, un petit peu sur le thème : « Oui, mais tu ne dénonces pas assez ce que fait Israël contre les Palestiniens ! » Je dis : « Oui, mais ça, ce n'est pas le sujet. »
>
> Il faudrait pratiquement que cette réalité-là occulte tout le reste. Il ne faudrait pas parler du reste, parce que le reste risquerait d'apparaître comme une atténuation de la critique. Et ça, c'est insupportable comme démarche. [Silence].

Gilles D., Juif d'Algérie, membre du Parti communiste depuis 1973, n'est pas un militant de base, un de ces francs-tireurs qui, depuis des années, sont chargés de donner à l'extérieur une image cosmétique « libérale » du PCF (une sorte de Juquin modèle 1970, en version juive !). Gilles D. a été conseiller municipal, il se dit très proche de Robert Hue, il a pu se permettre de démissionner de L'*Humanité* et de se faire récupérer immédiatement par une ministre particulièrement représentative de la « mutation » actuelle.

Je vois donc dans ses propos le signe avant-coureur d'une vraie ligne nouvelle à l'égard d'Israël.

Et je ne le crois pas aussi isolé qu'on pourrait l'imaginer. Un certain nombre de Juifs communistes « responsables » dans la hiérarchie du Parti, ou presque « responsables », tiennent désormais un discours plus mesuré, qui tranche avec le manichéisme antérieur. Même Marcel H., membre du Comité fédéral des Bouches-du-Rhône, qu'on ne peut soupçonner de sympathies excessives à l'égard des « rénovateurs », concède :

> Je n'ai pas eu de vision négative d'Israël. J'ai eu une vision négative de sa politique. Les gouvernements israéliens successifs étaient complètement sous l'emprise des États-Unis. Mais sur Israël, sur le peuple israélien, sur son existence, pas du tout, pas de problèmes ! Non seulement pas de problèmes, mais quelque part une fierté...

Remarquons le passé composé pour exprimer des critiques, mais aucun temps de verbe (est-ce un présent ?) pour les éloges...

On se souvient de Fernand I., Juif de Tunisie, militant de 1965 à 1968, puis sans discontinuer depuis 1978 membre du secrétariat fédéral de l'Oise – celui qui a tenté deux fois l'*aliyah* et qui réadhère au Parti le lendemain de son retour d'Israël. Sa passion reste intacte :

> Quand je rentre à Jérusalem, j'ai l'impression de rentrer dans ma maison. Ça paraît un peu loufoque, quand je rentre à Jérusalem, je rentre chez moi. Alors que la France, bon... Jérusalem, j'ai l'impression que... je ne suis pas un étranger, je rentre dans ma maison. J'adore Jérusalem. J'adore. Jérusalem, c'est... c'est une ville magnifique. Et puis en plus c'est... Je ne sais pas, j'ai l'impression que, quand je rentre dans Jérusalem, j'ai... [il soupire] je me sens mieux, quoi.

« Ma maison » (deux fois), « chez moi »... : Fernand I. va utiliser exactement les mêmes mots pour dire son retour au PCF. Lui aussi trouve que la « ligne » change, que le Parti fait des progrès dans sa compréhension de cet « Orient compliqué » :

> Je trouve que le Parti est en train de... Il a besoin de connaître un peu plus. Un peu plus. Je trouve que le langage, maintenant, il est mieux

adapté. Il n'oublie pas qu'une partie du peuple israélien qui est aussi pour la paix... Moi, je trouve qu'il ne faut jamais l'oublier. Y compris que les Palestiniens, eux, ne l'oublient pas. Et je trouve que le Parti, il améliore sa vision devant les choses.

Est-ce un hasard si cette inflexion paraît surtout le fait de communistes séfarades ? Peut-être leur propre expulsion, ou éviction, par des gouvernements arabes leur permet-elle une plus grande distance par rapport à la *doxa* propalestinienne de l'extrême gauche des années soixante (et au-delà) ? Peut-être aussi l'émigration en Israël d'une partie de leur famille leur ouvre-t-elle d'autres possibilités de dialogue (même si ladite famille penche plus souvent du côté du Likoud que des travaillistes) ?

Mais ceux qui restent au Parti semblent, dans leur majorité, approuver le discours propalestinien traditionnel du PC (aujourd'hui, du reste, très sensiblement amendé), ne serait-ce qu'en raison de leur âge, qui ne les prédispose guère à remettre en question les convictions de toute une vie.

Quelques-uns semblent pourtant introduire des nuances, suggérer quelque chose comme un regret. Tel Max K. (1927, Nancy), qui a terminé sa carrière comme administrateur de *L'Humanité* : « Maintenant, je suis d'accord. À certains moments, le discours, il était... un peu unilatéral. Et je crois que c'était par méconnaissance de la réalité de la situation. » Ou Hubert B. (1953, Tunis), militant depuis 1968 :

> C'est vrai que le Parti communiste, par *L'Humanité*, n'a jamais eu de mot précis pour qualifier l'attitude du monde arabe à l'égard des Israéliens. Il y a toujours ce primat du soutien absolu à une cause, même si cette cause est soutenue par des moyens aberrants. On peut soutenir les Palestiniens et leur dire : « Vous êtes des cons ! » Ça me plairait qu'on puisse avoir cette attitude.

Le Palestinien, ou le fantôme de la bonne conscience

Les Palestiniens, justement, occupent toujours une place centrale dans le discours des militants (ceux qui ont encore leur carte). Mais plus on s'étend sur la justesse de leur cause, moins on éprouve le besoin d'en rencontrer vraiment, d'écouter leurs arguments, de leur opposer – le cas échéant – quelques réserves. Ceux qui ont fait le voyage en Israël n'ont le plus souvent croisé que des ombres : le Palestinien reste une pure abstraction, une figure rhétorique autour de laquelle on s'exalte, on prouve à soi-même et aux autres que l'on appartient au « camp progressiste ».

> JF. – Tu as discuté avec des Palestiniens, là-bas ?
> Isi A. (l'homme des grandes entreprises du PCF). – Non. Je n'en ai pas eu l'occasion. Si tu veux, j'aurais eu les moyens de trouver des introductions. Mais je ne l'ai pas fait.

> JF. – Il vous est arrivé de rencontrer des Palestiniens en Israël ?
> Louis F. (1926, Paris). – La famille ? Oui, j'ai discuté avec la famille. Ah ! les Palestiniens ? Les Palestiniens de... arabes ?... Non. Non, non, non. Non, non. Nous n'avons évolué que dans un milieu juif. On n'a pas eu de rapports avec les Palestiniens.

Ce qui n'empêche pas, bien au contraire, l'exaltation du mythe. Le Palestinien, ou la nouvelle incarnation du peuple prolétaire, la figure inversée du Peuple élu, chargé de rédimer ceux qui se sont endormis dans le confort des sociétés consommantes, donc aliénantes. « C'est le peuple le plus cultivé du Moyen-Orient. Plus cultivé que les Israéliens », affirme ainsi Lydia G. (1916, Alep), Juive communiste d'Égypte, militante depuis 1941. « Je me sens plus proche des Palestiniens, quoi, proclame Éliane V. (1945, Casablanca), communiste depuis 1965. Il y a plus d'atomes... Culturellement, je me sens plus proche d'eux. Alors c'est ma culture arabe, certainement. »

Au point que le terrorisme anti-israélien (voire antijuif) de l'OLP des années pas tellement lointaines trouve ici parfois – est-ce un abus de mot ? – une sorte de semi-justification. Maurice B., l'homme du Comité Honecker, n'approuve certes pas, mais... :

> Je peux comprendre !... Je veux dire... qu'on agisse... Je peux comprendre les Palestiniens. À un moment donné. Je comprends moins les Israéliens. Parce que les Israéliens avaient la force pour eux... J'ai du mal... enfin... quand je réfléchis à ça, je me dis : « Finalement, il y a forcément un acte de résistance qui se produit, pas toujours à bon escient, mais qui se produit chez ceux qui sont... les plus grandes victimes. »

Michèle A. (1953, Paris), conseillère d'arrondissement communiste dans le *Pletzl*, se souvient qu'elle établissait des distinctions suivant les dates :

> — Et le terrorisme ?
> — J'étais très jeune et un peu extrémiste peut-être... J'étais plutôt pour... Plutôt pour.
> — Y compris quand il se passait en France ? La rue des Rosiers[18]... ?
> — Ça, c'est bien après ! Moi, je parle des années soixante-dix. La rue des Rosiers, non, non, non, non. Non, parce que je pense qu'après, l'OLP a eu une certaine reconnaissance internationale, je pense que ce n'était plus... En supposant que ç'ait pu se justifier avant, en tout cas ce ne l'était plus depuis longtemps, au temps de la rue des Rosiers.
> — Avant une certaine date, c'était légitime ? Et après une certaine date, ça n'était plus légitime ?
> — Oui. Oui. Je ne peux pas le dater... Peut-être milieu des années soixante-dix ?...

Samuel D. (celui qui voulait me flanquer à la porte) adopte une position plus nuancée, où la critique relève davantage du pragmatisme que du jugement moral :

> Quand il y a eu l'attentat de Goldenberg et compagnie, c'est sûr que... on se dit que là ils font des conneries... ils sont en train de se mettre la population à dos, alors que, au contraire, il faudrait qu'ils s'en fassent un allié. Mais ça n'empêche pas que, même à ce moment-là, j'estimais que la position de l'OLP d'avoir une patrie était encore une position juste.

---

18. Attentat à la grenade, le 9 août 1982 contre le restaurant Goldenberg, à Paris. Bilan : 6 morts, 22 blessés.

Quelques-uns tout de même, presque tous séfarades, tentent de dépasser cette rhétorique, qui sonne d'une musique étrangement semblable à celle des groupes « gauchistes » des années soixante et soixante-dix. Ils ont rencontré des Palestiniens, ils ont noué des contacts politiques, ils militent parfois concrètement pour un rapprochement des deux peuples qui se disputent la même terre.

Serge Z. (1948, Tunis), le Juif tunisien qui s'est converti à l'islam pour épouser une musulmane, fils d'un militant antisioniste (lui aussi ancien communiste) qui « se réclame de la destruction de l'État d'Israël (pas le renvoi des Juifs, la destruction d'un État théocratique) », participe en février 1983, comme « invité d'honneur », au Conseil national palestinien qui se tient à Alger.

> Première chose, j'arrive à l'hôtel. Qu'est-ce qu'on me donne comme badge ? Le badge « Délégation palestinienne ». J'étais très fier, je l'ai gardé.
> Deuxième chose, Arafat décrète une séance secrète. J'étais dans les couloirs, il y avait les journalistes. Et là viennent me voir deux dirigeants palestiniens de mes amis : « Tu rentres avec nous. » Et je rentre. J'assiste. Mais, au bout de dix minutes, je ne reste pas, car, on ne sait jamais, il peut y avoir une provocation, contre eux et contre moi. Moi, je ne voulais pas que quelqu'un me dise un jour : « Il y avait un agent du Mossad. » Il y avait toujours place pour une provocation. Je suis donc sorti.

Pendant l'intervention de Djibril[19], qui condamne avec beaucoup de violence tous les contacts avec les Israéliens, voire avec les Juifs de la diaspora, un émissaire vient dire à Serge Z. qu'Arafat désire le voir.

> J'arrive, Arafat était assis à son siège, les gardes du corps me font patienter. Et puis, quand M. Djibril termine son discours, selon la tradition Arafat se lève et va le saluer, même s'il a été insulté, et puis on me précipite dans les bras d'Arafat. En arabe : « Je sais qui tu es. Avec ce que je viens d'entendre, je tenais à te voir, parce que j'ai raison, c'est moi qui ai raison, parce qu'il y a des gens comme toi qui croient

---

19. Ahmed Djibril, chef du Front populaire de libération de la Palestine, un groupe particulièrement radical.

qu'il faut faire la paix entre Juifs et Arabes. » Émotion très forte. Et, pendant dix minutes, il me garde. Je dis bien : dix minutes. Il me garde dans ses bras.

En 1985, raconte Serge Z., Marie-Claire Mendès-France assiste au congrès de la Ligue tunisienne des droits de l'homme, dont il est alors vice-président.

> Elle nous dit : « Je voudrais relancer le combat de mon mari. » Vous savez, il avait été l'initiateur des rencontres secrètes, dans son appartement, entre Sertaoui, Peled, Avneri[20] et toute une série d'intellectuels israéliens. Et donc elle dit : « Je vais constituer un Comité pour la paix au Proche-Orient, qui est le pendant français du Comité La Paix Maintenant. Et je voudrais jouer un rôle de dialogue dans un cadre très secret. » La chose étrange, c'est que tous les amis de la Ligue lui disent : « Il n'y a qu'une personne qui peut vous aider à ce que ce soit organisé, et de manière secrète, c'est Serge. » [Il rit.] C'est original comme statut, vous voyez.
> Donc, c'est là que j'ai organisé la première rencontre secrète de Marie-Claire Mendès-France avec Abou Mazen[21]. Puis, ensuite, il y a eu sept ou huit autres rencontres.

Peu après, Serge Z. quitte le Parti communiste tunisien, qu'il trouve trop en retrait dans ses prises de position sur le conflit israélo-palestinien. En 1989, Marie-Claire Mendès-France acceptera de rencontrer en secret Arafat. Mais mon interlocuteur exige que je ferme le magnétophone pendant le récit de cette rencontre et du rôle qu'il affirme avoir joué à cette occasion.

D'autres que lui – également séfarades – s'enorgueillissent, eux aussi, de leurs contacts avec les Palestiniens. Joseph F. (1917, Le Caire), qui fut le bras droit de Curiel, raconte même qu'il a été le premier, « dans les années 1974-1975 » (mais il ne peut pas certifier

---

20. Issan Sertaoui, conseiller d'Arafat, il participe à tous les contacts avec la gauche israélienne. Assassiné à Lisbonne le 10 avril 1983. Matti Peled, général israélien, cofondateur du Conseil israélien pour la paix israélo-palestinienne. Uri Avneri, journaliste israélien, ancien député du parti Gush shalom à la Knesset. La rencontre chez Pierre Mendès-France entre les trois hommes eut lieu en 1976.

21. Abou Mazen : le principal négociateur des Accords d'Oslo.

la date), à organiser une rencontre entre des représentants de l'OLP et des Israéliens.

> Nous avons même payé les billets des Israéliens. C'était très difficile de ramasser cet argent. Mais tout a été fait par nous. Et le contact, et tout. Nous n'avons pas assisté aux discussions, nous nous tenions en retrait. Évidemment les Palestiniens, qui nous faisaient beaucoup plus confiance que les Israéliens, nous tenaient au courant de ce qui se passait.

Mais peut-on dire que Joseph F. est encore communiste au moment de cette rencontre ? Membre du MELN de Curiel depuis 1944, puis du PCF à partir de 1951, il a dû rendre sa carte à l'amiable en 1957 « pour pouvoir lutter et militer pour le Parti communiste égyptien ». Il fonde alors le Groupe de Paris, qui rassemble un certain nombre de camarades, presque tous juifs, venus comme lui d'Égypte. Il s'estime simplement « suspendu d'appartenance ».

Plus modestement, Fernand I., le Juif tunisien qui a tenté par deux fois l'*aliyah*, et qui a réadhéré au PCF le lendemain de son deuxième retour d'Israël, se bat à son niveau – comme responsable de la section des usines Chausson à Montataire et comme membre du Comité fédéral de l'Oise – pour la reconnaissance des droits des Palestiniens.

> Je vais en Palestine souvent. À chaque fois que j'y vais, je vais rendre visite à mes parents. Au début... [il rit] ils avaient peur pour moi. « Tu te rends compte ! Ils peuvent te tuer ! » Je comprends ça. Je comprends, parce qu'ils n'ont pas du tout le même univers que moi. Mais de l'autre côté, à force d'y aller et de revenir, je suppose que ma mère... c'est un peu pom-pom, ce que je vais dire... mais je pense qu'elle est fière. Parce que je rencontre des ministres palestiniens... Je suis passé à la télé-vision... Certains lui ont dit : « Tiens, madame I., on a vu votre fils qui passe. »

À chacun de ses voyages, il se rend au camp de réfugiés de Dheisheh, avec lequel sa ville est désormais jumelée. Il organise à Montataire une « semaine palestinienne ».

Ambiguë : voilà peut-être le mot le plus pertinent pour décrire l'attitude des militants juifs communistes (ceux, je le répète, qui sont restés au Parti) vis-à-vis d'Israël. Antisionistes par vieille conviction idéologique, mais souvent tentés, à un moment de leur vie, par le rêve d'*Eretz Israel*. Attachés à la naissance, puis à l'existence, du nouvel État, par fidélité à l'URSS – son premier parrain aux Nations unies –, mais bientôt déchaînés contre ce qu'ils croient être le « porte-avions de l'impérialisme ». Profondément troublés par la guerre des Six Jours, soit qu'ils partagent la colère anti-israélienne de *L'Humanité* au point de se fâcher avec toute leur famille, soit tout au contraire qu'ils ne puissent dissimuler leur sympathie pour ces Juifs de la Terre retrouvée. Solidaires des Palestiniens et de leur combat, mais n'éprouvant guère le besoin de rencontrer ces êtres mythiques, incarnations renouvelées du Prolétaire « qui n'a rien à perdre que ses chaînes ».

À mesure que s'effrite, puis que s'effondre, l'univers des certitudes bétonnées et du « socialisme réel » (c'est-à-dire, par une étrange antiphrase, imaginaire), le rapport à Israël tend à s'apaiser : on peut désormais faire le voyage, reconnaître que tout n'y est pas si noir, qu'une gauche y lutte pour la paix, que l'intégrisme orthodoxe n'y a pas encore tout à fait partie gagnée.

Peut-être que se dégage ainsi peu à peu, à travers ces militants autrefois paralysés par une redoutable tradition manichéenne, une sorte de relation laïcisée à Israël, ni religieuse ni fascinée, simplement de sympathie critique, de fraternité distante, bref de normalité.

Il n'a été question jusqu'ici que des toujours fidèles, des obstinés, de ceux qui ont avalé toutes les couleuvres, mais qui continuent à croire en quelque chose d'à peu près indéfinissable et qui s'appellerait le communisme. Les autres, ceux qui sont partis, virent-ils de bord ? À l'image du porte-avions, substituent-ils l'icône de la nouvelle Sion ?

Pour répondre à cette question, il nous faudra d'abord faire un double détour : un détour dans l'espace, par l'autre Terre promise

– Moscou, mausolée d'un rêve ; mais aussi un détour dans le temps, par les obscures ou éblouissantes raisons qui les ont conduits à renoncer, à déchirer le pacte, à se retrouver veufs ou orphelins d'un engagement, prêts – peut-être – à contracter nouvelle Alliance, ou à se nourrir d'illusions nouvelles.

X

Espérer ou les Terres promises

2. L'année dernière à Moscou...

Ils se sont tous, ou presque tous, laissé prendre au « charme universel d'Octobre[1] ».

En tant que Juifs venus de Russie ou de Pologne, comment auraient-ils résisté à l'image de ces nouveaux tsars qui proclamaient la mise hors la loi de l'antisémitisme ? qui mettaient à la tête de cet immense pays des centaines, des milliers de Juifs à peine sortis de l'ère des pogroms ? Comment n'auraient-ils pas vibré aux seuls noms de Trotski (bien vite, il est vrai, jeté aux poubelles de l'Histoire), de Sverdlov, le fils de rabbin, de Zinoviev, de Kamenev, de Kaganovitch... ?

En tant que Juifs militant dans des pays du Sud eux-mêmes en lutte pour leur émancipation nationale, comment n'auraient-ils pas encensé cette URSS toujours aux côtés des combattants du tiers-monde, cette marraine de Bandoeng, ce fournisseur de *kalachnikovs* à tous les déshérités de la planète ?

En tant que Juifs de France, si longtemps séduits par la patrie des droits de l'homme (mais bien vite déçus par l'absence de droits réels pour les immigrés que, pour la plupart, ils étaient encore), comment n'auraient-ils pas imaginé, à l'instar de tant d'autres, que

---

1. Cf. François Furet, *Le Passé d'une illusion*, Paris, Laffont/Calmann-Lévy, 1995, p. 79.

la révolution d'Octobre prolongeait la Révolution française, qu'elle en était l'aboutissement et comme l'apothéose ?

L'« illusion », pour parler comme François Furet, a duré long-temps. Elle ne se conjugue plus guère qu'au passé. L'année dernière à Moscou... D'une véritable Terre promise à la fin d'un enchante-ment, il faut conter l'histoire d'une génération de Juifs commu-nistes, aujourd'hui « dégrisés[2] ».

La nouvelle Terre promise

Est-ce une constante de la judéité que ce besoin d'une terre d'es-pérance ? Israël, les États-Unis, la France, l'URSS : nombreuses ont été les Terres promises qui se sont succédé ou qui ont coexisté dans l'imaginaire juif.

L'URSS a su, pour un temps, donner une apparence de réalité à cette aspiration collective. Aussi ahurissant que cela puisse paraître à un observateur d'aujourd'hui, le tragique Birobidjan a incarné, pendant quelques années, l'utopie d'une terre juive gouvernée par des Juifs, où le yiddish était institué langue nationale[3].

On se rappelle Rose S. (1933, Moscou) évoquant l'expérience de ses parents, qui – de 1931 ou 1932 à 1935 – quittent la France, où ils avaient déjà émigré, pour tenter cette aventure impossible. « Et on en parlait beaucoup, se souvient-elle, dans les milieux juifs. On ne parlait pas d'Israël ! Après la guerre, si, beaucoup. Avant la guerre, jamais. C'était le Birobidjan ! » En voilà, elle et son mari, pour qui la déception, le mensonge, la trahison font partie de leur héritage génétique. Et pourtant ils resteront trente-sept ans au PCF !

Tous savent. Depuis très longtemps. Ce qui ne les a pas empêchés d'adhérer, de militer pendant des années. Un seul des six interviewés qui évoquent cette escroquerie a tenu le coup jusqu'à

---

2. C'est Alain Finkielkraut qui parle d'une «génération dégrisée » dans *L'Avenir d'une négation*, Paris, Seuil 1982.

3. L'affiche reproduite en couverture de ce livre est un exemple de la propagande soviétique en faveur du Birobidjan. Elle affirme, en yiddish : « À chaque tour de roue de son tracteur, le paysan juif construit le socialisme. » (Moscou, 1929.)

aujourd'hui. C'est Nehmias K. (1927, Przemysl), celui qui nous racontait comment il guettait les trains allemands, couché sur son réveil-matin : « Je connaissais l'histoire du Birobidjan. Mes parents m'en avaient parlé. Mais avec beaucoup d'ironie. Ceux qui y sont allés, ils ont compris ! »

Il a sûrement compris, lui aussi. Rien au monde ne pourrait pourtant le pousser à rendre sa carte. C'est celui qui exprime avec le plus de violence son sentiment d'« avoir été cocu », mais les solidarités nées dans la Résistance se révèlent plus déterminantes que la désillusion, voire le dégoût.

Les autres, il leur en a fallu tellement plus pour qu'ils se décident. Tel Yves-Marc Z. (1946, Paris) :

> Ils avaient des amis, mes parents, dont les parents étaient partis fonder la République juive d'Union soviétique. Et qui avaient réussi, par bonheur, à en revenir, je ne sais par quel miracle. Et donc il n'y avait aucune illusion sur... là-dessus, quoi. Aucune. Mais j'ai... Tout ça ne crée pas un doute.

« Aucune illusion » au départ. Mais néanmoins « pas un doute ». Ici se situe le mystère de ces adhésions – celui que, sur ce terrain ou sur un autre, ont vécu tous les Juifs communistes.

> Naturellement, dans mon imaginaire d'enfant, raconte Jacques R. (l'homme au clapier à lapins), le Birobidjan, pour moi c'était des gars qui partaient quelque part au paradis ! Ils partaient au Birobidjan, comme ça, avec tellement de ferveur, d'enthousiasme, ça devait être un bonheur !

Mais Jacques R. ne quittera le Parti qu'en 1978.

Le souvenir de l'Armée rouge libératrice joue évidemment un rôle majeur dans cet engouement des Juifs communistes pour l'URSS. Qui n'a pas pendant la guerre – et surtout s'il était juif – déplacé chaque jour, en écoutant Radio-Londres, les petits drapeaux qui symbolisaient l'avance des soldats de Joukov, ne comprendra jamais cette passion inconditionnelle pour ceux qui réussissaient à faire oublier, pendant quelques minutes, les angoisses, les faims, les séparations, les fuites, les bruits de bottes à l'aube dans les escaliers... Et, curieusement, les séfarades semblent battre les ashkénazes dans cette course à l'enthousiasme. Comme si la fidélité aux assiégés de Leningrad ou aux vainqueurs de Stalingrad compensait en secret le sentiment de ne pas avoir directement participé à la tragédie :

> Et puis surtout, surtout, se souvient par exemple Albert J. (1922, Le Caire), surtout l'image du pays qui avait battu Hitler. Et puis l'immense héroïsme. Et puis l'extraordinaire astuce de la stratégie soviétique, par exemple l'écartement des rails qui n'était pas le même qu'en Allemagne, ce qui a fait que les trains allemands ne pouvaient pas entrer sur les rails soviétiques. C'était embelli, c'était magnifié. Pour moi, c'était extraordinaire[4].

Henriette B. (1928, Le Caire) se rappelle même que sa mère, qui avait fui les pogroms tsaristes au début du siècle, avait écrit à Staline pour lui demander le droit de revenir dans son pays d'origine. Staline avait répondu « oui ». Mais les trois enfants, dont Henriette, réunis en conseil de famille, avaient décidé de décliner l'invitation, malgré leur admiration absolue pour l'URSS : « "Là-bas, ils ont déjà construit le socialisme... C'est ici qu'il faut que nous fassions le socialisme." Alors on a refusé d'un seul élan. »

Présent et passé se téléscopent. L'Histoire permet d'absoudre, ou d'occulter, les faiblesses du triste aujourd'hui. Quand j'essaie d'obtenir une réaction de Georges F. (1917, Tunis) en le titillant sur ce que d'aucuns n'hésitent pas à qualifier d'antisémitisme d'État en Pologne socialiste, il me répond par les exploits de l'Armée rouge !

Le récit extasié d'un pèlerinage enchanteur au pays des Soviets fait partie du répertoire presque obligé du Juif communiste, surtout s'il n'a pas quitté le Parti. Sur vingt et un comptes rendus particulièrement enthousiastes (douze ashkénazes, neuf séfarades), seize me sont faits par des militants toujours en carte.

La palette des admirations inconditionnelles va des larmes d'ivresse lyrique jusqu'à l'approbation qui se voudrait objective

---

4. Tellement « embelli » que les rails, fabriqués et mis en place au temps des tsars, deviennent une « extraordinaire astuce » des Soviétiques.

(« Oui, tout de même, je sais bien que... Mais... »). Le niveau de culture politique, voire de situation sociale, ne fait rien à l'affaire. Les plus « bourgeois », les plus diplômés ne sont pas les moins émerveillés.

Jacques T. (1925, Paris), qui est médecin (et communiste depuis 1944), y est allé plus de dix fois. Il a, du reste, siégé à la direction de France-URSS. Il se rappelle encore, en particulier, son deuxième voyage, en novembre 1967, pour le cinquantième anniversaire de la révolution d'Octobre :

> Là ça avait été l'enthousiasme intégral, mais celui-là je le revendique encore. Il y avait dans Moscou un enthousiasme que je n'ai jamais vu, ni avant ni après, nulle part ailleurs. C'était extraordinaire. Il y avait des centaines de milliers, des millions de Moscovites, des dizaines de milliers de gens qui venaient de tous les pays du monde. C'était la fête. La fête du socialisme, tel qu'on le voyait. C'était l'anniversaire d'un des plus grands événements de l'Histoire. Je continue à considérer que ça en a été un, même s'il a été dévoyé par la suite.

David T. (1919, Paris, adhérent aux Jeunesses en 1935, au PCF en 1948), qui a quitté l'école à douze ans, y a fait deux croisières. Son éblouissement n'est pas moindre que celui du médecin « bourgeois », installé dans le XVIIᵉ arrondissement :

> Alors la place Rouge... On avait les larmes aux yeux... Je ne pensais jamais pouvoir voir la place Rouge !... C'était notre espoir ! Et tous nos amis qui étaient avec nous étaient pareils. Et puis c'était propre, c'était beau... On avait pris le métro. On était étonnés de tant de propreté. Et pas cher ! On était... heureux. On en parle. On a même une photo sur le bateau. [Il la montre.] Voilà.
> ELLE. – Mais nous, on n'avait pas eu l'impression d'une population malheureuse.
> — Non, mais pas du tout !

Et pourtant David T. n'oublie pas ses origines. Au cours d'un voyage en Bulgarie (pays qu'il admire au moins autant que l'URSS), il rencontre une amie juive.

> ELLE. – On lui a demandé de nous trouver la synagogue. Ils ont cherché, parce qu'ils ne savaient pas.

Lui. – Elle nous a emmenés à la synagogue. Avec son mari. Ils nous ont fait rentrer. On a vu le gars à l'intérieur. Bon, ils n'ont pas beaucoup de monde. Il a dit : « Il n'y a pas beaucoup de croyants. » Mais enfin la synagogue existe et, pour la maintenir, ils vont faire une exposition. Pour avoir de l'argent pour la rénover. Au premier étage, ils voulaient faire un machin de tableaux.

Elle. – Il n'y avait plus que des gens âgés.

Aucun problème. Tout va bien pour les Juifs. C'est comme à Paris : la religion se perd. C'est aussi l'impression d'Elisa T. (1926, Oran), fille d'un employé municipal communiste, elle-même communiste de 1946 à 1995, ancienne ouvrière devenue secrétaire médicale, qui n'a découvert l'URSS qu'en 1985, au temps de Gorbatchev, avec le train de la Paix et de l'Amitié :

Nous étions onze Juifs dans le compartiment. C'est surtout la nièce à mon mari, qui était juive et qui a demandé aux Soviétiques s'il y avait une synagogue et si on pouvait la visiter. Pas de problèmes. Alors ils nous ont appelés : « Il y a un car qui vous attend dehors. » C'était une synagogue comme toutes les autres. Bien entendu, il y avait des mendiants devant la porte, comme un peu partout. En Russie, je crois que ça n'aurait jamais dû exister. C'est ce que je peux dire contre.

Tout, du reste, était magnifique (sauf les gamelles dans lesquelles la cantine des usines servait le repas de midi, ce n'est pas en France que...) :

Vous alliez à la pharmacie, il n'y avait pas de pharmacien, on vous donnait les médicaments, il n'y avait pas de consultation, on n'avait rien à payer. Vous voyiez le docteur, on ne payait rien. Ça, c'est magnifique. C'est beau.

Nous sommes allés au théâtre Bolchoï. On voyait des mamans qui sortaient de l'école avec leurs enfants, ils allaient au théâtre voir une pièce. Vers sept heures. Et puis ils rentraient chez eux. Enfin, tout était presque gratuit.

Il y avait des salles de sport dans les usines. J'ai vu, moi, les ouvriers, entre midi et... l'heure de repas, faire leur sport et... j'ai vu ça. C'est vrai. Il y avait aussi, dans les usines, des centres médicaux dans lesquels on pouvait soigner les dents, les rhumatismes, les mains, une consultation médicale, à n'importe quelle heure de la journée, il y avait quelqu'un en permanence. C'est magnifique.

Parfois, tout de même, les rencontres avec des Juifs soviétiques se révèlent moins idylliques. Mais nos voyageurs n'en tirent aucune conclusion négative. André N. (né en 1925 en Belgique, communiste depuis 1945) fait deux voyages en URSS, en 1957 et en 1960. Il noue connaissance avec une jeune femme russe, Nina Goldenblat :

> Et Nina nous a dit, c'était en 1960, qu'il y avait de l'antisémitisme d'État. Et nous, on a réagi assez vertement. Mais elle nous a dit ouvertement qu'il y avait des Juifs qui avaient été assassinés, etc. On s'est un peu fâchés. C'est si vrai que, de ce jour-là, je n'ai plus jamais correspondu, à mon tort d'ailleurs – parce qu'elle avait raison, tout ce qu'elle nous a dit... Moi, je me rappelle avoir dit que ce qu'elle disait, c'était ce qu'on lisait dans *L'Aurore* ! C'était tellement contre nature ! Je ne pouvais pas imaginer qu'il y avait des mesures racistes à l'égard des Juifs.

Mais l'idéologique, qui relève de l'imaginaire, l'emporte toujours sur le réel. L'admiration sans nuances pour l'URSS rejoint ici très exactement celle que professent beaucoup d'autres envers Israël à partir du moment où ils se prennent de passion pour la « vraie » Terre promise (« vraie » à leurs yeux, bien sûr).

Même les privilégiés trouvent que les Soviétiques jouissent d'avantages que les Français pourraient leur envier. Odette C. (1922, Le Caire), communiste depuis 1948, dont le mari est cadre supérieur dans une multinationale, fait des comparaisons qui peuvent étonner (bien qu'elles témoignent aussi de son objectivité) : la médecine de quartier, l'autodiscipline dans les écoles, la « richesse » des équipements et des fournitures dans les maisons de jeunes, la formation permanente des enseignants, ça c'est tellement mieux qu'en France... Mais l'interdiction de la contraception, le marché noir, les « héros du travail » dans les usines, ça la « choque ». « Je disais : "Mais ils sont bêtes, ils n'ont qu'à fabriquer du Coca-Cola et des *jeans*, au lieu d'en faire un trafic !" »

« Le paradis »... L'expression revient sans cesse. Alors qu'elle n'est pas utilisée une seule fois pour parler d'Israël (même quand on en est devenu l'admirateur inconditionnel). C'est qu'en effet l'attachement à l'URSS relève le plus souvent de la foi, de la religion, du croire, et non de la raison dialectique, ni de l'expérience empirique.

Avec un argument qui, trente ou quarante ans plus tard, peut paraître provocateur, mais qui appartenait en ce temps-là à la logique de l'évidence : « Le fond de l'engagement était que l'Union soviétique, que le communisme était la solution à tout le malheur des Juifs. Avec l'égalité des peuples, les droits égaux entre les hommes, les Juifs trouveront leur place, pour la première fois, dans l'Histoire » (Jacques R., 1928, Lodz, PCF de 1944 à 1978).

Même ceux qui se sont le plus éloignés du Parti continuent parfois à proclamer une fidélité qui étonne. Jacques F. (1936, Alexandrie) quitte le PCF en 1968, « circule » dans les groupes trotskistes et maoïstes, se dit « révulsé par le stalinisme », mais continue à professer que « la révolution bolchevique reste un temps essentiel de l'histoire de l'humanité. Jusqu'à aujourd'hui ».

Nous sommes ici au royaume des sentiments amoureux, qu'aucun argument ne peut vraiment détruire. Henriette B. (1928, Le Caire), qui adhère au MELN égyptien en 1946 et milite au PCF de 1949 à 1963, avoue tout uniment : « Si j'entends *L'Internationale*, je frémis, les larmes aux yeux presque, chair de poule... Si j'entends l'hymne soviétique aussi, ça me va droit au cœur. Il y a quelque chose qui est indélébile. »

Une image en crise

Dans les couples amoureux, justement, le premier coup de canif est peut-être pardonné, le deuxième, le troisième... Il vient un temps où l'évidence s'impose aux plus lucides : quelque chose ne va plus, l'idylle s'est effritée, la passion se dégrade en habitude. Quelques-uns divorcent. D'autres font semblant. Les Juifs communistes n'échappent pas, dans le couple infernal qu'ils ont noué avec l'URSS, à cette usure des sentiments qui peut les mener jusqu'à la rupture.

Si un certain nombre de traumas ont affecté indifféremment Juifs et non-Juifs, d'autres frappent les premiers de façon tout à fait privilégiée.

Tous ont dû affronter bien sûr les mêmes « accidents de l'Histoire », que la propagande du Parti présente uniformément comme des « pièges de la bourgeoisie ». Le rapport Khrouchtchev met, pour la première fois, tous les communistes au pied du mur : comment s'accommoder des crimes de Staline, même s'il ne s'agit que de « déviations », dues au « culte de la personnalité » ?

Un bon militant, en 1956, ne lit que *L'Humanité*. Ne nous étonnons donc pas que Raymonde Y. (1938, Paris), communiste (jusqu'en 1985) et fille de communiste, reconnaisse n'avoir lu le rapport qu'en 1960 : « On ne savait pas. C'était hors de notre champ de... » Même un psychanalyste supposé averti, comme Jacques F., n'hésite pas à avouer : « J'y croyais à moitié, au rapport Khrouchtchev. »

La plupart, en effet, résistent : « Ça a été dur. Ça nous a fait... un choc. Et quand même on gardait notre confiance. Il a fallu. Il a fallu », se rappelle Lydia G (1916, Alep), dont la fidélité au Parti (depuis 1941, à l'Iskra, en Égypte) ne s'est jamais démentie.

Un petit nombre affirment même qu'ils savaient déjà tout. Comme Rosette Z. (1934, Paris) :

> Contrairement à beaucoup d'autres communistes, moi j'avais déjà beaucoup entendu parler que ça n'allait pas du tout, là-bas. Je ne trouvais pas ça normal, mais je me disais : « C'est un passage obligé, nécessaire. Ça ira mieux. C'est vrai que ce n'est pas normal. » Quand j'entendais parler d'un paradis là-bas, je ne disais jamais rien, mais je savais que ce n'était pas le paradis.

Un jour de ses quatorze-quinze ans, un marchand de fil à coudre, qui s'est enfui d'URSS, se présente chez ses parents façonniers. Elle l'entend qui raconte, « toujours en yiddish, bien sûr » :

> « On discute comme ça, dit-il, moi je dis ci, vous vous dites ça. Et elle, elle est là, votre fille. Eh bien ! en URSS, si elle est au Komsomol, elle nous entend dire du mal du gouvernement, ou du Parti, elle le répète et après on vient vous arrêter. »

Et moi, un peu garde rouge, je lui dis : « Eh bien ! on aurait bien raison, parce que vous avez été sauvé par l'URSS et la première chose que vous pensez à dire, c'est dire du mal de l'URSS. Eh bien ! oui, si c'était moi, je vous dénoncerais. » À quatorze-quinze ans, je lui sors ça. Je crois que jusqu'à la fin de mes jours, je regretterai ces paroles-là ! Alors il a dit à ma mère : « Voilà la preuve. Ils sont complètement... »

Alors, quand arrive le rapport Khrouchtchev, elle n'est « qu'à moitié étonnée, [elle]. Puisque avec tout ce qu'[elle] savait déjà, qu'[elle] avait entendu... ». Rosette possède sa carte depuis 1951.

Il est vrai que l'affaire de Hongrie, qui fait tant de ravages chez les intellectuels du Parti, est au contraire ressentie par beaucoup de Juifs communistes comme une « diversion », exploitée par la « presse bourgeoise ». « C'était une provocation, c'était des traîtres, on voulait masquer l'événement de Suez », raconte encore une fois Raymonde Y., quand elle essaie de se rappeler ses réactions de 1956. Les Juifs d'Égypte sont, bien sûr, particulièrement sensibles à cette lecture de l'Histoire. Par exemple, Joseph F. (1917, Le Caire), considéré comme le bras droit d'Henri Curiel :

Ce qui comptait pour moi, c'était l'action. Comme disait un des secrétaires du Parti : « En Hongrie, il y a des batailles... Pour le moment, moi, j'en suis à la bataille de Suez. » Alors, savoir ce qui se passait à Budapest !...

La mise au pas du Printemps de Prague provoque sans doute davantage de dégâts. On sort tout juste de mai 68, où beaucoup de communistes se posent des questions sur l'attitude du Parti. Deux chocs de cette ampleur à trois mois de distance, cela ébranle tout de même quelques certitudes.

La plus « choquée », c'est sans doute Madeleine S., l'éternelle révoltée :

En 1956, j'étais pour le Parti. Je n'ai pas compris ce qui se passait. Pour moi, c'était une manifestation fasciste qui se passait en Hongrie. Mais pour Prague, c'était effrayant. Et je suis restée au Parti, d'abord parce que j'étais mariée avec un stal', j'étais encore très amoureuse...

310

[Elle rit.] Non, c'est vrai qu'on est influencé dans un ménage... Et alors 68, le Printemps de Prague, ça a été quand même quelque chose ! Très insupportable.

Josyane B., la fille du grand rabbin, se tient quant à elle sur une ligne franchement plus nuancée, où l'événement se pèse et se soupèse à de bien délicates balances :

> J'accepte très mal la... les chars et l'imposition qu'on peut avoir par la force. Après, j'essaie de comprendre, je rejette l'événement de Tché-coslovaquie. En disant que c'est vraiment quelque chose de... triste. Et de malheureux. De même, j'approuvais... je désapprouvais, je rejetais Staline, mais je pensais qu'il était normal d'instaurer... une certaine rigueur pour arriver à quelque chose.

« Approuve »-t-elle ? « Désapprouve »-t-elle ? On croirait entendre, dans cette condamnation plus que modérée, l'écho du communiqué de la place du Colonel-Fabien.

Beaucoup s'en tiennent ainsi, avec plus ou moins de bonheur, à la ligne officielle : le Parti a « réprouvé », donc l'honneur est sauf ; pour la première fois, l'alignement automatique sur l'URSS a été écarté. « Un tournant dans l'histoire du Parti », proclame Maurice B., l'homme du Comité Honecker, orthodoxe parmi les orthodoxes.

Ce qui n'empêche pas les doutes de commencer leur cheminement secret dans les consciences. Par exemple, chez Jean-Marc A. (1953, Paris), militant et fils de militant, chez qui la fidélité le dispute encore à l'inquiétude :

> Il y a un vrai truc qui se passe. D'abord parce que le Parti, pour la première fois, « réprouve ». Donc il dit son désaccord. Il aurait pu être carrément plus violent. Mais, en tout cas, c'est très clair et très net. Ce n'est pas une contre-révolution sur laquelle ils ont tapé, mais c'est le Parti communiste tchèque qui dirigeait la révolution. La vraie rupture, pour moi, elle commence là.

Il faudra tout de même vingt-cinq ans pour que cette envie de rupture se réalise.

Serge Z., lui, Juif converti à l'islam, citoyen tunisien vivant et travaillant en France, trouve là une nouvelle occasion de démontrer son goût des contradictions :

> Pro-soviétique, je l'ai été... comme un des pans du combat qui me semblait utile contre l'impérialisme. Je suis issu d'une région où, pour arriver aux objectifs qu'on se donnait, l'alliance avec l'URSS était indispensable. Ceci dit, je n'ai pas admis l'intervention en Tchécoslovaquie, même si mon parti l'a défendue et que je l'ai défendue publiquement. Mais j'ai retrouvé récemment des traces de lettres au Comité central où j'exprimais un désaccord sur l'intervention en Tchécoslovaquie.

L'Afghanistan constitue peut-être le dernier coup venu d'URSS qui ait frappé indifféremment militants juifs et non juifs. Alexandre N. (1958, Oran, PCF depuis 1976), éternel candidat communiste aux élections cantonales dans les Bouches-du-Rhône, le reconnaît sans ambages :

> L'Afghanistan, ça a été très dur. Très dur à expliquer aux gens et aux communistes. Pas trop dans le fond. Mais dans la démarche de Georges Marchais. Ce qui a été rejeté d'emblée, et ça ça a été clair, en plus ils y ont été à cœur joie, c'est le fait d'intervenir de... de l'extérieur.

« L'Afghanistan, là, c'était la totale », confirme Gilles S. (1955, Paris), qui quitte le Parti en 1981.

Mais les Juifs communistes sont sans doute davantage ébranlés par les mauvais bruits qui courent sur ce qu'on ose encore à peine appeler l'antisémitisme des pays socialistes. Non, ce n'est pas possible ! L'avènement de la société sans classes doit avoir éradiqué à tout jamais la dernière trace de racisme ! Tout au plus peut-on concéder que l'on se trouve dans une phase de transition où le poids du passé obère parfois la marche triomphale vers le communisme.

Il y a d'abord ceux – pas si rares[5] – qui, cinquante ans plus tard, refusent toujours d'y croire. Jean Z. (1924, Paris), par exemple,

---

5. Ils sont tout de même dix, sur les soixante-huit interviewés qui s'expriment sur la question de l'antisémitisme en URSS et dans les pays socialistes.

militant depuis 1956, s'accroche à la vieille distinction entre anti-sionisme et antisémitisme. D'autres – en général de vieux perma-nents, ou des dirigeants d'entreprises liées au Parti – se contentent d'éluder. Georges F. (1917, Tunis, adhésion en 1943) glisse aussitôt sur un autre terrain : « Il n'y a pas de problème religieux. » Interrogé sur l'URSS, Alain F., le membre du Comité national, pourtant « moderniste », répond en dénonçant la Pologne. Isi A. (1933, Paris), le grand patron qui s'enorgueillit d'appartenir au CNPF, affirme qu'il n'a jamais rencontré d'antisémites... en RDA. « Je n'ai pas ressenti l'antisémitisme », confirme Alexandre N. Et son camarade Marcel H. (1950, Oran), membre comme lui du Comité fédéral des Bouches-du-Rhône, dit la même chose avec plus d'habileté : « Si j'écoute ce que m'en disent de nombreux... un certain nombre de mes camarades, oui. Moi, je ne l'ai jamais vérifié directement. Mais est-ce que j'étais en situation de le vérifier ? C'est une autre question. »

Élie T. (1944, Alexandrie), qui a adhéré en 1974, tente une expli-cation plus complexe : « À Prague, le sentiment, c'est qu'il y avait une perte de la tradition religieuse, c'est-à-dire que je me trouvais face à des gens qui, finalement, étaient plus en désarroi du fait de la perte de la tradition religieuse que d'une véritable persé-cution. »

Le plus inattendu, c'est tout de même Claude-Raphaël D. (1942, Sfax), qui a quitté le PCF en 1979 et qui depuis lors est devenu sioniste convaincu et juif religieux. « Je ne suis jamais entré dans le discours du Goulag », affirme-t-il. Il nie l'antisémitisme sovié-tique. Il pense que la dénonciation de prétendues persécutions en URSS était « largement impulsée premièrement par l'État d'Israël et deuxièmement par le mouvement sioniste international », parce que c'était le seul réservoir d'*aliyah* et qu'« Israël avait besoin des Juifs soviétiques ».

La plus saugrenue, ou la plus convaincue : Josyane B. (1933, Bougie), la fille du grand rabbin de Constantine, l'ex-sioniste entrée au PCF en 1966, qui envie les Juifs soviétiques, « des Juifs intéres-sants », parce que « eux avaient en plus la chance de pouvoir être... enfin, prôner des idées socialistes ». D'où l'on conclut sans peine que les seuls Juifs « intéressants » sont les communistes. Les autres ?... Mais l'antisémitisme en URSS, elle ne l'a « pas du tout » ressenti quand elle y est allée.

Beaucoup, tout de même, prennent des distances avec cette dénégation qui fut autrefois la leur. Ils emploient aujourd'hui l'imparfait pour en parler, ils reconnaissent qu'ils ont sans doute été aveuglés. « On trouvait que c'était exagéré, on ne pouvait pas y croire » (Pauline T., 1927, Paris, PCF depuis 1953 ou 1954). « On disait : vous êtes des menteurs ! » (Renée O., 1923, Oran, PCF de 1961 à 1985).

Quelques-uns reconstituent sans peine le raisonnement qui justifiait leur conviction de cette époque. Ainsi Paul A. (1919, Tunis), qui quitte le Parti communiste tunisien en 1956 : « Presque déductivement... puisqu'il n'y avait plus de lutte de classes, puisqu'il n'y avait plus de capitalistes, il ne pouvait pas y avoir d'antisémites, puisqu'ils ne servaient plus à rien ! »

Le plus étrange, c'est que – plus ou moins consciemment – ils « savaient » ; qu'ils refusaient de franchir le seuil entre savoir et prendre conscience ; qu'ils maintenaient dans une zone de non-droit, dans un *no man's land* un peu trouble, les informations que, pour la plupart, ils possédaient.

Rosette Z. (1934, Paris, PCF depuis 1951) raconte que ses parents vont en URSS en 1970 et décrivent, à leur retour, « une discrimination vis-à-vis des Juifs » : l'oncle a été tué au siège de Leningrad, mais sa veuve, parce que Juive, ne réussit pas à toucher sa pension.

> Quand j'entendais parler d'un paradis là-bas, je ne disais jamais rien, mais je savais que ce n'était pas le paradis. Alors ma mère a fait une vraie maladie, parce qu'elle a su très vite qu'on avait exterminé tous les écrivains de langue yiddish en 1952.

Elle, Rosette, elle l'apprend quelques mois plus tard. Autrement dit, tout juste après sa propre adhésion au PCF. Elle y reste.

« Savoir », pour certains, fait même partie d'une sorte de patrimoine génétique : leurs parents « savaient », leur ont transmis leur savoir. Un savoir qui, bien souvent, est antérieur à leur naissance. Iliane K. (1923 ou 1925, Tel-Aviv) raconte l'histoire de sa mère, émigrée de Pologne en Palestine au début des années vingt :

> Maman était enceinte de moi lorsqu'elle a été choisie, avec quelques autres, pour partir en délégation en URSS pour une école du Parti. Et maman a été obligée de leur dire qu'elle était enceinte, ils ont dit : « Dans ces conditions, ce n'est pas possible ! » Ça a été pour elle un grand déchirement, quelque chose de dramatique. Mais, d'un autre côté, grâce à moi, elle est restée en vie. Parce que tout ce groupe, hommes et femmes, ne sont jamais revenus, ni en Palestine ni ailleurs. Dès qu'ils sont arrivés, ils ont été arrêtés, comme espions de l'Angleterre. Ça se passait en 1927, je pense.
>
> Et puis un jour, mais bien longtemps après, mes parents ont appris que ces camarades qui étaient partis à Moscou avaient tous trahi. Alors ils ont été absolument estomaqués. Comment c'est possible ? Et puis finalement, dans leur for intérieur, ils n'y ont jamais cru. Qu'ils aient été des espions, ce n'était pas possible.
>
> — Vous étiez donc informée avant... ?
>
> — Absolument.

Iliane K. adhère au Parti communiste en 1944. Cinquante-cinq ans plus tard, elle y milite encore. Pourquoi accepte-t-elle ? Pourquoi acceptent-ils ?

Certains, par fatalisme historique : « On a tellement l'habitude, les Juifs, de savoir que pour les Juifs, ça va mal ! De toute façon, ça devenait presque une évidence » (Annie E., 1936, Alexandrie, PCF de 1970 à 1993).

D'autres, par une sorte de dichotomie géographique ou géopolitique : « À l'époque, on disait : la France, c'est pas l'URSS » (Suzon E., 1944, Livry-Gargan, PCF de 1970 à 1978). Ou, dans le même esprit de délimitation du mal : « C'était surtout la Pologne. On avait surtout entendu parler des Polonais. Pas trop des Russes » (Noémi V., 1953, Paris, PCF de 1973 à 1975).

Quelques-uns vont même jusqu'à une semi-justification, une sorte d'auto-accusation par procuration, même (et surtout) s'ils s'empressent de reconnaître et de condamner l'antisémitisme soviétique. Tel Hubert B. (1953, Tunis, PCF depuis 1968) :

Les Juifs d'Union soviétique vivaient dans un contexte fermé, je ne dirai pas qu'ils faisaient de l'auto-suggestion, ils cherchaient. Quand les difficultés se sont accrues, effectivement il y a eu un repli sur soi et ces difficultés se sont accrues. Effectivement, les communistes, étant à la tête d'États, ont pratiqué l'antisémitisme. Donc je considère que c'était de faux communistes.

Dans un genre encore plus ambigu, Bernard A. (1924, Paris, PCF depuis 1944) – celui que j'appelle toujours le héros de la libération de Villeurbanne – n'hésite pas à accuser les Juifs eux-mêmes : « Les Juifs, je leur reprochais tout de même cette espèce de... cosmopolitisme. D'être un peu sensibles à Israël, sensibles à la judéité – moi, j'appelle ça juiverie ! –, et je pensais que ce n'était pas de bons patriotes russes. »

Ce qui ne l'empêche pas de raconter moult anecdotes sur l'antisémitisme quotidien en URSS. Le dédoublement de soi-même ou, mieux encore, l'entre-deux font sans doute partie de la figure tourmentée des Juifs communistes.

Des dizaines d'événements tragiques les frappent de plein fouet dans leur amour aveugle pour l'Union soviétique : le procès Slansky (1952) et tous ceux qui l'ont suivi, dont les accusés se retrouvaient presque tous condamnés pour « nationalisme sioniste », « espionnage au profit d'Israël », « complicité avec les agents de l'impérialisme du *Joint*[6] » ; le « complot des Blouses blanches » (1953) ; la vague d'antisémitisme d'État en Pologne (1968) ; le procès de Leningrad contre les *refuzniks* (1970) ; l'affaire Chtcharansky (1978) ; d'autres encore. Ceux de nos interviewés qui en ont l'âge parlent aujourd'hui surtout des deux premiers (Slansky, les « médecins assassins »), comme s'ils s'étaient peu à peu – pour le reste – résignés à l'insupportable. Presque toujours spontanément. Ou, au minimum, en réponse à une question très générale et très neutre.

Quelques-uns, bien sûr, se souviennent de leur impavide certitude devant le déroulement du procès Slansky. Quarante-cinq

---

6. Le procès Slansky semble le seul à avoir surnagé dans la mémoire. Anna Paucker n'est citée qu'une seule fois. Les autres paraissent radicalement oubliés.

ans plus tard, il ne leur reste que le choix entre l'auto-dérision et le remords.

Jacques F. (1936, Alexandrie), ou l'auto dérision :

> Moi, à quinze ans, j'avais fait signer à tout le lycée de l'Union juive une pétition disant que Slansky était agent de l'Intelligence Service ! Il n'y a jamais eu autant de Juifs quelque part qui aient signé en bloc [il rit]... pour la culpabilité de Slansky, London et autres, je le reconnais !

Rosette Z. (1934, Paris), ou le remords :

> Et voilà qu'éclate l'affaire... l'affaire Slansky. Et ma mère me dit : « Ça me fait penser aux procès de Moscou. » Je me rappelle que ça faisait trois semaines que j'avais adhéré, et effectivement je me disais : « J'ai peut-être fait une connerie d'adhérer au Parti. » Et ça m'a beaucoup turlupinée. Cet homme qui était si extraordinaire, et puis tout d'un coup il s'accusait des pires méf... forfaits, enfin ça m'a beaucoup troublée.

Jacques R. (1928, Lodz), on s'en souvient, se brouille avec son père qui a le malheur de ne pas approuver la nouvelle ligne anti-israélienne, voire antisémite, de l'URSS et du Parti. Il avoue qu'il se sent aujourd'hui honteux de lui avoir expliqué – « et ça a été un des éléments de notre rupture : "Je ne vois pas pourquoi il est inconcevable que des Juifs soient des espions ! Pourquoi un espion peut être américain, ou de toute nationalité, mais ne peut pas être d'origine juive ?" »

Parfois l'on reconnaît que l'on s'est trompé, mais que l'on n'a finalement rien à se reprocher puisque l'on a fini par admettre la vérité. Jacques T. (1925, Paris) ne dissimule pas qu'il n'a vu là aucune urgence : « Quand on déclarait que c'était des traîtres au socialisme, puisqu'on le disait, je le croyais. J'ai révisé mon point de vue lentement. »

L'affaire des « Blouses blanches » provoque, semble-t-il, davantage encore d'émotion chez les Juifs communistes, peut-être parce que vingt-six jours à peine séparent le dernier article de *Naye Presse* sur « Les crimes de la bande Slansky-Clementis » et le premier titre de page « une » sur le « groupe de docteurs ». La succession si rapide d'accusations portées presque exclusivement contre des Juifs (et, dans leur contenu même, si fortement connotées d'antisémitisme) ne peut que troubler des hommes et des femmes pour qui le souvenir du génocide est encore si proche.

Beaucoup se rappellent pourtant qu'ils y ont cru, que rien ne pouvait ébranler leur foi en l'Union soviétique. Raphaël T. (1922, Alger) – celui qui avait milité au *Betar* avant de rejoindre le Parti communiste algérien en 1950 – est même allé plus loin :

> Je me souviens d'avoir fait du porte-à-porte dans la Basse Casbah d'Alger où il y avait pas mal de magasins juifs, avec un médecin juif, qui était au Parti communiste. Et on allait expliquer, c'était une connerie peut-être, on allait expliquer que le fait d'avoir tué des docteurs juifs accusés d'avoir voulu tuer Staline, ça n'était pas de l'antisémitisme... On était un petit peu... intoxiqués.

Georges T. (1908, Tunis), qui deviendra quelques années plus tard un talmudiste de haute volée, fait un meeting à Tunis pour soutenir la thèse soviétique. Il réussit même à convaincre le secrétaire des Sionistes franco-tunisiens et à le faire adhérer au Parti.

Quelques-uns ne reculent pas devant la bagarre, les coups de poing, les commandos aux arguments percutants, mais pas toujours décisifs.

> Les Blouses blanches, j'ai été persuadé que c'était des comploteurs ! raconte Bernard A. Je me suis battu contre les titistes. Même physiquement, dans des réunions. Je pensais qu'il pouvait y avoir des comploteurs jusque dans l'entourage de Staline, liés aux services américains. C'était pour moi normal.

Maurice B., l'homme du Comité Honecker, rapporte même une nouvelle fable, qui a l'avantage de dédouaner complètement le PCF : « Maurice Thorez était en URSS, il était malade, c'est lui qui est intervenu en faveur des médecins juifs, c'est peut-être lui d'ailleurs qui les a sauvés ! » Oubliant totalement que seule la mort de Staline, le 5 mars 1953, a permis la libération et la réhabilitation des médecins dès le 4 avril.

Ceux qui, comme lui, ont « pris des responsabilités » dans le

Parti, ceux qui s'enorgueillissent de compter au nombre des Vétérans trouvent encore parfois le moyen d'éluder la question, de s'en tirer par la fuite. Quand l'interlocuteur semble particulièrement bloqué dans son système de défense – notamment chez les vieux militants quasi professionnels –, un peu de provocation ne me paraît pas toujours contrevenir aux règles de neutralité de l'enquêteur. C'est ainsi qu'Isi A., par exemple, le dirigeant du CNPF que nous avons déjà souvent rencontré, fait semblant de ne pas entendre une question quelque peu orientée :

> — Tu adhères en 1950. Dès 1953, il y a le complot des Blouses blanches...
> — Oui, mais... Non, non, moi j'ai autre chose qui est important, c'est le Festival de Berlin. Où j'étais dirigeant de Jeunesses. J'étais au Festival de Berlin. Pour moi, la préparation du Festival et ce Festival, c'était un événement excessivement important dans ma vie de militant des Jeunesses.

Michel Grojnowski s'échappe, lui aussi, d'une pirouette : « Je n'étais pas dans le secteur juif. J'étais chez les Polonais. Ce sont des choses qui nous préoccupaient peu. » L'expression, quoique étrange, peut sembler – fût-ce inconsciemment – quelque peu auto-accusatrice.

Mais chez beaucoup de Juifs communistes, un certain trouble commence à se manifester, y compris chez les plus fidèles. Chez Odette C. (1922, Le Caire, PCF depuis 1948), par exemple : « J'ai eu un sentiment de... de gêne. Mais ma confiance était tellement... j'étais prête à croire tout... Et j'étais très contente quand ça a été démenti après. » Le docteur Jacques T. (1925, Paris, PCF depuis 1944-1945) ne signe pas la pétition des médecins communistes « au sujet des médecins terroristes démasqués en URSS et des campagnes de mensonges qui ont suivi cette découverte[7] », mais il ne dissimule guère son malaise de l'époque (à supposer qu'il ne réécrive pas aujourd'hui ce passé quelque peu lourd à assumer) : « Si j'avais signé, j'aurais pas aimé. Si j'avais pas signé, j'aurais

---

7. Cf. *L'Humanité* du 27 janvier 1953, p. 3.

eu mauvaise conscience de refuser quelque chose au Parti. » Encore une fois le dédoublement de soi-même, qui revient comme un leitmotiv dans cette histoire des Juifs communistes.

Chez beaucoup d'entre eux, pourtant, le trouble se change bientôt en doute.

Ce qui ne les empêche pas de « rester », de « tenir » envers et contre tout. Rose M. (1924, Le Caire, communiste depuis 1958) est de ceux (ou celles) qui expriment le plus clairement ce dilemme : « Je n'allais pas jusqu'à quitter le Parti, mais une espèce de malaise m'envahissait, bien sûr. Mais l'idée de quitter le Parti ne m'est jamais arrivée à ce moment-là. Mais toujours un doute. Est-ce que c'est vrai ? Est-ce que c'est faux ? »

Même Nehmias K. (1927, Przemysl, PCF depuis 1944) – celui qui racontait si bien comment il faisait dérailler les trains – se met à se poser quelques questions : « Quand il y a eu l'affaire des Blouses blanches, j'ai commencé à me dire : "Tsst ! Pourquoi tous ces médecins juifs, ils ont été condamnés ? Parce qu'ils étaient juifs, ou parce qu'ils voulaient vraiment la mort de Staline ?" »

Mais le doute commence à miner la foi. C'est en 1953 que plus d'un futur « renégat » s'engage sur le chemin qui le conduira à la rupture. Ainsi Madeleine S., celle qui découvre l'antisémitisme de certains militants le jour même de son adhésion :

> Dans notre cellule, on a très mal accueilli les Blouses blanches. C'était très dur, on ne voulait pas l'admettre, on s'est demandé ce qui se passait. On a commencé à réfléchir. Je me souviens très bien avoir couru d'une conférence à une autre, d'une réunion à une autre, en demandant vraiment qu'est-ce qui se passait, qu'est-ce qui s'agitait.

Il faudra tout de même attendre 1980 pour qu'elle s'en aille. Paul A. (1919, Tunis, adhésion aux Jeunesses communistes tunisiennes en 1936) réagira plus vite : sa rupture date de 1956 :

> Les premiers doutes ont commencé avec le... le procès des médecins en... enfin, le « procès » ?... l'arrestation des médecins en blouses blanches. Mais le fait qu'on ait exterminé les... les... les... comment dirai-je ?... la... les écrivains yiddish, on ne le savait pas.

320

La grande vague d'antisémitisme d'État dans la Pologne socialiste de 1968 ne soulève des passions que chez ceux qui sont personnellement tenus informés par leur famille restée ou revenue au pays de Gomulka et de Gierek.

L'un, Emmanuel Mink (1910, Tomazow-Mazowiecki), l'ancien chef de la compagnie Botwin des Brigades internationales, est le seul des interviewés à en avoir lui-même subi les rigueurs. À son retour de déportation, il part pour la Pologne « construire le socialisme » (c'est la formule en vigueur au Parti) :

> J'y suis retourné en 1949. Là-bas, je suis resté jusqu'en 1969. Quand ça commençait déjà ouvertement, l'antisémitisme dans le Parti. C'était déjà contraire à mes idées. Et j'ai quitté.
>
> Les Juifs devaient déclarer quels étaient leurs liens avec Israël, qu'Israël était fasciste et différentes choses comme ça... On a fait une réunion et on a commencé à discuter. À cette réunion, on a demandé qu'on se déclare, qu'on parle de ce qu'on pense... Au même moment arrive le secrétaire... Et on avait fait déjà la déclaration [sur Israël]... Et le secrétaire commence à réclamer. Il me dit : « Ce n'est pas encore bien, parce que les Juifs... on a écrit sur cette déclaration *shmalzerik*[8] »... que c'est les Polonais qu'on a trahis dans les camps, qu'on était avec les Allemands... » Et ça, ce n'était pas assez. Pas *bastante*...
>
> On m'a attaqué : que j'ai dit que les Israéliens ont les droits pour eux et que les Polonais... [il dit un mot en polonais]. J'ai répondu que je n'ai pas dit ça. Et j'ai dit que moi, je ne suis pas un fasciste communiste, que j'ai été en prison en Pologne pour mon travail de Parti... Et après, l'Espagne, et tout...
>
> Eh bien ! moi, j'ai quitté tout ça. On m'a appelé pour me dire que j'étais « un nationaliste juif », « un provocateur ». J'ai dit que je n'avais rien à faire avec cette réunion, c'était de l'antisémitisme.
>
> On a fait une réunion au Comité d'arrondissement. Je ne voulais pas aller à cette réunion. Le secrétaire de cellule m'a dit : « Il n'y aura rien, on va parler. » Je me suis laissé prendre à ce truc-là. Ça a commencé à gueuler. J'étais « sioniste », j'étais « fasciste » !...
>
> Et le secrétaire, qui avait organisé ça, a commencé à dire : « Ça va, c'est fini, vous pouvez vous en aller. – Non, j'ai dit, permettez-moi, je vais évoquer en quelques phrases quelque chose. Qu'est-ce que c'était avant la guerre, un communiste juif ? C'était un étranger. S'il était

---

8. Le *shmaltz*, c'est la « graisse d'oie » en yiddish. *Shmaltzerik* semble dire quelque chose comme « cucul » ou « kitsch ».

attaqué, il était défendu par les communistes. Nous sommes contre l'antisémitisme où qu'il se trouve. »

On m'a jeté du Parti. Il y avait des communistes qui ont voté contre. Il y avait quelques anciens d'Espagne qui ne sont pas venus aux réunions, parce qu'ils savaient ce qui allait se passer. Et j'ai été jeté du Parti.

Est-il utile de préciser que, revenu en France après cette expérience quelque peu traumatisante, Emmanuel Mink n'a pas repris sa carte du Parti communiste ? D'autres, qui bien sûr n'avaient connu la situation que par ouï-dire, n'ont pas toujours eu ce réflexe. Raymonde Y. (1938, Paris) – celle qui a été dénoncée par une voisine juive un jour de rafle et que les policiers ont laissée sortir du gymnase Japy avec sa mère – accompagne son père, qui revient en Pologne en 1950, à l'appel d'Adam Rayski, après la Libération. La tentative tourne court : « Quand Rayski est revenu, quand Techka [la tante de Krasucki] est revenue, papa n'y croyait pas. Moi, je me rappelle les avoir entendus parler d'antisémitisme. Et papa disait : "Vous êtes des traîtres. C'est pas vrai." »

Cela n'empêche Raymonde ni d'adhérer en 1952, ni de rester au Parti jusqu'en 1985. Rosette Z. (1934, Paris), cousine du même Krasucki, entend les récits de la même Techka à son retour de Varsovie :

> Ils sont repartis en Pologne aider à construire le socialisme. Et ils se sont fait virer comme des malpropres. Oui, mais là, à l'époque, j'étais toujours communiste, mais la France, c'était la France. Et alors donc une militante de choc qui arrive à Paris et qui était communiste, membre du Parti communiste polonais en 1956, jusqu'à la fin de ses jours d'ailleurs, elle m'a dit : « Tu sais, le socialisme... » Enfin, pour dire vite, elle m'a expliqué que l'homme nouveau n'était pas encore arrivé, que c'était très difficile. [Elle rit.] Mais tout ça en yiddish, parce qu'avec elle, c'était la seule langue que je...

« La France, c'était la France » : c'est avec cette tautologie que Rosette Z., qui a adhéré en 1951, se justifie aujourd'hui de n'avoir jamais quitté le Parti. Mais la haine proclamée de la Pologne permet, tant que le socialisme règne encore à Varsovie, de se donner l'illusion de l'indépendance. On ne se rend là-bas que pour le pèlerinage à Auschwitz : « J'ai vu beaucoup... beaucoup de haine », raconte Sacha R. (1943, Sverdlovsk, communiste depuis 1958). On refuse même parfois, comme Nehmias K., d'aller voir les matches de footbal quand l'équipe de France affronte les Polonais.

Les *refuzniks*, ces Juifs soviétiques à qui l'URSS refuse le visa de sortie, rencontrent peu de sympathies chez les Juifs communistes. Aucun de ceux qui ont quitté le Parti n'évoque leur sort. Ce sont paradoxalement des membres du Parti d'aujourd'hui qui – sans grand risque, il est vrai, puisque l'URSS est morte – dénoncent rétrospectivement la politique à courte vue de la « patrie du socialisme ».

Philippe E. (1959, Casablanca), un énarque qui a appartenu pendant un temps au cabinet d'un ministre communiste, se souvient d'avoir participé à une manifestation organisée par le Parti en juillet 1978 (mais il aurait refusé si l'action avait été menée par « d'autres »). « J'étais, dit-il, pour que le Parti communiste agisse pour que tous les Juifs d'URSS puissent venir. »

Michèle A. (1953, Paris), conseillère d'arrondissement communiste dans le *Pletzl*, s'autorise une certaine forme de dérision : « On peut pas raconter en même temps que l'Union soviétique était un pays développé technologiquement et gna gna gna... et en même temps empêcher quelques ingénieurs de s'en aller ! On peut pas dire les deux ! »

Seul Marcel H. (1950, Oran), membre du Conseil fédéral des Bouches-du-Rhône, s'en tient à la vieille position officielle du PCF, sans paraître s'apercevoir qu'elle a nécessairement évolué. Il conteste que les candidats à l'émigration aient pu être aussi nombreux qu'on l'a dit, trouve les données « très confuses, imprécises », affirme qu'il n'y avait « pas de preuve tangible et concrète ni dans les rangs du Parti communiste, ni au-delà. C'était plus une utilisation politicienne qui pouvait brouiller les cartes, plus que ce qu'elle faisait avancer ». Mais même lui avoue son désenchantement, voire sa colère : « on » lui a menti, « on » l'a forcé – en tant que dirigeant local – à mentir.

Il n'y a donc plus de nouvelle Terre promise. L'image du paradis socialiste a été minée de l'intérieur. La crise de l'icône a détruit l'un des fondements majeurs de l'attachement de nombreux Juifs au communisme. Puisque la splendeur de l'Armée rouge a cessé progressivement d'éblouir, à quoi désormais s'accrocher pour maintenir la foi et la pratique ? Comment parle-t-on aujourd'hui de cet éden désenchanté quand on refuse, suivant les versions, le courage de l'arrachement ou la facilité de la rupture ?

La fin d'un « enchantement »

Fini, le récit ébloui de pèlerinages à Moscou la Sainte, la Jérusalem rouge. Ceux des Juifs communistes qui sont restés au Parti se font modestes. Il y a, bien sûr, les durs de durs, ceux qui éludent une fois de plus toute question gênante.

L'un, Jacques V. (1913, Tunis, communiste depuis 1937), dirigeant d'une société d'export-import liée au Parti, qui a du reste fait de la prison préventive parce qu'il était soupçonné par la DST, commence par s'inquiéter de la présence de mon micro : « Entre nous... Enfin, façon de parler, puisqu'il y a un micro... Vous répétez ce que je vous dis, et puis vous n'enjolivez pas ! » Puis il s'embarque dans une série d'anecdotes insignifiantes. « Mais je ne peux pas dire que... Je n'ai pas cherché, voilà... C'est ça, la vérité, c'est que moi, je n'ai pas tellement cherché... »

L'autre, Roland Y. (1923, Alfortville), médecin dans le *Pletzl* et communiste depuis 1945, s'emmêle un peu dans une explication qu'il voudrait savamment balancée :

> Dans cette atmosphère – nous étions prosoviétiques, etc. –, je ne peux pas dire, en toute franchise, que j'aie été du genre... comment dire ?... trouver tout beau, quoi. C'est difficile à dire dans le contexte actuel, il y avait de belles choses. [Il rit.] Il y avait de belles choses et il y avait des choses... bonnes, utiles pour la population. Maintenant ils s'en aperçoivent, parce que c'est un peu tard ! [Il rit.] Mais, en même temps, il y a des choses... Ma femme, par exemple, était très critique : « Ça, ça ne va pas... Ça, ça ne va pas ! » C'est vrai. Alors on avait l'état d'esprit de... « Vous voyez ceux-là, ils nous suivent ! » Ce n'était pas

324

vrai, d'abord ! On n'était pas quand même surveillés comme ça, à ce point ! Alors on réagissait à ça : « Mais non, on a toute liberté ! » En réalité, on n'avait pas toute liberté. Il fallait suivre quand même le programme. Ne pas aller n'importe où. On ne nous montrait pas les camps de concentration de Sibérie ! [Il rit.]

Un troisième, Max K. (1927, Nancy), communiste depuis 1943, ancien administrateur de *L'Humanité*, réussit à ne pratiquement pas dire un mot sur l'URSS (où il est allé des dizaines de fois), tout en me racontant, avec une foule de détails, comment il vendait les stands de la Fête de *L'Huma* aux délégations des pays de l'Est.

Le plus acharné dans sa croyance, Jean Z. (1924, Paris, PCF depuis 1956), n'aperçoit toujours aucune raison de se remettre en cause :

> Tout ça, je l'ai survolé, avec béatitude, qui apparemment ne me quitte pas. [Il rit.] J'ai toujours pensé que le bon droit reviendrait, les idées triompheraient, le monde ne pouvait pas vivre autrement que sous le communisme. La démocratie, c'est pas forcément ce qu'il y a de mieux dans la société.

« Béatitude » : voilà bien le langage de la religion (même s'il relève davantage du christianisme que du judaïsme).

Une autre catégorie de Juifs communistes – toujours membres du Parti – racontant leurs aventures et leurs mésaventures au pays des Soviets, ce sont ceux qui battent leur coulpe : « Je suis coupable, j'ai fait semblant de ne pas voir. »

Le plus lucide, ou le plus franc, Alexandre N. (1958, Oran), directeur d'une imprimerie appartenant au Parti, ne lésine pas sur l'autocritique :

> On essayait de défendre ce que le Parti disait. Parce qu'il y avait des gens qui n'étaient pas communistes, qui venaient découvrir l'Union soviétique, qui étaient à la limite déçus. « Putain, ici, ils ont pas de voitures ! » On disait : « Ils ont pas de voitures, mais ils ont la santé qui est prise à 100 %. Tout le monde peut se soigner, tout le monde peut manger. » Je pense les avoir un peu trompés, parce que la misère y était quand même, quoi. Elle était cachée, mais elle y était en filigrane. À mon avis, on se cachait un peu les yeux.

Ça a été, je dirais, des certitudes qui se sont effondrées. En fin de compte, on nous avait... menti. Alors le problème, c'est qu'en étant dirigeant fédéral, en ayant des discussions avec les communistes dans les sections, c'est très difficile, parce qu'on a été bernés comme eux. On veut toujours défendre... un peu la direction. Et je dirais parfois indéfendable. Indéfendable. Moi, c'est un souvenir, mais je me suis senti mal, très mal.

Le plus brutal, c'est Jacques T. (1925, Paris, communiste depuis 1944), le médecin qui n'a pas signé la pétition du Parti sur les Blouses blanches : « C'était l'époque où on était paralysés du sens critique. C'était l'époque où on était staliniens. »

Ou Isi A. (1933, Paris, communiste depuis 1948), le communiste du CNPF : « Donc tu finis par... tu ne mets pas en doute, mais tu veux vraiment te détourner, ne pas voir et ne pas écouter ça ! C'est un peu comme ça qu'on vivait les événements. »

Mais l'espèce la plus rare, parmi ceux qui sont restés au Parti, c'est tout de même le petit groupe des réfractaires au pèlerinage[9]. Sacha R. (1943, Sverdlovsk) présente un cas tout à fait significatif, puisqu'il est justement né en URSS et qu'il n'a jamais voulu y retourner :

Il y avait danger à y retourner, danger physique, dans ce sens où des histoires véhiculées comme ça nous sont arrivées, avec des gens qui étaient nés là-bas, qui y avaient été en touristes et qui y ont été arrêtés.

Le problème, c'est qu'il y a toujours des gens qui ont des générations d'avance et qui savent avant toi ! Et tu te dis : « Merde ! Je le savais pas, j'aurais pu le savoir ! » Mais je crois que ça sert à rien de raisonner comme ça. On sait quand on le sait. Et à ce moment-là, c'est là où se pose la question de prendre position.

Là, sans détour, ma position était claire et nette, j'ai effectivement beaucoup souffert de trouver ces manifestations d'antisémitisme à tous les niveaux de l'État socialiste. Il n'y a pas que les Juifs qui ont été victimes ! Et je crois que Staline a tué plus de communistes qu'Hitler ! Le crime est le crime. Et je n'ai pas fait de différence particulière entre ce crime-là et ce crime-là. Bien sûr que ça me touchait...

Tu sais, par exemple, l'UJRE a masqué, dans des débats terribles,

---

9. Pas si rare que cela, d'ailleurs : sur vingt et un interviewés qui affirment avoir toujours refusé de faire le voyage, sept sont encore membres du Parti.

l'affaire des Blouses blanches. Ils ont défendu bec et ongles la période stalinienne en disant que tout ça était un affreux complot impérialiste ! Ils en sont morts ! Ou plus ou moins morts... Tout se paie. Le Parti, évidemment, est complètement responsable et coupable d'avoir eu la même attitude. Donc là-dessus je vis des contradictions, non pas d'une manière confortable, mais je les vis. »

Les autres se montrent, il est vrai, beaucoup plus vagues dans l'explication de leur refus : « pas attiré », « pas envie », « ça ne m'intéressait pas vraiment », voire – ce qui est bien sûr, en ce royaume de Tourisme et Travail et France-URSS, une manière de fuir la vérité – « c'était trop cher pour moi ».

Plus les années passent, plus les bilans se révèlent globalement négatifs. Mais les communistes juifs se distinguent-ils vraiment de leurs camarades non juifs, quand ils dressent ce réquisitoire, après un voyage plus ou moins raté en URSS ? Aussi nous contenterons-nous de citer ceux qui, après tant d'années de silence, se décident enfin à découvrir, puis à dénoncer l'antisémitisme soviétique.

Gilles D. (1954, Bône), nous l'avons souvent rencontré : Juif pied-noir, ancien chef du service Société de *L'Humanité*, appartenant pendant un temps au cabinet d'un ministre communiste, il peut passer pour la figure archétypale du Juif communiste nouveau style. Son « retour d'URSS » à lui relève du tragique :

> Alors j'y suis allé pourtant dans ce qu'on pourrait appeler la meilleure période, puisque c'était celle qui a suivi l'accession de Gorbatchev au pouvoir. Et donc on était en pleine *perestroïka* et *glasnost*. Et malgré tout, je me suis rendu compte à quel point l'antisémitisme avait envahi les esprits dans ce pays.
>
> Je me rappelle avoir eu cette discussion avec un responsable communiste de Moscou qui... On en était venu à parler de la situation des Juifs d'URSS. Il me présentait comme un formidable acquis le fait qu'il y ait marqué « Juif » sur les passeports. Et là-dessus il y avait vraiment un truc énorme.

Première « mutation » : après un voyage de découverte en URSS, l'antisémitisme est désormais placé au centre de la politique, ou pire : de la mentalité soviétique, y compris sous Gorbatchev.

Et du coup, quand je suis rentré en France, après avoir découvert l'ampleur quand même de ce phénomène, je m'en suis ouvert à un certain nombre de responsables du Parti.

Et à l'époque Chtcharanski, à l'époque des persécutions antisémites en URSS, ça c'est un truc que, évidemment, je ne pouvais pas digérer. Je... je... je le disais. Je m'exprimais. On ne me disait pas : « Non, tu as tort, etc. » Mais il y avait toujours cette volonté de ne pas en faire une question juive. Pas une question d'antisémitisme, mais de replacer les choses dans leur contexte, donc c'était « un problème global, lié aux questions des libertés en URSS avec lesquelles nous avons pris nos distances »... Et donc il y avait quand même cette idée qu'il n'y avait pas un problème d'antisémitisme d'État pratiqué en URSS.

Deuxième mutation d'importance : le vieux procédé dialectique, cher à tous les partis communistes, qui consiste à replacer l'antisémitisme soviétique « dans son contexte », est désormais refusé. L'« antisémitisme d'État » (le mot est prononcé, il ne s'agit plus d'un simple « retard des mentalités ») devient un problème spécifique, qui exige donc des solutions spécifiques (et non plus le « retour à la légalité socialiste », pieusement évoqué par les hiérarques). Et c'est ici, sur ce point précis, que Gilles D. se sent « déchiré ». Il s'indigne que certains communistes français d'aujourd'hui (et notamment des Juifs) reprennent parfois à leur compte les propos quelque peu gênants (voire à la limite de l'antisémitisme) venus de Moscou ou de Kiev. Ou ne condamnent pas clairement telle ou telle dérive.

Ce qui me faisait mal aussi, c'est que les Juifs, à l'intérieur du Parti, reprenaient ce... Ils en rajoutaient. Et notamment, une fois, j'avais eu à faire à un sinistre B.[10], celui qui est maintenant pour la dictature du prolétariat, il m'a tenu des discours là-dessus qui étaient... Aujourd'hui encore il défend ça. Moi, ça m'effraie.

Je m'en suis ouvert à *L'Huma*, dans les réunions de rédaction... Vraiment ça m'a choqué et je l'ai dit, ça m'a indigné, le fait que, quand on a traité de la dernière campagne présidentielle en URSS, j'aurais aimé qu'on relève de manière plus forte et plus nette que, quand même,

---

10. Il s'agit bien sûr de Maurice B., le membre du Comité Honecker, que nous avons interviewé.

ce qui était commun à Lebed, à Ziouganov et à Eltsine, c'était leur antisémitisme profond. Mais dans les commentaires, dans les éditos, dans les analyses, parfois c'était occulté.

Et je remarque que, à l'intérieur de la rédaction du journal, ou à l'intérieur du Parti, au plus haut niveau, il y a un certain nombre de gens qui, eux aussi, ont très longtemps mis un peu de côté leur identité juive et aujourd'hui... pas la revendiquent, mais la... n'hésitent pas à en faire état pour faire avancer un certain nombre de choses. À chaque fois que, par exemple, dans *L'Humanité*, on impose des ouvertures de journal sur l'affaire Papon, sur la spoliation des biens juifs, voire même sur Hue qui a été reçu au CRIF, on s'en amuse, on se dit : « Tu vois, ils vont encore penser que c'est un complot des Juifs ! »

Troisième et dernière « mutation » : les Juifs communistes français ne sont plus considérés à l'intérieur d'une globalité qui effacerait leurs différences (lecture conforme à la vulgate), mais désignés comme groupe spécifique, ayant sa propre mémoire, ses propres problèmes, donc tenu à un devoir de judéité, à une éthique de la fidélité.

Tout à l'inverse de Gilles D., Bernard A. (1924, Paris) serait plutôt le paradigme du Juif communiste à la mode ancienne : enfant du *Pletzl*, grand résistant, héros de la libération de Villeurbanne, confectionneur pour dames, membre du PCF depuis 1944, ayant avalé toutes les couleuvres au temps du stalinisme et de la guerre froide, il a fait quatre fois le pèlerinage en URSS, où il possède encore une immense famille de près de quatre-vingts cousins, oncles, tantes et *tutti quanti*. Il découvre d'abord avec stupéfaction que la tante Frida lui pose une question saugrenue :

« *Bernard, du bist Bolchevik ?* » Alors ça nous a étonnés. Ça ne semblait pas une question admirative ! Moi, prudemment, j'ai dit : « Un petit peu. » Elle a éclaté de rire, et puis elle n'a plus parlé. On en a parlé encore là. Bon, elle était hostile au régime.

Quant au quota, le fameux *temple*, comme disent les Juifs – le tampon –, pour moi – et ça demeure toujours ! –, c'est une conquête de la révolution soviétique, c'est une conquête léniniste. Enfin on leur donnait une nationalité. Et ça, je trouve que c'était extraordinaire ! L'ennui [il rit], c'est que comme il y avait aussi un quota, non seulement pour les Juifs, mais pour les républiques, il y avait un quota pour n'importe quoi, surtout le quota des études : tu avais tant d'Ukrainiens, tant de Tadjiks, tant de Juifs. Mais, comme les Juifs, c'était une minorité très minoritaire, le quota interdisait pratiquement à une majorité énorme de Juifs d'accéder aux postes et aux études. Comme les Juifs, tout en étant de nationalité juive, n'avaient aucun pays, ils étaient étrangers partout, ils venaient d'une autre république, qui n'existait pas !

Tu vois la contradiction, qui permettait tous les abus. Non seulement tous les abus, mais aussi à se développer, à se redévelopper, à renaître de ses cendres l'antisémitisme : « Il y a trop de Juifs ! »

Alors on a vu tout ça. Et en 1979, c'était atroce, atroce. On est revenus complètement bouleversés et ma femme, qui était beaucoup plus radicale, a dit : « C'est la fin de l'Union soviétique. Il va y avoir une révolution de palais ou une guerre civile ! »

Et encore ! Bernard A. n'a jamais quitté le Parti ; il reste fidèle à ses amours, quoi qu'il puisse lui en coûter. Il survit avec son chagrin, ses désillusions, l'effondrement de toutes ses croyances. Mais ceux qui ont franchi le pas, ceux qui ont déchiré ou renvoyé leur carte, ceux-là en rajoutent plutôt dans l'accusation, dans la dérision – il faut bien se débarrasser de tout ce poids de culpabilité, de tous ces souvenirs de crédulité ! Russie sous-développée, Russie tyrannisée, Russie mafieuse : aucune description n'est assez sévère pour qualifier le pays d'Eltsine, voire celui de Gorbatchev. « Comme ce que j'avais pu voir en Afrique », résume brutalement Jean-Marc A., fils et petit-fils de militant, qui va y tourner un documentaire en 1990 et n'a plus que quelques mois à passer au Parti, avant que la rupture de son mariage (avec une militante, bien sûr) n'emporte ses dernières convictions.

Mais la plus belle histoire – la plus symbolique – reste celle d'Yves-Marc Z., le sociologue devenu soudeur par conviction politique, celui qui quitte l'UEC en 1973 pour adhérer aux Comités Vietnam de base :

Un jour, on m'a demandé si je voulais pas me marier avec une Soviétique pour la faire sortir d'Union soviétique. Et l'idée me tentait énormément. Donc j'ai accepté.

Donc, pendant deux ans, j'ai été beaucoup en Union soviétique pour tout ce qui était la préparation de ce mariage, qui a eu lieu à Moscou.

330

Et là, c'est comme si je bouclais... Vraiment, l'idée de me marier avec une Russe, de la faire sortir d'URSS, c'était aussi une manière de voir ce que c'était que l'appareil d'État soviétique. C'était assez amusant.

Je regrette pas, d'ailleurs. Pour moi, c'était un jeu. Je fermais le livre de mon communisme, quoi. Là, je fermais définitivement le livre.

Et le plus drôle, c'est que l'histoire de ce mariage blanc entre un Juif ex-communiste français et une Russe avide de s'enfuir en Occident n'a même pas de signification politique (du moins pour elle...).

— Quelles raisons avait-elle de vouloir quitter tellement l'URSS ?
— Elle avait des raisons strictement amoureuses. Elle avait été l'étudiante d'un professeur de l'université de Moscou, un biologiste, russe, de père juif et de mère paysanne sibérienne. Le père avait été au Goulag, après il avait été relégué en Sibérie et avait épousé une paysanne sibérienne, il avait eu deux enfants, dont ce type-là. Ce type-là avait été extrait de Sibérie par ses propres grands-parents, qui étaient des intellectuels juifs de Moscou, et donc élevé à Moscou.

Et ce brillantissime professeur d'université était marié avec une Anglaise, et joueur de poker à Moscou, joueur quasiment professionnel. Et il avait une grande histoire de passion amoureuse avec cette Géorgienne. Et donc lui, la journée, il donnait ses cours à l'université, s'occupait de sa femme et ses gosses, de sa maîtresse. Et la nuit, il jouait. Et à un moment, il a été tellement impliqué dans les jeux clandestins et mafieux, il a dû quitter l'Union soviétique. Et comme il avait une femme anglaise, il est parti pour l'Angleterre. Laissant son amante. Et en fait, organisant et montant une opération pour la faire venir.

Dérision des dérisions : la politique se dissout dans la Mafia, les jeux clandestins et l'adultère. Seule la petite note de judéité vient redonner un peu de sens à l'expédition symbolique.

Ça m'amuse beaucoup. Tout ça, c'est des queues de comète, quoi... Il y a quand même une grande nostalgie de ce qui n'a pas eu lieu. Quand on a goûté, comme ça, au communisme, après, ou on tombe dans le... une espèce d'ironie absolue, permanente, désabusée, et l'aigreur, ce qui m'arrive parfois. Ou alors on est quand même toujours à la recherche de ces queues de comète. On a toujours du mal à reprendre pied dans la vie réelle telle qu'elle est. Parce que là, moi, mon itinéraire de cette période de communisme, je suis pas dans la réalité, quoi. Mais

331

la seule réalité, c'était le... c'était le... l'histoire des Juifs communistes, ma seule réalité[11]. Et elle était héroïque. Donc... fallait continuer. [Silence.]

Entendons bien la distinction sémantique : judéité = « réel » ; communisme = « ce qui n'a pas eu lieu », quelque chose qu'on « goûte », mais dont on ne se nourrit pas (le Juif communiste comme dandy !), une « queue de comète »... On ne se rattache au PCF que par l'« *histoire* des Juifs communistes », c'est-à-dire par un mélange de mémoire et d'imaginaire. Et le mot clé, c'est « héroïque » : il s'agit, comme nous l'avons vu, de mimer les héros ; de se consoler d'être né trop tard, en « jouant » à la Résistance ou à la Révolution. Le Parti communiste n'ayant guère le goût du théâtral ou du romanesque, il ne reste qu'à se rabattre sur les groupes « gauchistes », fort amateurs, eux, de reconstitutions « historiques ».

L'humour juif apparaît ainsi, chez Yves-Marc Z., comme la seule conclusion possible d'une mésaventure tragique, d'un malentendu qui a failli mettre toute sa vie par terre. Il a survécu. Il vient de se marier. Il est entré au *Monde*. Il était grand temps : il venait tout juste de dépasser la cinquantaine.

Ainsi donc, le grand chassé-croisé entre les deux Terres promises semble aboutir aujourd'hui à une figure complètement inversée. La Terre au drapeau rouge s'est effondrée dans un immense séisme, d'autant plus dévastateur que nul – sinon des prophètes de malheur[12] – ne s'était aventuré à le prédire. La Terre à l'étoile bleue a retrouvé quelque chose de son éclat, même s'il est vrai que de nombreux Juifs communistes en avaient déjà subi l'attraction à tel ou tel point de leur trajectoire.

---

11. C'est moi qui souligne.

12. Cf. notamment Claude Lefort, « Le totalitarisme sans Staline », *Socialisme ou barbarie*, n⁰ 14, juillet-septembre 1956 ; repris dans Claude Lefort, *Élément d'une critique de la bureaucratie*, Genève, Droz, 1971, rééd. Paris, Gallimard, 1979 ; cités dans *La Complication*, Paris, Fayard, 1999, p. 37.

Deux itinéraires paradigmatiques illustrent parfaitement la complexité de ces jeux alternés. Celui de Raphaël T., Juif d'Algérie, qui quitte le Parti communiste au moment de la guerre des Six Jours (après avoir soutenu, quatorze ans plus tôt, la thèse soviétique dans l'affaire des Blouses blanches) et se retrouve Juif religieux et pro-sioniste. Celui de Josyane B., fille du grand rabbin de Constantine, sioniste acharnée et familière de la synagogue pendant sa jeunesse, et qui rejoint le Parti communiste (où elle milite encore) pour protester contre l'« agression israélienne » de 1967.

Ce va-et-vient de l'espoir, ces allers-retours de la Promesse provoquent bien sûr des affaissements ou des retournements, que les Juifs communistes tentent – souvent en vain, – d'assumer ou de sublimer, de théoriser ou de dénier, d'exalter ou de maudire comme trop absurdes, trop agressivement contraires à une vieille tradition d'intelligence de l'Histoire[13].

On concevra aisément qu'il nous ait fallu ce double détour par Jérusalem et par Moscou pour essayer de comprendre les doutes, voire les ruptures, qui vont ainsi mettre fin, pour beaucoup d'entre eux, à la longue (ou brève) aventure de leurs amours avec le communisme.

---

13. Pas si vieille, d'ailleurs, puisque Yosef Hayim Yerushalmi montre fort bien que l'historiographie juive ne naît au mieux qu'au XVIe siècle, voire au XVIIIe (*Zakhor. Histoire juive et mémoire juive*, trad. Éric Vigne, Paris, La Découverte, 1984).

XI

Douter, rompre

Devant la lente montée des déceptions venues de l'Est, beaucoup de Juifs communistes se mettent peu à peu – nous l'avons vu – à douter, même si un certain nombre d'entre eux refusent de se poser des questions.

Il faut donc imaginer que l'on peut rester pendant des années – parfois jusqu'à sa mort – au Parti communiste, alors que s'est effrité depuis longtemps le bloc de certitudes sur lequel s'appuyait la foi dans la doctrine, dans l'organisation, dans les chefs.

L'argument majeur, pour refuser toute interrogation, reste... la solitude : si je commence à critiquer le PCF, si j'envisage même de le quitter, il n'y aura plus personne pour me soutenir, pour me dicter mes opinions, pour me donner l'illusion de l'action sans laquelle je ne pourrais pas vivre.

Philippe E. (1959, Casablanca, PCF depuis 1974) le reconnaît avec beaucoup de franchise :

> J'ai parfois, pas beaucoup mais un peu, des manifestations de distanciation, pour autant que je n'ai jamais pensé à aller ailleurs. Jamais. Pas par suivisme. Je ne vois pas du tout où aller ailleurs. Pour moi, la question ne s'est jamais posée.

Son grand aîné, Émile G. (1925, Paris), communiste « depuis toujours », ancien déporté à Buchenwald, lui emboîte le pas – et l'on ne sent guère, dans son propos, tout l'abîme culturel qui aurait pu séparer l'énarque Philippe E. de l'autodidacte Émile G. :

> J'ai quand même gardé mes idées communistes, parce que je me suis dit : « Où puis-je me retrouver ? Dans quelle France puis-je me retrouver ? » J'étais quand même un garçon qui voulait être engagé politiquement, qui voulait avoir des idées bien arrêtées.

« Bien arrêtées », cela veut sans doute dire : qui ne risquent pas de bouger, de subir le roulis de l'Histoire. L'adhésion au Parti communiste se réduirait alors à une stratégie pour figer le temps. D'où l'art, habilement pratiqué jusqu'à une période récente, de garder toujours une étape de retard sur la marche du monde, sur les mutations de la société. Ayons des idées « bien arrêtées » !

Les questions que se posent tous les militants

L'URSS, les pays socialistes : nous avons déjà passé en revue la plupart des interrogations qui naissent alors à l'Est. La direction elle-même lâche du lest : l'intervention à Prague est « réprouvée » ; les Éditions sociales publient un livre qui critique les « dérapages » du Parti communiste portugais[1] ; L'Humanité paraît avec une photo de goulag ; l'eurocommunisme semble donner quelque crédibilité à une prise de distance avec l'URSS ; Marchais et Berlinguer se montrent ensemble à la tribune d'un meeting à la Villette ; Pierre Juquin, responsable de la propagande, commande en janvier 1978 à un groupe de journalistes une brochure électorale où figure l'image de sa poignée de mains avec le dissident Plioutch[2]... La reprise d'une ligne dure, à partir de mars 1978, met fin à ces espoirs et condamne les partisans de l'ouverture à choisir entre se taire ou partir.

Les questions sur le fonctionnement du Parti lui-même entraînent

---

1. Jacques Frémontier, *Portugal : les points sur les i*, Paris, Éditions sociales, 1976, notamment p. 87-88, 112-113, 157-159, 170...

2. La brochure a été, par deux fois, envoyée au pilon sur ordre de Gaston Plissonnier (témoignage personnel de JF).

sans doute au moins autant de crises de conscience. Tout se mêle, tout s'enchevêtre inextricablement, au fil des années, pour créer un état de profond malaise.

Avant tout, la sensation de n'être là que pour approuver et se taire. Surtout chez les plus jeunes, ceux qui n'ont connu ni la Résistance ni la guerre froide. « Cette manière de faire descendre les ordres – ce qu'il fallait dire, ce qu'il fallait faire –, moi, je n'acceptais pas », se souvient, entre cent autres, Marlène V. (1952, Tiaret, JC/PCF de 1975 à 1980).

Toutes les générations du Parti ont ainsi vécu des incidents où la direction impose sans aucune explication ses oukases : l'affaire André Marty, de mai à décembre 1952, est évoquée par plus d'un vieux militant comme une de leurs premières crises de doute[3]. Henriette B. (1928, Le Caire, PCF de 1949 à 1963) subit un long interrogatoire : on lui demande d'accuser l'une de ses camarades de complicité avec le « traître », le « flic ».

> Et là j'ai eu l'impression que je me retrouvais loin en arrière, en 1948, quand j'étais interrogée par les officiers égyptiens. « N'est-ce pas, Dora a fait ci, Dora a fait ça ? » J'ai dit : « J'ai jamais dit qu'elle a dit ci ou qu'elle a dit ça. C'est vous qui le dites. » C'était un vrai interrogatoire. J'ai pas aimé, parce que ça me rappelait d'autres circonstances.

Autres exemples, qui peuvent paraître infimes, mais qui minent la passion du militant : Gérard S. (1935, Alger, PCF de 1958 à 1978) refuse en 1960 l'ultimatum du Parti qui le somme de quitter la rédaction de *Positif* ; Danielle D. (1948, Casablanca, PCF de 1970 à 1983) se fait censurer un article sur la psychanalyse que lui a commandé *Révolution* ; Élie T. (1944, Alexandrie, PCF depuis 1974) se heurte, dit-il, au ministre Le Pors qui le fait vider de son poste d'enseignant à l'ENA : « Trop de copains socialistes ! Tu n'es pas net ! »

Langue de bois, carriérisme des dirigeants, puritanisme... : chacun y va de son anecdote, toujours plus amer à mesure que la

---

3. André Marty, *L'Affaire Marty*, Paris, Éditions des Deux rives, 1955 ; Philippe Robrieux, *op. cit.*, t. II, p. 309 et sq.

direction tente de reprendre les choses en main, sévit, change de ligne, se tait, dissimule mal ses propres dissensions, se durcit d'autant plus que les militants s'en vont sur la pointe des pieds et que l'on se retrouve « entre soi », bien seuls. À la section du IVe arrondissement (où les Juifs étaient particulièrement nombreux), ils ne sont plus que cinq en 1996, alors qu'ils étaient quarante en 1981.

La rupture de l'Union de la gauche en 1977-1978, puis la crise de la Fédération de Paris quelques semaines plus tard, achèvent de vider les cellules.

Les questions proprement juives

Mais les Juifs communistes se posent aussi des questions que leurs camarades non juifs ne se posent pas – des questions proprement juives.

Nous ne reviendrons pas sur tous les mauvais relents qui viennent de l'Est. Là, bien sûr, se trouvent les principaux sujets de malaise. Mais le PCF lui-même n'a pas toujours été entièrement indemne d'une redoutable contagion[4].

Beaucoup, chez ceux qui sont restés, préfèrent minimiser de tels phénomènes. Tel Jean Z., celui qui disait sa « béatitude » :

> C'est de l'antisémitisme primaire. Des gens qui n'avaient jamais vu un Juif. C'était malheureusement des pauvres gens, qui n'avaient pas beaucoup d'instruction. Et c'est vrai que ce n'était pas parmi eux qu'on trouvait les meilleurs communistes.

Les « fidèles » utilisent aussi un argument quelque peu amer : ceux des communistes qui se laissent aller à des expressions d'antisémitisme ne seraient jamais que le reflet de la société française, dont le Parti est à la fois une composante et le produit. « C'est

---

4. Cf. Nancy Green, *Les Travailleurs immigrés juifs à la Belle Époque. Le « Pletzl » de Paris*, Paris, Fayard, 1985, p. 237 et sq. ; Michael R. Marrus, *Les Juifs de France à l'époque de l'affaire Dreyfus*, Paris, Calmann-Lévy, 1972, p. 156 et sq. ; Léon Poliakov, *Histoire de l'antisémitisme*, Paris, Point-Seuil, t. II, p. 294 et sq.

une irrationalité qui transcende les courants politiques, les clivages sociaux », constate ainsi Gilles D.

Mais ce procès-verbal de carence n'empêche pas certains vieux Juifs militants de continuer à se battre, tel Max K. (1927, Nancy, communiste depuis 1943) :

> Il y a eu, il y a quelque temps, dans *L'Humanité*, une lettre d'une femme qui se plaignait de l'antisémitisme. Elle disait : « Je suis allée dans une réunion pour constituer un musée de la Résistance et, là, un conseiller municipal communiste s'est permis de dire que, dans ce musée, fallait donner la priorité aux déportés, et non pas aux Juifs, parce que les Juifs sont restés sans rien faire. »
> Je l'ai appelée, je lui ai dit : « Je suis d'accord avec ta lettre. » Et j'ai écrit à *L'Humanité*, qui n'a pas passé ma lettre. Et je disais que moi, j'ai subi l'antisémitisme à l'intérieur du Parti. Il y a longtemps. Oh ! c'était l'antisémitisme de connerie, quoi. Mais faut pas laisser passer !

D'autres restent, en criant leur chagrin, en rêvant que tout a changé. Isaac M. (1922, Le Caire, communiste depuis 1945) – le vieux Juif égyptien victime, comme tous ses camarades d'un véritable « procès de Moscou à Paris », ne « laisse pas passer », lui non plus :

> Cette mesure d'ordre général, elle a touché essentiellement des Juifs. Pourquoi on peut supporter ça ? On le supporte parce qu'on a supporté pire avant. On était maltraités, on était soupçonnés injustement et, même quand on m'a permis d'être membre d'un comité de section, jamais personne n'est venu me dire : « Tu étais suspect parce que tu étais juif et que tous les Juifs étaient suspects... »

Il est resté. Il est satisfait. Robert Hue vient de lui écrire pour lui affirmer qu'il n'a jamais manqué à l'honneur communiste. À près de quatre-vingts ans, il peut regarder son demi-siècle de militantisme avec fierté.

Mais, chez ceux qui ont aujourd'hui rompu, le son de cloche est parfois tout différent. On se rappelle la stupéfaction de Madeleine S., lors de sa première réunion de cellule. Et sa « montée à Paris » ne fait qu'accroître son trouble : les Juifs communistes eux-mêmes, dit-elle, « en rajoutent » :

> Ce qui m'avait frappée chez les Juifs communistes à Paris, c'était à quel point tout ce que faisaient les Juifs, c'était d'office mauvais. Par exemple, les Blouses blanches, ils se posaient pas de questions. Les autres s'en posaient, mais beaucoup de Juifs communistes se posaient pas de questions. On en rajoute pour se faire pardonner. Pour se faire pardonner sa judaïté, ou sa bourgeoisie.

Autrement dit : les Juifs communistes en arrivent, dit-elle, à intérioriser la suspicion dont ils sont, plus ou moins consciemment, l'objet.

Les années passent, et il n'est pas certain que les choses changent. En 1960, André Y. éprouve lui aussi une sensation désagréable :

> J'ai quand même senti qu'il y avait des antisémites, que le communisme n'avait pas immunisé certaines personnes contre l'antisémitisme. Donc, si j'entre au communisme pour la fraternité et que j'entends quelque chose d'antisémite, c'est mon rêve, mon idéal, mon truc, ça me touche profondément.

Michel T., fils d'un haut dirigeant, juif, exclu, mort de maladie et de dégoût, raconte les confidences que son père échangeait avec un autre « nomenklaturiste », lui aussi juif, mais qui a continué à faire carrière au PCF :

> Alors eux, c'était assez saisissant, parce qu'ils étaient d'une lucidité incroyable. Et même d'un certain cynisme. Je me souviendrai toujours de mon père disant : « Jamais, jamais, jamais un Juif sera secrétaire général du Parti communiste. Jamais. » Et l'autre disant : « Ah ! tu crois ? – Jamais. Je te le dis. »

Le rapport du Parti à Israël ne va pas sans provoquer quelques réactions négatives, du reste étrangement contradictoires.

Les uns reprochent au PCF de ne pas épouser assez étroitement la cause des Palestiniens. « Pour moi, s'exclame Éliane V. (1945, Casablanca, PCM/PCF depuis 1965), le Parti, là-dedans, il est plus en tête. C'est Chirac qui est en tête ! »

Les autres, sans doute plus nombreux, l'accusent – nous l'avons vu – de tenir un discours trop manichéen sur l'État hébreu. Quitte même à ce que les raisons de ses sympathies propalestiniennes leur paraissent quelque peu suspectes : « Épouser la cause palestinienne, accuse Arlette Y., permettait aux communistes d'exprimer – oh ! en toute simplicité et en toute liberté ! – un antisémitisme constant. »

Le plus clair et le plus lucide, une fois de plus, c'est Joseph A. (1944, Rome, communiste de 1958 à 1967) :

> J'étais assez d'accord sur le fait qu'il fallait défendre le peuple pales-tinien. J'étais très mitigé sur les critiques par rapport à Israël. Mon problème au Parti, c'est que j'apportais des nuances là où on n'avait pas le droit d'en apporter. La seule gêne que j'avais, c'était que, encore une fois, on était dans une approche simpliste, on était propalestiniens, donc contre Israël. Je crois que le fondement même du stalinisme, comme de tout système totalitaire, c'est le réductionnisme. Le fait de toujours raisonner en termes d'opposition exclusive.

Mais, au fond, le principal grief que beaucoup de Juifs commu-nistes font au Parti, ce n'est pas de *dire*, c'est de *se taire*. Ou, plus exactement, d'imposer le silence.

> Dans ma cellule, certains sujets n'étaient pas abordés, se rappelle Arlette Y. (1928, Soukh Arhas, PCA/PCF de 1953 à 1986), notamment par rapport à Israël. Je suppose que ma présence... empêchait que les langues se délient...

> Il y a un certain nombre de points sur lesquels il ne faut pas trop... discuter, reprend Alain E. (1944, maquis de Lot-et-Garonne, PCF de 1961 à 1962 et de 1971 à 1977). La question d'Israël est une...

Israël comme parole rentrée, refoulée, étouffée. De ce non-dit, de cette censure va parfois naître le trauma qui aboutira, par des cheminements tortueux, à la rupture.

La rupture ouvertement juive

Pourtant, la rupture ouvertement juive est rarissime[5]. On se souvient de Raphaël T. (1922, Alger), rompant avec le Parti au moment de la guerre des Six Jours. Ou d'Emmanuel Mink, chassé du PC polonais au moment de la grande purge antisémite de 1968. Ou encore d'Albert J. (1922, Le Caire), à qui le PCF demande de rendre sa carte, comme à tous les Juifs d'Égypte, et qui refuse de faire des démarches pour la reprendre.

Plus étrange apparaît la rupture d'Elisa T. (1926, Oran, PCA/PCF de 1947 à 1995), qui rompt en 1995 à cause d'un tract appelant à l'union avec les « organisations chrétiennes » :

> Alors je dis : « Les autres, ils comptent pour quoi ? Ils comptent pour beurre ? » Je suis très susceptible. Et puis j'ai surpris... des petits points de racisme chez certains camarades, pas contre les juifs, contre les musulmans. Mais quand on est contre les musulmans, on est contre les Juifs.

Ce qui ne l'empêche pas de continuer à payer son abonnement à *L'Humanité-Dimanche* (qui, au moment de l'entretien, existe encore).

Les ruptures non spécifiquement juives

Les autres – tous les autres – racontent leur départ du Parti dans les mêmes termes que n'importe quel militant de ces générations-là : *rien à voir*, disent-ils, *avec leur judéité*.

Un sur cinq quitte le PCF en 1978, ou tout de suite après, en raison de la rupture de l'Union de la gauche, ou de la crise de la Fédération de Paris qui en est la suite logique.

---

5. Sur cinquante anciens du Parti, quatre affirment avoir rompu pour des « raisons juives ».

Un seul, Claude-Raphaël D. (1942, Sfax) – celui qui refusait déjà de reconnaître l'existence d'un antisémitisme soviétique –, rompt pour une raison strictement inverse : « Ça ne tournait pas rond, cette Union de la gauche, ça ne me plaisait pas du tout. Il n'y avait plus d'esprit révolutionnaire, on était en train de s'embourgeoiser. »

Le mode de fonctionnement du Parti – l'absence de démocratie, l'impossibilité d'un débat –, voilà l'autre principal mobile explicite de rupture[6] : « le copinage », « les magouilles » (Arlette Y.) ; « le centralisme, les ordres qu'on donnait, le peu de discussions qu'on pouvait avoir » (Marlène V.) ; « l'impossibilité de faire évoluer les choses, de mettre en accord le discours et la réalité » (Joseph A.) ; « le comportement de sectarisme » (Maurice O.)... On pourrait multiplier les citations à l'infini, comme une anthologie des désillusions de deux ou trois générations qui avaient cru dans le « parti de la classe ouvrière ».

Mai 68 ; l'attitude du Parti face aux mouvements de libération nationale, d'abord au Vietnam, puis en Algérie ; le silence ou l'approbation devant les événements d'Afghanistan, puis de Pologne : ici encore, tous les ex-militants de France et de Navarre, juifs ou non juifs, pourraient reprendre les mêmes refrains.

Plus généralement, la rupture provient d'une accumulation de malaises qui débouche un jour, parfois après des années de patience ou de silence, sur une crise ouverte. On ne sait même plus pourquoi on s'en va. On part par lassitude, par épuisement. On a cessé d'y croire.

Très souvent, les raisons privées s'enchevêtrent avec les raisons publiques. On divorce, par exemple, du Parti en même temps que d'un conjoint ou d'un compagnon communiste. « Je suis entrée dans le couple et dans le Parti en même temps, j'en suis sortie en même temps », reconnaît lucidement Annie C. (1945, Grenoble, JC/PC de 1954 à 1978). Au moins cinq autres pourraient raconter exactement la même histoire.

Faut-il s'étonner du reste si la rupture avec le Parti s'accomplit

---

6. La rupture de l'Union de la gauche et l'affaire Fiszbin : dix ruptures (sur cinquante) ; l'absence de démocratie : sept ruptures.

souvent au moment même où l'on commence une psychanalyse ? On a perdu ses points de repère. Les amours faisaient partie de tout un univers, où le militantisme et les passions, les désirs, les amitiés, tout s'entre-tissait pour définir une identité qui paraissait si solide, si rassurante. On se sent noyé. Le Parti n'a jamais vraiment apprécié la psychanalyse – cette « pratique bourgeoise » qui vise, estime-t-il, à conformer chaque individu aux normes de la société dominante. S'allonger pour la première fois sur le divan, c'est proclamer secrètement que l'on a cessé d'appartenir à cet univers. Onze interviewés avouent spontanément cette concomitance (sans compter sans doute ceux qui n'en parlent pas, puisque je ne leur pose jamais la question). Ce qui semble suggérer que le PC n'est pas tout à fait un parti comme les autres : fait-on appel au docteur Freud quand on rompt avec le PS ou avec le RPR[7] ?

Plus intéressant peut-être : la rupture non juive est parfois réinterprétée et « judaïsée » après coup, comme le signe d'un début de « retour ».

Prenons l'exemple de Didier T. (1956, Moyeuvre-Grande) : il quitte le Parti après les élections de mars 1978. Mais il éprouve, des années plus tard, le besoin de relire cette rupture à la lumière de sa curiosité retrouvée pour le judaïsme et la judéité :

> C'est vrai que c'est aussi la judéité qui... qui a permis de comprendre peut-être ce qu'était le Parti dans ses traits insupportables. Au bout d'un moment, le sentiment [silence]... qu'il y a, dans un certain discours militant, des traits pas nets. Dans ce discours que j'appelle ouvriériste, qui consistait à dire : « Va d'abord distribuer des tracts, on verra après ! », il y avait un anti-intellectualisme...
> — En quoi est-ce que la judéité aidait à comprendre ?...
> — Parce que ça permettait de... se sentir du côté... « nous autres, les intellectuels... ». Donc il y avait là une sensibilité qui permettait de repérer, dans ce discours, autre chose que ce qu'il disait strictement. Je sentais que là il y avait quelque chose de politiquement... insupportable. Que peut-être le fait d'être juif me permettait de ressentir.

---

7. Peut-être ? L'étude reste à faire...

Ce type de relecture n'est pas rare. Annie E. (1936, Alexandrie, PCF de 1970 à 1993) explique d'abord qu'elle est partie par pure lassitude, par épuisement de la croyance :

> Je suis arrivée à douter de la philosophie. Je ne dis pas qu'elle est irréalisable. Je dis que les hommes ne sont pas capables de la réaliser. Alors je me suis retirée du Parti. J'ai vu que c'était simplement pour vendre *L'Huma* dans l'immeuble, ça ne sert à rien.

Beaucoup plus loin dans l'entretien, elle donne tout à coup une autre version de sa rupture :

> — Il vous arrivait d'entrer en conflit avec vos camarades au sujet d'Israël ?
> — Si. Si. J'affirmais ce que je pense. Et on me disait... que j'étais partisane, parce que je parlais avec mon esprit de Juif [*sic*], et non pas mon esprit de communiste. Mais j'ai appris à ne pas du tout en tenir compte. « Je suis comme ça. Vous me prenez comme je suis ou vous me prenez pas du tout. » Alors, quand j'ai vu qu'on ne me prenait pas du tout, j'ai fait marche arrière.
> — Ça veut dire partir ?
> — Ça veut dire partir.

Ce qui, étant donné la date de son départ (1993), est d'autant moins vraisemblable que l'on est alors en pleine euphorie des accords d'Oslo et que le PCF n'a plus guère l'occasion d'afficher sa différence et de se proclamer plus palestinien qu'Arafat.

Mais peut-être cette relecture un peu arbitraire nous dit-elle au fond la vérité d'un discours jusqu'alors trop bien cadré. Ils quittent le Parti parce que, sur le moment, ils sont en désaccord avec sa politique algérienne, ou avec la rupture de l'Union de la gauche. Mais si la conjoncture politique ne servait ici que de prétexte ? Ou de révélateur d'un malaise plus ancien qui trouve ici un moyen *légitime* de se manifester ? Il faut en effet se rappeler que, pour un Juif communiste, la qualité de Juif se réduit tout juste à une sorte d'épiphénomène : on ne se définit que par sa place dans le procès de production ! Partir sur un mouvement d'humeur lié à la judéité, ce serait se situer hors de la vulgate marxiste, qui sert de cache-misère à l'absence de tout débat théorique au sein du Parti.

Il est clair qu'on ne démissionne presque jamais pour une raison unique. On part aussi parce que la famille ou le couple ne peuvent plus supporter les tensions du militantisme, parce que la carte du PCF peut entraver la promotion sociale, parce que l'image intellectuelle du Parti s'est effondrée... Mais le petit fonds de judéité qui subsiste, un peu brimé, au cœur de plus d'un Juif communiste, joue parfois comme le catalyseur de tous les désarrois, de toutes les fatigues, de tous les désaccords que l'on a plus ou moins refoulés. Ou, tout au moins, comme l'argument secret que l'on garde au fond de soi pour ne pas reconnaître que l'on s'en va par pure lassitude, ou parce que l'on s'est tardivement aperçu que l'on a été victime, pendant des années, de ce que l'on aurait envie de dénoncer (mais l'on n'osera jamais) comme un pur jeu de mots, un simple exercice de langage par lequel les définitions permutent entre elles dans le nouveau dictionnaire (la « dictature » se baptisant désormais « démocratie » et les « privilèges », « égalité » ou « société sans classes »...). S'en aller parce qu'on est juif, tout en affirmant que l'on rompt parce que l'on condamne la rupture de l'Union de la gauche (et l'un et l'autre sont vrais, à des niveaux différents de la conscience), ce serait comme une ultime façon de se comporter en communiste, adepte comme toujours du double langage, mais aussi en Juif de tradition, praticien subtil de l'entre-deux.

Prenons un dernier exemple : Henriette B. (1928, Le Caire, MELN en 1946, PCF de 1949 à 1963). Elle part, nous a-t-elle très clairement expliqué, parce que le Parti n'a jamais fait son autocritique sur les pouvoirs spéciaux à Guy Mollet ou sur son ambiguïté face à la lutte nationale des Algériens :

> Un gars de la Fédé est venu et nous a dit : « On n'a pas une virgule à changer en ce qui concerne l'attitude du Parti, sa politique pour l'indépendance de l'Algérie. » Ça m'a énervée. J'ai dit : « Bon, alors c'est grâce à nous qu'il y a eu l'indépendance de l'Algérie. Et ces couillons de milliers d'Algériens qui se sont fait torturer et qui sont morts, eux n'ont rien à voir avec l'indépendance de leur pays. » Alors ça, réellement, ça m'a outrée. Et à partir de là, j'ai décidé de... m'éloigner.

Ce qui paraît tout à fait vraisemblable, étant donné la date de sa rupture (1963, un an après l'indépendance). Mais, là encore, la suite de l'entretien apporte un correctif. Une autre lecture, beaucoup plus « juive », nous est proposée :

> Dans ma cellule du XVIIe, il y avait quelques braves Français qui critiquaient, qui étaient antisémites, ils ne se cachaient pas de le dire, ça ne m'étonne pas que certains maintenant sont au Front national [elle rit]. J'ai toujours su que le PC était antisémite, de toute façon. À plusieurs reprises, j'ai pu m'en rendre compte. Ou alors il fallait être tout à fait blanchi, comme Fiterman...

En fait, les deux explications de la rupture ne paraissent pas incompatibles : l'antisémitisme supposé des militants nourrit, chez Henriette B., un long procès d'intention qui trouve enfin un terrain légitime pour s'exprimer – la guerre d'Algérie, espace majeur du militantisme de gauche pendant les années cinquante et soixante. Elle « part à gauche », alors que rompre sur la question juive aurait pu être interprété, en raison de l'imaginaire antisioniste dominant, comme une rupture « à droite ».

XII

Y a-t-il une vie après le communisme ?

Ils ont donc rompu. Les voici sans attache. Sans parti. Sans réunion de cellule. Sans *Humanité-Dimanche* à vendre. Que faire désormais de tout ce temps « vide » ?

Les nouveaux engagements militants

Rares sont ceux qui reprennent une activité politique. Quand on a passé des années à faire du porte-à-porte, du collage d'affiches, de la distribution de tracts et que l'on dresse un bilan que l'on voudrait sans complaisance, la tentation de recommencer ailleurs n'effleure sans doute presque personne.

Le Parti socialiste n'inspire que des sentiments fort mitigés. Seule Viviane C., après un passage à Union dans les luttes – où l'on faisait « un travail militant tout à fait équivalent au travail qu'on faisait dans le Parti, sauf qu'on ne faisait pas les tournées de *L'Huma* [elle rit], que le dimanche matin on pouvait dormir » –, est embauchée, après 1981, par le groupe socialiste à l'Assemblée nationale. Cette indifférence généralisée à l'égard du PS nous dit bien, par défaut, ce qui faisait justement l'attrait irrésistible du PCF : non point une simple machine électorale, mais un véritable enjeu existentiel, un espace d'engagement total où le Juif communiste trouve, comme ses ancêtres dans la synagogue, à la fois la Loi, le Livre et le rite.

Quelques autres se réfugient dans la nébuleuse qu'au temps du Parti ils eussent qualifiée de « gauchiste » : Yves-Marc Z. aux Comités Vietnam de base ; Jacques F. (1936, Alexandrie) dans quasiment toutes les « oppositions internes » et tous les « groupuscules » :

> J'ai toujours été dans toutes les oppositions. J'ai découvert très vite *La Vérité des travailleurs*, qui était le journal du PCI, Parti communiste internationaliste, tendance Franck. À ma grande surprise, je me trouve d'accord avec eux. Donc angoisse terrible, style « Je suis objectivement un traître » ! [Il rit.] Je crois sans y croire au rapport attribué à Khrouchtchev. Donc je cherche. Je rencontre *La Lettre de Vincennes, Point de Pékin-Information*, ça me trouble beaucoup. Ceci dit, j'étais complètement révulsé par tout ce qui s'appelait le stalinisme.
>
> Alors je circule dans les groupes, les communistes libertaires, tout en étant au PC. Je me fais exclure une fois à Montpellier. Là où je me suis vraiment retrouvé, c'est à *La Voie communiste*. C'est Spitzer, Blumenthal et Boiscary.
>
> C'était l'époque où il y avait *Voies nouvelles*, de je ne sais plus trop qui, Prenant, etc. Et puis ensuite... *Unir*, non ! J'aimais pas, c'était trop italien, etc. À ma grande honte, trois ans du *Communiste*, Michel Mestre, avec en bandeau « Soutien inconditionnel à l'URSS comme pierre de touche de l'internationalisme prolétarien »... [Il rit.] Et toujours des contacts, quand même, avec la IVe Internationale, c'était vraiment le truc qui m'attachait.
>
> Et puis, à partir de 1966-1967, la Ligue communiste révolutionnaire, que j'ai quittée par épuisement en 1974, mais où je reste complètement. Sentimentalement, c'est quand même le personnage de Trotski qui me semble important. C'est peut-être ceux qui ont dit le moins de conneries.

L'engagement caritatif ou humanitaire suscite davantage de vocations. Michel T. (1953, Paris, JC/PC de 1966 à 1982) part « pour Médecins sans frontières en Afghanistan. Côté résistance. Par le Pakistan. Comme pour expier... Comment expier ? Quoi ? » Bien qu'il se dise alors en rupture de Parti, il a gardé sa carte pour mieux exprimer sa dissidence.

Alors j'y ai passé plusieurs mois, mais ça s'est très mal fini, parce que les journalistes français ont fait savoir aux partis de la résistance que j'étais un communiste... dissident. J'ai passé pour un *chouravi*, pour un espion russe. J'ai dû précipitamment partir pour éviter des difficultés.

Il ne lui reste plus, à son retour en France, qu'à régulariser sa rupture. Ni le Parti ni les résistants afghans n'apprécient beaucoup ces engagements mi-chèvre, mi-chou. Aujourd'hui, il continue à « faire des années sabbatiques qui ont, des fois, duré trois ans, auprès de Médecins sans frontières » : Éthiopie, Roumanie, Madagascar, les Kurdes.

Moi, y a que là que je suis bien, finalement. Je veux être avec ceux qui meurent, ceux qui souffrent. Et je... j'essaie de les sauver. C'est là que je me réalise complètement. [Il rit.]

Comme quoi Michel T., fils d'un ashkénaze et d'une paysanne catholique de l'Ain, avait sans doute davantage la vocation d'un petit frère des pauvres que celle d'un militant communiste.

D'autres préfèrent en rester au stade des velléités généreuses. Henriette B., l'« Égyptienne » qui aurait bien voulu avoir rompu pour des raisons « juives », essaie la CIMADE et Amnesty International. En vain : « C'est très *one sided*... Ou ils étaient propalestiniens, ou ils étaient projuifs sionistes. Je suis plus œcuménique ! » Du coup, elle s'est contentée de monter une association de locataires dans son immeuble.

L'associatif, voilà aussi une des planches de salut des ex-militants désœuvrés. Sabine O. (1952, Paris, PCF de 1968 à 1982) milite au GFEN (Groupe français pour l'éducation nouvelle) :

Moi, j'ai une amie, ça fait des années qu'on discute et qu'on se dit : comment on peut s'en sortir, à ne pas être inscrite dans un mouvement quel qu'il soit, mais lequel ? [Elle rit.] Eh bien ! c'est une question à laquelle nous n'avons pas encore répondu, ni l'une ni l'autre. Et... et je sais pas, je sais pas.

La notion de bataille d'idées, c'est pas au Parti que je me la suis construite, c'est au GFEN. Je sens bien que, dans ma vie actuelle, c'est ça qui me manque, c'est une famille politique où on va élaborer, penser ensemble et mener une bataille d'idées.

On ne saurait mieux dire le manque. Le militantisme associatif devient un substitut imparfait du militantisme.

L'un, Claude J. (1928, Tlemcen), « fait [sa] carrière de militant à l'intérieur de la CFDT ». L'autre, Alain E. (1944, maquis du Lot-et-Garonne), se retrouve, plus étonnamment, comme « administratif » à la Confédération paysanne, mais aussi au Grand Orient de France.

> Je ne pourrais pas bosser comme je bosse avec les paysans, si je n'avais pas une vision militante. Leur projet professionnel s'intègre dans un projet plus global de la société. C'est-à-dire qu'ils disent que eux ne pourront pas avancer si la société n'avance pas. Et que la société ne peut pas avancer si eux n'avancent pas. Donc il y a, disons, une dialectique...

Mais parfois la volonté d'autonomie l'emporte enfin sur l'embrigadement, fût-il souverainement consenti. Micheline T. (1936, Tunis, PCT de 1952 à 1955, PCF de 1955 à 1958 et de 1965 à 1968) affirme ainsi son Je, à travers un militantisme à la carte qui se joue des appareils et des mots d'ordre : « Au coup par coup, je décide si oui ou non je vais m'engager dans une action, donner mon nom, etc. » Ce qui ne l'empêche pas de regretter, avec le semi-effacement du PCF, la perte d'une « éthique de résistance à l'oppression, à l'occupant, de dignité de la classe ouvrière ». Autrement dit : le Parti comme espace moral, plutôt que comme outil politique, ce qui n'est peut-être pas complètement étranger à une certaine tradition juive (bien que des non-Juifs puissent eux aussi, bien sûr, donner cette dimension-là à leur militantisme).

Lorsque ce tropisme associatif prend les couleurs de la judéité, le militantisme d'après rupture change peut-être de sens. Quelques-uns, comme Albert D. – le confectionneur – ou Jacques R. – le bijoutier –, adhèrent au Cercle Bernard Lazare ou, comme Micheline T. – l'universitaire –, au Cercle Gaston Crémieux. Le psychanalyste Jacques F. accumule les cartes d'adhésion : Cercle juif laïque, Association des Juifs humanistes et laïques, Mouvement des Juifs pour la paix... Albert J. – le Juif égyptien qui a refusé de

352

redemander sa carte quand le Parti la lui a enlevée – cotise à *Keren Kayemeth Le-Israël*[1], qui plante des arbres en Israël ; Arlette Y. préfère envoyer son obole à *Liav Tsara* (?), qui distribue aux Israéliens des « montres de vie ». Rares sont ceux qui cotisent au Fonds social juif unifié. Un seul, Claude-Raphaël D., s'est inscrit comme électeur consistorial.

Cela signifie-t-il que la rupture avec le PC marquerait une étape sur le chemin d'un retour à la judéité, voire au judaïsme ? Ou de nouvelles noces avec Israël la mal-aimée ?

« *Retour* » *au judaïsme ?*

Quelques-uns – mais peu nombreux[2] – s'accrochent dur comme fer à leur refus du judaïsme. Ce n'est pas parce que l'on a renoncé à un rituel politique, à un Décalogue laïque, que l'on va se précipiter sur la religion comme sur une bouée de sauvetage. Quitter le Parti ne signifie pas se renier, mais tout à l'inverse rester fidèle à des valeurs qu'il aurait, lui, trahies.

Écoutons Joseph A. (1944, Rome, JC puis PC de 1958 à 1967) :

> Il n'y a rien de religieux, il n'y aura rien de religieux, il n'y aura pas d'enterrement religieux. Je ne suis pas religieux. Je ne jouerai pas... des rituels religieux. Moi, je suis quelqu'un d'athée, profondément athée et laïque. C'est vrai qu'on en arrive à une force très grande en suivant les rituels. Toute appartenance à une communauté est forcément ritualisée. Mais moi, ces rituels ne m'intéressent pas du tout.

Remarquons tout de même le poids des mots fétiches : « religieux » est répété cinq fois, « rituel » ou « ritualisé » quatre fois en six lignes. Ce qui est dénié obsède. Ce qui est refusé envahit tout le champ de la parole.

---

1. Fonds national juif : c'est le fonds chargé par l'organisation sioniste d'acheter et de développer les terres en Palestine. Fondé le 29 décembre 1901, au Ve Congrès sioniste, à Bâle. (*EJ*, t. 10, p. 77.)

2. De l'ordre de cinq sur cinquante.

Beaucoup plus fréquent paraît une sorte de demi-retour, ou de retour à la carte[3]. On choisit ce que l'on va adopter ou réadopter. On élimine le reste. Pas de religion, mais une curiosité affective ou intellectuelle pour toute une culture juive, d'où il est bien évident que la religion n'a jamais été totalement absente.

Léon C. (1917, Paris, PCF de 1934 à 1935, puis de 1986 à 1987), très longtemps ouvrier d'usine, va pourtant relativement loin sur ce chemins de la *techouvah ma non troppo*, du *Kol Nidre* bien tempéré :

> Comme moi, je suis beaucoup plus juif aujourd'hui que je l'étais. En 1940, malgré Hitler, je n'étais plus juif, j'étais communiste. J'étais pas juif avant la guerre ! Non, non. Carrément. C'est pendant la guerre que j'ai évolué. J'ai beaucoup changé depuis quelques années. Parce qu'avec tout ce que j'ai pu voir, je m'en suis voulu terriblement... d'avoir cru au Parti, d'avoir milité tant...
>
> Je peux aller à la synagogue, j'ai un tas de ce que j'ai acheté à Mea Chéarim[4], je le fais en pensant à mes grands-parents. Je sais que, là où ils sont, ça leur fait plaisir. Mais moi, je peux pas dire que je suis religieux ! Et puis aussi par fierté que je suis juif... Je suis devenu un peu fier d'être juif. Je l'étais pas avant !
>
> — Vous envisagez, par exemple, d'aller à la synagogue plus souvent ?
>
> — [Murmuré :] Non, non... Pas réellement. J'irai peut-être une fois par hasard, comme ça... Pour Yom Kippour j'irai peut-être, mais passer un moment, mais pas... Non, non, je suis pas... non, non... c'est pas dans...

Il a une *mezouzah*[5] sur la porte, « offerte par [son] copain P.L. ». Mais il précise tout aussitôt :

> C'est pas un retour à la religion. Je serai pas religieux, de toute façon. Mais je veux m'intéresser à la religion, parce que je préfère lire le

---

3. Bien que toute mesure, dans un domaine aussi subjectif, paraisse hypothétique, j'évalue à une trentaine sur cinquante ceux des ex-communistes qui choisissent ce semi-retour.

4. Le quartier des Juifs les plus orthodoxes, à Jérusalem.

5. « Petit rouleau de parchemin contenant certains passages de la Bible, traditionnellement fixé sur les montants de porte d'une habitation juive » (*DEJ*, p. 738-739).

Talmud que lire la presse communiste ! Mais je veux *me sentir près des miens*. Près des miens, je me sens... Je ressens très profondément ça. Oui.

Remarquons tout d'abord l'opposition explicite entre l'être-juif et l'être-communiste : l'un exclut l'autre. Le « retour » ou le semi-« retour » paraît ainsi lié au sentiment de la faute : Léon C. se sent coupable d'avoir « cru » au Parti communiste, autrement dit d'avoir substitué une religion à une autre. Mais, tout aussitôt, la « fière » revendication de la judéité s'accompagne d'un déni du judaïsme : il s'est acheté *tallit, kippa* et *tefillin* à Mea Chéarim, il a posé une *mezouzah*, il lit le Talmud, mais – bien évidemment – « ce n'est pas un retour à la religion ». Il le répète trois ou quatre fois : « Je serai pas religieux, de toute façon. » Ce qu'il assume fortement, c'est le sentiment identitaire : « me sentir près des miens ». Autrement dit : la famille d'origine reprend sa juste place, usurpée par la famille d'adoption.

Peut-on vraiment dire que Micheline T. (1936, Tunis, PCT/PCF de 1955 à 1958 et de 1965 à 1968), universitaire, et non pas ouvrière comme Léon C., adopte une démarche radicalement différente lorsqu'elle définit son propre « retour » ?

> Adoptant ces valeurs universalistes, je n'avais aucune espèce d'intérêt pour cette tradition. Et c'est longtemps plus tard, à la fois du fait de l'échec de ce projet universaliste et aussi du fait du sentiment d'une rupture avec les générations précédentes, dans les années 1975-1976, c'est dans ces circonstances que j'ai éprouvé le besoin de revenir à la tradition. À la tradition comme un objet de connaissance.
>
> C'est-à-dire que je n'ai aucune espèce de pratique religieuse. C'est comme historienne ou comme ethnographe que je suis revenue à l'étude des milieux juifs ou des pratiques juives. Et donc la référence à des textes canoniques s'imposait très souvent pour comprendre ce qui se faisait ou ce qui se disait. Là, je reviens aux textes, bien sûr.

Une triple analogie paraît ainsi relier l'itinéraire de l'ouvrier et celui de l'universitaire : une curiosité pour le judaïsme qui naît de l'effondrement de la foi communiste ; un désir, à travers et malgré la différence des niveaux culturels, de retour aux textes fondateurs ;

une volonté, plus ou moins affirmée, de renouer avec les « générations précédentes », les grands-parents – ce que Léon C. appelle,
dans une jolie formule de réappropriation, « les siens ».

Arlette Y. (1928, Soukh Arhas, PCF de 1953 à 1986) accomplit
peut-être un petit pas de plus. Elle a reçu l'éducation religieuse
traditionnelle que dispensaient les familles juives des années trente
dans les petites villes algériennes. Le militantisme exacerbé des
années cinquante et soixante l'éloigne de toute pratique.
Aujourd'hui qu'elle a rompu avec le Parti, elle revient peu à peu à
une observance modérée, familiale, identitaire.

> Pour Pessa<u>h</u>, j'essaie quand même de faire au moins un soir, sinon
> deux soirs... Manger de la *matsah*, c'est pas un problème, parce qu'on
> en mange pratiquement toute l'année.
> Pour ces fêtes-là, j'achète de la viande cachère. Donc j'observe Yom
> Kippour, maintenant je jeûne. Je suis restée longtemps sans jeûner, je
> travaillais, je mangeais, etc. Et puis, je ne sais pas comment ça s'est
> fait, il y a à peu près quinze ans, on s'est remis tout doucement... à
> observer le... Yom Kippour. Je marque certains événements. Kippour,
> Pessa<u>h</u>... Un soir ou deux... Je peux très bien aller manger dans un
> restaurant le troisième jour... On essaie de ne pas manger seuls pendant
> ces huit jours. Donc je célèbre les fêtes, j'ai un petit calendrier.

Mais l'actuel succès d'une certaine forme d'orthodoxie la rebute.
Elle recommençait à fréquenter la synagogue. Elle y renonce.

> Maintenant, je ne peux plus supporter d'y aller. Mais alors vraiment
> ça m'insupporte ! Je considère que la place qui est faite à la femme
> me... Après une séance horrible que j'ai vécue il y a quelques années
> où on nous a refusé d'aller sous le *tallit* comme ça se pratiquait, parce
> que maintenant on est devenus presque intégristes... alors j'ai dit :
> « C'est terminé, je ne vais plus jamais à... » Je n'ai pas supporté ça et
> j'ai dit : « Jamais plus je n'y retournerai ! » Et je n'y suis plus retournée.
> Moi, je me rappelle mon père disant : « Même si je ne... » Parce que,
> quand ils sont venus en France, eh bien ! la pratique était difficile, donc
> ils n'ont plus mangé cachère. Et il disait : « Moi, de toute façon, ma
> place à côté du Seigneur est acquise, parce que je me comporte comme
> un homme bon et j'ai pas peur de ça. » Mais moi, je trouve que ce qui
> se passe en ce moment me chiffonne.

356

Le sens de ce demi-retour, qui s'étiole faute d'un accueil, Arlette Y. l'analyse fort bien :

> Sinon, on vivait comme ça, plus avec les communistes qu'avec les Juifs ! Jusqu'au retour de mes parents à Montreuil. Et, à ce moment-là, on allait passer le vendredi soir chez mon père. Et puis les fêtes... C'est là qu'on a pu de nouveau un peu *renouer*. Mais sans fréquenter la synagogue ni rien du tout. C'était donc par le biais de la famille qu'on a un petit peu *renoué* avec la pratique, en tout cas plus régulière, pour faire plaisir.
>
> Et après, quand mes beaux-parents sont venus, eux aussi, à Montreuil, ça s'est un petit peu... Mon beau-père était très pratiquant, il fréquentait l'oratoire de Montreuil, donc il est... Bon, on a un petit peu *renoué*, sans fréquenter... On était informés, en quelque sorte, de tout ce qui se passait.
>
> Mais tout en étant encore étrangers à... au mouvement et au jud... enfin... au judaïsme et... Moi, pour ce qui me concerne, c'est venu plus tard. Peut-être quinze ans, vraiment, que j'ai *renoué* un petit peu... Peut-être que ça correspond au moment où j'ai pris du champ par rapport... au Parti peut-être aussi. C'est peut-être lié, je ne sais pas, je pense que les deux faits sont liés.

« Renouer »[6], voilà le mot-clé, quatre fois répété. Juste au moment où elle « prend du champ ». Remplacer un nœud par un autre. Entrecroiser trois nœuds – le Parti, la famille, le judaïsme –, dont chacun se relâche à tour de rôle, permettant à l'un ou aux deux autres de se resserrer. « C'est peut-être *lié* », dit-elle.

D'autres – trois autres au moins – vont beaucoup plus loin sur le chemin du « retour ». Claude-Raphaël D. (1942, Sfax, PCF de 1973 à 1979), nous l'avons souvent rencontré : deux successives velléités d'*aliyah*, jamais suivies d'effet ; l'adhésion au Parti à la suite de la guerre des Six Jours ; une rupture par désaccord avec l'Union de la gauche ; une psychanalyse, au cœur de laquelle il retrouve la langue mère, le judéo-arabe :

> Et puis... j'ai pris conscience que, pendant de nombreuses années, j'avais perdu un peu ma substance, je m'étais aliéné. J'étais devenu un autre. Et j'ai eu tendance, à partir de ce moment-là, à revenir, pas dans

---

6. C'est moi qui souligne.

une *techouvah* mystique ou... vers une pratique du religieux intensive. Ça a été la... la... compréhension en profondeur que... il y avait un être-juif de moi-même qui n'était pas négociable. C'est-à-dire que c'est quelque chose que je ne peux plus... négocier avec l'autre. « Moi, j'ai mon truc. Toi, tu as le tien. Mais c'est quelque chose qui m'appartient et qui n'est pas... non seulement pas négociable, mais qui est consubstantiel. » C'est du consubstantiel qui n'est pas seulement du religieux.

« J'étais devenu un autre » : ici se dit sans doute une des lectures possibles de l'être-juif-*et*-communiste. Adhérer, ce serait « devenir un autre ». Autrement dit : échanger son identité juive contre une identité communiste (ce qui rejoint l'opposition explicite des deux termes, formulée par Léon C.). La première relèverait d'une essence immuable, d'un moi qui n'est « pas négociable ». La seconde ressortirait *a posteriori* à un leurre, à une « aliénation », comme il dit (retrouvant ainsi, au moment même où il le renie, un langage marxiste). Et, comme souvent dans cette enquête, la cure psychanalytique joue le rôle d'un révélateur, qui permet de revenir à l'« essentiel ».

> Il y a eu mon divorce. Ma première femme n'était pas juive et on avait fait comme si de rien n'était. C'était une connerie absolue et majeure. Je pense que c'est une des raisons profondes qui ont fait que ça n'a pas tenu.
> Ensuite, il y a eu toute une période où je m'étais dit : « Je... recommencerai plus. » Je veux dire : « Je chercherai une femme, une femme juive... » Le destin a fait que l'autre femme que j'ai connue n'est pas juive, qu'elle s'est convertie au judaïsme et qu'aujourd'hui elle est convertie de manière pleine, consistorialement parlant. C'est une longue histoire. À partir de 1979-1980.

Une fois de plus, vie privée et vie militante se mêlent inextricablement. Comme tant d'autres, Claude-Raphaël D. rompt avec le Parti en même temps que son couple se brise, tandis qu'un nouveau mariage le pousse à repenser son rapport au religieux.

> Donc mon judaïsme d'aujourd'hui est un judaïsme qui se veut... complet, c'est-à-dire qu'il se veut totalisant. Il prend en compte l'esprit

juif, nationaliste, ethnique, historique, c'est-à-dire le judaïsme porté par un peuple et une terre.

Deuxièmement, je considère que c'est une erreur très profonde de vouloir rejeter un patrimoine spirituel et... textuel d'une richesse extraordinaire et fantastique, alors qu'on va s'attacher à des cultures, ou à des philosophies, ou à des textes d'autres cultures... Pourquoi ne pas prendre celle qui est la plus proche de nous, quand on est juif ? Deuxième point.

Le troisième, c'est que le religieux fait partie à part entière du judaïsme. On peut ne pas croire ou être à distance de la religion, mais je vois mal comment on pourrait exclure ce pan tout à fait essentiel, ce socle du judaïsme qu'est la religion. Le judaïsme, ses fondements sont religieux. Donc les laïques aujourd'hui qui disent : « On peut faire le judaïsme sans la religion », à mon avis c'est une belle connerie ! Ce qu'ils doivent faire, c'est voir comment... enfin, ce qu'on peut garder du religieux, ce qu'il faut exclure, comment on peut critiquer l'institution religieuse, etc. Et donc le religieux, il doit être considéré et il doit être intégré. Et donc ma conception du judaïsme est une conception totalisante, qui essaie de ne laisser rien de côté. Et je vais plus loin, parce que, dans ce judaïsme totalisant, il faut aussi intégrer ceux qui en sont, pas sortis, mais qui sont un peu aux marges, qui ne sont pas complètement dedans.

Trois fois « totalisant », une fois « totalisé » : Claude-Raphaël D. avoue clairement son désir d'une idéologie, mais aussi d'une organisation, qui « ne laisse rien de côté ». Il a quitté le Parti communiste parce que, d'une certaine façon, il ne le trouvait pas assez totalitaire : qu'est-ce que c'est que ce libéralisme absurde qui a conduit à l'Union de la gauche et au Programme commun ? Le judaïsme – du moins l'espère-t-il – va enfin combler ce vide, ne plus lui laisser un seul espace où pourrait jouer l'incertitude. Et, dans ce concept de « marge », de « pas complètement dedans », peut-être entendrons-nous un écho de la dialectique de la « périphérie » et du « centre », chère à Michaël Graetz : « La périphérie, écrivait en 1982 l'écrivain israélien, conduit parfois à la rupture, mais parfois aussi à la restauration du lien avec la société juive[7]. » Ce qui résumerait assez bien, justement, l'itinéraire d'un Claude-Raphaël D. :

---

7. Michaël Graetz, *Les Juifs en France au XIXe siècle. De la Révolution française à l'Alliance israélite universelle*, trad. Salomon Malka, Paris, Seuil, 1989, p. 24.

Je crois qu'il faut être dans l'institution. Moi, j'ai une pratique qui est finalement... un rapport à l'institution consistoriale. Moi, j'ai une carte, si vous voulez, j'ai ma carte. Je suis électeur. Il faut être cohérent. Je suis électeur consistorial dans ma communauté, à Antony. Je paie une cotisation consistoriale, il doit y avoir quinze mille personnes qui la paient en France, je paie cent balles pour avoir une carte comme quoi je suis électeur.

— Mais votre niveau de pratique religieuse actuelle ?

— Donc, si vous voulez, on mange cachère à la maison. Il n'y a pas un gramme de porc qui entre à la maison. Par contre, on n'a pas de double vaisselle. Donc la *cacherout*, pas de porc, pas de charcuterie, viande cachère.

On fait *chabat*. Ma femme fait des *hallot*[8], on a une table de *chabat*, on chante des chants, on récite le *qiddouch*... Et le samedi, je ne vais pas à la synagogue, parce que je ne peux pas, je travaille le samedi, c'est un paradoxe, mais j'ai des travaux, il faut vivre. Ceci dit, il nous arrive d'aller quatre ou cinq fois le samedi matin à la synagogue, à l'occasion d'une cérémonie. Ma femme est assistante sociale dans les écoles juives, donc on a du judaïsme plus qu'il n'en faut ici.

Autrement... on fait Kippour... pleinement. On fait Pessa<u>h</u>. D'autres fêtes aussi, on marque un peu comme ça... Soukkot, oui, quand on est invités, invités chez des gens plus religieux que nous.

Oui, finalement, j'ai un profond amour de mon peuple.

Être « en carte » : la même expression, le même rituel marquent ici les deux pratiques, la religieuse et la politique. Dans les deux cas, Claude-Raphaël D. se veut orthodoxe : Juif « totalisant », mais aussi communiste pur et dur, refusant l'Union de la gauche comme figure de l'embourgeoisement, récusant toute idée d'antisémitisme en URSS, toute solidarité avec les *refuzniks*. Dans les deux cas également, cette orthodoxie ne va pas sans tolérer quelques entorses vénielles : pas de synagogue pour *chabat*, pas de double vaisselle, mais aussi un discours sur les travailleurs immigrés (« on faisait des analyses très extrémistes, par rapport à cette affaire des immigrés ») qui ne cadre guère avec l'extrême prudence du Parti, toujours soucieux de ne pas « se couper des masses »...

Georges T. (1908, Tunis), lui, quitte le Parti en 1963 ; il avait milité aux Jeunesses communistes de Tunisie dès sa seizième

---

8. Deux torsades de pain sur lesquelles est prononcée la bénédiction.

année, en 1924. Aussitôt consommée la rupture, il commence un long parcours qui va faire de lui le personnage sans doute le plus étrange de tout l'échantillon.

> Je réfléchissais. Je disais : « Les Arabes ne veulent pas de nous. Pourquoi ? Ils nous repoussent tous parce que nous sommes juifs. Et moi, je ne sais pas ce que c'est d'être juif ! » Je n'avais jamais été religieux, mes parents l'étaient à peine et je me suis dit : « Juif pour Juif, il faut que je sache de quoi il s'agit. Je connais la culture française, la culture gréco-latine, je lisais Virgile dans le texte, je veux savoir ce que c'est. » Alors je demande à des amis, qui m'ont dit : « On va t'envoyer quelqu'un qui va t'apprendre l'hébreu. » Ils m'ont envoyé un type merveilleux, un professeur de littérature comparée à l'université de Haïfa. Un type merveilleux.
> Et j'ai commencé à travailler avec lui l'hébreu. Un jour, dans les textes que nous étudiions ensemble, il y avait un passage merveilleux, d'une beauté extraordinaire. Je lui dis : « Qu'est-ce que c'est, ça ? » Il me dit : « Ça, c'est du Talmud. » Autre passage très beau, quelque temps après. « C'est du Talmud. » Je lui dis alors : « Apprends-moi le Talmud ! » Il m'a dit : « Moi, je ne sais pas. Je suis un grammairien. Mais si tu veux, je t'envoie quelqu'un qui va t'enseigner le Talmud. »
> Depuis plus de vingt ans, je fais du Talmud. Presque tous les jours. Et j'ai appris le judaïsme. J'ai appris les textes.

On remarquera que le retour au Livre passe ici non point par une nostalgie d'une culture juive oubliée, mais par une extension de la vieille culture humaniste française : il a envie de lire le Talmud parce qu'il lit déjà « Virgile dans le texte ». Son premier professeur n'est nullement un maître de *yechivah*[9], mais un « grammairien », un « professeur de littérature comparée ». Souvenons-nous que ses premières armes au Parti communiste, il les fait non pas aux portes des usines, mais aux côtés des poètes surréalistes : la structure de l'initiation reste toujours littéraire ou esthétique (trois fois le mot « merveilleux », deux fois « beau » ou « beauté »...) ; les processus d'approche sont symétriques, qu'il s'agisse du PCF ou du judaïsme.

> Un jour, le premier professeur passe. Pas celui du Talmud, l'autre. J'apprenais l'hébreu, la culture hébraïque, mais... la pratique religieuse

---

9. Centre d'études talmudiques (cf. *DEJ*, p. 1187-1191).

ne m'intéressait pas du tout. Il m'a dit : « Tu sais, ça t'intéresserait beaucoup de voir. » Je lui ai dit : « Je connais les rabbins de Tunis, des vieux types poussiéreux et sales. Qu'est-ce que j'ai à faire là-dedans ? » Il m'a dit : « Écoute, viens avec moi ! »

Il m'a dit : « Viens voir la prière du vendredi soir ! » Il m'a emmené dans une espèce de Cité universitaire juive. J'ai vu là des jeunes gens d'une classe ! Ils étaient superbes et ils priaient avec une ferveur ! J'ai été convaincu au moins de la vérité de leur prière. Et j'ai commencé à aller tous les vendredis soir avec lui là-bas.

Bien entendu, je n'étais plus communiste. Et je suis devenu de plus en plus juif. Au point que cette bibliothèque, la moitié, ce sont des livres juifs. Je lis Maimonide, les... les *taqqanot*[10], enfin j'ai tous les livres imaginables. Et voilà comment je suis passé du communisme au judaïsme. Le communisme, personne ne s'y intéresse plus. D'ailleurs qu'est-ce que c'était, le communisme ? Une doctrine élaborée par un Juif qui s'appelait Marx et qu'il a mise entre les mains d'un Russe qui s'appelait Lénine. Un homme très intelligent, mais qui comprenait le communisme comme un communisme de guerre. Alors, peu à peu, je n'ai plus rien à faire avec le communisme...

J'en suis arrivé, depuis un certain nombre d'années déjà, à ne même plus lire en français. À ne plus lire que des livres en hébreu. Et je suis de culture juive pure, même très élaborée.

Le passage du communisme au judaïsme se fait donc par le Livre – ce qui n'est certes pas contraire à la tradition. Le communisme n'avait du reste, si l'on comprend bien, qu'une vertu : celle d'avoir été « élaboré par un Juif ». Mais cette connaissance des textes s'accompagne-t-elle d'une observance des rites ?

Moi, personnellement, je mange pratiquement cachère. Ma femme va jusqu'à manger du cochon. Mais enfin, ça la regarde ! Et je vais à la synagogue le samedi. Ici. Synagogue du quartier. Qui est un endroit merveilleux. Dans le haut de Belleville. J'y vais le samedi et c'est extraordinaire, parce que ce sont uniquement des Tunisiens et j'y trouve tous les rites, tous les rythmes, la prononciation. Je vais là-bas comme j'irais à l'Opéra. Tellement c'est beau. C'est extraordinaire. Mais enfin ça, ça me regarde. [Il rit.] C'est spécial. C'est loin du communisme !

---

10. Cf. *DEJ*, p. 1103 : « loi ou ordonnance instituée soit par les sages du Talmud et applicable à tous les Juifs, soit par les dirigeants communautaires pour les membres de leur communauté (*taqqanot ha-gahal*), ou par les membres d'une association pour en régler les affaires internes ».

Notre nourriture, en général, c'est une nourriture à fond judéo-tunisienne. On fait moins le couscous qu'avant, mais on le fait de temps en temps. On mange les viandes cachères. Ici, nous avons un boucher cachère en bas, qui est un garçon merveilleux, qui a de très bonnes viandes en plus. Et c'est une viande merveilleuse.

Pessah a toujours eu lieu chez nous. Et c'est moi qui lis la *haggadah* complètement. Laquelle n'est pas écrite en hébreu, mais en araméen. Comme tout le monde sait... ou ne sait pas. [Il rit.]

Le « retour » paraît ici dirigé tout autant vers l'enfance tunisienne que vers le judaïsme. Le plaisir des sens, comme nous l'avons souvent vu, y joue un rôle essentiel : plaisir de l'oreille et des yeux avec l'« Opéra » de la synagogue, plaisir de la bouche avec la « viande merveilleuse » (un adjectif, « merveilleux », qui revient de nouveau trois fois)...

Mon judaïsme, il est entier. Il n'a pas été seulement d'adhérer à la vie d'Israël, de commencer à apprendre l'hébreu. Il est allé jusqu'au fin fond du Talmud. Et je parle l'araméen comme je parle l'hébreu. C'est pour moi une passion. J'ai tous les dictionnaires possibles et imaginables hébreu-français, français-hébreu. Tout est dur... tout est stalinien. Je suis stalinien. Je suis... comme Moïse...

— ... pour lequel vous affirmiez n'avoir pas de sympathie ?...

— Ah ! Moïse... on a écrit plusieurs livres sur Moïse, aucun ne me satisfait. Ce type-là n'était pas juif, c'est le fils de la fille du pharaon. Il n'a pas été circoncis. On l'a trouvé dans l'eau. Et, de là, on ne l'a pas circoncis.

Et puis il a grandi. Et il est parti dans le désert, dans le pays de Madian. Illuminé complètement. Obsédé par le désert. Tellement obsédé qu'un jour, voyant un buisson brûler, il a dit : « Ça, c'est Dieu qui m'appelle »... Et tout a continué comme ça... C'est un illuminé.

Quand il a dit aux Juifs d'Égypte : « Il faut nous en aller. Nous ne sommes pas chez nous, nous sommes des esclaves », ce n'est pas vrai. Et, à dix reprises, le peuple qu'il traînait avec lui lui a fait des reproches. « Pourquoi nous as-tu amenés ici ? Nous étions si bien en Égypte... Que nous mangions du poisson gratuitement... Que nous mangions des poireaux et des... » Donc il a emmené le peuple d'Israël, malgré leur avis. Ils n'étaient pas des esclaves. C'est lui qui était un illuminé et qui voulait créer quelque chose qui n'était pas l'Égypte. Et il a voulu aller dans le pays de Canaan, etc., etc. C'est un illuminé. Et Lénine est un illuminé. L'un faisait du sionisme de guerre, et l'autre du communisme de guerre.

363

Je ne le dis pas souvent aux Juifs, parce qu'ils me prennent pour un hérétique. [Il rit.] Carrément hérétique. Mais les textes sont là, il n'y a qu'à les lire. Mais ils ne lisent même pas la Torah. Ils ne savent pas lire la Torah.

Stalinien, il avait été. « Stalinien », il reste. Du moins le croit-il : aussi peu orthodoxe dans son antiléninisme que dans son anti-mosaïsme. C'est lui qui pose explicitement l'équation : Moïse = Lénine. Son judaïsme sera homothétique de son communisme. Au point qu'il en vient à l'aveu suprême :

Moi, je ne crois pas en Dieu. Je ne sais pas ce que ça veut dire. Croyez-vous vraiment que, si vous priez, il y a Dieu, ou n'importe quoi, qui vous écoute et qui vous réponde ? Croire en Dieu, c'est croire en Quelqu'un, en Quelque chose. Quand vous priez et que vous dites : « Je voudrais ceci, je voudrais cela », Il vous répond ou il ne vous répond pas...

J'ai écrit un texte où j'essaie de montrer que le mot « prière » n'existe pas en hébreu. Alors les gens qui prient, est-ce que vraiment, quand ils disent : « Donne-nous le retour des exilés ! », est-ce qu'ils croient vraiment qu'il y a Quelqu'un qui les entend et qui va répondre ? S'il y a Quelqu'un qui entend, alors Dieu existe. Et s'il n'y a personne, alors il n'y a rien. Un atome d'hélion.

Il y a, dans la religion juive, six cent treize commandements. Il n'y a pas un seul commandement qui dise aux Juifs de prier. Alors, pourquoi on prie ?

Je vais à la synagogue, en haut de Belleville. Comme le Temple se trouvait en haut du mont Sion. Et là je suis allé et j'ai entendu prier comme on priait à Tunis. Avec l'accent judéo-arabe. Avec les airs et même les mêmes défauts de prononciation... C'est stupéfiant. J'y vais le matin, le samedi, à neuf heures et demie, et ça dure jusqu'à midi et demi. C'est un régal musical. Mais je ne prie pas Dieu. Je ne sais pas ce que c'est.

Il a « appris » la prière, il a « entendu » prier, il s'en « régale ». Ainsi va Georges T., talmudiste incroyant, observant sans foi, lecteur assidu mais critique des textes sacrés.

Plus atypique encore, Raphaël T. (1922, Alger, PCA/PCF de 1950 à 1967) : fils d'un père catholique et d'une mère juive, il a « toujours jeûné » pour Kippour, sauf vers dix-sept/dix-huit ans, quand il a « viré sa cuti », mais ça ne lui a pas duré. D'abord sioniste au *Betar*, puis communiste à vingt-huit ans et militant clandestin aux côtés du FLN pendant la guerre d'Algérie, il est aussi le seul de tout l'échantillon à avoir déchiré sa carte à cause de l'attitude du Parti pendant la guerre des Six Jours.

Il va à la synagogue pour Kippour. Il jeûne, il assiste à la sonnerie du *chofar*. Mais le plus inattendu n'est pas là :

> Moi, je... alors je vais vous faire quand même un aveu... Moi, j'étais pas circoncis, j'étais pas circoncis, parce que quand ma mère est morte, mon père m'a... comment dirais-je ?... je l'ai plus revu pendant des années, je l'ai revu bien plus tard, peut-être dix-douze ans après, donc ma grand-mère maternelle n'avait aucun pouvoir pour me faire circoncire. J'avais deux ans et demi déjà. Donc je suis resté comme ça. Mais, malgré ma non-circoncision, malgré mon nom catholique, j'avais quand même été éjecté de l'école publique. C'est peut-être pour ça aussi, par... par réaction, ayant subi ce genre de chose, que je tenais à affirmer ma... la partie juive de mon... de ma vie. Et en 1991, j'ai décidé de me faire circoncire. Voilà. Et mon fils a été circoncis avant moi ! [Il rit.] Voilà.

Il avait alors soixante-neuf ans.

Il est clair que ces trois personnages – Claude-Raphaël D., Georges T., Raphaël T. –, tous séfarades, ne représentent pas la moyenne statistique des Juifs ayant rompu avec le Parti communiste. Ils sont ce que l'on pourrait appeler des cas limites. La plupart de ceux qui ressentent ce genre de tentation restent au milieu du chemin. Aller à la synagogue pour Kippour, retrouver la famille pour un *seder*, cela peut passer pour un simple « acte social », un geste symbolique affirmant la pérennité d'une appartenance. Encore que, dans la France laïque et « désenchantée[11] » d'aujourd'hui, toute manifestation rituelle *publique* (comme d'aller régulièrement à la messe pour un catholique) témoigne déjà d'une volonté de se singulariser et de se « rattacher » (ce qui est encore plus signifiant chez un communiste, ou un ex-communiste, nourri de l'idée que « la religion est l'opium du peuple » et que toute

---

11. Au sens de Marcel Gauchet, *Le Désenchantement du monde*, Paris, Gallimard, 1985.

affiliation religieuse est incompatible avec l'adhésion au PC). Tout le problème est de savoir à partir de quel seuil on passe du conformisme banal à une proclamation d'assiduité. Il existe, bien sûr, toute une gamme d'états intermédiaires : manger régulièrement cachère, comme Arlette Y., jeûner pour Kippour, comme Madeleine S. ou Elisa T., cela traduit déjà, dans ces années quatre-vingt-dix, une fidélité au rite qui ne peut guère être réduite à un simple formalisme familial. C'est en ce sens que nos trois ultras du judaïsme nous proposent autre chose qu'une anecdote pittoresque. Ils indiquent une direction, un point terminal, à l'extrême horizon d'un mouvement qui en a tenté plus d'un[12], mais que très peu ont osé accomplir jusqu'au bout.

« Retour » à Israël ?

La rupture avec le PC marquerait-elle aussi, nous demandions-nous, le début de nouvelles noces avec Israël la mal-aimée ?

Un certain nombre de ceux qui ont quitté le Parti dans les années soixante-dix et quatre-vingt refusent toujours le pèlerinage à Jérusalem[13]. Ou en reviennent avec le sentiment d'un échec. L'image du « porte-avions de l'impérialisme » continue, pour eux, à « fonctionner ». La violence de leurs propos ne s'est pas relâchée avec la fin de leur militantisme.

> Ce qui se déroule en Israël, affirme par exemple Alain E. (1944, Lot-et-Garonne, PCF de 1961 à 1962 et de 1971 à 1977), ressemble tellement, par certains côtés, à ce qui s'est passé en Allemagne nazie, les camps, la façon dont... Ils n'exterminent pas, il n'y a pas de *solution finale*. Mais laisser pendant trente ou quarante ans... laisser la situation pourrir comme ils l'ont laissée, et que ça leur saute à la gueule, je veux dire, c'est un phénomène physique. Israël est... contre tous les autres, mais il a oublié son projet, le projet peut-être des Pères fondateurs.

---

12. Mais sûrement pas l'auteur de ce livre...
13. Même si les réponses ne sont pas toujours assez catégoriques pour qu'on puisse établir une taxinomie rigoureuse, seize des cent interviewés adoptent plus ou moins cette attitude.

Les mêmes arguments reviennent – ceux qu'ils avançaient déjà, des années plus tôt, lorsqu'ils militaient encore au PCF : les *kibboutsim* ne sont pas du socialisme ; les Israéliens sont racistes ; la situation faite aux Palestiniens... et aux séfarades est intolérable ; il s'agit d'une théocratie, non d'une vraie démocratie laïque.

Mais la plupart en arrivent à un discours qu'en d'autres temps ils eussent appelé « plus dialectique ». Deux figures d'anciens militants paraissent, à cet égard, archétypales.

Joseph A. (1944, Rome, JC/PCF de 1958 à 1967), nous lui avons souvent donné la parole. Sa mère a tenté l'*aliyah* et en est revenue. Lui-même ne va, pour la première fois, en Israël que l'année de sa rupture avec le Parti. Il n'arrive pas à se rappeler s'il avait, à cette date, déjà rendu sa carte.

> Ça s'est passé assez mal, parce que j'ai retrouvé en Israël des comportements que je condamnais au Parti. C'est-à-dire une langue de bois. La moindre nuance, la moindre critique vis-à-vis non pas de l'État d'Israël, mais du gouvernement israélien, devenait un *casus belli* ! Et tout était comme ça, une espèce de fanatisme fondé... Il y a toujours de bonnes raisons... Au Parti, on avait toujours de bonnes raisons !

Autrement dit : c'est justement parce qu'il a quitté le Parti qu'il ne peut renouer avec Israël. L'équivalence Israël/PC est posée comme une aporie : si l'on échappe à l'un, on ne peut que fuir l'autre.

> Est-ce que j'y suis allé parce que j'avais quitté le Parti ? Je ne pense pas. Parce qu'Israël, pour moi, c'était quand même le pays de mes deux premières années. Dont j'avais une image assez négative, parce que ma mère a quitté la Palestine parce qu'elle n'a pas pu s'y insérer, quoi... Ce qui fait que, alors que je parlais hébreu quand je suis arrivé en France, comme un enfant de deux ans et quelque, j'ai toujours été incapable de me rappeler quoi que ce soit.

Israël apparaît, après la rupture, comme révélateur d'un trouble de l'identité, d'un entre-deux que le Parti avait justement pour fonction de combler. Ce que confirme un deuxième voyage, en 1970, où Joseph A. s'installe dans un *kibbouts*.

> Et là, ça ne s'est pas beaucoup mieux passé. Je pense que c'est très difficile de situer la place d'Israël dans... pour un Juif non religieux et non sioniste. Je pense qu'il y a une place particulière. Mais ce n'est pas encore clair. Je n'ai pas encore éclairci la place qu'a Israël.

Traduisons : « Je n'ai pas encore éclairci la place qu'a, pour moi et en moi, la judéité. » Il y retourne, une troisième fois, en 1995.

> Et là, ça s'est très bien passé. Là, j'étais très... très content, parce que ça a beaucoup changé. Je n'y étais pas allé depuis vingt-trois ans. C'était juste avant les accords, on ne savait pas qu'il allait y avoir les accords. Une société beaucoup moins défensive. Beaucoup de gens qui en avaient assez... de cette situation de guerre. Et qui en avaient assez, dont on sentait qu'ils étaient prêts à bouger. Moins contractés.
> Et où on a pu parler avec des gens, en discutant... en parlant politique. Alors que, dans cette atmosphère paranoïaque qu'il y avait à l'époque, on ne pouvait pas parler. On était pour ou on était contre Israël, quand je suis allé en 1967 et en 1970. Alors que là, on pouvait être pour ceci et contre cela. Je pense que ça a apporté beaucoup à la société israélienne.

Qu'est-ce qui a « beaucoup changé » ? Israël ou lui-même ? Rappelons-nous que la raison majeure qu'invoquait Joseph A. pour expliquer sa rupture avec le Parti, c'est le blocage du langage, « l'impossibilité de mettre en accord le discours et la réalité » – quelque chose, sans doute, comme l'« atmosphère paranoïaque » qu'il croit, pendant longtemps, discerner en Israël. Désormais, « on peut parler ». Ce qu'il a attendu en vain du PCF.

Deuxième personnage archétypal : Annette R. (1930, Paris, PCF de 1947 à 1981). Souvenons-nous qu'elle assiste au meeting de 1948 au Vél'd'Hiv, essentiellement parce que l'URSS a reconnu Israël, « donc c'était quand même lié ». Elle entretient dès lors des relations « très houleuses » avec l'État hébreu : « Je pensais que c'était la faute d'Israël s'il n'y avait pas eu les deux États de créés. Conformément aux décisions... »

Elle y va pour la première fois en 1981, comme par hasard l'année de la rupture avec le Parti. Mais elle ne se rappelle pas (tout comme Joseph A.) si c'est avant ou après :

> Je suis revenue quand même très enthousiaste. Bien sûr, ils ont été aidés par les Américains, mais ils n'ont quand même pas planté les dollars en terre pour faire pousser tout ce que j'ai vu en traversant Israël. Et quand je voyais à côté les Arabes, qui ont eu aussi de l'argent, avec les terres restées stériles, avec les bidonvilles...

Elle y retourne vers 1993-1994. « Je pense que l'État d'Israël, c'est vraiment une bonne chose. Si ça avait existé, peut-être que des millions de Juifs auraient pu être sauvés, qu'il n'y aurait pas eu un holocauste d'une telle ampleur. Tout en ayant un esprit assez critique sur ce qui se fait. »

Ce qui est tu, dans ces deux entretiens, c'est justement ce qui en fait tout l'intérêt : la concomitance entre la rupture avec le PCF et le début de ce que j'appelle les noces avec Israël. Avouer clairement la concordance des dates, ce serait reconnaître la censure qu'exerçait le sur-moi communiste : on ne *peut* aller en Israël, ou aimer Israël, parce que le Parti ne le *veut* pas. L'interdiction est intériorisée : elle s'inscrit dans le faisceau de commandements et d'interdits que le militant adopte en se persuadant qu'il les a librement choisis. Dès que le Parti cesse d'exercer sa tutelle (ou, pour ceux qui sont restés, dès que la « ligne » s'assouplit), le désir s'exprime en presque souveraineté : la frontière s'ouvre, le visa psychologique est accordé.

Mais une proportion de plus en plus grande vire de bord avec une facilité déconcertante. Une Terre promise chasse l'autre. L'enthousiasme pour Israël se substitue sans problème à l'adoration pour l'URSS. Si la quasi-totalité d'entre eux se prononcent en faveur des accords d'Oslo et ont approuvé (en la trouvant parfois trop timide) la politique Rabin-Peres, une petite minorité se rallie pourtant aux positions les plus extrêmes du Likoud. Ceux-là, par une coïncidence significative, pratiquent désormais un judaïsme orthodoxe.

Aussitôt consommée la rupture avec le Parti, beaucoup tentent leur premier voyage[14]. Deux psychanalystes (est-ce un hasard ?), à

---

14. Dans le chapitre IX de cette deuxième partie, nous avons déjà traité du « premier voyage » des militants qui se trouvaient encore au Parti. Ici, nous abordons le même

peine renvoyée leur carte, transgressent ainsi le tabou secret. Danielle D. a quitté le PCF en 1983 : « J'y suis allée une fois pour la psychanalyse. Une seule fois (1983 ou 1986 ?). Pour un congrès sur *L'inconscient après Freud et Lacan*. Vous voyez ce qui m'a amenée en Israël ! [Elle rit.] C'est l'inconscient ! [Elle rit.] » Jacques F., lui, a rompu en 1968. Il attendra sept ans pour oser franchir le pas.

> — Vous y alliez pendant votre période communiste ?
> — Ah non ! Jamais ! Après. Après. J'y suis allé pour la première fois en 1975, après la mort de mon père en plus ! C'est important. En 1975. Première fois. Je n'y suis jamais allé avant.

Jacques R. (l'homme au clapier à lapins) accomplit son premier pèlerinage en 1978, l'année même de sa rupture. Il n'y est pas allé plus tôt parce que, dit-il, « la visite des démocraties populaires était plus importante pour moi que d'aller en Israël, à l'époque ».

> À partir de ce moment-là, l'existence d'Israël a toujours fait partie de mes préoccupations, d'une manière discrète au début, puis de plus en plus fort, et maintenant d'une manière vraiment très convaincue. Il faut absolument que ce pays existe. Son système et son régime, c'est l'affaire des gens qui vivent là-bas. Prioritairement, c'est eux qui décident de la manière dont ils veulent que leur pays soit géré. Moi, mon rôle, je ferai tout pour que ce pays existe. C'est vraiment important pour moi. J'estime que c'est important pour d'autres Juifs, que c'est important pour mes enfants. Il est toujours bon pour un Juif d'avoir sa résidence secondaire en cas de merde !

Dès lors que la glace est brisée, que le premier voyage est accompli, toute la gamme des réactions possibles se déploie – tout, sauf l'indifférence ou la franche hostilité, telles qu'on les proclamait encore quand on militait au Parti.

Beaucoup, bien sûr, conservent de fortes réticences, teintées pourtant d'une sympathie (au sens étymologique) enfin avouée. Le « mais... », le « pourtant... », le « en même temps..., toutes les

---

problème, mais qui se pose en termes entièrement nouveaux, puisque la rupture avec le Parti a désormais été consommée.

formules de la restriction mentale viennent nuancer l'expression d'une solidarité qu'on ne cherche plus à dissimuler.

« À aucun moment, je ne me sens Israélienne », affirme Raymonde Y., qui a quitté le Parti en 1985. « À aucun moment, je ne me sens complice d'Israël. Et pourtant, quand on attaque Israël, je me sens concernée. Comment on fait pour sortir de ce machin-là ? »

Ils sont ainsi près d'une vingtaine[15] à exprimer leur chèvre et chou, leur chien et chat, tout beau et tout laid, tout fraternel et pourtant tout hostile. Marianna K., la fille d'un fusillé de la MOI, résume assez bien cette ambiguïté : « D'un côté, évidemment... la sécurité d'Israël... je me dis quand même : "Les petits Juifs qui sont là-bas, qu'on leur foute la paix !" Et d'un autre côté, il y a effectivement une politique... qui sûrement n'est pas... sensée, n'est pas raisonnable. »

Tous ceux-là reprennent cette espèce de chant alterné, ces refrains qui s'opposent et se complètent, dans leur mélange d'attirance et de répulsion. « Pour moi, Israël, c'est des cailloux, le désert, une espèce de... de... de culture et de civilisation qui m'est complètement étrangère », affirme par exemple Gilles S., qui a quitté le Parti en 1981. « Et en même temps, une culture politique qui me touche beaucoup, parce qu'elle est très... très juive. » Albert J. (1922, Le Caire, communiste de 1943 à 1952) se dit, lui, « très israélien... d'affection, extrêmement critique à l'égard d'Israël, parce qu'elle a raté par deux fois sa voie jusqu'à maintenant ». (Il veut dire après la visite de Sadate et après l'assassinat de Rabin.)

Quelques-uns pourtant vont au-delà de cet *allegro ma non troppo*, de ce clavecin bien tempéré. Ils proclament leur enthousiasme[16], ils rejoignent – dans leur amour sans faille – ces Juifs français non communistes qui ont si fort applaudi aux victoires de 1967 et de 1973.

---

15. Malgré l'arbitraire de ce genre de taxinomie, j'en compte dix-huit, dont dix ashkénazes.

16. J'en compte huit sur cent (quatre ashkénazes et quatre séfarades).

Léon C. (1917, Paris, PCF en 1934-1935, puis en 1986-1987) ne cache pas son émotion. « Quand je suis allé la première fois en Israël, je suis allé au Mur, j'ai pleuré !... C'était touchant, pour moi... Et j'étais content d'aller là-bas. » Il s'y sent de mieux en mieux. Abonné au *Jerusalem Post* en édition française, il suit l'actualité israélienne semaine après semaine. « Israël, pour moi, compte beaucoup. Énormément. » Il admire le développement du pays : « J'ai vu que ça bouge, ça remue. Ils sont extraordinaires. Ils ont des têtes, de la matière grise, là-bas ! »

Annie C., qui a quitté le Parti en 1978, est peut-être celle qui analyse ses sentiments avec le plus de lucidité :

> Donc je suis allée en 1983 en Israël, j'avais trente-huit ans. J'ai eu l'impression de rentrer à la maison. Arrivée à l'aéroport, j'ai été émue aux larmes. Je me disais : « Un peu de décence ! » Je crois que, si j'avais été au Parti, je n'aurais pas été à l'aise du tout. Et là, comme ça faisait plusieurs années que j'avais décidé d'être comme j'étais, ça ne me gênait pas du tout d'être émue et d'être ravie qu'il y ait des Juifs partout. Et puis je me suis quand même aperçue que ce n'était pas si simple. Je crois que, pour la première fois, j'ai compris la complexité. Parce qu'en fait je ne l'ai jamais bien regardée en face, quand j'étais au Parti.

Le PCF apparaît ainsi, aux yeux d'Annie C., comme écran devant le réel et refus du complexe. Aller en Israël, c'est « rentrer à la maison » (expression que nous avons déjà entendue dans la bouche de Fernand I., l'ami des Palestiniens). C'est aussi « décider d'être comme l'on est », c'est-à-dire assumer son identité. Pas de quartier : pour elle, comme pour tant d'autres après la rupture, l'appartenance au Parti et la reconnaissance de la judéité sont antinomiques.

L'enthousiasme atteint parfois même des extrémités plus surprenantes. Michel T., reconverti dans l'humanitaire, se dit « très admiratif de l'État juif et de ceux qui le dirigent, dans leur capacité d'avoir finalement osé répondre au feu par le feu. Et donc avoir osé engager une croisade de vengeance ». Ce qui ne l'empêche pas de soutenir, « au nom du droit, les Palestiniens et Arafat ».

Deux interviewés, l'un et l'autre séfarades, racontent une

aventure singulière, peu conforme aux schémas des itinéraires postcommunistes.

Georges T., nous le connaissons déjà très bien : c'est le talmudiste de Belleville.

> Bien entendu, j'ai fait des voyages en Israël. Neuf voyages en Israël. Mais pas pour visiter seulement. J'ai habité dans un *moshav*[17]. Pendant un mois. J'ai été dans des endroits précis où j'ai appris plus que le judaïsme, j'ai appris le judaïsme moderne. Et je dois dire que ça a été pour moi une expérience fondamentale. Que je n'ai pas oubliée. Voilà en gros comment je suis passé du communisme au judaïsme le plus pur. C'est-à-dire le plus à la fois ancien et moderne. Parce que là-bas, la vie intellectuelle continue. Avec une puissance, une expansion inimaginables ! Inimaginables. L'expérience du communisme, à côté de ça, ce n'est rien du tout !

C'est le seul, Georges T., qui affirme ainsi la continuité d'Israël et du judaïsme millénaire, incarné dans la tradition et dans les textes. Le seul qui découvre Israël à travers le Talmud et qui y trouve argument de plus pour rejeter – et avec quelle dérision ! – l'« expérience du communisme » :

> Le plus beau voyage que j'ai fait, c'était chez un ami qui était là-bas, il habitait un *moshav*. Je vais vous donner un petit exemple. C'était l'heure de la sieste. Et il y avait un vieux paysan du *moshav*. Il avait terminé de manger à côté de sa moissonneuse-batteuse et il était en train de lire. Je m'approche de lui, je lui dis : « Qu'est-ce que tu lis ? » Il lisait Spinoza en hébreu. Vous voyez, ici, un paysan en train de lire Descartes ? À côté de sa moissonneuse-batteuse... [Il rit.] Ça, ça vous définit Israël. Il lisait Spinoza ! C'est ça, le judaïsme !

Lui qui déchiffre Israël à l'aide du Talmud (après avoir adhéré au PCF par le truchement du groupe surréaliste), Spinoza nourrit désormais son enthousiasme. Georges T., à travers les tours et les détours de son itinéraire, manifeste tout de même une singulière constance.

Pourtant, chez lui aussi, on croit parfois sentir quelque chose

---

17. *Moshav*, colonie de paysans indépendants organisés sur le mode coopératif.

comme un dérapage vers un type de pensée et de langage que sa culture aurait dû lui épargner :

> Les Arabes ont besoin d'Israël. Il en rentre plus de deux cent mille tous les jours pour travailler. Et si on les laisse seuls, ils ne foutent rien ! Ils sont incapables de se débrouiller tout seuls. Ce sont des paresseux. Tandis qu'en Israël, ils aiment le travail par-dessus tout. Et un travail moderne. Et ils font des merveilles.

Il faudrait peut-être se demander si quitter le PCF, ce n'est pas aussi parfois substituer une « illusion » (Furet *dixit*) à une autre ; si faire retour à la judéité, ce n'est pas, dans certains cas limites, tomber dans un discours aussi « idéologique » que l'était le discours communiste.

Ce même type de dérapage, nous le retrouvons peut-être plus encore chez Claude-Raphaël D., ce Juif devenu orthodoxe et qui se veut, comme il dit, « totalisant ». Dès l'âge de dix ans, il entame son étrange parcours en entrant au *Ha-noar ha-tsioni* (Jeunesse sioniste) ; il « forge [son] identité juive dans le sionisme, le sionisme comme un idéal politique... et historique, donnant une signification à [son] être-juif ». Il adhère au Parti « fin 1973-début 1974 », devient « un communiste très orthodoxe... en tout cas sur le plan doctrinaire... doctrinal » (opposé, par exemple, à l'abandon de la dictature du prolétariat), puis connaît sa première crise à propos, justement, d'Israël et des Palestiniens.

> Lorsque Arafat s'est exprimé à l'ONU, moi j'ai fait un raffut [il rit], en disant : « Écoutez, c'est un peu n'importe quoi. » J'étais venu avec *L'Huma* devant quinze personnes, en disant : « Écoutez, moi, en tant que Juif, je suis au Parti communiste, mais ça, je ne peux pas accepter. Traiter les Israéliens de nazis, alors là, excusez-moi, mais c'est un peu n'importe quoi. Comment on a pu ? »

En 1977, il est plus ou moins licencié de son organisme de formation pour les travailleurs immigrés, en raison notamment de ses positions que le Parti qualifiait sûrement de « gauchistes ». Il divorce. Il commence une psychanalyse. Il quitte le Parti en 1979. Il tente deux fois sans succès l'*aliyah*, dont une fois en compagnie de sa seconde femme (une catholique qui se convertit au judaïsme), dans la nostalgie des camps de scouts sionistes où il a passé son adolescence.

> Quand vous avez vécu ça à douze ans, après vous ne l'oubliez plus. Donc, déjà, c'est un peu ma première ou seconde patrie... pas patrie, mais mon... nationalisme, si vous voulez. Puisque le sionisme est un nationalisme. Donc là, j'ai été formé là-dedans, sur le plan de ma sensibilité et sur le plan un peu de mes idées, de mes convictions.

Il a erré longtemps, sans trop se décider, entre la Tunisie où il est né, la Touraine où son père s'est installé après l'indépendance, le Cambodge, le Vietnam, le Laos, Hong Kong, Singapour, le Maroc, où il rêve de participer à des missions ethnologiques. Il a hésité entre l'enseignement de la philosophie, la psychologie, le métier de formateur. Il est sans repères, sans territoire.

> Moi, j'avais amorcé un mouvement de *techouvah* comme ça. Après tout, on en avait un peu marre. « Pourquoi on n'irait pas en Israël ? » Donc, là, on a forgé le projet de faire une *aliyah* ensemble. Ça a duré à peu près deux ans, de 1980 à 1983. Alors on a eu nos enfants [silence]. On voulait aller au *kibbouts*, alors c'est des tribulations, on discute avec l'Agence juive. Et puis il y a eu plusieurs choses, il y a eu le fait que le *kibbouts*, ça n'a plus bonne presse en Israël. Il y a eu la guerre du Liban, qui a éclaté à ce moment-là. Le fait que moi, je voulais quand même le *kibbouts* et qu'Evelyne voulait plutôt aller en ville.
>
> ELLE. – On ne parlait pas hébreu. Pour exercer la profession de psychologue, ce n'était pas évident. Il fallait bien entendre les subtilités de la langue.
>
> LUI. – C'est vrai qu'en tant qu'intellectuels... ayant besoin du discours, sinon je n'existe pas... C'est vrai qu'aller en Israël, c'était une perte. J'avais pas loin de quarante ans, c'était renoncer à plein de choses. Je perdais un peu ma langue. Je perdais beaucoup, là, au change.
>
> Et donc on a fait plusieurs voyages. Et puis après ça s'est interrompu, on a renoncé à l'*aliyah*. Et là on y va comme des touristes. Cet été, on y était.

C'est la langue, nous l'avons vu, qui le ramène au judaïsme : la redécouverte, pendant la cure psychanalytique, du judéo-arabe. C'est la langue qui, finalement, fait échouer son *aliyah* : la difficulté d'enseigner ou d'écrire en hébreu, de pratiquer le métier de psychologue dans une langue étrangère.

Curieusement, le dialogue entre Claude-Raphaël D. et son épouse fait apparaître, semble-t-il, quelques différences d'approche, où la convertie (qui travaille, du reste, dans l'enseignement confessionnel hébraïque) se révèle plus violemment juive que le Juif d'origine. Les Palestiniens constituent la pomme de discorde.

> LUI. – C'est vrai, finalement, qu'on leur a pris quelque chose à ces gens... Ça me revient comme ça, un peu comme une anamnèse. Et je me suis dit : « Oui, il y a eu là une violence. Pas seulement une violence symbolique, mais une violence physique vis-à-vis des Palestiniens et des Arabes. »
>
> ELLE. – On leur a acheté aussi pas mal. Ils ont bien voulu vendre.
>
> LUI. – Tout à fait. Il y a eu une politique de rachat des terres par Rothschild au début du siècle...
>
> ELLE. – Moi, je n'ai pas les mêmes positions. Moi, je suis très sioniste. Ce qu'on a essayé de transmettre [aux enfants], c'est l'appartenance à un peuple. Un peuple qui a une histoire spécifique et qui est dans le monde un petit peu différent. Et ce sentiment-là, profondément, je crois qu'ils l'ont complètement intégré. Plus qu'une foi... Notre attachement religieux rejoint plus l'idée d'appartenance à un peuple, qui a pour moi un sens très profond. Et Israël est bien sûr inclus dedans avec toute cette histoire. Aujourd'hui, tant mieux, ce peuple enfin a quelque part un point de chute.
>
> C'est très important qu'aujourd'hui on puisse se dire juif sans honte et partout. Les enfants peuvent manifester pleinement leur identité, grâce à Israël, cette petite terre de rien du tout, convoitée par tout le monde.

Il commence par affirmer sa vieille idéologie de gauche : les Palestiniens, peuple spolié. Elle corrige. Il s'incline. Lui, si angoissé de ne point se découvrir une identité, un territoire, comment n'adhérerait-il pas à ce discours sur l'identité retrouvée grâce à Israël ?

> ELLE. – C'est tout juste si on ne devrait pas dire : « Peut-être qu'on doit encore quelque chose ? », pour avoir pris ces quelques kilomètres carrés, alors que, mon Dieu, des milliers de kilomètres carrés sont aussi autour, où les autres auraient pu aussi partager des territoires. Ce petit peuple de rien du tout, dispersé depuis des siècles, traumatisé, tué,

spolié pendant des générations... Aujourd'hui, merci d'avoir Israël et puis... et puis on l'a bien gagné, parce qu'aussi des milliers de gens sont morts pour ça. C'est vrai, les Arabes ont bien voulu vendre les terres, alors ils ne peuvent pas aussi avoir le beurre et l'argent du beurre.

À un moment donné, je crois qu'Israël a fait une erreur, c'est vrai qu'Israël aurait pu négocier les choses autrement. Ils se sont peut-être crus invincibles à un moment donné. Mais je crois que, s'il y a encore une éthique et une morale quelque part, malgré tout c'est peut-être encore là.

Lui, qui se croit encore si marqué par le marxisme, il ne proteste guère contre ces affirmations quelque peu approximatives : Qui a vendu des terres ? Sont-ce les petits fellahs ? Qui a touché « l'argent du beurre » ? N'y a-t-il eu de morts que chez les combattants juifs ? Il se sent tout de même un peu embarrassé par les propos de sa femme, qu'il se garde de contredire. Il tente tout de même de se raccrocher à ses positions passées. Mais, bien vite, il capitule.

Par rapport à la question palestinienne, j'ai eu plusieurs approches. À un moment donné, j'étais pour une négociation, une nouvelle place faite aux Palestiniens, et je trouvais qu'Israël avait été très loin... en particulier après la guerre des Six Jours, dans l'occupation, etc. Néanmoins, Israël [silence]... est dans son droit d'être là. Et puis elle a gagné ce droit. Et puis c'est l'Histoire.

Et puis, après cette affaire d'un État palestinien, etc., je me suis un peu éloigné de ça et je suis plutôt allé vers des positions peut-être... plus nationalistes. C'est vrai qu'il y a eu une violence vis-à-vis du peuple palestinien, mais que toute l'Histoire est faite par la violence. Là, il y a eu une violence dans la prise de terres, il y a eu une violence dans la guerre, on a forcé un peu l'Histoire. Mais, bon...

Donc j'ai eu plusieurs périodes comme ça. Et la dernière de ces périodes, c'est de dire que ce pays, il existe aujourd'hui, il n'est pas contestable, il n'est pas question d'y toucher, parce que ça, c'est du non-négociable. Si, on peut négocier des rectifications de territoire, on peut négocier avec les... les... les pays alentour.

Mais même l'idée de créer un État palestinien, comme on est en train de le faire[18] – vous voyez, je suis passé à droite, là –, ça ne me paraît pas – même si on nous a obligés à le faire, ça aurait pu prendre une

---

18. Entretien réalisé le 1er avril 1995.

autre tournure, par exemple – d'ailleurs, peut-être que ça se fera dans le futur – , on aurait pu créer cet État palestinien en... Jordanie ou en raccordant une partie de la Judée-Samarie à la Jordanie et en larguant la bande de Gaza. Gaza, ce n'est pas un territoire juif.

Il est donc « passé à droite ». Il est « plutôt allé vers des positions peut-être... plus nationalistes ». Aimable litote. Ne négocions plus avec Arafat, comme Rabin, mais « avec les pays alentour ». Plus question de « Territoires occupés », mais seulement de « Judée-Samarie » : si l'on doit vraiment créer un État palestinien, que ce soit en Jordanie.

> Alors maintenant, c'est donc ma position vis-à-vis d'Israël. Quand j'étais au Parti communiste, je n'étais donc pas d'accord avec les positions du Parti, qui ou bien traînaient Israël dans la boue, ou bien sans cesse réclamaient un État pour les Palestiniens. Et [silence]... oui, ils mettaient vraiment les Palestiniens en avant, comme un vrai peuple, qu'Israël avait spolié, avec un mouvement de libération nationale – à l'époque, on disait comme ça –, avec... sa branche militaire, ses militants politiques, etc., etc. Ça, c'est quelque chose avec lequel je n'étais pas d'accord. Et donc, quand je pouvais, je critiquais, je critiquais, je n'étais pas d'accord, c'est tout. C'était une contradiction à gérer, quoi, quand j'étais au Parti.

Le voici aujourd'hui sur les positions du Likoud, condamnant les accords d'Oslo. Peu auparavant il se définissait, à ce moment-là, comme « propalestinien ». Il racontait sa rencontre avec la réalité palestinienne :

> On avait visité des villages arabes, j'avais discuté en anglais avec des Palestiniens, dans les villages. On apprenait des choses terribles, je me souviens, on était dans un village, on avait rencontré une famille, on était sous un olivier, et puis évidemment... Mais ça, c'est le fait que j'étais dans l'idéologie communiste, qui m'a amené à poser ces questions aussi, que d'autres n'auraient pas posées. Alors j'ai interrogé, j'ai dit : « Mais alors, qu'est-ce que vous faites là ? » Et je me souviens, c'était une jeune fille, et elle m'a dit : « Moi, j'ai deux frères, l'un qui est en Jordanie, un autre qui est parti dans le Golfe. Avant, jusque là-bas, c'était à nous. Aujourd'hui, ils nous l'ont pris. Tu vois là-bas les oliviers, c'est fini. »

378

Il est vrai que c'est l'« idéologie communiste » qui l'avait amené, ce jour-là, à poser « des questions que d'autres n'auraient pas posées »...

Ils ont rompu avec le Parti. Ils ont dès lors – pour beaucoup d'entre eux – esquissé, ou accompli, quelque chose qui ressemble à un « retour » : « retour » vers une certaine forme de pratique religieuse (sans que se dise jamais la croyance en un Dieu unique, ni l'obéissance aux Commandements) ; « retour » assez souvent mitigé vers Israël.

Chemin faisant, en décrivant leur étrange aventure, il nous est arrivé, presque par hasard, de tomber sur deux « clés », fournies par eux-mêmes, qui nous ouvrent peut-être une double perspective sur les rapports entre judéité et communisme.

C'est d'abord la théorie des trois nœuds[19], implicitement évoquée par Arlette Y. à partir des mots « renouer » et « lié » : le Juif communiste entrecroiserait trois nœuds – le Parti, la famille, le judaïsme –, dont chacun se relâcherait à tour de rôle, permettant à l'un ou aux deux autres de se resserrer. Une lecture sans doute trop superficielle et exclusivement formelle évoquerait à ce propos les nœuds borroméens, chers à Jacques Lacan. « Les armoiries de cette dynastie milanaise étaient constituées de trois ronds en forme de trèfle, symbolisant une triple alliance. Si l'un des anneaux se retire, les deux autres sont libres, et chaque rond renvoie à la puissance d'une des trois branches de la famille. » Ainsi s'articuleraient les trois servitudes – partisane, familiale et religieuse – à travers lesquelles le Juif communiste tenterait de dégager son identité.

C'est ensuite la dialectique du « centre » et de la « périphérie », qu'évoque Claude-Raphaël D. : le Juif communiste se situerait, comme les Juifs saint-simoniens du XIXᵉ siècle, à la « périphérie »

19. Cf. Élisabeth Roudinesco, *Jacques Lacan. Esquisse d'une vie, histoire d'un système de pensée*, Paris, Fayard, 1993, p. 470. La topologie est présente, chez Lacan, dans les séminaires XVIII à XXVI, édités au Seuil. Cf. aussi Pierre Soury, *Chaînes et nœuds*, Paris, éd. Michel Thomé et Christian Léger, 1988. Je m'empresse d'ajouter que je décline toute compétence, tant en mathématique qu'en psychanalyse lacanienne.

de la judéité. Comme eux dans leur groupuscule, il trouverait dans le PCF un espace d'intégration dans la société globale[20] ; comme eux aussi, il y découvrirait parfois, par une ironie de l'Histoire, le chemin d'un « retour » au « centre » de la judéité, contribuant à en renouveler les thèmes, ou à rouvrir la réflexion sur ce qui fut, justement, au centre de la méditation prophétique : la justice sociale.

20. Cf. Michael Graetz, *op. cit.*, p. 24.

XIII

L'identité juive est-elle soluble
dans le communisme ?

« Le chemin d'un retour au centre de la judéité », écrivions-nous. Faut-il décidément que cette « identité juive », au contenu si multiple, si divers suivant les individus et les époques, se révèle presque indestructible pour qu'elle résiste à tant d'aventures et de mésaventures, de fidélités et de ruptures !

Le procès est pourtant instruit depuis longtemps : le Parti communiste tendrait à effacer chez ses membres toute particularité religieuse, nationale, ethnique, identitaire. Comme chacun sait, « les prolétaires n'ont pas de patrie »...

« Du fait que les Juifs ne constituent ni une nation ni une classe, mais une caste, écrit Lénine, ils doivent, pour ne pas végéter à l'écart d'une société moderne où seules sont efficaces les catégories de classe et de nation, *s'assimiler*, c'est-à-dire, en renonçant à une confuse appartenance, entrer délibérément dans les classes et les nations qui correspondent à leur statut social et à leur localisation géographique[1]. »

---

1. Lénine, *La Situation du Bund dans le Parti*, conférence du 5 octobre 1903, in *Œuvres complètes*, Moscou, Éditions en langues étrangères, 1959, cité par Annie Kriegel, *Les Juifs et le monde moderne. Essai sur les logiques d'émancipation*, Paris, Seuil, 1977, p. 195.

« Le Parti communiste français, surenchérit Annie Kriegel, intervient, pour ses Juifs et par ses Juifs, comme un puissant agent d'*assimilation*[2]. » « Par sa domination culturelle française, [il] constitue le lieu privilégié de leur *acculturation*. » Et de citer Roland Leroy qui exige de « combattre le caractère obsessionnel d'un particularisme d'ailleurs en voie de *disparition* ».

Assimilation, acculturation, disparition : c'est bien d'une sorte de liquidation identitaire et culturelle que le Parti communiste est accusé.

Les trois charges d'un procès

L'acte d'accusation semble comporter trois charges principales.

Première charge : le Parti interdirait toute pratique religieuse, ou écarterait tout adhérent qui s'y livrerait. Or l'identité juive reposerait fondamentalement sur la religion. Toute judéité qui se voudrait « laïque » équivaudrait à un non-sens. D'où l'on conclut, à la limite, que tout Juif qui adhérerait au PC renoncerait par là même à pouvoir se dire juif.

Nos entretiens montrent pourtant que de plus en plus de membres du Parti communiste trouvent aujourd'hui parfaitement légitime d'observer un certain nombre de pratiques ; que, même en des temps où l'interdiction paraissait la règle, beaucoup de militants ne manquaient pas de faire circoncire leur fils ou de jeûner pour Kippour.

Quant à l'impossibilité d'un « judaïsme laïque », il suffit de lire un témoin aussi peu prévenu que Shmuel Trigano : « [...] si la laïcité juive exprime une volonté de s'identifier au peuple et non pas au judaïsme, c'est regrettable, certes, [...] car c'est s'en tenir à une judéité tronquée, [...] mais c'est légitime dans la mesure où ces Juifs laïques [...] restent totalement dans le peuple et dans la

---

2. Annie Kriegel, *Communismes au miroir français*, Paris, Gallimard, 1974, p. 179 et *sq.* C'est moi qui souligne.

communauté, sans dénigrer ou décrier la dimension de la congré-gation qu'ils laissent intacte et donc toujours potentielle pour eux[3]. »

Il me semble bien que les Juifs communistes – du moins ceux de l'enquête – restent, dans leur grande majorité, à l'intérieur des limites fixées par Trigano (même si quelques-uns ricaneraient sans doute à l'énoncé d'une telle proposition).

Deuxième charge : le Parti condamnerait tout attachement à l'État d'Israël. Or la fidélité à Jérusalem constituerait une dimension incontournable de l'être-juif.

La réponse est presque la même : s'il est vrai qu'aux origines, après des débuts presque idylliques, le Parti a affiché une ligne politique violemment anti-israélienne, nous avons pu constater que la situation a beaucoup évolué. Le Parti a assoupli ses positions, les militants sont largement revenus sur leurs pré-jugements, effec-tuant de plus en plus souvent le pèlerinage à Jérusalem et en rapportant parfois des comptes rendus éblouis.

Où est-il écrit, d'autre part, que l'attachement à Israël ne pourrait se vivre que sur le mode inconditionnel et monolithique ? Rien ne me paraît moins « juif » (même si l'on peut me contester toute autorité en ce domaine) que cette exigence *perinde ac cadaver*. Relisons, une fois de plus, Shmuel Trigano : « La Terre est promise à Israël, mais Israël doit la mériter, justement dans la construction d'une cité fondée sur la justice miséricordieuse. [...] L'intégrité morale du peuple juif est plus importante encore que l'intégrité géographique du Pays d'Israël [...]. » Il me semble que les Juifs communistes (ou ex-communistes) esquissent une relation d'at-tachement critique, de sympathie dialectique, appuyée sur la gauche israélienne, qui pourrait préfigurer une nouvelle forme de liaison sans allégeance et aider au renforcement des partisans de la paix.

Troisième charge (plus spécifiquement exprimée par Annette Wieviorka) : dans la mesure où le Parti communiste a reconnu

---

3. Shmuel Trigano, *Un exil sans retour ? Lettres à un Juif égaré*, Paris, Stock, 1996, p. 190.

institutionnellement l'existence d'une spécificité juive, il ne s'est jamais agi que d'une récupération ou d'une instrumentalisation.

Relisons l'historienne de la Résistance juive communiste, lorsqu'elle dresse, en conclusion, un bilan de l'action des FTP-MOI : « [...] si leur motivation fut sans aucun doute juive, ils furent intégrés dans une Résistance juive qui ne se souciait guère d'objectifs juifs [...]. La création d'une Résistance juive organisée à côté de la Résistance du PCF n'avait qu'une fonction instrumentale[4]. »

Stéphane Courtois, peu suspect de philocommunisme exacerbé, lui répond dans un débat publié par *Pardès*[5] : « Un regard équitable sur la Résistance juive montre que les Juifs communistes furent les seuls à agir avec une telle intensité, sur une telle échelle, avec une presse clandestine considérable et très dynamique qui, si elle transmettait la politique communiste, appelait aussi en permanence les Juifs, en tant que Juifs, à la vigilance, à la révolte, à la Résistance. »

Qu'on me permette, en plus, d'exprimer une certaine incompréhension devant le sens réel de cette polémique. Où a-t-on vu un parti politique, communiste ou non communiste, créer des organisations satellites sans aucune volonté « instrumentale » ? Quand le PS participe activement à la fondation de SOS Racisme[6], n'a-t-il vraiment aucune intention d'instrumenter la révolte des beurs ? Quand le RPR joue le même rôle auprès de l'Union nationale interuniversitaire (UNI), qui songerait sérieusement qu'il s'agit avant tout de défendre les intérêts corporatistes des étudiants, et non de s'assurer une présence politique sur les campus ? Tout parti politique, y compris bien sûr le PCF, se donne pour objectif de développer son influence et de multiplier ses relais d'action à travers une multitude de clones plus ou moins camouflés.

Il n'en reste pas moins que le PCF est le seul parti politique

---

4. Annette Wieviorka, *Ils étaient juifs...*, *op. cit.*, p. 334.

5. *Pardès*, n° 6, 1987, p. 181-185. Dans le même numéro, Annette Wieviorka reprend la parole pour défendre sa thèse. Il est clair que cette polémique prolongée sort du cadre de notre étude.

6. De ses deux fondateurs, l'un – Harlem Désir – est aujourd'hui député européen PS, l'autre – Julien Dray – député PS de l'Essonne.

français à créer des syndicats juifs, à impulser une Résistance juive, à élever les orphelins de la Shoah dans une certaine éducation juive, à entretenir pendant longtemps une presse en yiddish.

Si le Parti s'inscrit, bien évidemment, dans une perspective générale tout à fait jacobine, le Juif communiste introduit dans ce schéma quelque chose qui pourrait relever d'une tradition plus girondine : certes, il s'intègre – et souvent mieux que les autres –, mais il maintient, parfois sans le dire (il le dit de plus en plus...), une spécificité que le PCF ne cherche même plus à effacer. L'UJRE survit tant bien que mal, contre vents et marées. L'Association des amis de la CCE tient toujours ses quartiers au mythique « 14, rue de Paradis ». Un ex-communiste (et fort peu tendre pour ses anciens camarades) en assure la présidence, avec à ses côtés un militant resté fidèle, mais clairement rangé du côté des Reconstructeurs. Il suffit de lire la *Lettre* qu'ils publient[7], d'assister aux colloques qu'ils organisent[8], pour constater que la part juive de leur identité les intéresse aujourd'hui franchement plus que leur héritage communiste – ce qui n'était évidemment pas le cas il y a cinquante ans. Dans les associations d'anciens combattants de la Résistance juive, comme chez les combattants acharnés de la Mémoire, communistes et ex-communistes se côtoient de plus en plus. C'est le Centre de documentation juive contemporaine qui a recueilli les collections de *Naye Presse*, et non l'Espace Marx, ni le musée de la Résistance de Champigny. Bref, l'identité juive s'impose de plus en plus fortement comme élément majeur de ce couple mystérieux que nous poursuivons depuis tant de pages : Juifs *et* communistes.

Voici pourtant le seul critère qui vaille : que reste-t-il vraiment de l'identité juive après des années passées au Parti ? L'identité juive est-elle entièrement soluble dans le communisme ? Deux hypothèses extrêmes semblent ici s'opposer : le PC comme

---

7. *La Lettre des amis de la CCE*, 14, rue de Paradis, 75010 Paris.

8. Cf. notamment *Actes du Colloque des Amis de la CCE*, « Hier Juifs progressistes, aujourd'hui Juifs... ? », Sorbonne, 11-12 février 1995, Paris, Les Amis de la CCE, 1996.

négation de l'identité juive, le PC comme prolongement ou aboutissement de cette identité. Et peut-être bien qu'enfin, après la rupture, ou depuis les ultimes mutations du Parti, l'identité juive renaît parfois comme une sorte de dépassement du PCF.

Le PCF comme négation de l'identité juive ?

Il y a, bien sûr, ceux qui ont renié leur identité juive, qui se définissent comme exclusivement Français *et* communistes. Ce sont, en général, de « vieux » militants, à la fois par leur état civil et par la date de leur adhésion. Cette négation, ou cette dénégation, semble issue d'une strate ancienne de l'histoire du Parti – des années trente aux années cinquante.

> Je n'ai aucune attache juive, proclame Béatrice A. (1916, New York, PCF depuis 1944). Je suis communiste, je ne suis pas juive. Je ne suis que de famille juive. Et, bon, je ne le revendique pas et je ne l'écarte pas. C'est un fait. Mais je ne suis pas juive.

Ce qui ne l'empêche pas de se faire offrir un dictionnaire yiddish-anglais par sa deuxième fille et de se déclarer « ravie qu'elle y ait pensé ». Et même d'exprimer « l'envie d'apprendre à lire, à écrire le yiddish ».

> Je n'ai pas été circoncis, constate André N. (1925, Belgique, PCF depuis 1945). Je ne suis rien du tout.
> — Vous étiez assimilé de naissance !
> — Oui. Je savais que mon père était juif. Mais on m'aurait dit : « Il est papou ! »... Je ne me reconnais pas comme Juif ! Non, non, non. Je me reconnais comme demi-Juif.

Ce qui ne l'empêche pas, lui, de porter l'étoile jaune de son père dans les manifestations ! Ni de se contredire, quelques instants plus tard : « Je me sens juif quand on attaque les Juifs. Peut-être par mémoire à mon père, à toute ma famille du côté de mon père. »

Dans l'un et l'autre cas, le rejet si fortement proclamé ne va tout de même pas sans quelques nuances. On se dit non-Juif, mais on affirme qu'on est prêt à faire le coup de poing contre les antisé-mites, ou que l'on ressent une affection particulière pour la cuisine de la *mamele*, qui réussissait si bien les *kreplekh* ou le *gefilte fish*.

Pour beaucoup d'interviewés, ce reniement de la judéité, ou ce déni, est tenu à distance : il est raconté comme un événement du passé, de ce lointain temps « stalinien » où le Parti n'avait pas encore appris à se mettre au goût du jour.

Rosette Z. (1934, Paris) a adhéré en 1950. Elle se rappelle son état d'esprit de l'époque :

> J'ai du mal à me définir comme Juive, parce que je suis quand même imprégnée de cette culture communiste. Moi, je me souviens d'avoir été dans les écoles du Parti. Moi, j'avais appris par cœur les conditions énoncées par Staline pour faire un peuple : c'était unité de territoire, de langue, de je ne sais plus quoi... J'y croyais dur comme fer. Eh bien ! maintenant, il y a quand même [elle rit] pas mal d'exceptions ! Il y a peut-être des règles, mais il y a aussi des exceptions.

Elle change de nom. Elle épouse un non-Juif : « Tout de suite après la guerre, je n'ai plus dit à personne que j'étais juive... J'avais un petit peu... presque un rejet. Il n'y a que quand je franchissais le seuil de la porte chez moi que j'étais juive. » Aujourd'hui, toujours militante, elle réapprend le yiddish.

Albert D. (Paris, 1929, PCF de 1944 à 1954) se souvient, lui aussi, de l'atmosphère violemment assimilationniste de la Libé-ration :

> Le mot « juif » était couvert. Ça, c'est un peu l'histoire des déportés raciaux et des déportés politiques. On ne voulait pas du mot « juif ». En 1944-1945, on s'intégrait. On n'avait pas à parler yiddish. On était français. Point à la ligne. Et ça a duré un bon bout de temps, prati-quement jusqu'en 1948-1949, quand est né l'État d'Israël.

Francine R. (la fille de l'homme au clapier à lapins) adhère, à l'âge de treize ans, aux Jeunesses communistes. En 1967, l'année de la guerre des Six Jours, donc bien après l'époque où triomphait l'assimilation. Elle ne quittera le PCF qu'en 1978. C'est elle qui analyse le mieux les limites et les ambiguïtés de cette politique :

> Je nais avec cette volonté farouchement assimilationniste, qu'il y avait au Parti communiste et que mes parents vivent pleinement. La question n'était pas entre Juifs et pas Juifs, mais entre exploités et exploiteurs ! Le fait d'être juif n'avait rien à voir dans l'affaire. Donc je nais dans cette ambiance-là, ce discours-là. Et en même temps des grands-parents qui parlent yiddish, des parents qui parlent yiddish, l'histoire juive omniprésente, mais on dit que c'est pas ça l'important !
>
> Donc j'étais complètement dans une négation de l'identité juive. J'étais propalestinienne à cent pour cent. J'étais dans ce discours classe contre classe... L'impérialisme israélien... J'étais complètement là-dedans !

Mais quand son père lui demande si elle accepterait de changer de nom, elle s'y « oppose farouchement ». Aujourd'hui, une cure psychanalytique l'a réconciliée avec la judéité (pas avec le judaïsme). Elle qui a adhéré au Parti communiste pour réincarner les fantômes de la Shoah – et d'abord celui de sa grand-mère arrêtée dans la rafle du Vél'd'Hiv –, elle a trouvé d'autres façons de rendre un culte aux morts : en acceptant d'être ce qu'elle est, dernier rejeton d'une famille juive polonaise, revenue à la quarantaine dans le Belleville de son enfance, où son père et sa mère se sont connus à la *tsugob shul* de la rue des Panoyaux.

Un seul « jeune », Alexandre N. (1958, Oran, PCF depuis 1976), maintient ce refus enflammé. Membre d'un secrétariat fédéral, patron d'une entreprise appartenant au Parti, il s'est enfui à dix-sept ans de chez ses parents, à qui il ne pardonne pas de l'avoir mis en pension à l'école Lucien-de-Hirsch[9] : « Je suis juif, point. Voilà. C'est tout. Et d'ailleurs ma première réflexion : "Vous êtes israélite ? – Oui, mais je ne pratique pas." J'ai de juif que le nom. Que le nom. »

C'est exclusivement sur le terrain religieux qu'Alexandre N. accepte de se placer, ce qui lui permet bien évidemment de poser l'équation : athée = non-« israélite ». Mais l'obsession du « nom » montre bien où le bât blesse : le nom du Père. Dans la révolte

---

9. École juive de l'avenue Secrétan et de la rue de Bellevue, dans le XIXᵉ arrondissement de Paris.

contre ce vieux séfarade attaché à ses traditions se situe le cœur du rejet.

> En fin de compte, je vois pas quel équilibre peut avoir la religion. Mis à part la croyance en quelque chose. Mais pour sa part, c'est un équilibre. À mon sens, c'est un équilibre. Moi, l'équilibre, je l'ai ailleurs. Je l'ai ailleurs, l'équilibre. L'équilibre, je l'ai dans mon militantisme, je l'ai avec ma famille.

Le mot « équilibre » est répété six fois, comme pour formuler une nouvelle équation : religion = Parti = famille. Qui possède le Parti n'a plus besoin de la synagogue : il suffit de la « croyance en quelque chose ». La « famille » – celle que l'on crée, ou celle dans laquelle, par métaphore, on milite – prend la place de celle où l'on est né. L'équilibre est rétabli. Mieux encore : il est, cette fois-ci, vraiment fondé.

Les « sartriens », ceux qui ne se sentent juifs que dans le regard de l'Autre, s'inscrivent sans doute, à un moindre degré, dans la même mouvance : leur appartenance au PC signifie d'une certaine façon leur négation de la judéité, réduite à un simple réflexe de défense. Ils répètent sur tous les tons que seul l'antisémitisme les fait encore Juifs. Près d'un sur trois de nos interviewés raconte encore que c'est à l'occasion d'un acte ou d'une parole hostile qu'il a pris conscience de son être-juif.

Les militants d'aujourd'hui – ceux qui sont restés au Parti – affectionnent particulièrement ce discours minimal. Mais tout dans leur comportement, ou dans le reste de leur récit, semble contredire cette réduction purement rhétorique.

« Je ne me sens juive que quand je suis attaquée », affirme par exemple Rose M. (1924, Le Caire, MDLN, puis PCF depuis 1958). Mais elle participe chaque année au *seder* de Pessah, jusqu'à la mort de sa mère.

Chez ceux qui ont quitté le Parti, le minimalisme professé au temps des années militantes tend parfois à se transmuer en une double négation : non à la synagogue, non à Israël. Mais là encore il faudrait nuancer, complexifier, périodiser.

Serge Z. (1948, Tunis, PCT de 1965 à 1985), nous avons déjà

longuement raconté son histoire : il épouse une musulmane, il se convertit à l'islam, il garde la nationalité tunisienne, il assiste à un Conseil national de l'OLP... Le cas paraît vraiment « désespéré » : perdu définitivement et pour le Parti et pour la judéité !

> Je me sens dans une situation assez originale : personnellement, je ne sais pas ce que ça veut dire, être juif. C'est lié à mon histoire. Mais, dans mon cas, je ne sais pas ce que c'est, d'être juif. À la limite, les seules références juives que je pouvais avoir, c'est par l'attitude de certains, revenons à Sartre, qui m'ont rappelé que j'étais juif.

C'est qu'en effet, en terre d'islam (comme peut-être ailleurs), on n'échappe pas si facilement à la judéité : vice-président de la Ligue tunisienne des droits de l'homme, il est vivement mis en cause, au cours d'un congrès national, en raison de ses origines. Au Conseil national palestinien, il craint secrètement que les adversaires d'Arafat ne condamnent la présence d'un représentant de l'« entité sioniste ».

Mais, après tout, organiser des contacts secrets israélo-palestiniens, recevoir des dirigeants de la gauche pacifiste israélienne, c'est aussi militer pour une reconnaissance pleine et entière de l'État d'Israël.

> J'ai été assez surpris de voir mon fils me dire – lui qui n'est nullement religieux, il ne sait même pas quand c'est Kippour –, mais me disant : « Je suis aussi un peu juif, finalement... Ça veut dire quoi ? » Il dit : « Mais c'est bien de l'être. »

Noémi V. (1953, Paris, UEC/PCF de 1973 à 1975) appartient à la bourgeoisie « israélite ». Ses parents ont changé de nom et l'ont baptisée, « parce que si jamais ça recommence... ».

> Moi, je me sens pas juive ! Je le suis, mais par origine, pas par religion. Pas du tout. Je peux rien transmettre à mon enfant. Quand il me dit : « On est juifs », je lui dis : « Oui, mais... parce que les grands-parents étaient juifs. » Mais pour moi, pas du côté de la religion, pas du tout.

Son grand-père, son oncle, sa tante, trois cousins ont été déportés.

> On n'en parlait absolument jamais, jamais, jamais. Quand j'étais jeune adulte, quand on me demandait : « Noémi, est-ce que tu es juive ? », c'était terrible pour moi de répondre. Parce que j'étais horriblement mal à l'aise. J'avais une bouffée de chaleur. Mais qu'est-ce qu'ils me demandent ? Je me sentais en faute. Et puis, je l'ai travaillé beaucoup en psychanalyse, et maintenant, quand on me demande si je suis juive, je dis oui.

Le silence, la faute et, comme souvent, la psychanalyse : nous reviendrons sur ces trois facteurs dans la troisième partie de ce livre. Noémi a appelé son fils... David. Elle ne l'a pas circoncis. Le Parti communiste a peut-être été pour elle un moyen, tout à la fois, de prendre la parole et d'assumer cet entre-deux, cette tension insupportable entre deux identités, deux baptêmes, deux héritages.

Le PCF comme prolongement, ou aboutissement, de l'identité juive ?

Tout à l'inverse de ceux qui renient, d'autres définiraient volontiers le communisme comme un prolongement de leur judéité. Pour ceux-là, ce n'est peut-être pas tant l'identité juive qui se dissout que... l'identité communiste ! Être communiste devient pour eux, d'une certaine façon, l'une des facettes de leur judéité.

De l'un des plus vieux à la plus jeune, le même discours se poursuit, repris par plus de dix voix : il y avait « concordance entre ce qui m'avait été inculqué au nom du judaïsme et l'idée communiste », affirme Annie C. (1945, Grenoble, JC/PCF de 1954 à 1978) ; « J'essaie de perpétuer ce qui, dans la Torah, représente une partie du vécu du peuple juif », explique Isaac M. (1922, Le Caire, MDLN, puis PCF, depuis 1958).

> Pour moi, être membre d'un parti comme le Parti, c'est la suite logique de ma judéité, raisonne Bernard A. (1924, Paris, FTP-MOI, puis PCF depuis 1944). Comme je me suis trouvé juif, comme on me l'a

> répété cent fois, je me suis dit : quelle est l'issue ? Eh bien ! l'issue,
> c'est de me battre, pas seulement pour moi, mais pour les gens que
> j'aime. Par conséquent, j'entre dans la lutte, je rejoins le mouvement
> du progrès et de l'humanisme.

Cette identité incontournable, il faut donc – assez étrangement – lui trouver une « issue ». (Est-ce que l'identité française, ou papoue, exige une « issue » ?) Le Parti constituerait donc l'« issue » tant recherchée. Cela veut-il dire qu'il offre une « sortie » ? Une « *suite* logique », dit la première phrase, ce qui laisse entendre qu'il s'agit d'un « après » : après la judéité, le communisme ? Entre les deux, faut-il inscrire le mot « fin » ? La langue de bois évacue toute question indiscrète : « le mouvement du progrès et de l'humanisme ». Autrement dit, un grand flux vague et attrape-tout, où la judéité pourra se diluer dans un magma rhétorico-idéologique. Ce que toute l'interview dément, par sa référence répétitive aux origines.

Didier T. (1956, Moyeuvre-Grande, JC/PCF de 1973 à 1978, fils et frère de communistes) a sans doute appris dans sa cure psychanalytique, puis dans son métier d'enseignant d'histoire à la faculté, à mieux cerner la chaîne des causalités apparentes – le tout, bien sûr, assaisonné d'une bonne dose d'humour. Il parle d'un « sentiment d'identification complet », d'« une continuité des révélations messianiques », d'un « discours identique. De morale. Il y a une notion centrale du Bien ».

Trois mots clés scandent la profession de foi ironique de Didier T. La *Révélation*, d'abord. Le communisme est donc, comme le judaïsme, une religion révélée, une vérité que l'on peut, que l'on doit commenter, élucider, mais dont le principe même ne peut d'aucune façon être soumis à discussion. La *morale*, ensuite : ici, en effet, communisme et judaïsme se rejoignent presque explicitement, au cœur même de leurs deux projets. Le *message*, ou le *messianisme*, enfin : dans l'eschatologie, ou la téléologie, la synagogue et le Parti entrecroisent leurs discours.

Mais là où le PCF apparaît le plus clairement, et sans doute le plus profondément, comme prolongement ou aboutissement de la judéité, c'est qu'il naît souvent du même trauma, qu'il est engendré par la même douleur, qu'il se nourrit des mêmes sources. La Shoah, devenue source unique de la judéité, tout à la fois *berechit*[10] et fin de l'Histoire, se révèle aussi, dans les générations des années trente à cinquante, comme le déclencheur premier de l'engagement, conçu tout à la fois comme instrument de la vengeance, bouclier contre la récidive, symbole d'un travail de deuil, reprise en main de son destin, trop longtemps volé par les barbares. On a déjà vu combien d'adhésions au PCF le traumatisme de l'Holocauste avait pu déterminer. Beaucoup de ces néophytes datent également de ce choc épouvantable la naissance du sentiment d'être juif, jusque-là fort occulté, voire ignoré : on « devient » juif en même temps que communiste.

On se rappelle, par exemple, que Léon C. (1917, Paris, JC/PCF de 1954 à 1978) affirmait que « jusqu'à la guerre, [il] n'était pas juif ». Pourquoi a-t-il changé ?

> Parce que je me suis rendu compte que le monde a laissé massacrer les Juifs, ils en avaient rien à foutre, ni les uns ni les autres ! Et ça, je le porte avec moi tous les jours ! Sur mon bureau, j'ai la photo de mes parents. Dans mon portefeuille, j'ai la photo de maman. Pour moi, ils sont sacrés.

« Peut-être que c'est Hitler, justement, qui m'a faite juive ! D'une certaine façon... [Silence] », soupire Rosette Z. (1934, Paris, PCF depuis 1951).

Même la plus jeune de l'échantillon, Anne L. – née en 1967, donc vingt-cinq ans après le séisme –, utilise la même datation : Juive depuis la Shoah, Juive pour raison de Shoah.

> La Shoah, cette béance, cette blessure, a été mon premier rapport au judaïsme. En tout cas, c'est le premier dont j'ai conscience. C'est-à-dire que je suis française, mais pas française, puisqu'il y a la Shoah. Et je crois que c'est *avant* d'être fille de Juifs polonais. Je suis fille de... de rescapés.

---

10. C'est le premier mot de la Genèse : « cela commence ».

Les séfarades sont loin d'être en reste dans cette réapropriation de l'histoire de la Shoah. « Au fond, je me suis rendu compte que je me sentais juive à cause des camps, à cause d'Auschwitz. Des persécutions », reconnaît Béatrice C. (1923, Tunis, PCT de 1942 à 1961). Gilles D. (1945, Bône, PCF depuis 1973) lui fait écho avec presque les mêmes mots : « Je crois quand même que... c'est la première fois que j'ai dû voir des images des charniers... des images des camps, je crois qu'à ce moment-là... vers quatorze-quinze ans, seize ans, j'ai vraiment pris conscience d'être juif. »

Seul Jacques F. (1936, Alexandrie, communiste de 1953 à 1968), sans doute parce que sa pratique de psychanalyste lui donne un autre regard, s'insurge contre cette vision quelque peu réductrice : « Ce qui me fait peur dans l'histoire du judaïsme, dans la folie commémorative autour de la destruction du judaïsme européen, c'est introduire dans le judaïsme la notion de martyre. Qui est étrangère au judaïsme[11] ».

Une identité réduite à la mémoire, fût-elle exclusive de la Shoah, c'est peut-être presque aussi lourd de négativité, même si la mort nous fait la grâce de redevenir artisanale. On en arrive ainsi à cette « histoire lacrymale » que décrivait déjà Salo W. Baron[12].

> Et ça vient d'une identité d'histoire, explique Jacques R. (l'homme au clapier à lapins). Une identité de souffrances vécues. Je pourrais avoir mille copains : avec ceux qui sont juifs, que je les connaisse ou pas, j'aurais ceci de commun forcément avec eux. Et ça, ça crée une espèce de communication tacite, de complicité avec les autres Juifs.

Lui, sa mère est morte à Auschwitz. Les morts des chambres à gaz rejoignent, dans cette mémoire juive, ceux des pogroms, ceux de Chmielnicki[13], ceux des croisades...

Mais le Parti communiste apparaît aussi, aux yeux de beaucoup

---

11. Ce qui n'est peut-être pas si certain... Cf. le *qiddouch ha-chem* – la sanctification du Nom –, les fils d'Hannah, les Dix Martyrs, etc.

12. Salo W. Baron, *Histoire d'Israël*, 2 vol., Paris, PUF-Quadrige, 1956-1957.

13. Bogdan Chmielnicki : chef cosaque qui déclenche, en 1648, un soulèvement populaire en Pologne, aboutissant à une extermination massive des Juifs.

de nos interviewés, comme une sorte de prolongement de la famille juive.

On y cultive la même obsession de la mémoire, un même souci de la fidélité au clan. Pour ceux qui sont restés au Parti, la « famille » fournit un alibi légitime tout à la fois à un certain respect des traditions juives et à la constance de l'engagement politique.

> Je ne rejette pas mes souvenirs d'enfance, concède Jacques V. (1913, Tunis, JC/PC depuis 1937). Le sentiment... de respect... de réflexion, de sentir que c'était quelque chose d'important, le soir du *chabat*... Il me reste comme souvenir d'avoir été un gamin qui a ressenti ces choses-là, je ne le nie pas, je ne le rejette pas.

On remarquera la forme, trois fois répétée, de la dénégation : « je ne rejette pas », « je ne le nie pas », comme si cela n'allait pas de soi. Mais toutes les références juives sont dites au passé. Ce qui n'empêche pas Jacques V. d'être l'un des animateurs des Rencontres progressistes juives[14].

Mais les souvenirs des premières amours avec le Parti, qui datent des mêmes années trente, relèvent presque exactement du même registre. Écoutons la façon dont il raconte son entrée en Résistance : « On a monté une équipe, une bande de petits copains qui étaient à la fois aux Auberges et... des copains. Nous étions un noyau assez uni, assez solide sur... l'attachement au Parti. »

La « convivialité juive », cela peut étrangement sonner aux oreilles d'un ashkénaze depuis longtemps acculturé aux amitiés éclectiques, aux convenances des manières bourgeoises. Seuls, parmi ses congénères venus de l'Est, les anciens de Belleville ou du *Pletzl* manifestent encore un attachement nostalgique à un monde disparu où régnaient tout à la fois, disent-ils, la solidarité des humbles et le *witz*.

> On était juifs, tout le monde le savait, y compris la concierge, se souvient par exemple Albert D. (1929, Paris, PCF de 1944 à 1954).

---

14. Association fondée peu après l'élection présidentielle de 1981, pour regrouper les Juifs qui avaient appelé à voter pour le candidat communiste.

Mais c'était un état qu'on assurait doucement, normalement. On savait qu'on était Juifs étrangers, immigrés, il n'y avait pas de problème... Je me suis fait traiter de « sale Juif » très jeune, à six-sept ans. Mais ça ne posait pas de problème.

Isi A. (1933, Paris, JC/PCF depuis 1948), qui vient du même milieu – mais qui, lui, est resté au Parti, où il a fait une grande carrière... d'homme d'affaires –, voit, dans cette convivialité d'autrefois, le cœur de son être-juif :

> Les chansons que j'ai chantées dans les ateliers, pas que des chansons yiddish, mais on chantait... L'humour qu'il peut y avoir dans la manière de converser des gens. C'est peut-être lié à la guerre, mais il est évident qu'il y a des affinités qu'on rencontre par rapport à des gens juifs, séfarades ou ashkénazes, et qui font qu'il y a quelque chose tout de suite qui accroche, qui fait qu'on a des choses communes à apporter et qui sont intéressantes.

Cette nostalgie d'un Paris ouvrier, populaire, chaleureux, gouailleur, rejoint si fortement l'imaginaire du PCF que l'on ne s'étonnera pas de trouver là un des terrains où s'est nourrie la symbiose des deux identités : la juive et la communiste. Et où a pu se ressourcer l'attachement à l'imaginaire français, puisque tout un cinéma (celui de Marcel Carné, de Jean Renoir, de René Clair), toute une littérature (celle d'Henri Calet, de Léo Malet, d'Emmanuel Bove...) puisent à la même source.

Mais c'est chez les séfarades que l'exaltation du groupe matriciel atteint sa dimension la plus lyrique. Non plus comme évocation d'un terroir urbain, mais comme référence à un ailleurs exotique.

Même un Jacques V. (1913, Tunis, communiste depuis 1937), que nous avons vu si réticent à définir son identité juive, se réconcilie avec cette part de lui-même quand il songe aux soirées avec ses copains venus, comme lui, de Tunis :

> On est quelques-uns à se retrouver et à plaisanter autour de choses comme celles-là. Rappeler des trucs de Boujenah, ce sont des choses que nous avons connues. Madame Mijaoui qui, lorsqu'elle joue au bridge, elle frissonne en même temps parce qu'elle garde son vison, il n'y a que moi qui peut le comprendre !

396

Remarquons, par parenthèse, que ces plaisanteries de Juifs « pieds-noirs » constituent aujourd'hui le fonds le plus exploité du néo-comique à la française, ce qui montre bien, une fois de plus, la complexité des mécanismes d'intégration : on peut se sentir d'autant plus rattaché à la sensibilité ou à l'imaginaire français que l'on utilise des traits d'esprit propres à une communauté juive d'Afrique du Nord. Et le personnage de Roger Hanin, ancien des Jeunesses communistes et aujourd'hui membre des comités de soutien aux candidatures successives de Robert Hue, contribue à entretenir le lien symbolique entre judéité, communisme et République française !

L'identité juive comme dépassement du PCF ?

Mais le lien entre identité juive et appartenance communiste devient souvent si prégnant que tout relâchement de l'attache idéologique provoque un renforcement immédiat de la fascination pour les origines. Si, dans des temps plus ou moins lointains, le PCF a pu apparaître comme une négation de la judéité ou plus récemment, comme son prolongement quasi naturel, l'identité juive peut désormais parfois s'exalter au point de se muer en un véritable dépassement du politique. Ce qui relevait du militantisme se réduit à un souvenir, à une habitude ; ce qui appartient à la culture ou à la tradition juives, presque toujours laïcisées, se hausse à la dimension d'une essence irréfragable, d'une substance indissoluble de la personnalité.

Sauvegarder ou reconquérir une « culture juive », voilà un combat qu'un sur trois de nos interviewés prétend mener[15].

J'ai déjà parlé du rôle que jouent la cuisine et la musique comme marqueurs d'identité. Encore peu nombreux sont ceux qui cherchent à pénétrer les Livres fondateurs du judaïsme.

La Bible ? Écoutons Éliane V. (1945, Casablanca, PCM/PCF depuis 1965) :

---

15. Trente sur cent, dont dix seulement sont encore au PCF.

C'est vrai que, de temps en temps, j'y jette un coup d'œil. Je recherche des trucs. Moïse est un gars qui m'intrigue. [Elle rit.] Sarah aussi m'intrigue. [Elle rit.] C'est vrai qu'il y a des personnages juifs qui m'intriguent. Quelque part, je sais que toute l'histoire juive découle de ça. Qu'on est forgés à travers ça.

N'oublions pas que, toujours membre du Parti, elle s'en éloigne peu à peu parce que, accuse-t-elle, « trop franco-français », trop peu engagé hier dans les combats anticolonialistes, aujourd'hui dans les luttes pour les droits des immigrés.

Le Talmud ? Élie T. (1944, Alexandrie, PCF depuis 1974) s'« y intéresse depuis quelques années ». Paul A. (1919, Tunis, communiste de 1936 à 1956) le lit dans le « compendium de Cohen » ; mais il se considère comme « le dernier Juif de sa propre famille ». Bruno S. (1953, Paris, JC/PCF de 1972 à 1981) suit des « conférences talmudiques » : « J'attends le jour où l'occasion me sera... offerte de travailler ça un petit peu plus sérieusement. Donc de pouvoir reconsidérer un rapport au judaïsme qui sera un rapport fondé sur une connaissance des textes. »

D'autres, beaucoup plus nombreux, se passionnent pour la littérature yiddish, voire pour les écrivains juifs de langue non juive. Assez étrangement, on ne se donne parfois la permission de les lire qu'après avoir renvoyé sa carte du Parti.

Je me souviens d'une chose qui m'avait beaucoup frappée, raconte Madeleine S. (1929, Saint-Quentin, PCF de 1947 à 1980). C'est mon fils Romain, qui un jour m'a dit : « Maman, je viens de lire un livre formidable d'Élie Wiesel. Tu l'as lu ?... Tu l'as pas lu ? – Non, je l'ai jamais lu. – Mais, maman, c'est pas possible. Il parle comme toi, il raconte comme toi, il sent comme toi. C'est pas possible que tu l'aies pas lu. » Et j'ai lu ce livre. Mais... c'était vrai. Je n'avais pas lu Élie Wiesel, parce que j'étais au Parti, parce que c'était quelqu'un qui était banni, quelqu'un qu'il ne fallait pas lire. On ne disait pas qu'il était interdit. Mais on ne le lisait pas. C'est vrai que, quand je l'ai lu, j'ai remercié mon fils. Je me suis dit : « Mais il a raison, ce gosse. Pourquoi est-ce que j'ai pas lu avant ? »

Si l'on s'autorise Sholem Aleikhem, il faut souvent attendre la rupture pour dévorer Isaac Bashevis Singer, Peretz, Primo Levi ou Hannah Arendt.

Mais l'identité juive n'est pleinement assumée que lorsqu'elle apparaît, aux yeux du Juif communiste ou ancien communiste, comme un élément positif majeur de sa personnalité ; lorsqu'elle est conçue comme porteuse d'un message universel, de valeurs spécifiques que seule la judéité aurait pour mission de transmettre au monde.

> C'est comme si je portais un message, explique Marlène V. (1952, Tiaret, UEC/PCF de 1975 à 1980). Et que ce message, je l'assume complètement... C'est un témoignage, entre guillemets. C'est lutter contre ce qui se passe aujourd'hui. C'est, à travers cette judéité, peut-être un message militant, c'est reconnaître l'Autre comme différent de soi et l'accepter dans sa différence. Je suis née dans la religion juive, et c'est ça mon message.

Ici, une fois de plus, le message juif, d'abord assimilé au message communiste, s'affirme bientôt comme spécifique. Et, souvenons-nous-en, c'est parce qu'elle a la sensation de devenir un simple porte-parole, et non plus la porteuse de son propre message, que Marlène rompt avec le Parti comme elle a rompu avec sa famille : revendication d'autonomie tout autant que refus de la confusion des valeurs.

Ce sentiment d'une mission d'ordre éthique, beaucoup l'expriment, qu'ils aient depuis longtemps quitté le Parti ou qu'ils y militent encore. Peut-être, sur ce terrain-là, les séfarades l'emportent-ils sur les ashkénazes par la vigueur de leur expression.

> Être foncièrement du côté de la connaissance et du savoir, affirme Viviane C. (1958, Casablanca, JC/PCF de 1972 à 1978). Ça, c'est profondément juif.
>
> Pour moi, je suis fier d'être juif ! proclame Léon C. (1917, Paris, PCF de 1934 à 1935 et de 1986 à 1987). C'est un peuple qui a toujours montré au monde un certain humanisme, une certaine sensibilité de fraternité, de solidarité.

La « fierté » : voilà justement un sentiment nouveau qui s'affiche désormais tant chez les militants d'aujourd'hui que chez les « ex ». Un sentiment que nul n'eût éprouvé, ni moins encore exprimé, aux temps lointains de la Libération, quand « tout ce qui était juif, les communistes coupaient complètement avec ça. C'était presque un devoir » (Max B., 1922, Milan, communiste depuis 1942).

Ils ont longtemps été des « Juifs honteux ». Rappelons-nous : Noémi V. « rougissait » quand on lui demandait si elle était juive. Madeleine S. découvrait, dans sa cellule, que les militants juifs « en rajoutaient » toutes les fois que la propagande soviétique s'acharnait contre les « sionistes », les « *Judenratler* mapaïstes-bundistes », les « fauteurs de guerre du *Joint* ». Jacques F. faisait signer des pétitions contre le traître Slansky, et Georges T. entraînait même à sa suite un secrétaire des Jeunesses sionistes tunisiennes.

Ce temps n'est plus : un membre juif du Comité national, Alain F., se rend à la synagogue de Marseille, en compagnie de Robert Hue, pour un service à la mémoire de Rabin. Un journaliste juif de *L'Humanité*, milite ouvertement pour un traitement plus équilibré de la politique israélienne.

Après le temps du « dépassement » viendrait peut-être celui de la synthèse ? Encore faudrait-il que le communisme trouvât en lui-même, pour se confronter ou s'entremêler, la force de se réinventer.

XIV

Transmettre

1. Transmettre le communisme

Célébrer, se souvenir, transmettre : peut-être un Juif fidèle à la tradition définirait-il ainsi les trois impératifs majeurs de sa religion. Toutes choses égales par ailleurs, tout militant communiste pourrait reprendre à son compte ce triple commandement.

Célébrer, cela signifierait pour celui-là pratiquer, pour celui-ci militer. Se souvenir, ce serait pour l'un le commandement biblique *zakhor*, pour l'autre le « fil rouge » de la mémoire communiste. Transmettre, cela voudrait dire, pour l'un comme pour l'autre, maintenir la pérennité de la croyance, de l'observance, de la souvenance ; passer le relais à la génération suivante, si peu férue de *mitsvot*[1] ou de consignes de vote, si peu soucieuse de retenir les leçons de l'Histoire.

Le Juif communiste se trouve placé à ce carrefour de deux univers qui tentent désespérément de se survivre. Transmettre – ce véritable devoir d'état – lui apparaît, sous sa double face, une mission souvent presque impossible. Mais l'Histoire, justement, lui réserve parfois ses ruses : les pères les plus assurés de leur autorité connaissent des déconvenues surprenantes, et pas toujours dans le sens qu'on imagine.

---

1. *Mitsvot* : les commandements.

Transmettre le communisme : ceux qui réussissent

Le communisme, comme sans doute d'autres partis, affectionne les dynasties. Georges Gosnat règne sur Ivry pendant près de vingt ans, là où son père Venise avait déjà créé son fief. Le fils de Paul Laurent, Michel, devient secrétaire fédéral et membre du Collège exécutif. Le gendre de Georges Marchais est un des « Dix de Billancourt », pour le salut desquels la section PCF de Renault va dépenser tant d'efforts inutiles.

Beaucoup de nos Juifs communistes – ceux qui sont restés au Parti, bien sûr – ont rêvé d'un destin familial aussi rassurant. Peu y sont parvenus.

Rosette Z. (1934, Paris, PCF depuis 1951), fille de militant, cousine d'Henri Krasucki, sœur d'un élu communiste, mariée à un ex-dirigeant de la CGT (mais non juif), n'a pu faire moins que de placer sa fille, comme interprète d'anglais et de russe, au Mouvement de la paix, où la carte du Parti ne constitue pas le moindre des sésames.

Isi A. (1933, Paris, JC/PC depuis 1948), le communiste du CNPF, a réussi, avec ses enfants, une espèce de tiercé. Il est un des seuls à expliquer le mécanisme de ces transmissions idéologiques :

> Les enfants, à la maison, ils m'ont vu lire *L'Huma*, ils ont vu des réunions de cellule ici, j'allais coller des affiches. Quand il y avait des élections, j'étais au bureau de vote. Mais jamais je n'ai poussé à ce qu'ils deviennent communistes. Mon fils est devenu dirigeant de mouvements de lycéens, puis d'étudiants. Il est communiste, il a des responsabilités, il a été conseiller municipal à vingt ans. Je ne dis pas que je l'ai vu d'un bon œil, j'aurais souhaité qu'il poursuive un peu plus loin ses études. Il a fait ses choix, il est très heureux.
>
> Ma fille est communiste, elle a une activité de militante. J'ai eu une deuxième fille, qui regarde ça avec un peu plus de distance, c'est son problème. Pas plus elle que les autres, je ne la forcerai à quoi que ce soit. Mais il y a un environnement. Et puis peut-être une exemplarité. Mais aucune obligation.

Ils sont une dizaine (sur cinquante) à s'enorgueillir ainsi d'une descendance aussi fidèle aux enseignements du père (ou de la mère)[2]. Les uns ont réussi à convaincre tout leur petit monde : les deux fils de Josyane B., l'un directeur d'école comme elle, l'autre ingénieur électricien ; la fille unique de Carlo L., Anne L., qui prépare une thèse sur Aragon.

D'autres se contentent d'une demi-réussite : l'un milite, l'autre pas. C'est le cas d'Odette C., dont une fille sur deux, Marthe H., a voulu suivre ses traces ; de David T. et de sa femme Pauline, qui n'ont convaincu qu'un de leurs deux fils.

Ou bien encore l'un des enfants reste au PC, l'autre s'en va. Ainsi se contentent Lydia G. ou Max K., pourtant administrateur de *L'Humanité*.

On remarquera que pas un seul enfant d'ex-communiste n'a osé braver l'ire paternelle en gardant sa carte du PC. La rupture se transmet, elle aussi, par héritage.

La transmission du communisme : ceux qui échouent

Ils ont tenu bon contre vents et marées. Ils militent encore. Leurs enfants ont abandonné[3].

La plupart de ces « jeunes » se contentent de renoncer à la politique : cela ne les intéresse plus. Même les plus anciens, les plus endurcis, comme Madeleine Y., fille et veuve de communiste, ou comme Jacques T., n'échappent pas à cette débâcle : pas un seul « rescapé » chez leurs descendants.

Isaac M. et sa femme Rose, qui ont eu tant de mal à se faire réintégrer au Parti après la mise à l'écart des Juifs égyptiens, ont eu moins de chance avec leurs deux fils :

> Alors l'aîné a été membre du Parti et puis il a cessé, parce que, comme tous les jeunes, il pense qu'il faut que ce soit des jeunes qui

---

2. Six ashkénazes et quatre séfarades.
3. C'est le cas de douze membres du Parti (sept ashkénazes, cinq séfarades).

dirigent pour que ça change. Et tant qu'il y a des vieillards à la direction du Parti...

Alors le jeune, pour lui, un Juif, ça la fout mal, mais enfin il est militant à la CFDT et il est très content d'intervenir et de critiquer. « On va débarquer Notat ! Tu te rends compte, SUD, ils ont fait ceci, ils ont fait cela ! » Alors il est pas anticommuniste, mais il est très dubitatif par les propositions que fait le Parti.

Ils sont nombreux à égrener ainsi leur déception : la fille d'Iliane K. quitte le Parti après un long séjour en URSS ; les deux fils de Sacha R. lui reprochent encore d'avoir tenté de les endoctriner :

> On les a envoyés en colo avec la rue de Paradis. Et autant, moi, mon enfance au patronage a été très positive, autant pour eux ça ne s'est pas passé aussi bien que ça ! Et on a eu un retour de bâton, une séance où ils nous ont réglé notre compte ! Ils avaient déjà dix-huit ans, ils nous ont dit : « Mais il y en a marre de vos conneries ! Vous nous avez emmenés en colo ! À douze ans, on a vu *Nuit et Brouillard* ! Les camps et tout ça !... On nous a fait faire des trucs pour le Vietnam ! On nous a parlé de la Commune ! On avait droit à la Révolution française ! Mais vous vous rendez pas compte de ce que vous nous avez fait subir ! » C'était rude !

« Rude », en effet : l'héritage se retourne contre le géniteur ; le grand-père était communiste, le père est communiste (même s'il appartient au camp des contestataires), les deux petits-fils ne seront « plus rien ». Fin d'une histoire.

Pire encore : certains héritiers passent à l'ennemi. Un des fils d'Élie T. est devenu « maoïste » ; la fille de Georges F. s'est laissé tenter par le trotskisme lambertiste. Marthe H., elle-même fille de communiste, a connu l'humiliation suprême : « Mon fils aîné est tout à fait de droite. Il veut être du côté du manche, quoi. Il est chiraquien. Il a arrêté ses études. »

Qu'est-ce qui la déchire le plus ? Qu'il soit « réactionnaire » ou que, fils d'universitaire, il ait trahi l'Université ?

Ceux qui refusent la transmission

Ceux qui ont rompu ne connaissent pas ces déceptions. Ils se sont éclipsés. Ils ne voudraient pas que leurs enfants recommencent les mêmes « erreurs ». Apparemment, le risque est mince : aucun des « ex » n'a eu à subir pareil désaveu.

Albert D. a quitté définitivement le PCF en 1954. Ses trois enfants sont « plutôt PS. Pas toujours ! Disons que Chirac, de temps en temps, leur déplairait pas ! ». Madeleine S., dont les deux frères avaient également adhéré, n'a pas eu à se plaindre de ses deux fils et de sa fille : ils ne sont restés au Parti que « très peu de temps ».

Maurice et Renée O., les deux coiffeurs venus d'Oran, croient que leur fille Sabine est demeurée au Parti après leur départ. Mais elle dément. Leur fils et leur bru (eux aussi ex-PCF) sont devenus écologistes. « Mais enfin... honnêtes quand même. »

Le seul déçu, c'est peut-être Albert J. : il a refusé de demander sa réintégration après que le Parti lui a retiré sa carte. Et pourtant il aurait bien aimé que ses trois fils empruntent le même chemin que lui. Ils obéissent. Puis ils s'en vont à leur tour. La relève ne sera pas assurée.

Bref, sur les cinquante Juifs communistes de l'échantillon qui sont demeurés fidèles au Parti, une dizaine seulement ont réussi à convaincre leurs enfants (ou une partie d'entre eux) de les imiter. Si l'on tente un bilan chiffré, il ne reste, à la génération suivante, que onze membres du PCF. Onze pour cent interviewés !

Ce pourcentage de rejet est-il propre aux Juifs qui ont, à un moment de leur vie, choisi de rejoindre le combat communiste ? Ou traduit-il une désaffection générale de la société française à l'égard du Parti ? Cela signifie-t-il que les jeunes Juifs d'aujourd'hui ressentent beaucoup plus que leurs aînés ce qu'ils estimeraient être une incompatibilité de fond entre communisme et judéité ? Le *et* qui constitue l'énigme de notre enquête se dissoudrait-il désormais dans le double mouvement de « retour » à l'identité juive et d'effondrement des idéologies révolutionnaires ?

Ou bien cette déperdition ne ferait-elle que traduire la fin d'une époque – celle où une partie de la jeunesse croyait encore au Grand Soir et trouvait légitime de consacrer sa vie à la réalisation d'un tel espoir ?

Les questions que nous poserons dans la dernière partie de notre enquête nous permettront peut-être d'entrevoir une réponse.

XV

Transmettre

2. Transmettre la judéité, transmettre le judaïsme

Leurs enfants se sentent-ils « juifs » ? Se comportent-ils en « Juifs » ? Ainsi formulée, la question resterait le plus souvent sans vraie réponse. L'appartenance des Juifs communistes à la judéité, voire au judaïsme, se révèle trop contradictoire, trop multiforme pour qu'on puisse établir une typologie par personne interposée : il faudrait interroger les enfants eux-mêmes, ce qui n'a été possible que dans quatre cas[1].

Un seul critère « objectif » a pu être retenu : la règle de l'endogamie a-t-elle été respectée d'une génération à l'autre ? Trente-sept des parents de l'enquête ont épousé un (ou une) coreligionnaire[2], vingt-huit ont ignoré le commandement[3]. Mais seulement neuf des enfants s'y sont conformés, contre quarante-huit qui ont choisi l'abstention[4]. Le bilan paraît écrasant : une débâcle. Selon Doris Bensimon[5], le « pourcentage des mariages entre Juifs et non-Juifs », parmi les mariages « célébrés en France (région parisienne) » entre 1966 et 1975, atteignait 49 %. Les Juifs commu-

---

1. Marthe H., fille d'Odette C. ; Francine R., fille de Jacques et d'Anne R. ; Sabine O., fille de Maurice et Renée O. ; Anne L., fille de Carlo L.
2. Dix-huit ashkénazes, dix-neuf séfarades.
3. Treize ashkénazes, quinze séfarades.
4. Vingt-six ashkénazes, vingt-deux séfarades.
5. « La population juive de France », in *Judaïsme, judaïcités, récits, narrations, actes de langage*, textes du colloque CNRS 84, *Traces*, numéro spécial, p. 16 (tableau n° 4).

nistes se signalent, semble-t-il, par un taux de transmission particulièrement faible.

Mais que pourraient-ils, du reste, vraiment transmettre ? Quelques bribes de pratique religieuse ? une *mezouzah*, peut-être, ou une *menorah*[6] ? Cela n'a plus guère de sens hors de toute une culture, hors de toute référence à un système global d'explication du monde. Des vestiges d'un mode de vie ? Hormis le *gefilte fish* ou la *t'fina*, il ne reste plus à léguer que quelques disques, ou quelques livres. Tout juste un certain sentiment de la famille close, du rassemblement autour de la mère. Ou des fragments fanés d'un dictionnaire.

Ce qui se transmet, en vérité, ce n'est plus un contenu, c'est une idée.

Une idée de la persécution : la Shoah, comme on l'a souvent dit, est devenue la religion laïque des Juifs déjudaïsés.

Une idée de l'altérité : je suis autre (c'est-à-dire non chrétien), mais je ne sais ni en quoi, ni pourquoi. Réapprendre une « langue juive », c'est faire semblant de croire que l'on a retrouvé ce « quoi ».

Une idée du vide : « La judéité, c'est ce qui me manque, et non ce qui me définit », écrivait Alain Finkielkraut il y a plus de vingt ans[7]. Daniel Sibony, lui, parle de « tous ces réchappés du nazisme, qui n'ont voulu *rien* transmettre de leur judéité à leurs enfants, et qui se révèlent en fait leur avoir transmis *rien* : le plus signifiant et le plus tenace de cette Question juive : un trou du nom, une béance du symbolique. En effet, pour "épargner ça" à leurs enfants, ils les ont coupés de toutes les fibres vivantes de la transmission juive, de toutes les images dont un nom vient se nourrir [...] et ne leur ont laissé qu'un nom vide, vide de "contenu", le nom *juif* qui fait trou et qui a *de ce fait* la violence d'une forme incontournable, la densité d'une chose sur laquelle on trébuche sans savoir ce qui arrive[8] ». Un vide d'autant plus vide, pour nos Juifs communistes, qu'ils

---

6. *Menorah* : chandelier à sept branches.

7. Alain Finkielkraut, *Le Juif imaginaire*, Paris, Seuil, 1980, p. 51.

8. Daniel Sibony, *La Juive. Une transmission d'inconscient*, Paris, Grasset, 1983, p. 79-80.

récusent, pour beaucoup d'entre eux, un des rares repères communément admis par la judaïcité française : l'attachement à Israël.

La problématique doit, à notre sens, être inversée : ont-ils, eux, les parents, le sentiment d'avoir transmis quelque chose de l'héritage juif ? Ont-ils eu, du reste, la volonté de transmettre ? Estiment-ils que le résultat correspond à leurs désirs ?

Ceux qui ont refusé de transmettre

Un sur quatre se flatte de n'avoir rien transmis[9]. La majorité de ces réfractaires appartiennent encore au Parti. Mais, curieusement, ce ne sont pas toujours ceux qui nient, ou prétendent nier, leur identité juive. Nous avons vu du reste à quel point cette dénégation recouvrait parfois des positions ambiguës. La même ambiguïté se retrouve ici quand il s'agit de mesurer le degré de transmission (ou plutôt de non-transmission).

Sans doute quelques-uns affirment-ils leur cohérence. Ainsi Jean Z. (1924, Paris, PCF depuis 1956), qui proclamait : « Moi, ça ne m'intéresse pas du tout, moi je ne suis pas juif », reste dans la même logique quand il répond à ma question :

> — Et sur vos cinq enfants, il y en a qui s'estiment juifs ? Ou pas ?
> — Aucun. Ils ont tous fait des mariages sans discrimination. Je pense que certains ont dû l'oublier complètement. Si on leur disait, ils seraient très étonnés. Je n'ai jamais mis dans cette idée, j'ai dû leur raconter plus ou moins la guerre quand même, mes faits d'armes, mais ça serait plutôt anecdotique que...

L'endogamie, c'est de la « discrimination ». La judéité, nous le disions bien, c'est une « idée ». Cela s'« oublie complètement ». Il n'en reste que des « anecdotes ».

Mais, la plupart du temps, cette « transmission zéro », même et surtout si elle est revendiquée et pleinement assumée, semble plutôt

---

9. Vingt-trois, dont treize ashkénazes et dix séfarades, quatorze membres actuels du Parti et neuf ex.

traduire quelque chose comme un trouble d'identité, une interrogation toujours ouverte, une blessure peut-être. On se souvient de Rosette Z. (1934, Paris, PCF depuis 1951) qui change de nom, épouse un non-Juif, évoque son « rejet », et puis avoue réapprendre le yiddish. Cela ne l'empêche pas de répondre, au sujet de la judéité de sa fille : « Elle se sent juive, elle ? – Oh non ! Pourtant, ma mère disait toujours que c'était la seule Juive de la famille. Puisqu'on est juif par la mère... Je crois qu'elle est occupée à autre chose. »

« Occupée à autre chose » : cela pourrait être une bonne définition du militantisme communiste, que partagent justement Rosette et sa fille. Mais le trouble se dit par la référence inattendue à la Loi : « On est juif par la mère. » Mère communiste parfaite, puisqu'elle a transmis le dogme. Mère juive inquiète (au point d'évoquer sa propre mère), puisqu'elle n'a pas transmis ce qu'elle ne possèdait plus guère.

Le plus étrange, c'est que certains Juifs communistes qui affirment très fortement leur identité juive ne se vantent pas moins de n'avoir rien transmis de cet héritage. Fernand I. (1950, Tunis, JC de 1965 à 1968, PCF depuis 1978), l'ex-citoyen israélien, celui qui parle hébreu et se sent « chez lui » à Jérusalem, ne craint pas de répondre :

> — Vous leur avez transmis quelque chose du judaïsme, ou rien du tout ?
> — Rien du tout. La seule chose, c'est que... je ne leur parle pas... j'essaie de leur parler le plus tranquillement possible, en n'oubliant surtout pas d'où je viens. Jamais je n'oublie d'où je viens, c'est ma règle. Jamais.
> Non. Non. Mes enfants ne sont pas juifs. Ils savent que leur père est d'origine juive. Point à la ligne. Et puis après, ils sont pas juifs. Non. [Il soupire.] On va pas me... Non. Non.

Mais la formule « On va pas me... » semble bien traduire un certain sentiment de culpabilité. Ou, du moins, la crainte qu'on puisse l'accuser de quelque chose. Cinq fois « Non » : c'est le déni à l'état pur. « Ils sont pas juifs », répété deux fois. Six phrases à la forme négative. Rien n'est affirmé, sauf qu'il leur « parle » (alors

410

qu'il vient de dire le contraire...). Sauf aussi qu'ils « savent », mais ce « d'où je viens » risque fort de référer à la Tunisie autant qu'au judaïsme. « Point à la ligne » : la question ne sera pas posée.

Elisa T. (1926, Oran, PCA/PCF de 1947 à 1995), qui respecte Kippour depuis le jour où son mari a été libéré de la prison d'Oran, s'en tire par une pirouette ironique :

> — Ah non ! J'ai un fils. Pas de religion. Non, mon mari ne m'a jamais rien imposé, parce que... non que j'impose quoi que ce soit, hein.
> — Et eux, ils ont la sensation d'être juifs ?
> — Ils savent que les enfants d'une Juive sont juifs. [Elle rit.] Que les enfants de nos filles sont juifs. Par contre, mon fils, il a une petite fille, elle est pas juive. Il paraît que c'est la maman qui porte le...

Encore trois fois la référence à la Loi juive : moi, mère juive, qui jeûne à Kippour, qui fais si bien les gâteaux de Pourim, j'ai épousé un non-Juif (qui « ne m'a jamais rien imposé ») et je n'« impose » rien moi-même, c'est-à-dire que je ne fais pas respecter la Loi.

Mais ce système de refus assumé, voire théorisé, rebondit parfois à la figure de ceux qui s'en font les hérauts. Beaucoup de nos Juifs communistes (ou anciens communistes) ont, en quelque sorte, transmis malgré eux. Ils se croient complètement déjudaïsés, ils découvrent avec surprise que leurs enfants ou leurs petits-enfants leur reprochent l'absence de transmission et décident de prendre en main leur identité juive.

Serge Z. (1948, Tunis, PCT de 1965 à 1985) s'est converti à l'islam. Il a épousé une musulmane. Il a gardé sa nationalité tunisienne. À la mort de sa mère, il obtient, par haute protection, l'autorisation d'un enterrement civil dans l'ex-« carré laïque » du cimetière de Tunis. Mais son demi-frère, resté juif, fait dire des prières, le lendemain, à la synagogue. Serge Z. refuse d'y assister. Mais son fils, lui, exige de s'y rendre.

> Ce n'est pas un geste religieux. Il dit : « Je suis à la recherche de repères. » Il a vingt-trois ans, maintenant. Il en a parlé à ma compagne, d'ailleurs, de ce problème de repères. Il n'en a pas vraiment parlé à moi. Et la dernière fois, on s'est dit qu'il fallait qu'on parle tous les deux.

Il s'appelle Karim. Sa mère est catholique. Il porte un prénom arabe. D'un père dit juif, devenu musulman, alors qu'il avait moins de quatorze ans. C'est-à-dire que, dans l'islam, lorsque vous devenez musulman, vos enfants de moins de quatorze ans sont automatiquement musulmans. Et qui a comme première réaction, le samedi matin où je revenais de chez le mufti et où je lui dis : « Ça y est, je suis devenu musulman », « Et moi, papa, qu'est-ce que je suis ? » Et maintenant, je suis en train de parler avec lui. Je crois qu'il est à la recherche de sa triple identité.

« Ce n'est pas un geste religieux », dit Serge Z. Rappelons-nous que c'est la phrase de tous les militants du Parti surpris en flagrant délit de pratique. Karim n'a jamais été militant ; Serge ne l'est plus depuis 1985. Il est clair que la transgression de l'ordre du père signifie un peu plus que la simple « recherche de repères ». (Ô fantôme de Lacan, entends bien ce mot de « re-père » !) Un père « dit juif » : c'est le « dit » qui fait le Juif. C'est donc le « dit » qui peut le défaire ou le refaire. Il « dit », le fils ; il « en a parlé » (quatre fois, ce verbe « parler »), mais pas à son père. « Je suis en train de parler avec lui. » « Triple identité », autant dire pas d'identité du tout : *id, idem*, ce sont des singuliers.

Jacques K. (1930, Paris, PCF de 1946 à 1994) proclame fièrement : « Moi, je ne suis pas seulement athée, je suis antireligieux. C'est pas mon truc. » Il n'a donné aucune éducation juive à ses deux enfants. Mais, patatras ! sa fille a épousé un...

... comment qu'on appelle ça ? un ?...
— Un *loubavitch* ?
— Pas *loubavitch*, non. Un *shvartse fiss*[10]... et puis qui est religieux. Et puis il a balancé la religion à ses enfants. Et encore mon petit-fils, puisqu'elle a un frère, il s'en fout complètement. Ma petite-fille, je sais pas pourquoi... elle est devenue... elle mange pas de jambon et tout. Moi, je m'en fous, mais je respecte.

---

10. Littéralement : pied-noir.

Ils sont ainsi une dizaine à s'étonner du bon (ou du mauvais) tour que leur ont joué leurs enfants[11]. Comme si l'Histoire se vengeait d'une longue indifférence. Comme si la mémoire exigeait son dû ou que les morts vinssent réclamer l'hommage d'un souvenir. « Transmission d'inconscient », dirait Daniel Sibony. Ou simple recherche de racines, dans l'air du temps. L'avantage de ces « retours » inattendus, c'est qu'ils semblent, comme le dit Alain Finkielkraut, « tourner la question du divin et [...] ne pas en faire un préalable ». Quand la transmission s'opère ainsi, contre la volonté même de ceux qui étaient supposés transmettre, il n'est pas sûr qu'elle ait beaucoup plus de contenu qu'une simple pantomime : comme il est doux de jouer un rôle que toute la société, désormais, valorise – le Juif conscient de lui-même, affichant sa judéité, voire son judaïsme.

Ceux qui ont voulu « tout » transmettre

À l'autre extrémité du prisme, un petit groupe de Juifs communistes (ou anciens communistes) ont voulu « tout transmettre ». À la tête de ce groupe, tout à fait minoritaire, on retrouve bien sûr Claude-Raphaël D. (1942, Sfax, PCF de 1973 à 1979), l'homme qui s'enorgueillit d'un « judaïsme totalisant qui essaie de ne rien laisser de côté » et qui a convaincu sa femme de se convertir :

> ELLE. – Comme nous, ils ne mangent pas les produits interdits. À la cantine, ils ont droit à un repas... pas cachère... musulman ! [Elle rit.] Ce qui fait qu'ils n'ont pas droit au porc. Ils sont très scrupuleux par rapport à ça, parce qu'ils n'en ont jamais mangé et jamais goûté, et pour eux c'est un refus de l'ordre physique. Tout ce qui est produits interdits, ça ne les intéresse pas. Mais je crois que c'est par habitude, plus que par conviction religieuse pure et dure. Je crois que c'est une habitude de vie. Ils ont fait leur *bar mitsvah*. Ils ont fait sept ans de *Talmud Torah*. Depuis l'âge de quatre-cinq ans, *Talmud Torah* tous les dimanches. Ils connaissent bien les prières, ils partent en colonies de

---

11. Cinq ashkénazes, cinq séfarades ; cinq membres actuels du Parti, cinq « ex ».

vacances aussi... juives, pour être un peu immergés dans le milieu juif, parce qu'à l'école ce n'est pas évident. Ils vont dans une école laïque.

Ils ne vont pas à la synagogue régulièrement. Mais enfin ils savent suivre un office, ils connaissent... ils savent faire les prières de *chabat*, ils les font d'ailleurs eux-mêmes souvent. Je crois que c'est des enfants qui se posent tout de même beaucoup de questions. Ce n'est pas le style foi du charbonnier. Qui imaginent que Dieu existe, que la Création n'a pas pu se faire spontanément. Mais, au niveau de tout ce qui est rituel, et tout ce qui est plus... oui, dogmatique, je dirais que là, ça les interroge davantage.

Mais peut-être ce « judaïsme totalisant » transmet-il en définitive un peu moins qu'il ne l'espère. Remarquons d'abord que la femme de Claude-Raphaël, qui travaille dans le système scolaire juif, n'a pas cru devoir y placer ses enfants : ils vont à l'école laïque. Ils ne croient pas, ils « *imaginent* que Dieu existe » (ce qui est bien le dernier mot que l'on pourrait appliquer à ce Dieu privé d'image !), et que « la Création n'a pas pu se faire spontanément » (ce que pourrait affirmer avec autant de vigueur un chrétien ou un bouddhiste). La « foi » ne figure ici que dans deux phrases négatives. La *cacherout* ? Pas par « conviction religieuse », mais par « habitude ». Le « rituel » ? « Ça les interroge. » Que leur reste-t-il de leurs sept années de *Talmud Torah* ? Ils « savent suivre les offices », ils savent « faire les prières ». Et puis la nourriture *terefah*[12] les dégoûte : elle leur inspire un « refus de l'ordre physique ». La cuisine, n'est-ce pas au fond, comme dans le livre de Jacques Hassoun, un « fragment de langue maternelle[13] » ? Sauf que la mère est convertie et qu'ils le savent : d'où peut-être cette distance que l'on croit percevoir chez eux entre ce qui se voit et ce qui se vit, entre ce qui se dit (la prière) et ce qui se pense.

---

12. *Terefah ou-nevelah* : « termes qui désignent la chair d'un animal ou d'un oiseau propre à la consommation d'après les lois de l'alimentation, mais qu'il est néanmoins interdit de consommer » (*DEJ*, p. 1115).

13. Jacques Hassoun, *L'Exil de la langue. Fragments de langue maternelle*, Paris, Point hors ligne, 1933. Cf. aussi Joëlle Bahloul, *Le Culte de la table dressée. Rites et traditions de la table juive algérienne*, Paris, Métailié, 1983, *passim* et notamment l'introduction : la cuisine y est définie comme « un code de pratiques symboliques qui énoncent la frontière d'un groupe minoritaire dans la société dominante » (p. 23).

Ce ne sont pas les plus « pratiquants » qui transmettent le mieux ou le plus. Georges T., le talmudiste de Belleville, n'a obtenu qu'un demi-succès avec ses propres enfants :

> On peut dire de ma fille qu'elle est athée. Mon fils habite Venise. Et là-bas, il s'est rattaché à la communauté juive. De ce fait, il est en relation avec le rabbin de la communauté, qui est un talmudiste averti et qui lui apprend l'hébreu.
>
> Ma fille, c'est carrément non. Elle ne veut pas. Et son fils, bien que s'appelant Hillel, avec sa mère ils n'ont pas de vie juive. Il a fait quand même sa *bar mitsvah*. Je l'ai aidé, il a très bien passé son texte de *parachah*[14], on lui a fait sa fête, enfin il est circoncis et *bar mitsvot*.

Rappelons-nous Raphaël T. (1922, Alger, PCA/PCF de 1950 à 1967), l'homme qui s'est fait circoncire à soixante-neuf ans. Il jeûne pour Kippour, il cotise au Fonds social juif unifié, il a même commencé son aventure politique au *Betar*. Certes, son fils est circoncis et a fait sa *bar mitsvah*, mais il a épousé une catholique. Tout ce que Raphaël trouve à dire pour mesurer le degré de transmission familiale, c'est qu'il adore le football comme son grand-père ! Les petits-fils, à leur tour, reproduisent les mêmes rites.

Paradoxalement, nous l'avons vu, ce sont d'excellents militants, des communistes de premier plan ayant gravi la plupart des échelons de l'appareil, qui veillent peut-être le plus fidèlement à ce passage du flambeau. Souvenons-nous d'Alain F. (1947, Casablanca, PCF depuis 1968), membre du Comité national, qui – bien que marié avec une catholique (dont il est divorcé) – invite tous les ans son fils au *seder* chez ses propres parents et lui enseigne lui-même la Torah avant la *bar mitsvah*. La tradition du grand-père, ancien magistrat rabbinique, ou des deux grands rabbins de la famille, l'emporte ici nettement sur les convictions idéologiques.

---

14. *Parachah :* « section du Pentateuque. Les Juifs séfarades utilisent ce terme pour désigner aussi bien les cinquante-quatre sections hebdomadaires du Pentateuque, lues à la synagogue pendant l'office du matin du *chabbat*, que les quatre sections spéciales [...] lues pour des occasions particulières » (*DEJ*, p. 846-847).

Gilles D. (1954, Bône, PCF depuis 1973), membre du cabinet d'un ministre communiste, réussit lui aussi à sauvegarder un petit quelque chose, une étincelle de judéité, bien moins éclatante que son propre respect de la religion de ses pères :

> Parce que la... la... la femme avec qui j'ai eu ces deux filles n'est pas juive. C'était ma première compagne. Donc on s'était fixé pour règle d'absolument pas les obliger à quelque choix que ce soit. Il s'est trouvé que les deux filles... se sont identifiées assez rapidement à leur appartenance à la communauté juive. Et donc elles portent un *magen David*[15], elles ont quinze ans et onze ans, et si au collège ou à l'école on leur demande qu'est-ce qu'elles sont comme religion, elles disent « juives ». Chez elles, ça ne fait aucun doute.

Ceux qui ne savent pas « quoi » transmettre

Comment transmettre ce que l'on ne possède guère soi-même ? Ce que l'on n'arrive plus à définir, détaché que l'on est de toute référence religieuse, refusant l'idée de « race », se sentant aussi français qu'un catholique normand ou un protestant cévenol ? Comment donner l'envie de recevoir cet héritage à des enfants que rien, dans la rue, à l'école, en vacances, ne distingue plus de leurs petits camarades qui s'appellent Durand ou Dupont ? Paraphrasant maladroitement (et abusivement) Lacan, on pourrait se laisser aller à dire que transmettre, c'est vouloir donner quelque chose que l'on n'a pas à quelqu'un qui n'en veut pas ! Sauf que, justement, quelques-uns en veulent. Et que l'offre du donateur n'est pas toujours à la hauteur de la demande.

Une idée de la persécution, disions-nous : la Shoah comme ultime avatar d'une identité à demi morte. Le pèlerinage dans les camps fait partie de l'éducation que dispensent à leurs enfants nos Juifs communistes. Au moins treize d'entre eux racontent spontanément le voyage.

---

15. Littéralement : bouclier de David. Ce que le langage courant appelle en général étoile de David.

Jacques T. (1925, Paris, JC/PC depuis 1944) a épousé une catholique, n'a pas fait circoncire ses fils, ne leur a donné aucune éducation religieuse. Seule la persécution les définit encore comme Juifs :

> Religieusement, ils sont à peu près aussi croyants que moi. C'est-à-dire que j'ai dû leur dire, quand ils étaient assez jeunes, qu'il fallait toujours penser qu'on était... qu'on est juifs jusqu'au jour de la mort du dernier antisémite. Autrement dit, on ne leur a jamais caché qu'ils étaient juifs. On ne leur a jamais donné la moindre éducation d'ordre religieux.
>
> Je les ai emmenés à Auschwitz pour leur donner une idée concrète de ce que ça pouvait être d'être juif à une certaine période. Ils sont mariés tous les deux, leurs femmes ne sont pas juives. J'ai trois petits-fils, il y en a deux au moins qui savent qu'ils sont demi-juifs, qui n'y attachent pas la moindre importance.

Jacques K. (1930, Paris, PCF de 1946 à 1994) n'arrive plus, depuis longtemps, à situer sa judéité :

> Je n'ai aucune référence à la culture juive. Je ne parle même pas de la religion, je me considère comme athée. Cette culture juive, je ne la connais pas, je ne la maîtrise pas, je ne connais pas les fêtes juives. Moi, je ne me revendique vraiment pas comme Juif. Je dirais que la culture juive, elle est... *peanuts*.

Et pourtant (ou voilà pourquoi) il accomplit quatre fois le pèlerinage d'Auschwitz :

> J'ai été plusieurs fois en pèlerinage à Auschwitz. [Silence.] Et j'ai emmené ma petite-fille à Auschwitz en visite, on est restés... enfin... cinq jours... Enfin voilà, ça... ça ne me sort pas de la tête. Enfin c'est normal, c'est tout à fait normal.

Ce qui « ne lui sort pas de la tête », c'est justement ce qu'il n'a jamais réussi à y faire entrer : une judéité *réelle*, fût-elle évidée de la religion, c'est-à-dire au minimum, me semble-t-il, le sentiment d'être juif (que, dit-il, il « ne revendique pas »).

On sait combien Shmuel Trigano juge dérisoire cette « véritable religion de substitution autour de la Shoah, une religion dotée de ses attributs les plus classiques : une transcendance, des rites, des cérémonies et des institutions[16] ». « On ne peut, écrit-il, laisser de côté le fait que cette néo-religiosité tient le rôle d'un référent identitaire pour des Juifs éloignés de toute identité[17]. »

Ai-je besoin de dire que ma propre enquête sur le terrain confirme pleinement cette intuition du sociologue de la judéité ? On peut juste s'interroger sur la nature de ce que j'ai appelé le « dérisoire ». Aux yeux de Trigano, « dérisoire » sans aucun doute, parce qu'« un tel lien avec le "judaïsme" est lourd de conséquences sur le plan moral et judaïque. Il conduit à la perdition parce qu'il attente à ses principes les plus forts et les plus remarquables – toujours axés sur la vie – pour n'engendrer que désespoir et nihilisme, paralysant l'homme dans ses attributs essentiels de liberté et d'espérance[18] ». Mais pas « dérisoire » aux yeux des Juifs communistes, qui trouvent là un dernier symbole auquel se raccrocher, un dernier vestige d'une identité impossible à définir.

« Dérisoire » à mes propres yeux ? J'ai découvert, à mesure que progressait ce travail, l'existence d'une judéité « positive », faite de valeurs, de modèles culturels pleinement revendiqués. « Dérisoire », donc, dans l'exacte mesure où l'être-juif se réduirait ici à une souffrance, à une mémoire, et ne parviendrait pas à se projeter dans un avenir ni religieux ni sioniste, mais tout simplement français, laïque, de culture enrichie par la tradition juive.

Une idée de l'altérité : voilà, disions-nous, ce que les Juifs communistes transmettent également à leurs enfants, à défaut de vrai contenu. Je ne sais pas si je suis juif, mais je suis sûr au moins de ne pas être *goy*. Le message a-t-il vraiment besoin d'être transmis ? « Le décor habituel de l'humiliation est une cour d'école communale ou de collège », écrit Alain Finkielkraut, et c'est la première phrase de son livre[19].

Est-ce un hasard si c'est précisément Maurice B., l'homme du

---

16. Shmuel Trigano, *Un exil sans retour, op. cit.*, p. 357.
17. *Ibid.*, p. 360. Cf. aussi, sur le même sujet, Henry Rousso, *La Hantise du passé*, Paris, Textuel, 1998, p. 38-47.
18. *Ibid.*, p. 361.
19. Alain Finkielkraut, *op. cit.*, p. 9.

Comité Honecker, le dur à cuire qui racontait ses bagarres avec les gosses du quartier au temps du Front populaire, qui insiste justement sur cette transmission de la différence ?

> Je pense que... ils ont conservé... cette espèce de... de culture que nous ont amenée nos parents. Il y a une intégration qui se fait, une assimilation qui se fait, on réagit pas... comme un étranger qui est arrivé d'Espagne ou du Venezuela, à la même période que mon père, et qui a conservé son passé, toutes ses traditions... On est certainement un peu différents. Ne serait-ce que parce qu'on a conservé ce qu'on a trouvé de meilleur dans ce que nos parents nous ont apporté. Mais, fondamentalement, je me sens parfaitement français et à l'aise.

On remarquera l'ambiguïté du discours : sont-ils « différents » des non-Juifs, ou « différents » des autres immigrés de la troisième génération ? Le Parti communiste est partisan d'une intégration totale : affirmer une différence, ce serait sortir de la « ligne ». Donc je leur ai enseigné qu'ils sont « autres », mais – dans le même temps – qu'ils sont « parfaitement français ». Ce qui, après tout, relève d'une dialectique tout à fait soutenable.

Michèle A. (1953, Paris, PCF depuis 1972) est née d'un père juif et d'une mère protestante. Et ses deux fils ?

> Ils se savent juifs parce que je leur ai toujours raconté ce que je savais. Il y en a un qui s'appelle Élie. [Elle rit.] Peut-être parce qu'il a un nom de famille bien français. S'il avait un nom juif, je lui aurais pas donné Élie ! Mais, c'est drôle, j'osais pas parler des Juifs. Je parlais des immigrés, ou de choses comme ça, mais je ne pouvais pas parler de choses personnelles. Quand il y a eu le Bicentenaire, en 1989, j'en ai profité pour parler des Juifs qui étaient devenus citoyens.
>
> Et je leur ai dit : « D'ailleurs, vous avez un grand-père juif. Donc moi, je suis juif [*sic*], comme ça. » On habitait dans le Marais. À la rentrée, en septembre, elles crient toujours, les cantinières : « Qui c'est qui est juif ? », parce qu'il y en a certains qui ont un menu, qui ne mangent pas n'importe quoi. Et Léo, il a levé la main et son copain Louis, qui est vietnamien, comme Léo a levé la main, il a levé la main aussi ! Sa première expérience d'être juif, c'est qu'il a pas eu le droit de manger du jambon pendant un an ! [Elle rit beaucoup.] Il l'avait mauvaise !

Autrement dit : enseigner l'altérité, ce serait établir une frontière. Ce qui est en deçà est à vous, ce qui est au-delà est aux autres. Sauf que Michèle A. est mauvais arpenteur : la frontière, elle ne sait pas où la tracer, puisqu'elle passe au milieu d'elle-même. Et que la Révolution française, c'est le moment où la frontière commence à s'abolir. Pour les enfants de Jacques T. ou de Jacques K., la judéité qu'on leur a transmise, c'est l'idée de persécution ; pour les deux fils de Michèle A., c'est la réalité de la privation. Qui donc leur enseignera une judéité positive ?

Sûrement pas ceux qui n'ont à transmettre... qu'*une idée du vide !* Écoutons par exemple Jacques V. (1913, Tunis, communiste depuis 1937), pourtant si lyrique quand il évoque son enfance juive à Tunis :

> C'est vrai que chez nous il n'avait pas de raisons... il avait si peu de raisons de se savoir juif que, quand il était à l'école, il est rentré à la maison en disant : « Il y a un gosse qui m'a dit : Sale Juif ! » Ma femme lui dit : « Et qu'est-ce que tu lui as dit ? – Je lui ai dit : « Sale Juif toi-même ! » Évidemment, il n'était pas dans le coup.

« Pas dans le coup », « pas de raisons », « si peu de raisons » : toujours les définitions par défaut. Souvent l'enfant, privé de ce quelque chose qu'il perçoit mal, mais dont il imagine qu'on le lui devait, exprime un désir qui restera insatisfait :

> — Et votre fille ? demandé-je à Éliane V. (1945, Casablanca, communiste depuis 1965).
> — Si. Si. Elle se sent juive, mais *il lui manque tout*. Enfin... elle a quand même quelque chose, puisqu'elle a vécu... jusqu'à l'âge de trois ans au Maroc avec mes parents... Tous les souvenirs, elle a tout ça. C'est souvent elle qui, lors d'une fête, me dit : « Pourquoi tu fais pas quelque chose ? », qui a envie de le marquer.

Parfois, pour tenter de combler le vide, le fils (ou la fille) du Juif communiste décide d'apprendre une langue juive – essentiellement ce yiddish que les parents (ou les grands-parents) ont si violemment voulu extirper : « Et l'autre, raconte Sacha R. (1943, Sverdlovsk, JC/PC depuis 1958), ça fait deux ans qu'il me dit : "Quand est-ce que tu m'apprends à parler yiddish ?" Je lui dis : "Mais il y a des cours, tout ça... – Non, c'est toi qui dois m'apprendre à parler !" » Autrement dit : c'est à toi de transmettre, pas à l'école. Tu dois accomplir ton devoir de père, tu dois rétablir la chaîne.

Il arrive que la belle-fille (juive ou non juive) sollicite elle-même le réengagement de la transmission. La bru d'Albert J. (1922, Le Caire, communiste de 1943 à 1952) s'est faite le porte-parole de ses deux enfants, et plus particulièrement de son fils :

> « Moi, mon fils, il n'a *rien*. Comme tous les autres jeunes, ils n'ont *rien*. Il n'est pas fana de *rock'n roll*, il n'a *rien*. Il faut faire *quelque chose*. » C'est d'ailleurs le seul qui soit circoncis dans la famille. « Alors je te demande, toi qui connais la religion, de venir à Roch Ha-Chanah et à Pâque et de faire les prières. » Et depuis je fais les prières de Roch Ha-Chanah et de Pâque, et j'explique aux enfants qui sont non juives et à mes petits-enfants qui sont non circoncis, ça les intéresse.

Combler le « rien ». Apporter un « quelque chose ». On ne saurait mieux dire le vide. Heureux qu'Albert J., à près de quatre-vingts ans, sache, lui, encore « quelque chose ». D'autres n'ont pas cette chance. Tel Émile G. (1925, Paris, PCF depuis 1975) :

> Mon fils se sent beaucoup plus juif que moi. Il se sent brimé que... Il me reproche d'ailleurs... Comment pouvais-je l'initier dans la religion juive, étant donné que moi-même je n'y connaissais rien ? Je pouvais simplement lui dire qu'il y a Roch Ha-Chanah, ou Yom Kippour, qu'il y a un calendrier juif, que je peux le lui donner.

D'où l'expression répétée d'un regret, d'une nostalgie, voire d'une culpabilité : qui suis-je, moi qui n'ai rien pu transmettre ? Hélène D. (1936, Paris, PCF depuis 1959) est au bord des larmes quand elle avoue :

> Moi, ce qui m'ennuie un petit peu, c'est que, si je pouvais remonter en arrière, je ne serais pas pareille, je crois que ça a été la guerre et les événements, c'est que je n'ai pas donné l'identité juive à mes enfants. C'est quelque chose, maintenant, qui me fait mal. Ça, je le regrette. Mais on ne peut pas revenir en arrière. Moi, je vais avoir soixante ans, et c'est vrai que... Ça, je regrette.

De cet échec, beaucoup retirent le sentiment d'une fin de l'Histoire. Nous sommes les derniers Juifs ; par notre faute, la chaîne sera bientôt, à tout jamais, interrompue.

> Je n'ai rien à transmettre à mes propres enfants, conclut tristement Paul A. (1919, Tunis, communiste de 1936 à 1956). Je me considère comme le dernier Juif de ma propre famille. Je suis juif encore parce que... on m'a considéré comme Juif, je me suis considéré comme Juif... je me suis pensé dans l'Histoire comme le produit de toute une série de générations qui ont vécu dans le judaïsme, avec... le prix qu'ils ont payé leur fidélité. Mais je n'ai rien... je ne peux rien transmettre, même pas une croyance à un Dieu auquel je ne crois pas.

Qu'est-ce qui émerge encore parfois d'un tel naufrage ? Sans foi, ni rites, ni mémoire, ni culture, que reste-t-il du judaïsme, voire tout simplement de la judéité, à ces héritiers des Juifs communistes ? *Un certain sentiment de la famille.*

Foi, rites, mémoire, culture, tout est famille et n'est rien que famille.

Des valeurs familiales : écoutons Daniel G. (1928, Alger, PCA de 1941 à 1956), celui qui jeûnait pour Kippour à la prison de Lambèze :

> Je leur ai transmis... je dirais des valeurs familiales, mais pas religieuses. Des valeurs familiales... effectivement juives. Mais pas juives au sens... Leur mère est tout à fait chrétienne, ariégeoise, elle aussi pas religieuse [il rit]... La mère est catholique gentiment pratiquante.
>
> Et donc nos enfants nous reprochent... nous reprochent d'ailleurs souvent qu'on ne leur ait pas donné d'enseignement religieux.

Des rites familiaux : les fils et les filles, mariés avec des catholiques, totalement oublieux de cet obscur passé, célèbrent encore parfois le *seder* de Pessa<u>h</u> ou la rupture du jeûne de Kippour (alors que, bien sûr, ils n'ont pas jeûné...) chez leur mère ou, mieux encore, chez leur grand-mère.

Annie C. (1945, Grenoble, JC/PC de 1954 à 1978), fille de militante, divorcée d'un musulman, s'imagine avoir sauvé quelque chose :

422

Ils sont athées tous les trois. L'aîné n'est pas marié. Le second s'est marié, il a eu deux petits garçons qu'il a appelés Simon et Samuel. Mais il est marié avec une *goy*. Il est divorcé. Là, il a une petite copine qui n'est pas juive. Le plus jeune n'est pas marié non plus. Ils ont un rapport d'affection à leur grand-mère, c'est leur rapport au judaïsme. Ils y sont allés quelquefois pour le *seder*. Mais pour eux, c'est loin.

Moi, je n'ai rien transmis. Ils savent que ça existe. Je suis contente que mes fils aient pu aller au *seder* chez ma mère. L'aîné de mes petits-fils a neuf ans, personne ne lui avait jamais dit. Ma belle-fille m'a dit : « C'est peut-être pas la peine de lui prendre la tête avec ça », je lui ai dit : « Je ne lui prends pas la tête, mais ça me paraît important qu'il le sache. » Je lui ai montré un livre en hébreu, il m'a dit : « Ah oui ! c'est comme chez Mémé Rachel, quand elle met le petit chapeau et elle fait... »

Madeleine S. (la petite fille du Cher), Jacques F. (le psychanalyste), Arlette Y. (l'ancienne professeur de collège en Algérie), Rose M. (celle qui a eu tant de mal à faire admettre qu'elle n'avait jamais été à Vienne) retrouvent ainsi leur petite famille, rassemblée par le « culte de la table dressée » qui leur tient lieu de religion laïque.

Des tabous familiaux : faute de transmettre des croyances, on se contente de léguer des interdits. L'un, comme Jacques F., oppose son veto à tout contact avec l'Église :

> Si un de mes enfants se marie à l'église, je refuserai d'aller à l'église. Si un de mes petits-enfants est baptisé, je ne le verrai pas. Je le leur ai dit : « Faites ce que vous voulez, mais ça, je refuse absolument. » Une amie m'a dit : « Tu es complètement inconséquent, tu as épousé deux fois des femmes non juives. – Oui, mais moi, je me suis marié civilement. » Ce passage de ligne, je le refuse. Pour mes petits-enfants, je n'assisterais pas au baptême, mais je ferais tout pour qu'ils soient juifs. Pour qu'ils aient une culture juive. Ils feront ce qu'ils voudront : il y a tellement de Juifs, fils de Juifs, qui ont tout perdu.

Ce qui est interdit, on l'a bien entendu, c'est le « passage de ligne ». La fameuse « frontière », chère à Fredrik Barth[20] : on la

---

20. Fredrik Barth, « Les groupes ethniques et leurs frontières », trad. Jacqueline Bardolph, Philippe Poutignat et Jocelyne Streiff-Fenart, in Philippe Poutignat et Jocelyne Streiff-Fenart, *Théories de l'ethnicité*, Paris, PUF, 1995, p. 203-249.

déplace au gré de l'air du temps, mais il faut qu'elle reste infranchissable. C'est dans cette définition de la frontière que gît le fondement même de l'identité.

D'autres construisent la barrière autour du nom, ou plutôt du prénom. Nommer, c'est identifier. Prolonger la chaîne de la tradition, assurer la survie du Père. On a déjà noté combien de Juifs communistes athées, laïcisés, acculturés, continuent à appeler leurs enfants Élie, Samuel, David ou Esther. D'où l'interdiction des prénoms qui diraient la transgression, l'irrécupérable « passage de la ligne ».

Les deux fils de Madeleine S., Laurent et Romain, vivent chacun avec une catholique. La femme de Laurent, qui est communiste, s'oppose à ce que la fille de Romain s'appelle Marie :

> « Vous ne pouvez pas faire une chose comme ça ! Moi, je vous interdis d'appeler votre petite fille Marie. C'est pour Madeleine la pire des choses. Enfin, ça représente quand même quelque chose, le nom de Marie ! » Alors mon fils m'a regardée, il me dit : « C'est vrai que ça te fait quelque chose ? – Ben, je dis, voyons ! » Alors il est venu, très longtemps après, me dire : « Tu sais, on a mis Marie en troisième nom, parce que dans toute la famille de Françoise, chaque enfant s'appelle Marie, qu'il soit garçon ou fille. » J'ai dit : « Bon. D'accord. »

Tout finit par un compromis. La mauvaise conscience de la rupture avec la tradition a trouvé un terrain symbolique où s'exprimer[21].

Portrait de groupe après le séisme, écrivions-nous. En apparence, le groupe s'est dissous. Ni communisme, ni judaïsme. La lassitude se serait révélée aussi ravageuse que le cataclysme.

Qu'il nous soit permis, pourtant, de proposer une thèse tout à fait inverse.

21. Cf. Gabrielle Varro (sous la dir. de), *Les Couples mixtes et leurs enfants en France et en Allemagne*, Paris, Armand Colin, 1995 ; Claudine Philippe, Gabrielle Varro et Gérard Neyrand (sous la dir. de), *Liberté, égalité, mixité conjugales : une sociologie du couple mixte*, Paris, Economica, 1998.

D'une part, quelques-uns des Juifs communistes qui ont quitté le Parti inaugurent peut-être une façon plus moderne de militer : un militantisme « à la carte », comme le disait Micheline T., qui choisit au cas par cas ses terrains et ses méthodes de lutte, ses alliances d'un moment, ses tactiques. Ceux qui sont restés au PCF témoignent souvent désormais d'une liberté d'esprit qui eût fort scandalisé leurs camarades des années de plomb.

Après le temps du manichéisme, un nouveau rapport au monde juif semble, d'autre part, s'être instauré chez beaucoup des militants ou anciens militants qui ont si longtemps cru les deux fidélités incompatibles. Qu'ils aient conservé leur carte ou qu'ils l'aient déchirée, nombreux me paraissent aujourd'hui ceux qui tentent de mettre en œuvre une autre judéité – majoritairement laïque, mais sans rupture ; fascinée par la tradition, mais sans véritable observance ; désireuse de renouer avec la culture des pères, mais sans orthodoxie imposée ni univocité de lecture.

N'y avait-il pas autant de Torah qu'il y avait de Juifs au pied du Sinaï ?

C'est pourquoi, après avoir esquissé dans ce portrait aux cent visages une lecture littérale de nos entretiens, nous allons tenter, nous aussi, d'aller au-delà du verset, pour retrouver quelque chose de caché, de secret – le *sod* – qui constituerait comme le fondement d'une identité juive multiple, à perpétuellement réinventer.

3

AU-DELÀ DU VERSET,
AU-DELÀ DU DISCOURS

Dans le *pardès*[1], le jardin du sens, la vérité juive se cache sous bien des pelures ou des vêtures. À qui ne veut regarder que l'apparence, le *pechat*[2] offre son manteau de brocart : c'est le sens littéral, la bonne vieille évidence.

Quand les Juifs communistes nous disent, par exemple : le Parti nous a offert, à nous qui étions minoritaires de naissance, une minorité d'élection, librement choisie et assumée, ils se contentent de ce manteau de parure. Si nos beaux parleurs avaient raison, d'autres – Tziganes, homosexuels, francs-maçons – auraient pu se revêtir de la même *capa magna*, qui n'ont pourtant point fait le même choix.

Sous le manteau, ou sous la cape, se dissimule le *remez* – est-ce la blouse de soie, la « tunique[3] » dont se revêt la reine de Saba, ou sa « mantille[4] » ? C'est le malin sens allusif, le clin d'œil qui réfère à tout un savoir. Peut-être nos Juifs communistes en sont-ils à ce stade de la référence à demi cachée quand ils imaginent Moscou sous les traits de la nouvelle Jérusalem ?

Dans un rêve qui date sans doute de 1932, Walter Benjamin se voit dans un grand magasin devant une boîte à jouets magique. Il l'achète. Autour de lui, à Berlin, la révolution fait rage. Il se

---

1. Cf. *DEJ*, p. 847.
2. Cf. *DEJ*, p. 856.
3. Cantique des cantiques. 5, 3.
4. *Ibid.*, 5, 7.

réveille, « avant d'avoir pu divulguer le secret qui [lui] a été révélé dans l'intervalle » : trois images, qui se superposent dans le miroir de la boîte. « Et finalement le troisième tableau : le spectacle de l'ordre nouveau en Russie soviétique[5]. »

Mais le miroir se casse, ou se fendille. Walter Benjamin lui-même, après la désillusion d'un long séjour à Moscou, doit s'accommoder d'une espérance sans royaume. Trois jours après son arrivée, dès le 9 décembre 1926, il note dans son *Journal* : « [...] les informations politiques : l'opposition écartée des postes dirigeants. De manière identique : nombreux Juifs écartés, principalement des postes moyens. Antisémitisme en Ukraine[6]. »

Six ans plus tard, malgré les leçons de l'expérience, il ne peut cependant s'empêcher de rêver encore. Tout comme nos interviewés qui, malgré le procès Slansky, malgré le complot des Blouses blanches, malgré le ton de plus en plus inquiétant de la propagande « antisioniste », continuent majoritairement à croire, longtemps encore, à la nouvelle Jérusalem.

Il faut pousser plus loin ce dépouillement ou ce dévoilement. Sous la tunique ou la mantille, le Narcisse de Saron, la Rose des vallées cache encore ses « perles », son « collier[7] ». Peut-être est-ce là le *derech*, qui relève de la rhétorique, de la prédication, bref de ce que nous appellerions la propagande. Quand nos Juifs communistes voient dans le Parti leur seul compagnon de souffrance, leur seul défenseur face au martyre, sans doute se laissent-ils séduire par les sirènes de la croisade. On le leur a tellement répété qu'ils finissent par le croire. Mais ils savent bien que d'autres ont partagé leurs épreuves, que d'autres aussi leur ont permis de survivre.

C'est alors qu'apparaît la noire Sulamite dans sa nudité éblouissante, avec « ses seins comme deux faons », son « giron comme

5. Walter Benjamin, *Images de pensée*, trad. Jean-François Poirier et Jean Lacoste, Paris, Christian Bourgois, 1998, p. 223-224.
6. Walter Benjamin, *Journal de Moscou*, trad. Jean-François Poirier, Paris, L'Arche, 1983, p. 15.
7. Cantique des cantiques, 1,10.

une coupe arrondie », pleine d'un « breuvage parfumé[8] ». Ici se retranche le sens ultime, secret, ésotérique. Le fin du fin. Le *sod*.

Les belles et solides raisons que nous donnent les Juifs communistes pour expliquer l'étrange affinité entre la croyance de leurs pères et leur foi politique d'aujourd'hui et surtout d'hier ne relèvent pas, malgré les apparences, de la raison raisonnante (le *pechat* ?), ni moins encore du matérialisme historique (le *derach* ?) qu'ils sont si prompts à invoquer quand l'évidence se dérobe. C'est dans un « au-delà » du discours, le *sod*, qu'il va nous falloir chercher les secrets d'une impossible alliance.

Dans cette recherche du sens caché, nous tenterons de retrouver, sous l'appartenance juive au PCF, quatre figures plus ou moins bien dissimulées : le Parti comme « religion » ; le Parti comme mémoire ; le Parti comme territoire ; le Parti comme langage.

---

8. *Ibid.*, 7,3 et 4.

I

Le PCF comme « religion »

Le PCF est-il peu à peu devenu, pour les Juifs communistes, une sorte de substitut du judaïsme, qui en emprunterait un certain nombre de traits majeurs, sans pour autant faire appel à la moindre notion de transcendance ?

Entendons bien, d'abord, qu'il ne s'agit pas de produire la centième analyse de la « dégénerescence » du PCF en église (ou, pour ce qui nous concerne, en synagogue...).

Il ne s'agit pas davantage de nous en remettre à une définition extensive du religieux qui, au terme d'une longue période où l'on affirmait que la religion était morte, en viendrait aujourd'hui à suggérer, à l'inverse, que tout est redevenu religieux, à commencer par le politique.

Il s'agit plus simplement d'analyser ce qui, *dans le discours* des Juifs communistes, traduit une rémanence de la tradition juive, transcodée dans le langage actuel du politique, ou plus précisément dans la version « vulgaire » du marxisme diffusée communément par le PCF.

Cette translation du religieux au politique s'opère d'autant plus aisément que le judaïsme tend de plus en plus, à l'instar du christianisme, à se métaphoriser. Loin d'y voir un signe de dépérissement, beaucoup d'auteurs croient déceler là le « dispositif structurant du religieux moderne[1] ». Danièle Hervieu-Léger peut même écrire que « la religion métaphorique n'est pas un dérivé affadi de la religion authentique, mais un mode spécifique d'articulation du croire dans l'univers culturel de la modernité[2] ».

Qu'est-ce qui constituerait dès lors le trait spécifiquement religieux de ce croire laïcisé ou « désenchanté[3] » ? L'« autorité légitimatrice d'une tradition », répond la sociologue. Une telle définition n'écarte certes pas d'emblée nos Juifs communistes, dont la passion politique se réfère sans cesse aux grands modèles historiques des trois révolutions (ou tentatives de révolution) fondatrices : 1789, 1871, 1917.

Nous essaierons donc de dépister le cheminement qui peut mener de la synagogue (fût-elle un lointain souvenir, voire un objet d'exécration) à la cellule, en suivant les traces de six bornes-témoins du judaïsme : le Livre, la Loi, l'élection, l'éthique, le messianisme, la croyance.

Le Livre comme souvenir, le Livre comme oubli, le Livre comme désir

Il est là, le Livre – souvenir d'enfance, trace, absence, trou noir : ce qui marque à tout jamais, malgré l'éloignement –, d'autant plus présent qu'il s'est souvent englouti dans une ténèbre épaisse, qu'il se signale par un manque, par une référence vide, qu'il n'est plus qu'un mot, riche de tous les mots.

Le rapport à Marx semble, paradoxalement, à peu près le décalque du rapport à la Torah. Qui a lu l'un connaît l'autre. L'ignorance est gémellée comme le savoir. Elle n'empêche jamais ni l'adhésion ni le rejet péremptoires.

Est-ce un hasard si les Juifs communistes venus d'Égypte, qui sont de très loin les meilleurs lecteurs de Marx et d'Engels, sont

---

1. Danièle Hervieu-Léger, *La Religion pour mémoire*, Paris, Cerf, 1993, p. 99.
2. *Ibid.*, p. 103.
3. Marcel Gauchet, *Le Désenchantement du monde. Une histoire politique de la religion*, Paris, Gallimard, 1985.

également parmi les plus familiers de la Bible ? À un moindre degré peut-être, on retrouve le même parallélisme chez ceux qui sont arrivés de Tunisie.

Comme si la structure invariante, c'était le savoir, et non le contenu du savoir. Comme si l'impératif incontournable, issu des profondeurs du judaïsme, c'était de référer toujours au livre, fût-ce à celui qui condamne le Livre avec le plus de véhémence.

Les ashkénazes paraissent, nous l'avons vu, singulièrement moins informés des textes fondateurs et de la tradition juive et du marxisme. Plusieurs raisons peuvent sans doute expliquer cette différence, due une fois de plus à des chronologies divergentes. La laïcisation, en Europe centrale et orientale, a souvent commencé dès la génération précédente ; quand bien même les parents maintenaient-ils une pratique rigoureuse, l'influence du ḥassidisme relativisait peut-être l'importance de l'étude par rapport à la croyance. La politisation, elle, s'est faite beaucoup plus tôt, et souvent dans la sphère du stalinisme, peu porté au *pilpoul* sur les *Manuscrits de 1844* ou sur la « rupture épistémologique », alors que les communistes d'Égypte, par exemple, ont vécu les âpres controverses idéologiques qui ont provoqué parmi eux tant de scissions. Sans compter que la différence d'origine sociologique peut expliquer un autre type de rapport à l'écriture : communistes égyptiens ou tunisiens venus de familles bourgeoises, presque toujours frottés de culture universitaire ; ashkénazes souvent issus du prolétariat parisien – première génération de lettrés, parfois formés (parmi les plus vieux) dans les luttes ouvrières...

Imbattables, en revanche, ces ashkénazes, dès lors qu'il s'agit d'analyser l'omniprésence du livre. Écoutons une fois de plus Madeleine S. (1929, Saint-Quentin, PCF de 1947 à 1980), la petite fille qui traverse le Cher à la nage :

> Il y a des traditions, quand même, dans la famille... Ça, c'est un livre qui a été relié par mon grand-père et qui est tranché sur or. C'est la Bible, avec l'initiale Schmerl D... il était relieur, sa femme était dentellière... il y a cinq volumes, j'en ai donné deux à un de mes frères et un à un autre frère... je sais qu'il ne faut pas partager la Bible, mais je trouve que c'est tout de même normal qu'ils aient ça de leur papa.

Donc l'importance du Livre... Mes enfants, c'est des étudiants perpé-
tuels. Et moi, je continue. Je trouve que c'est très important, dans les
familles ashkénazes. Et peut-être, justement, *le Parti, c'était un parti
structuré avec de la lecture*[4]. Les ouvriers communistes étaient des gens
qui lisaient. Contrairement à d'autres ouvriers.

Quel *passeur* plus approprié qu'un relieur, pour introduire à la
lecture ? Quel merveilleux *passage*, de la Bible à Marx ! La religion, la re-liure, voilà deux mots fraternels, qui disent le lien : le
lien avec les deux frères (l'un et l'autre anciens communistes), avec
lequel se partage la Bible ; le lien avec le Parti qui, malgré tous ses
défauts, reste « structuré avec de la lecture ».

Quand le Livre est oublié, ou quand il n'a jamais été ouvert, il
arrive que s'exprime un manque, un désir. Les militants d'aujourd'hui n'échappent pas toujours à cette nostalgie. Sacha R.
(1943, Sverdlovsk, JC/PC depuis 1958) avoue son désarroi : « J'ai
conscience qu'il me manque – qu'il me manque ! – une part d'histoire juive... Il y a une histoire juive qui ne m'a jamais été
racontée. » Le manque est dit deux fois en deux lignes. Mais ce qui
est supposé manquer, ce n'est pas l'indicible nom de la divinité,
c'est l'Histoire (répétée, elle aussi, deux fois) : le terrestre, non le
céleste ; l'immanent, ou le contingent, non le transcendant ; le
peuple, le collectif, non l'aventure individuelle d'une croyance.

D'autres – ceux qui ont rompu avec le PC – vont parfois plus
loin, nous l'avons vu, sur le chemin de cette découverte. Sans aller
jusqu'à l'absolu retournement d'un Georges T., ils renouent le lien
distendu. Paul A. (1919, Tunis, JC/PCT de 1936 à 1956), ancien
rédacteur en chef du journal du Parti, se retrouve exclu *de facto* au
lendemain de l'indépendance (bien qu'il reste en Tunisie jusqu'en
1977). Il recommence dès lors à s'intéresser à la bibliothèque de
son père :

> Il y avait tout un pan de bibliothèque qui était rempli de livres
> consacrés à l'histoire du judaïsme. Il y avait l'*Histoire d'Israël* de
> Renan, celle de Graetz, la collection « Judaïsme » de Rieder, des livres
> sur Maimonide, les œuvres de Maimonide.

---

4. C'est moi qui souligne.

Et j'ai vécu dans... j'ai été élevé dans la religion juive, tout faisait que je ne pouvais qu'avoir conscience de ma judéité. Alors évidemment, pendant la période où j'étais militant, ceci existait, mais c'était au deuxième rang. Et puis après, ça a pris plus d'importance. Mais je me suis toujours intéressé à ça.

Mais la « religion » de Paul A., comme celle de tous les autres, est vidée de toute transcendance. Elle est, pour reprendre la définition de Danièle Hervieu-Léger, « un dispositif idéologique, pratique et symbolique par lequel est constituée, entretenue, développée et contrôlée la conscience (individuelle et collective) de l'appartenance à une lignée croyante particulière[5] ».

— Vous les lisez tout de même ?
— Je les lis pour ne pas être ignorant. Pour savoir ce qu'ils disent. [Il rit.]
— Vous avez pratiqué le Talmud ?
— Non, non. Finalement, je me suis contenté de lire ce *compendium* du Talmud qui s'appelle le Talmud de Cohen[6] – une très bonne compilation, très claire, avec des index qui permettent de retrouver tout de suite les textes, les citations.
— Et la kabbale, vous avez fréquenté ?
— J'ai lu, sans y mordre. C'est tout à fait à l'opposé même de mon esprit. Parce que je suis imprégné de formation rationaliste.

Il ne croit pas en Dieu. Il « n'a pas la foi du judaïsme laïque » : il ne « sait pas ce que c'est ». Et pourtant le judaïsme semble imprégner toute son activité d'universitaire, d'historien, d'écrivain.

Les autres – beaucoup d'autres – en restent au stade de la pure velléité. Mais le désir avorté de lire (ou relire) le Livre dit bien, sans doute, le manque que l'adhésion au Parti avait peut-être essayé de combler. Marianna K. (1942, Paris, PCF de 1973 à 1979), fille d'un fusillé des FTP-MOI, assiste à des mini-séminaires judéo-laïques, en compagnie d'autres couples mixtes ; elle participe à des « réunions talmudiques » chez une amie peintre. Bruno S. (1953, Paris, UEC/PC de 1972 à 1981), professeur de philosophie, éprouve une curiosité qu'il voudrait bien qualifier de « purement professionnelle » :

---

5. Danièle Hervieu-Léger, *op. cit.*, p. 119.
6. Albert Cohen, *Talmud*, Paris, Payot, 1991.

J'ai le sentiment qu'on n'a pas pris suffisamment au sérieux, dans notre culture philosophique occidentale, le fonds biblique de l'Ancien Testament. Il y a un de mes copains avec lequel je travaille beaucoup... Il a succédé à Levinas dans les conférences... talmudiques. Du coup, c'est extrêmement intéressant pour moi, ce domaine que je ne connais pas... Ça n'a finalement pas de connotation religieuse. Ça a une connotation métaphysique, une connotation philosophique, ou historique, mais pas... mystique. Même religieuse.

« Pas de connotation religieuse » : cela nous est répété deux fois. Il s'agit seulement de renouer une histoire : celle qui s'est interrompue avec la grand-mère maternelle, morte à Auschwitz ; avec l'arrière-grand-père paternel, grand rabbin de Paris ; avec le grand-père paternel, qui fut un des dirigeants de l'Alliance israélite universelle. La curiosité nouvelle de Bruno S. peut s'appuyer sur l'« autorité légitimatrice d'une tradition ». Ce qui lui manque, c'est justement la « connaissance », c'est-à-dire ce qui constitue, selon Levinas, le devoir premier du Juif.

Et j'attends le jour où l'occasion me sera... offerte de travailler ça un petit peu plus sérieusement. Donc de pouvoir reconsidérer un rapport au judaïsme qui sera un rapport fondé sur une connaissance des textes. Je ne vois pas d'autre biais, maintenant, pour... pour renouer avec ça.

Je ne voudrais pas assumer mon ignorance. Ou je ne peux pas assumer mon ignorance. Il faut que je la contourne. Et donc que je me donne le temps, à un moment donné, de faire par moi-même un apprentissage qui me permettra de... d'être à un niveau honorable à mes propres yeux.

L'« ignorance » est dite par deux fois : lourde culpabilité pour un universitaire. Ce qui est supposé manquer, ce n'est pas le désir (encore accru par la « faute », celle de ne pas savoir), mais le temps (excuse non juive, puisque, selon Maimonide, le sage doit consacrer les trois quarts de son temps à l'étude de la Torah et seulement un quart au *derekh eretz*, la « mondanité »[7]). Mais il faudrait « assumer » (répété deux fois), c'est-à-dire, selon le *Petit Robert*,

---

7. Maimonide, *Le Livre de la connaissance*, trad. Valentin Nikiprowetzky et André Zaoui, Paris, PUF-Quadrige, 1990, p. 171-172.

« accepter consciemment » ; ou, selon le *Littré*, « prendre sur soi ou pour soi ». Ce que Bruno S. n'accepte pas consciemment, est-ce l'« ignorance » ou tout simplement sa judéité ? Le but, dont la poursuite est ajournée, c'est en tout cas de « renouer ». Ce qui, pour le moment, s'opère par un biais non dépourvu de sens : Bruno S. « travaille sur Spinoza ».

> Dans... mon imaginaire familial, mon marranisme m'a conduit, à un moment donné, à imaginer que j'étais évidemment le cousin germain de Spinoza. Et à m'intéresser un tout petit peu donc... au théologico-politique, à un niveau qui est très... très modeste... Enfin... il donne lieu à quelques petites publications.

Le voici donc, Bruno S., en attente de *herem* d'excommunication[8], ce qui serait le signe même de son rattachement-détachement, nouvel avatar de son « marranisme », dont l'adhésion au PCF était peut-être l'une des figures incongrues[9].

Béatrice C. (1923, Tunis, PCT de 1942 à 1961) pousse encore moins loin le passage à l'acte :

> Le fait que je sois juive, ça va de soi. Il n'y aura jamais de rabbin à mon enterrement, ça je peux vous le dire ! Et pour moi, ça n'a pas de rapport avec la religion. Quand je suis arrivée en France, j'ai dit : « Je vais étudier le Talmud, je veux comprendre ce que c'est. » Et je ne l'ai pas fait. Tandis que Georges T., lui, il l'a fait. Qu'il l'a fait, je l'admire. Mais ce que je ne comprends pas, c'est devenu un pilier de synagogue.

En Georges T., l'ancien communiste devenu talmudiste, elle trouve un contre-modèle qui la dispense, d'une certaine façon, de suivre la même voie. Ce qu'elle semble ignorer, c'est que Georges T. ne croit pas davantage en Dieu qu'elle-même (du moins l'affirme-t-il) : il incarne, lui, le Livre à l'état pur, le Livre comme code de déchiffrement du monde.

C'est qu'en effet le Livre tend de plus en plus à devenir une

---

8. Mais comment frapper de *herem* celui qui n'appartient pas à la communauté ? Rêver d'être « excommunié », c'est d'abord rêver de se rattacher...

9. Cf. Daniel Lindenberg, *Figures d'Israël. L'identité juive entre marranisme et sionisme (1648-1998)*, Paris, Hachette, 1997, p. 42.

sorte de matrice implicite : on ne le lit plus, on l'oublie, mais on sait – plus ou moins confusément – que l'on se trouve l'héritier d'une culture où le Livre se situait à l'origine, au centre, à la circonférence de toute chose.

Le Juif apparaîtrait dès lors comme celui qui est sans cesse en quête d'une grille de lecture de l'univers, celui qui ne peut se passer de sens.

Prenons une fois de plus l'exemple d'Élie T., le psychanalyste. Il n'a pas connu son père, mort à la guerre. Le grand-père maternel, Juif de Salonique émigré en Égypte, a été, pour l'enfant orphelin, le passeur de toutes les traditions, de toutes les interrogations. Parlant couramment cinq langues, franc-maçon, il a initié le jeune Élie tout à la fois à une culture juive très profonde et à une inquiétude sur la justice sociale :

> J'ai l'impression que l'identité juive, pour moi, c'est une manière d'être, une culture. C'est-à-dire que... c'est un peu ce qu'était mon grand-père. *Une manière de s'interroger sur la vie.* Presque une démarche méthodologique. *Une manière de se poser les questions et d'essayer d'y répondre*[10]. Et c'est en même temps... une curiosité sur... sur les origines et sur le passé. C'est en permanence un acte de mémoire... un travail sur la mémoire. J'ai l'impression que c'est ça qui me reste le plus de ma famille juive.

Encore une fois l'« autorité légitimatrice d'une tradition »... Est-ce un hasard s'il publie dans une revue juive l'un de ses premiers textes, aux alentours de ses vingt ans, et si le sujet porte sur l'initiation des jeunes à la kabbale ?

> J'ai racheté une version du Talmud traduite, une version de la kabbale traduite... Et j'ai l'impression que, périodiquement, j'ai besoin de revenir à certaines lectures. De me dire : « Grand Dieu, qu'est-ce qui a été dit là-dessus ? »
> Donc ça m'a amené aussi à relire des choses. À me demander : « Qu'est-ce qui peut être de l'ordre de l'incompréhensible ? » Alors moi, je ne comprends pas, par exemple, pourquoi, comment on peut croire en Dieu. Donc j'ai été amené à m'interroger autour de ça. Comment accéder à... ce qui vraiment, pour nous, paraît incompréhensible ?

---

10. C'est moi qui souligne.

Fort de la Torah et du *Capital*, le Juif communiste interpréterait ainsi deux fois le monde : une première fois, au nom des Prophètes – et nous verrons bientôt, à la suite de Levinas, à quel point leur attachement majeur à la justice sociale peut expliquer, implicitement, la force d'un tel engagement ; une deuxième fois, à l'école de Marx – et la grille de lecture, beaucoup plus simple (du moins dans sa version PCF), permet de tout expliquer, de tout prévoir, de tout excuser.

Il peut arriver, dès lors, qu'un si beau mécanisme s'emballe. La surinterprétation menace. Un homme aussi cultivé, aussi brillant, aussi peu sectaire qu'Élie T. n'est sans doute pas lui-même à l'abri d'un tel danger, lorsqu'il s'efforce de théoriser la Shoah à l'aide de concepts marxistes :

> J'ai plutôt l'impression... par rapport à la Shoah, c'est pas quelque chose qui me paraît incompréhensible. Là, je me suis forgé une explication qui est... l'explication... économique-sociale... historique d'un moment déterminé. Et... je ne crois pas que ce soit l'indicible, l'incompréhensible.
>
> Pour moi, c'est vraiment un problème de... d'une grosse crise de développement du capitalisme. Et... enfin, toute la période 1933-1939 est pour moi la démonstration de cet emballement du système... capitaliste. Je pense qu'à partir de ce moment-là toutes les valeurs tombent... La symbolique la plus forte pour moi, c'est la symbolique monétaire, la symbolique de l'argent. Je veux dire que quand la valeur de l'argent tombe à ce point, il n'y a plus d'autre valeur qui existe.
>
> Et je pense que la période actuelle de financiérisation-monétarisation, c'est un peu la même chose. La perte des valeurs – on parle de retour au sacré –, c'est en fait parce qu'en raison de cette hyper-monétarisation, présence de la monnaie... dévalorisée, complètement immatérielle, il n'y a plus de contrepartie réelle aux choses. Il n'y a plus de valeur au sens propre. Il n'y a plus que des choses qui sont complètement dévalorisées, immatérielles. Et donc, à partir de ce moment-là, encore plus dans le registre de l'identité ou des valeurs morales, tout disparaît. Il n'y a plus rien qui tient.
>
> J'ai peur de cette espèce d'emballement d'un système qui fait qu'à un moment donné toutes les valeurs tombent, qu'il n'y a plus rien à mettre à la place.

« Toutes les valeurs tombent... » : est-ce un regret du « désenchantement du monde » ? d'avoir lui-même perdu l'ensemble du système symbolique qui structurait l'univers de sa famille ? d'en être réduit à acheter une « version traduite » du Talmud, ou de la kabbale[11] ? « Incompréhensible » : le même mot s'applique à Dieu (trois fois) et à la Shoah (trois fois également) ; il s'agit, dans les deux cas, de franchir les portes du sens (ou du non-sens), en recherchant la clé dans le livre. La deuxième clé paraîtra sans doute singulièrement moins pertinente : la nuit de Cristal ou la conférence de Wannsee se déroulent bien des années après que le docteur Schacht a stabilisé le Reichsmark. Enzo Traverso a bien montré toutes les limites de la pensée marxiste dans ses tentatives pour penser la destruction des Juifs d'Europe : « en particulier, une incapacité à percevoir l'importance du phénomène religieux dans l'histoire et une difficulté à penser la nation[12] ».

Il n'empêche : ce désir permanent (et omniprésent) de rechercher dans le livre un système d'interprétation du monde et de son histoire me paraît relever d'un véritable tropisme juif. Il faut « laïciser le marxisme », me dit Alain F. (1947, Casablanca, PCF depuis 1968), dont les propos prennent d'autant plus de poids qu'il est aujourd'hui membre du Comité national du PCF. Comment dire plus clairement que, pour ce Juif communiste, il s'agit bien d'une « religion » ?

Bernard Lazare ne m'eût certes pas démenti, lui qui écrivait dans *Le Fumier de Job*[13] :

> Tout Juif a son système, son idée du monde, sa théorie économique et sociale, son moyen de résoudre le problème de la misère juive, de l'antisémitisme. Il est grand constructeur de doctrines, idéaliste enragé (Marx, Lassalle).
>
> L'ouvrier juif ne peut faire un travail matériel sans penser, sans se faire une idée du monde et de la société ; il raisonne faux, observe mal

---

11. Et, dans ce dernier cas, on peut se demander de quel livre il s'agit précisément : le *Zohar* ? le *Bahir* ? L'imprécision du terme laisse planer un certain doute sur le sérieux de la démarche.

12. Enzo Traverso, *op. cit.*, p. 247.

13. Bernard Lazare, *Le Fumier de Job*, Paris, Circé, 1996, p. 60.

souvent ; mais il systématise ; il est logicien et va jusqu'au bout une fois parti.

Le porteur d'eau juif a sa sociologie et sa métaphysique.

Ou, plus brièvement, Edmond Jabès : « L'interprétation est notre lot, dans un monde indéchiffrable[14]. »

Le militantisme, ou les six cent treize commandements

Gardons-nous de la métaphore : ce n'est pas parce que le militantisme des Juifs communistes *ressemblerait* à une pratique religieuse que nous serions autorisés à qualifier leur communisme de « religion ». Il faut dépasser ce parallélisme facile et tenter de rechercher, si c'est possible, dans leur discours ce qui dénoterait une référence au judaïsme, à ses commandements et à ses rites.

La plupart des entretiens insistent très lourdement sur l'envahissement de la vie quotidienne par les tâches militantes, aux dépens de la réflexion, voire de la simple interrogation : vendre *L'Humanité-Dimanche*, coller des affiches, distribuer des tracts, faire du porte-à-porte, rédiger le journal de cellule, assurer son tour de garde – la nuit – place du Colonel-Fabien (ou, autrefois, au « 44 »), placer des vignettes de la Fête de *L'Huma*, participer aux campagnes d'adhésion ou de souscription, militer dans son syndicat, dans son association de parents d'élèves, que sais-je encore ?... *Ne dirait-on pas*, d'une certaine façon, la journée d'un Juif ultra-orthodoxe, écrasée par les obligations des six cent treize commandements ? À ce stade de notre recherche, pure métaphore...

Léon C. (1917, Paris, PCF de 1934 à 1935 et de 1986 à 1987) a un mot révélateur pour parler de sa femme qui était issue d'une famille communiste, mais qui n'avait, elle, jamais adhéré : « Elle n'était pas pratiquante. »

Le militantisme de beaucoup de communistes (juifs ou non juifs) a longtemps relevé d'un véritable défi existentiel : il s'agissait d'en

---

14. Edmond Jabès, *Le Livre des questions*, Paris, Gallimard, 1963.

faire toujours plus, d'oublier toujours davantage les simples devoirs de la vie familiale, conjugale, civique, parfois même professionnelle. Rien ne comptait que l'obéissance au Parti, le dévouement total au Parti, l'accomplissement des tâches confiées par le Parti.

Mais peut-être les Juifs en rajoutent-ils encore plus : ceux qui décrivent le mieux la passion, mais aussi l'accablement de la vie de militant sont souvent les mêmes qui nous ont raconté une enfance submergée par la religion, rythmée par l'observance du rite.

La quasi-totalité des Juifs communistes algériens qui ont risqué leur vie ou leur liberté aux côtés du FLN pendant la guerre d'Algérie sont issus de familles ultra-pratiquantes. André Y. (1931, Constantine, PCF de 1951 à 1990), qui a payé son engagement de plusieurs années de prison, est petit-fils de rabbin, a longtemps mangé cachère, respecté le *chabat*, jeûné pour Kippour. Claude B. (1931, Tiaret, PCA de 1948 à 1955), qui a dû s'exiler en Tunisie et a choisi de servir le gouvernement de Ben Bella, a vécu une grande crise religieuse de onze à dix-neuf ans. Claude J. (1928, Tlemcen, communiste de 1947 à 1963) – l'homme de l'appel du FLN aux Juifs d'Algérie –, après une enfance pieuse, a même été pendant un temps l'élève de Manitou[15].

Un Isaac M. (1922, Le Caire, communiste depuis 1945) ou sa femme Rose (1924, Le Caire, communiste depuis 1958), qui n'ont jamais manqué l'accomplissement d'un seul rite pendant leur enfance cairote, réussissent même à transposer dans le si tranquille PCF le militantisme acharné des chapelles communistes égyptiennes :

> Notre temps était entièrement donné au Parti. Tant et si bien que les enfants nous reprochent de ne pas nous être occupés d'eux comme j'aurais dû m'en occuper. Quand je dis le Parti, c'était les Parents d'élèves, le Comité de la Paix, les Femmes françaises, enfin toute une série d'occupations qui faisaient que nous n'avions pratiquement pas le temps pour nous. Ça nous laissait juste le temps d'aller, en 1958, aux manifestations à Ridgway, à galoper ou, dans les années cinquante, à aller tous les samedis décrocher les wagons à la gare de Bercy, pour

---

15. Cf. plus haut, p. 215, note 1.

que les gosses n'aillent pas au Vietnam. Nous avions très peu de loisirs avec nos enfants, ou pour nous-mêmes.

Marlène V. (1952, Tiaret, UEC/PCF de 1975 à 1980), qui supportait si mal l'éducation religieuse très stricte que lui imposaient ses parents, s'est jetée volontairement dans une sujétion au moins aussi contraignante :

> Il y avait aussi ce message... Ce message profond. Toutes mes discussions, c'était de dire : « Quand on est communiste, on l'est vraiment jusqu'au bout des ongles. Dans sa vie au quotidien. » J'étais une vraie militante, sincère complètement et me donnant à corps perdu là-dedans.

Les deux mots clés, ce sont « message » et « complètement » : exactement les mots qu'elle employait, souvenons-nous-en, pour définir son identité juive. Autrement dit : s'assumer, par l'hypermilitantisme (mais aussi par le judaïsme), comme « différent » et, à travers ce militantisme (et ce judaïsme), assumer la différence de l'Autre.

C'est aussi sans doute ce que veut signifier Danielle D. (1948, Casablanca, PCF de 1970 à 1983), quand elle propose cette définition : « Être juif, c'est être à une place autre. » Où nous retrouvons peut-être le personnage d'Aher, Elicha ben Avouyah, celui qui dans le Talmud enseigne, par sa non-exclusion du *pardès*, la possibilité de briser le consensuel, de dire une parole autre[16], qui aurait pu être aujourd'hui celle du communisme si cette parole-là ne s'était pas, à son tour, ossifiée, fossilisée – pire encore : sacralisée.

Pas de chance pour Danielle D. : ce sont justement cette sacralisation, cette ritualisation qui fascinent et retiennent tant de Juifs communistes, avant qu'ils ne s'en lassent et n'en tirent parfois prétexte pour prendre la tangente.

---

16. Cf. Marc-Alain Ouaknin, *Lire aux éclats. Éloge de la caresse*, Paris, Quai Voltaire, 1992, p. 11-14. Le texte commenté est celui de *Haguiga*, 14b : « Si cet homme a été exclu du monde futur, que du moins il sorte et jouisse de ce monde-ci. » Ce texte est également interprété par Ouaknin dans *Le Livre brûlé. Philosophie du Talmud*, Paris, Lieu commun, 1993, p. 109-110.

L'hyper-militantisme, la dévotion *perinde ac cadaver* deviennent signe de vie, négation de la mort. Une bonne douzaine de femmes se souviennent de leurs grossesses comme de l'époque bénie où le Parti exigeait autant de sacrifices que l'enfant à venir.

Elisa T. (1926, Oran, PCA/PCF de 1947 à 1995), par exemple, la secrétaire médicale de Vitrolles :

> C'était les élections et il fallait aller faire voter les gens. Alors il y avait des taxis, des voitures particulières, pour aller les faire voter. J'avais un ventre comme ça, je descendais pour faire voter les gens dans un quartier bas d'Oran. Alors je tapais à la porte : « Vous voulez que je vous emmène, madame, pour voter ? » Tellement bien que le maire, quand il m'a vue deux ou trois fois descendre, il a dit au camarade du taxi : « Tu me montes cette femme chez elle, elle va accoucher dans la rue ! » J'ai accouché la nuit. C'est comme ça que j'ai eu ma fille.

Ou, plus extraordinaire encore, Iliane K. (1923, Tel-Aviv, PCF depuis 1944) :

> Et là, c'était nuit et jour, jour et nuit. Je me rappelle, j'ai accouché de ma fille, il fallait donc la nourrir. Alors, pendant des heures, mon mari et moi, on aspirait le lait pour que mon mari puisse lui donner le biberon quand je serais partie [militer]. On trouvait ça tellement normal. Ça faisait partie de notre vie. Ça ne s'est jamais arrêté, ça ne s'est jamais arrêté.

« Jamais arrêté » : c'est vrai, Iliane K. « y est » encore. Pour d'autres, tout à l'inverse, « s'arrêter » a signifié quelque chose qui ressemblait à la mort.

Raymonde Y. (1938, Paris, PCF de 1952 à 1985), contrairement à ses camarades, a dû, elle, s'interrompre de militer pendant sa grossesse : « Jusqu'en 1959-1960-1961, j'ai eu l'impression d'être entre parenthèses. »

Hélène D. (1936, Paris, PCF depuis 1959), en désaccord sur trop de choses, n'a pas repris sa carte pendant six mois : « J'étais mutilée. Voilà le terme exact. Je me sentais mutilée. Et puis j'ai repris ma carte en me disant qu'il vaut peut-être mieux que je sois au Parti et faire des critiques sur ce que je ressens. »

Au point que, si l'on rompt, il faut à tout prix inventer autre chose : le temps devient vide ; on se retrouve seul avec soi-même ; quelque chose comme un tombeau. Henriette B. (1928, Le Caire, communiste de 1946 à 1963) a failli ne pas s'en remettre : elle se lance d'abord dans le caritatif. Sans succès :

> Les tracts, les trucs, les affaires de Rosenberg, tout cela, donc ça me manquait. Le hasard a voulu que je cherchais du travail, je tombe sur un truc et là je m'investis à cent pour cent, je monte une société à Paris. Ça a remplacé, si vous voulez, ma frustration et le temps libre que j'avais. Ça a remplacé le PC.

Les hommes, eux, n'enfantent pas le Parti : ils sont enfantés par lui. On se souvient de Fernand I. (1950, Tunis, JC de 1950 à 1968, PCF depuis 1978), l'homme aux deux *aliyah* ratées :

> Je ne vois pas ma vie sans le Parti. Et ce que m'a donné le Parti, personne d'autre ne me l'a donné. Sans le Parti, je ne serais pas ce que je suis. Je ne serais pas un type ouvert, écouté, tolérant, essayant de voir untel, aider... Je pense que le Parti, il m'a fait... Pour moi, le Parti, c'est pas une question de... de style, c'est une question de vie. Je n'ai pas besoin de lire des choses, c'est ma vie, quoi.

Encore un militant nourri dans la religion, dans le rite, dans la synagogue... Comme si, de la synagogue à la cellule, de la prière innombrable au militantisme du jour et de la nuit, il n'y avait que la rue à traverser. Une vie à vivre dans la tension, dans la passion, dans la conviction absolue que là est le bien, là est le devoir.

Walter Benjamin, placé lui aussi à la croisée des chemins, se persuade, pour un temps, que l'on peut marcher d'un même pas dans l'un et dans l'autre. Il rêve de « délaisser la sphère purement théorique. Cela n'est possible à un homme, estime-t-il, que de deux façons : se soumettre à une observance ou politique ou religieuse. À considérer leur nature profonde, je ne vois pour ma part aucune différence entre ces deux observances [17] ».

---

17. Walter Benjamin, *Correspondance*, t. I, Lettre à Gershom Scholem du 25 mai 1926, trad. Guy Petitdemange, Paris, Aubier-Montaigne, 1979, p. 387-388.

Les deux *praxis* s'équivalent. Elles sont, à la limite, interchangeables. Mais dans le sentiment tragique de son échec, dans son incapacité à faire un choix, dans sa volonté persévérante d'affirmer, quelques semaines avant son suicide, le lien secret entre « matérialisme historique » et « théologie », entre le « joueur d'échecs » automate et le « nain bossu » sous la table[18], peut-être Benjamin tente-t-il de nous dévoiler une part de la vérité fondamentale sur le *et* mystérieux qui a marié, au moins pour un temps, tant de Juifs au communisme.

L'élection, ou le poids du monde

Ils sont « élus ». Non point par les bulletins de vote, ni à main levée, mais par ce qu'ils se refusent, pour la plupart, à dénommer. Dieu ? Le destin ? L'Histoire ? Quelque chose de mystérieux qui relèverait tout à la fois d'une sorte de nécessité intérieure et d'un décret, d'une assignation, venus d'on ne sait qui, on ne sait quand, mais inscrits dans le Livre. Ils n'y croient guère, ils récusent souvent le mot, mais ils en subissent le poids, soit qu'ils s'en enorgueillissent, soit qu'ils s'en lamentent.

Quel est pour eux le sens de cette « élection » ? Acceptent-ils même de lui donner un sens ? Se sentent-ils différents, chargés d'une « mission » que nul d'entre eux ne qualifiera jamais de « divine » ?

Écoutons la famille O. Ils sont tous venus d'Oran. Le père et la mère, Maurice et Renée, étaient coiffeurs ; la fille, Sabine, est inspectrice de l'enseignement primaire. Ils ont tous quitté le Parti communiste : les parents en 1985, la fille dès 1982. Pourquoi y étaient-ils (et, à les entendre, ils y sont encore en esprit, en regret, en espoir) ?

RENÉE. – Parce qu'on est très malheureux de ce qui se passe, de tout. De tout.

---

18. Walter Benjamin, « Sur le concept d'histoire », in *Écrits français*, Paris, Gallimard, 1991, p. 339-356.

MAURICE. – De tout ce qui se passe. Aussi bien chez nous que dans le monde.

ELLE. – On est très sensibles à tout ce qui peut se passer.

LUI. – C'est vrai que j'arrive à faire la part des choses...

ELLE. – Moi, je peux pas.

LUI. – Ma femme, c'est quand même autre chose. D'ailleurs, souvent mon fils lui dit, les amis aussi lui disent : « Arrête de prendre les malheurs du monde sur ton dos ! »

ELLE. – Je souffre de tout. Tout me rend malade. Tout. Tout me rend malade. Je vais rien résoudre, mais...

Leur fille Sabine, un autre jour, en un autre lieu, hors de leur présence, leur fait écho :

Je sens bien que mon identité juive... me donne une autre démarche que celle de mon mari, qui est quelqu'un de profondément progressiste. Mon mari est d'une famille communiste résistante, mais n'a jamais, lui, adhéré. Des fois, je le charrie d'ailleurs. Mais je pense qu'on n'aura jamais la même conscience.

C'est clair que je suis quelqu'un du côté de la souffrance. Et alors ça, pour moi, ça, c'est l'identité... juive. [Silence.] Et... juive et communiste. On est là pour en chier ! Et il faut se battre !

La souffrance : voilà le mot clé chez la mère et la fille. La responsabilité : voilà tout à la fois la cause de cette douleur et le moteur de l'engagement (« il faut se battre »). Ainsi commence à se définir une « élection » où les devoirs – et non des moindres – l'emportent singulièrement sur ce que certains prendraient pour des privilèges.

Quand je demande à Yves-Marc Z. (1946, Paris, JC/UEC de 1960 à 1967) où se situe le lien entre le communisme et la judéité, il répond : « Le sens de la responsabilité dans la société dans laquelle on vit. »

Assez étrangement, la benjamine de l'échantillon prend l'exact contre-pied de ces définitions par l'éthique de la responsabilité. Fille de communistes, elle-même à l'UEC, puis au PCF, depuis 1986, Anne L. (1967, Ivry) refuse ce qu'elle considère comme du dolorisme :

Je crois qu'il n'est pas question de porter le poids du monde. Ça, je ne peux pas l'accepter, surtout en tant que communiste. Mais je crois que le poids du monde tel qu'il est, chacun le porte finalement, Juif ou non. C'est à chacun d'entre nous de lutter pour changer, pour que le poids du monde soit moins lourd. Alors je pense, par contre, que les Juifs ont une part plus importante ou plus lourde du monde à porter. Et que ce choix-là, de refuser justement de le porter, de se battre pour qu'il n'y ait pas de fardeau à porter, les Juifs ont sans doute été plus nombreux à le faire que d'autres. Et je crois que pour les Juifs communistes de la génération de mes parents et grands-parents, c'est bien le refus de porter un fardeau qui a été le facteur premier de l'engagement communiste.

— Mais leur choix le leur fait porter davantage !

— Oui, parce que c'est une réponse collective. Mais je crois que ce fardeau – et c'est là qu'est peut-être la contradiction –, on accepte de s'investir et de porter un poids supplémentaire à partir du moment où on fait le choix de ne plus le porter.

Mais, chez Anne L., le refus du poids subi signifie en réalité le choix souverain du poids librement assumé. La conclusion pratique est la même : « se battre ». Ce que Joseph A. (1944, Rome, JC/UEC/PC de 1958 à 1967) traduit : « Être acteur de l'Histoire. »

Les Juifs communistes me semblent ainsi retrouver le vrai sens de l'« élection », qui a donné lieu à tant de malentendus : non point un passe-droit, une supériorité de dons ou de destin, mais une charge écrasante, une responsabilité qui ne crée que des devoirs.

Citant Haïm Wolozyner, « disciple préféré du Gaon de Vilna », Emmanuel Levinas écrit :

> [...] le Juif est comptable et responsable de tout l'édifice de la création. [...] L'acte, la parole, la pensée du Juif ont le redoutable privilège de détruire ou de restaurer des mondes. L'identité juive n'est donc pas une douce présence de soi à soi, mais la patience, et la fatigue, et l'engourdissement d'une responsabilité ; une nuque raide qui supporte l'univers [19].

Shmuel Trigano ne dit peut-être pas autre chose, quand il écrit à son tour :

---

19. Emmanuel Levinas, *Difficile liberté. Essais sur le judaïsme*, Paris, Albin Michel, 1963 et 1976, p. 79.

L'« élection » n'est pas une rente de situation, elle est le fruit d'un labeur, le combat de Jacob avec l'ange, la marche d'Abraham. [...] Dans le monde de conformisme orchestré par les médias modernes, les Juifs doivent retrouver l'audace non point de faire chorus avec le ton de la bienséance idéologique – ce qu'ils font souvent –, mais de trancher sur l'opinion commune, de devenir un pôle de vérité, un signe de ralliement pour les bannis de la parole. Remettre les hommes, assignés à résidence, dans le mouvement du passage et de la marche abrahamique[20].

En ce sens, bien des Juifs communistes me paraissent au moins aussi fidèles à la tradition juive que beaucoup de ceux qui les rejettent au nom d'une conception étroitement « orthodoxe » du judaïsme.

L'éthique ou la communauté des Justes

Quiconque a vécu quelques années au sein du Parti communiste a dû éprouver, pour son exaltation ou son désespoir, le poids écrasant de la morale. Georges Marchais avait même fait voter au congrès de février 1976 une motion sur la « morale » qui devait provoquer la colère de la frange la plus « libérale » du Parti. Pornographie, criminalité, étalage de la violence y étaient analysés comme relevant de la « pourriture d'un système », de la « décadence d'un monde[21] ». Aussitôt, des militants avaient protesté avec vigueur, dans la tribune de discussion publiée par *L'Humanité*, contre cette reprise de ce qu'ils appelaient la « vieille morale pudibonde obscurantiste ». Le secrétaire fédéral du Val-de-Marne (la fédération de Georges Marchais) avait repris la balle au vol en attaquant à son tour l'« immoralité » et la « perversion » de la bourgeoisie. Philippe Robrieux et François Hincker[22] ont bien montré qu'il s'agissait là d'une provocation – ou d'une diversion –

---

20. Shmuel Trigano, *Un exil sans retour, op. cit.*, p. 126. (Il va sans dire que je ne cherche nullement à tirer la lecture de cet auteur dans un sens marxiste et que je ne lui attribue aucune tentation pour le communisme !)

21. Philippe Robrieux, *op. cit.*, t. III, p. 258-260 et t. IV, p. 842-843.

22. François Hincker, *Le Parti communiste au carrefour. Essai sur quinze ans de son histoire, 1965-1981*, Paris, Albin Michel, 1981, p. 179.

délibérée, visant à faire oublier l'abandon de la dictature du prolé-tariat. Mais la direction du Parti avait dû batailler ferme pour faire adopter son texte.

De mauvais esprits – parmi lesquels quelques-uns de nos inter-viewés – iront jusqu'à suggérer que là se situe le principal point de rencontre entre la tradition juive et la *Weltanschauung* communiste. L'auteur de *La Vie en bleu* a autrefois donné la parole à ces mili-tants dont la vie entière était marquée par la répression du désir[23]. Je me souviens encore, vingt ans plus tard, d'Annette, femme de P1 soudeur, qui s'ennuyait si fort dans son HLM de Villerupt, et qui réclamait que le Parti décide d'exclure les femmes adultères : « Ils feraient bien, disait-elle, de faire un grand lessivage. »

Yves-Marc Z. (1946, Paris, UJRE/JC/UEC de 1956 à 1967), issu d'une famille de *hassidim*[24], fils de militants déçus par la cohabi-tation avec des camarades non juifs, choisit la JC, puis l'UEC, plutôt que la Jeunesse communiste révolutionnaire (trotskiste) où se retrouvent pourtant tous ses copains. Son premier combat, c'est pour défendre *L'Avant-garde*, que le Parti veut remplacer – « pour atteindre les masses » – par *Nous les garçons et les filles* :

> Le clivage, à l'époque, c'est autour de la pureté. Moi et dans mon cercle, on considère que c'est nous qui sommes les purs. Vouloir continuer *L'Avant-garde* et refuser de vendre *Nous les garçons et les filles*, c'est un signe de pureté communiste.

Deux fois le mot « pureté », une fois le mot « pur » : ne croirait-on pas l'éternelle obsession du judaïsme pour la « pureté rituelle » (*toumah ve-tohorah*), qui permet de décider si un individu ou un objet est en mesure de participer au service du Temple[25] ? D'autant plus que les *hassidim* « réinstaurèrent l'obligation de procéder à l'immersion rituelle[26]. »

---

23. Jacques Frémontier, *op. cit.*, *passim* et notamment p. 37-39.
24. Mouvement populaire de renouveau religieux, né en Pologne au XVIIIe siècle, exaltant notamment les valeurs de sainteté (cf. *DEJ*, p. 486-501).
25. Cf. *DEJ*, article « Pureté rituelle », p. 927-928.
26. *Ibid.*, p. 928.

Au fond, tout mon itinéraire politique et mes choix politiques communisants sont liés à cette espèce de bain stalinien dans lequel j'ai baigné. Alors bain stalinien, c'est moins bain politique, mais plutôt une valorisation du héros positif, de l'austérité, de la... consécration à la classe ouvrière, de la nécessité de la privation, d'un refus de jouir de la vie tant que l'exploitation de l'homme par l'homme continuera.
Le ludique n'a pas sa place. Le plaisir n'a pas sa place. Et ça, c'est lié vraiment à l'ambiance générale et du cercle familial et peut-être du cercle social d'adultes qui m'entouraient. Et c'est lié au fait d'être né juste après la guerre. La notion de plaisir... dans la vie n'a pas beaucoup sa place dans cette période-là.

Le « bain », justement, fût-il « stalinien » ! Le Parti comme *miqveh*, comme bain rituel ! Le même mot de « pureté » se retrouve sans cesse, venu bien sûr de l'univers religieux, de l'horreur du sang, des écoulements corporels, des cadavres.

L'attirance pour une morale fortement répressive joue son rôle dans le prestige du Parti aux yeux de bien des Juifs militants. Didier T., qui ne dissimule plus son homosexualité, fils et frère d'anciens communistes (tous revenus aujourd'hui à une certaine pratique religieuse), parle du PCF comme d'un « étouffoir moral », d'un garde-fou contre les tentations du désir ou de la liberté :

C'est vrai que... il y a une morale, comme ça : si c'est trop facile, c'est nécessairement aussi politique. Il y a quand même une certaine pureté révolutionnaire... qui implique... de se faire violence. Sinon, c'est soit de l'arrivisme social-démocrate, soit... soit du romantisme gauchiste... Mais la ligne juste est nécessairement douloureuse. On est en pleine logique masochiste.
Le sacrifice d'Abraham... ! C'est quand même... Faut aller... Tout est prêt, il y a une simulation de sacrifice, et puis au dernier moment la justice finit par triompher. Ce n'est pas une partie de plaisir, quand même ! Mais ça va pas jusqu'au sacrifice absolu.
Il y a une sorte de syncrétisme judéo-communiste qui marche très bien. Je crois que j'ai jamais tellement fait la différence entre les martyrs communistes et les martyrs juifs. C'est un Panthéon à peu près identique. Alors je sais pas si c'est Guy Môquet, Manouchian...
J'ai quand même le sentiment d'arriver... trop tard pour faire de l'héroïsme. [Silence.] Donc la MOI, c'est vraiment... [silence] le comportement... [silence] de refus le plus pur... le plus moral. C'est... [silence] un communisme plus moral que juste. [Silence.]

453

« Pur », « pureté », « moral », « sacrifice » : le vocabulaire sort complètement du champ politique, l'éthique envahit tout le discours. Il semble bien que l'on se trouve là en territoire juif (ou, à la limite, protestant), où s'affirme l'absolue primauté de l'éthique, bien plutôt que dans le catholicisme, si prompt à dresser des frontières autour de ce qui appartient à César.

Quand ce jeune homme quitte le Parti en 1978, c'est pour découvrir « en matière de sexualité, en matière... de droits des femmes, une autre façon de militer qui était plus provocatrice. Là, on rigolait, quoi. Là, on disait que... on pouvait faire des choses qui... qui... ». Bref, il assume désormais ses préférences sexuelles. Pour un temps seulement – celui de « se libérer » –, puisqu'il s'est ensuite marié, qu'il a divorcé, qu'il s'est remarié et qu'il a déjà deux filles.

Albert D. (1929, Paris, PCF en 1944, puis de 1951 à 1954) reprend le même vocabulaire, mais en faisant glisser le sens du mot « pur » : « On était purs, hein ! Il fallait lire *Matérialisme et empiriocriticisme* à seize ans ! » Outre l'autodérision, on sent là comme le sentiment confus d'avoir appartenu à une sorte d'élite : les Justes, plutôt que les martyrs (ce qui est plus conforme à une certaine tradition juive, en tout cas celle de Maimonide[27], plutôt que celle d'Hanna et de ses sept fils[28] ou du *qiddouch ha-chem*[29]).

Cette fierté d'appartenir à la courte légion de ceux qui servent la justice, on la retrouve dix fois proclamée, même si l'on a rompu, même si l'on n'a pas de mots assez sévères pour condamner le Parti tel qu'il est devenu (justement, peut-être, parce qu'il a cessé d'être un parti de « héros »).

L'« éthique », les « valeurs », c'est peut-être tout ce qu'il reste

---

27. Dans l'« Épître sur la persécution », in *Épîtres*, trad. Jean de Hulster, Paris, Gallimard, 1993. Ou Lagrasse, Verdier, 1984.

28. Martyrs de la lutte des Maccabées contre Antiochus Épiphane. Cf. « Maccabées II », ch. VII, in *Ancien Testament*, t I, Paris, Gallimard, « Bibliothèque de la Pléiade », 1956, p. 1674-1678.

29. « Sanctification du nom » : « Depuis l'époque des *tannaïm*, le *qiddouch ha-chem* est associé au fait de mourir pour glorifier l'Éternel. » Cf. *DEJ*, article « Qiddouch ha-chem », p. 935-937.

du Parti... et parfois du judaïsme quand on prétend qu'il n'en reste rien, sauf une révolte instinctive contre l'injustice du monde. Madeleine S. (toujours la petite fille du Cher) a-t-elle vraiment changé quand elle proclame, près de vingt ans après avoir rendu sa carte :

> Il me semble que les choses pour lesquelles je me suis battue sont là, que je suis toujours prête à me battre pour elles. Il me semble que j'ai gardé mon éthique, il me semble que j'ai gardé mes valeurs et que je suis un peu intransigeante là-dessus.

Mais quelques-uns refusent pourtant ce qu'ils considèrent comme une forme d'angélisme. Jacques F. par exemple, le psychanalyste, s'indigne d'un tel malentendu :

> Ce n'est pas parce qu'on est juif qu'on est bien ! Je pense à un certain nombre d'amis qui disaient : « L'éthique juive n'autorise pas... » Il n'y a pas d'éthique juive, il y a de tout dans la Torah. Il y a eu des guerres atroces, fratricides : Galaad et Éphraïm se battent, deux mille Galaadites crèvent. Sept peuples détruits au moment de la conquête de Canaan. Il n'y a pas d'éthique juive qui soit angélique. Mais c'est une connerie politique. Et je n'aime pas les cons. Et je n'aime pas que les Juifs soient cons ! Voilà. C'est tout. En gros. [Il rit.] Il y a suffisamment de cons sur terre pour que les Juifs... le soient autant que les autres !

Remarquons que Jacques F. substitue l'élite de l'intelligence à celle de la morale : il faut toujours que les Juifs se distinguent par une supériorité quelconque.

Même un homme qui a quitté le Parti il y a plus de quarante ans, comme Daniel G. (1928, Alger, PCA de 1941 à 1956), celui qui jeûnait pour Kippour à la prison de Lambèze, n'hésite pas à affirmer :

> On parle beaucoup de la morale juive, mais non, moi c'est pas la morale juive qui m'a formé. Absolument pas. S'il y a une morale qui m'a formé, c'est la morale bolchevique. La morale des communistes. J'ai été formé par ça. Alors, qu'ensuite il y ait des révisions, des accommodements, d'accord ! Mais c'est ça qui m'a formé. Et c'est ça qui m'habite. Beaucoup plus que le reste.

L'ambiguïté tient sans doute à ce que le judaïsme fait de la justice sociale une véritable obligation morale. Nos Juifs communistes ne connaissent guère les Prophètes. Mais ils possèdent souvent au fond d'eux-mêmes quelque chose comme un souvenir inconscient de la Torah, dont la justice sociale constituerait le cœur. « Ce que j'apprenais du judaïsme, c'est qu'on était du côté des plus défavorisés, qu'on était toujours du côté du plus faible », se souvient Annie C. (1945, Grenoble, JC/PC de 1954 à 1978), qui a reçu une vraie éducation religieuse.

Le judaïsme, aux yeux de beaucoup, serait donc le terreau idéal où le communisme pourrait se développer non point tant comme idéologie que comme morale. Écoutons, une fois de plus, Didier T. :

> Ça a été, à un moment donné, un sentiment d'identification complet. Après Moïse, il y a Marx... C'est la même chose. D'ailleurs ils ont tous les deux une barbe, c'est indéniable... Ça, c'est les barbus un peu centraux... Mais accessoirement quelques... quelques barbus secondaires, Gambetta, Jaurès... Mais là, Moïse-Marx, c'est quand même... le duo de barbus centraux. Et c'est à la fois des révélations... [silence] des interpellations des comportements de chacun... [silence] que je percevais, que j'ai longtemps perçus comme... un discours identique. De morale. [Silence.] Il y a une notion centrale du Bien. [Silence.]

Un autodidacte comme Jacques V. (1913, Tunis, communiste depuis 1937), de quarante-trois ans son aîné, tient – en termes plus simples – à peu près le même discours que le jeune universitaire ashkénaze :

> L'idée que la liberté, l'égalité sont nécessaires, que l'injustice est haïssable, que la discrimination, que l'inégalité sont inacceptables, etc. Alors c'est une orientation qui leur est naturelle. Qui, lorsqu'elle rencontre des... idées qui expriment ces orientations-là, qui les portent à un niveau plus élevé, c'est normal qu'elles soient bien accueillies.

« Porter à un niveau plus élevé » (sous-entendu de « conscience de classe ») : dans la langue codée du Parti, la formule s'applique en général à la mutation qui consiste à passer d'une activité proprement syndicale (ou, *horresco referens*, d'un parti « réformiste » comme le PS) à un militantisme au sein du PCF. Ainsi se définirait dans les mêmes termes la progression idéologique qui mènerait du judaïsme au communisme !

Mais peut-être, après tout, cette vision idyllique ne serait-elle pas totalement infidèle aux textes fondateurs. Emmanuel Levinas insiste particulièrement sur la place de la justice sociale dans l'éthique juive :

> Que le rapport avec le divin traverse le rapport avec les hommes et coïncide avec la justice sociale, voilà tout l'esprit de la Bible juive. Moïse et les Prophètes ne se soucient pas de l'immortalité de l'âme, mais du pauvre, de la veuve, de l'orphelin et de l'étranger. Le rapport avec l'homme où s'accomplit le contact avec le divin n'est pas une espèce d'*amitié spirituelle*, mais celle qui se manifeste, s'éprouve et s'accomplit dans une économie juste et dont chaque homme est pleinement responsable[30].

Et plus loin, citant le traité *Taanith* du Talmud :

> Rabbi Abhou a dit : « Le jour de la pluie est plus grand que la résurrection des morts, car la résurrection des morts ne concerne que les justes et la pluie concerne les justes et les injustes. » Rabbi Jehouda a dit : « Le jour de la pluie est aussi grand que le jour où la Torah avait été donnée. » Rabbi Hama bar Hanina a dit : « Le jour de la pluie est aussi grand que le jour où la terre et le ciel furent créés. » Subordination de toutes les relations possibles entre Dieu et les hommes : rédemption, révélation, création – à l'institution d'une société où la justice, au lieu de rester une aspiration à la piété individuelle, est assez forte pour s'étendre à tous et pour se réaliser[31].

Un messianisme laïcisé

Ils en parlent eux-mêmes. Ils y croient souvent. Ils n'hésitent pas à utiliser le mot qui devrait peut-être leur faire peur. Le communisme ne serait donc, pour quelques-uns d'entre eux, qu'un « messianisme laïcisé ».

Pourquoi « messianisme » plutôt qu'âge d'or ou lendemains qui

---

30. Emmanuel Levinas, *Difficile liberté, op. cit.*, p. 36.
31. *Ibid.*, p. 38.

chantent ? Parce que la dimension spirituelle, quasiment religieuse, y est présente. Il ne s'agit pas seulement de faire venir le « jour de la pluie », mais de réintroduire quelque chose qui ressemblerait, osons le mot, à une transcendance. Que dit d'autre, par exemple, un André Y. (1931, Constantine, PCF de 1951 à 1990) ? « Ce n'était pas l'émancipation sociale par le communisme, c'était pas ça que j'attendais du communisme. C'était plus, je dirais, une sorte d'émancipation spirituelle. Il y avait peut-être un côté messianique là-dedans... »

Quand je pose à Claude B. (1931, Tiaret, PCF/PCA de 1948 à 1955) – l'homme qui, après la crise religieuse de l'adolescence et la tentation de l'*aliyah*, a combattu aux côtés du FLN – l'habituelle question sur les rapports entre l'identité juive et l'adhésion au communisme, la réponse fuse aussitôt : « D'abord, il y a le messianisme. [Il rit.] Ensuite... ensuite, il y a la révolte contre l'injustice. »

Francine R. (1954, Paris, JC/UEC/PC de 1967 à 1978), la fille de l'homme au clapier à lapins, tente d'analyser plus finement le parallélisme :

> D'un côté il y a les Juifs pratiquants, qui ont une foi dans la venue du Messie comme Sauveur, et puis de l'autre côté les Juifs athées qui, eux, finalement, ont exactement la même démarche, mais qui ont choisi le dogme et la foi communistes. Mais pour les mêmes raisons ! Pour des résonances qui seraient les mêmes, finalement. J'ai le sentiment que le communisme est quand même une idéologie messianique. [Silence.] Parce qu'on retrouve quand même nettement ce clivage... Les Juifs pratiquants, pour la plupart, n'ont jamais été communistes.
>
> Mais je me demande aussi si c'est pas justement une filiation, un passage plus facile pour des Juifs athées, d'aller vers... la foi communiste, dans la mesure où c'est quand même la promesse d'un paradis terrestre... Quand on sait aussi que la religion juive accorde une très, très grande importance à la vie terrestre... Contrairement à la religion catholique. [Silence.]

Pour la seule et unique fois de toute l'enquête, l'accent est ici mis sur la « vie terrestre », sur la récompense qui rétribuera les Justes en ce monde, avant leur mort. Peut-être tenons-nous là une des clés de l'« affinité élective » qui attire tant de Juifs vers la tentation du communisme.

Didier T., celui qui énonce la théorie des barbus, pousse un peu plus loin encore son exercice rhétorique :

> Alors ça s'adapte aux conditions historiques. Le Bien implique la défaite de Pharaon, et puis après implique le triomphe de la classe ouvrière... qui est détentrice, c'est... c'est... devenu... un peuple élu, la classe ouvrière, qui a un message messianique... Alors ça colle pas toujours, parce que les prophètes secondaires, les petits barbus, comme Lénine, sont pas vraiment ouvriers... Mais dès lors que la justice sociale n'est que... un déploiement, un développement de la notion centrale de Bien, les contradictions entre rôle messianique de la classe ouvrière et le fait que les prophètes ne sont plus ouvriers... ça devient secondaire.

Classe ouvrière = Peuple élu = Messie collectif. Le glissement s'opère insensiblement, au point que Marx lui-même devient l'héritier des Prophètes. Un membre du Comité national – fils, il est vrai, d'un magistrat rabbinique, arrière-petit-fils d'un grand rabbin –, Alain F. (1947, Casablanca, UEC/PC depuis 1968), peut aller jusqu'à parler de « la dimension un peu messianique de Marx, une référence à... entre le... le communisme et les temps messianiques ».

Faute d'une connaissance littérale de la tradition, les interviewés livrent rarement un message aussi clair. Mais une lecture attentive de tel ou tel fragment d'entretien offre parfois une ouverture vers ce type d'interprétation. Une attente eschatologique, un espoir qu'aucune déception ne vient jamais détruire. La certitude qu'une multitude d'actes infimes, pour peu qu'ils soient inspirés par une certaine philosophie de l'histoire, peut modifier le destin du monde.

Samuel D. (1936, Paris, PCF depuis 1955) – celui qui veut me mettre à la porte parce que j'ai quitté le Parti – parle du Grand Soir comme les Loubavitch annoncent la venue du Messie :

> À cette époque-là, on espérait voir les lendemains qui chantent. Maintenant, on espère que nos petits-enfants les verront ! Je pense que la population prend quand même conscience... Et puis il peut y avoir des

choses... des mouvements qui feront que ça aille plus vite que ce qu'on veut. Ça, on ne peut pas le prévoir pour le moment...

Maurice et Renée O., le couple de coiffeurs d'Oran, n'en auront jamais fini avec l'espoir : « Peut-être que notre parti va resurgir de ses cendres. Je ne sais pas. J'attends. On est en deuil. Et on attend une naissance. »

Mais la plus belle formule d'attente messianique, je l'ai peut-être entendue d'Henriette B. (1928, Le Caire, communiste de 1946 à 1963), celle qui finit par diriger la filiale d'un groupe américain : « Et j'attends le Sage ou le remplaçant de Marx qui viendra, dans un siècle peut-être, ou dans cinquante ans, changer tout cela, parce qu'il nous manque... »

Ainsi se trouvent confirmées par l'enquête sur le terrain les intuitions formulées par la plupart des auteurs qui, depuis des décennies, voient dans les Juifs communistes la continuation, ou la résurrection, sous des formes détournées, du messianisme de leurs ancêtres. Une telle idée s'appuie, semble-t-il, sur trois concepts issus de la tradition juive : la rédemption s'effectuera sur terre, non dans un autre monde ni dans un pur univers spirituel ; elle interviendra au terme d'une période de « catastrophes » – ce que les théologiens appellent les « Jours du Messie » ; elle dépendra non point de la seule intervention divine, mais de l'action des hommes, qui peuvent en accélérer la survenue.

Sur terre, oui, sur terre, non dans les verts pâturages du Ciel : voilà la promesse de récompense, l'illumination qui, depuis des millénaires, permet tout à la fois de supporter les souffrances du triste aujourd'hui et de croire aux gais lendemains. Gershom Scholem est revenu maintes fois sur cette extraordinaire spécificité du judaïsme, si souvent occultée par la lecture chrétienne de la Bible.

> [Le judaïsme] a toujours et partout regardé la rédemption comme un événement public devant se produire sur la scène de l'histoire et au cœur de la communauté juive, bref comme un événement devant arriver de façon visible et qui serait impensable sans cette manifestation extérieure. À l'opposé, le christianisme regarde la rédemption comme un

événement arrivant dans un domaine spirituel et invisible, comme un événement qui se joue dans l'âme, bref dans la vie personnelle de l'individu, et qui l'appelle à une transformation intérieure sans que cela modifie nécessairement le cours de l'histoire[32].

Il en résulte que le Juif pieux est sans cesse affronté à l'histoire. Il ne se retire pas dans un monastère. L'événement de chaque jour s'inscrit, pour lui, dans une perspective eschatologique, mais aussi utopique : le monde est à transformer. Quand le socialisme sous ses diverses formes rencontre cette espérance, il la ranime, il la revivifie, il lui donne une forme politique.

Mais cette transformation ne s'accomplira pas par une lente succession de réformes :

> Le messianisme juif est dans son origine et dans sa nature [...] l'attente de cataclysmes historiques. Il annonce des révolutions, des catastrophes qui doivent se produire lors du passage du temps de l'histoire présente aux temps futurs messianiques[33].

Et, dans *Fidélité et utopie*, Gershom Scholem actualise encore sa pensée :

> Le messianisme prouve à notre époque sa puissance, précisément en réapparaissant sous la forme de l'apocalypse révolutionnaire, et non plus sous la forme de l'utopie rationnelle [...] du progrès éternel, qui fut comme le succédané de la rédemption à l'époque des Lumières[34].

S'inspirant de Max Weber, Michael Löwy peut écrire à son tour :

> Dans la Bible, le monde était perçu comme ni éternel ni immuable, mais comme un produit historique destiné à être remplacé par un ordre divin. Toute l'attitude envers la vie du judaïsme biblique est déterminée,

---

32. Gershom Scholem, *Le Messianisme juif. Essais sur la spiritualité du judaïsme*, trad. Bernard Dupuy, Paris, Calmann-Lévy, 1974, p. 23.

33. *Ibid.*, p. 31.

34. Gershom Scholem, *Fidélité et utopie. Essais sur le judaïsme contemporain*, trad. Marguerite Delamotte et Bernard Dupuy, Paris, Calmann-Lévy, 1978, p. 254. Ces deux dernières citations sont reprises par Michael Löwy, qui en remanie la traduction, dans *Rédemption et utopie, op. cit.*, p. 27-28. Nous avons conservé la traduction originale.

selon Weber, par la conception d'*une révolution future d'ordre politique et social* sous la conduite de Dieu[35].

« Sous la conduite de Dieu », mais avec la participation active des hommes. Ici, bien sûr, nous retrouvons la vieille idée de la kabbale lourianique : l'ordre divin originel a été détruit par la « brisure des vases ».

> Le *Tiqoun*, qui signifie « réparation », « restauration » ou « réintégration », est le processus par lequel l'ordre idéal est rétabli. [...] La réparation ne peut pas se faire d'elle-même, c'est à l'homme qu'il incombe la responsabilité de cette étape. L'homme devient *responsable de l'histoire du monde*[36]. La philosophie de l'histoire de Louria devient ainsi *une philosophie engagée où l'homme acquiert une place centrale*. [...] L'acte décisif a été confié à l'homme. On peut dire que l'histoire de l'homme est l'histoire du *Tiqoun*[37].

La Révolution apparaît ainsi comme *tiqqoun*[38], comme achèvement ou accomplissement du monde qui, « surgi dans le retrait divin, dans l'absence de Dieu, est inachevé, inaccompli[39] ».

Michael Löwy parle du « lien mystérieux », de la « correspondance au sens baudelairien » « entre l'histoire de la rédemption et l'histoire de la lutte des classes[40] ». Analysant les thèses *Sur le concept d'histoire* de Walter Benjamin, il peut affirmer qu'elles constituent « un renversement paradoxal de ce type de la religion juive en lutte de classes marxiste, ou inversement de l'utopie révolutionnaire en messianisme apocalyptique[41] ». Il rattache ainsi Benjamin – et à travers lui, sans doute, tous les militants révolutionnaires – « à la tradition des *dochakei ha-ketz*, les "accélérateurs de

---

35. Michael Löwy, *op. cit.*, p. 22-23.
36. C'est moi qui souligne.
37. Marc-Alain Ouaknin, *Tsimtsoum. Introduction à la méditation hébraïque*, Paris, Albin Michel, 1992, p. 34. C'est moi qui souligne.
38. Je rétablis l'orthographe adoptée par le *DEJ*. Mais quand je cite un auteur (ici, Marc-Alain Ouaknin), je respecte l'orthographe qu'il a adoptée.
39. Schmuel Trigano, *op. cit.*, p. 96.
40. Michael Löwy, *op. cit.*, p. 158.
41. *Ibid.*, p. 159.

la fin", la tradition (dont parle Franz Rosenzweig) de ceux qui veulent *forcer l'avènement du royaume*[42] ».

Mais si le messianisme a dû, bien sûr, imprégner l'enfance de plus d'un Juif communiste, il reste à se demander comment les thèmes singulièrement ésotériques de la kabbale lourianique auraient pu leur parvenir. Très peu d'entre eux, nous l'avons vu, ont eu accès aux textes. Un des cheminements possibles passe, peut-être, par un éventuel héritage hassidique. Un seul de nos interviewés, Yves-Marc Z., revendique une telle ascendance. On peut toutefois imaginer que l'immense influence de ce mouvement dans le Yiddishland jusqu'à la fin du XIXᵉ siècle n'a pas épargné toutes les familles d'où sont issus nos communistes ashkénazes. Rappelons-nous les pages de *Gog et Magog* où le Voyant de Lublin évoque la Révolution française[43]. Peut-être un frêle souvenir a-t-il été transmis, peut-être une pâle légende a-t-elle survécu aux désastres.

« Croire », mais à Qui ? à quoi ?

Pas un seul ne dira qu'il croit. Pas un seul. Même pas ceux qui, comme Georges T. ou Gilles D., recommencent à respecter le rite, ou qui, comme Raphaël T., poussent l'observance jusqu'à se faire circoncire à plus de soixante ans. Athées ils se sont toujours proclamés, athées ils mourront (ou sont déjà morts), fidèles à un discours qui a fondé leur engagement et reste le gage de leur cohérence.

Seule Rose M. (1924, Le Caire, communiste depuis 1958) a une formule étrange :

> Je suis athée, je suis comme ça, je suis venue au monde, il se trouve que je suis née de père et de mère juifs.
> — Mais est-ce que... ? Vous vous dites athée...
> — Ah ! athée ! *Je sais même pas si je suis athée tout le temps*[44]...

---

42. *Ibid.*, p. 258.
43. Martin Buber, *Gog et Magog, op. cit.*, p. 136.
44. C'est moi qui souligne.

Pour les autres, pour presque tous les autres, cet athéisme proclamé ne va pas sans quelques contradictions. On ne croit pas dans le Dieu des Juifs, mais on met bien en évidence une *mezouzah* sur la porte, une *menorah* sur le buffet, tandis que l'on garde précieusement des *tefillin* dans un tiroir. Pour Raphaël T., multiplier les signes d'appartenance, c'est compenser la non-visibilité de la communauté française.

On peut jeûner, manger cachère, lire la *Haggadah* en famille pour le *seder*, fréquenter la synagogue, peu importe : on n'y croit pas. Comme l'écrit très bien Alain Finkielkraut : « Dieu existe-t-il ? Il n'est pas nécessaire, en tout cas, de l'avoir rencontré pour légaliser sa propre existence[45]. »

Certains auteurs iraient même plus loin : l'athéisme serait une phase préalable à la découverte du vrai Dieu, le signe d'un rejet profond de l'idolâtrie – condition *sine qua non* d'une adhésion à la foi juive.

> Les paradoxes du langage et de ses significations sont tels, écrit Henri Atlan, que le seul discours sur Dieu qui ne soit pas idolâtre ne peut être qu'un discours athée. Ou encore, que dans tout discours le seul Dieu qui ne soit pas une idole est un Dieu qui ne soit pas Dieu[46].

Sauf que le croire des Juifs communistes, dont l'objet s'est comme déplacé, relève sans doute tout autant de l'idolâtrie que le culte de Baal ou d'Astarté.

Ils le disent eux-mêmes à plus de vingt voix alternées : c'est « une religion ». « Notre religion, c'était le Parti », reconnaît Annie C. (1945, Grenoble, JC/PC de 1954 à 1978). Du reste, comme le lui enseigne sa mère : « Marx est juif, le Bon Dieu est communiste. » Parfait syncrétisme, d'autant plus commode que le mari de ce temps-là est musulman : on met de côté l'islam et Israël, et l'on communie sous les espèces de la faucille et du marteau.

---

45. Alain Finkielkraut, *op. cit.*, p. 122.
46. Henri Atlan, « Niveaux de signification et athéisme de l'écriture », in *La Bible au présent*, Paris, Gallimard, 1982, p. 86.

Ça nous faisait plaisir surtout qu'on soit tous les deux athées. Parce que sinon, ça aurait été très très compliqué. Donc notre ciment, c'était notre « religion » entre guillemets, c'était le Parti. Et on se trouvait très libérés de ne pas être religieux, on disait que ce serait l'enfer.

Croire, croire, ils ne cessent de répéter le mot, parfois de mère ou de père en fille, comme chez les O. – eux, les coiffeurs d'Oran, elle, Sabine, l'inspectrice de l'enseignement primaire :

> LE PÈRE. – Nous nous sommes donnés, ma femme et moi, complètement au Parti. *Nous y avons cru.*
>
> LA MÈRE. – On a milité dans le Parti, parce que on s'est dit que c'était le seul moyen de lutter contre l'injustice. *On a cru. On a cru.* Et puis *on y croyait* tellement à notre... à notre parti, à notre communisme ! *On y croyait* tellement qu'on allait faire des latrines en or en Union soviétique ! *On y croyait* hein ! Et c'est ce qui nous a fait militer de tout notre... de toute notre *foi.*
>
> LA FILLE. – Ce besoin de justice, qui m'a fait militer, adhérer... Et puis j'y ai *cru* longtemps. *C'était de la croyance*, il faut bien dire. Et je me suis dit : « Ben, ouais, *on est dans la croyance* ! Je suis militante communiste, parce que *je crois*... [elle rit] que c'est possible de changer quelque chose. » J'ai pris conscience que *c'était une foi.* Quand trop d'événements s'accumulent, *on n'y croit plus*[47].

Eux, ils ont rompu, ce qui les a peut-être rendus plus lucides. Mais d'autres qui sont restés « fidèles » tiennent le même langage. Une universitaire, par exemple, comme Marthe H. (1945, Le Caire, JC/PC depuis 1965) : « Moi, *j'ai beaucoup cru.* Mon mari disait : "Tu étais communiste *comme en religion*." Mais ce n'était pas le rituel. C'est une ritualisation, mais à mon avis elle ne peut pas fonctionner sans *croyance*[48]. » Et sa mère, Odette C. (1922, Le Caire, PCF depuis 1948), ne peut que confirmer : il y avait « *quelque chose de religieux* dans notre engagement ».

Si le Parti est une idole, l'URSS, nous l'avons vu, est un « paradis », une « Terre promise ». On y croit plus aveuglément encore. « On m'aurait dit : "Tue-toi pour l'Union soviétique !", je

---

47. C'est moi qui souligne.
48. *Idem.*

serais allée me tuer », avoue Éliane V. (1945, Casablanca, communiste depuis 1965) – ce qui ne l'a nullement empêchée de devenir P-DG d'une société de marketing. « Pour moi, tout ce qui était d'Union soviétique était parole sacro-sainte », reconnaît André N. (1925, Belgique, PCF depuis 1945).

Le réveil est douloureux. L'écroulement d'une telle croyance provoque un traumatisme dont beaucoup ne se sont pas encore remis. Écoutons Nehmias K. (1927, Przemysl, PCF depuis 1944), le résistant de la MOI qui faisait sauter les trains : « J'avais un amour, je croyais vraiment au paradis, je me suis aperçu maintenant que le paradis, c'était pas tout à fait ça ! »

Hélène D. (1936, Paris, PCF depuis 1959) ne peut pas retenir ses pleurs :

> Et puis alors maintenant, avec tout ce qui se passe avec l'Union soviétique, c'est encore une autre douleur... Quand je vais, comme tous les ans, à la commémoration du ghetto de Varsovie, je n'arrive même pas à chanter le *Chant des partisans*, je pleure, c'est une émotion maintenant qui... ça déborde... je ne peux pas... Je n'arrive plus du tout à vivre... bien. L'Union soviétique, c'est encore une douleur... qui s'est aggravée, parce que... je n'arrive pas à imaginer... On a eu tellement tellement d'espoir que...

Privés de Dieu, en quelque sorte. Privés, en tout cas, de leur foi. Quelque chose s'effondre. On reste tout de même dans la communauté de ceux qui ont cru. La douleur sera partagée, donc plus facile à supporter. On se soûlera de tâches pratiques, pour oublier. Ou bien l'on pratiquera sans y croire. Comme tant de Juifs à la synagogue. Une religion de rites, plutôt que de croyances.

II

Le PCF comme mémoire

Voici donc face à face, ou plutôt entremêlées, deux cultures qui, s'il faut en croire nos interviews, ne sont plus guère, au fond, que mémoire : le communisme qui n'arrête pas de courir après son passé, soit qu'il faille en effacer les ombres, soit qu'il importe au contraire, en ces jours de déclin, d'en faire revivre la gloire aujourd'hui presque défunte ; le judaïsme qui, tout au moins chez les Juifs communistes, autoproclamés sans Dieu et souvent sans rites, se restreint la plupart du temps à l'évocation d'une enfance, à l'exaltation d'une histoire, au deuil d'une famille.

D'un côté, selon l'excellente formule de Marie-Claire Lavabre, le « fil rouge » d'une mémoire « sélective, oublieuse parce que fondée sur la falsification du passé, sur l'occultation des événements et des figures qui contreviennent aux impératifs politiques du moment et, conjointement, sur l'exaltation sans nuance des sources réelles ou fictives de l'identité communiste[1] » ; en face, le commandement biblique de *zakhor* (souviens-toi !), « ressenti comme un impératif religieux pour tout un peuple[2] », et pourtant suivi d'une interminable période d'oubli où l'histoire ne s'écrit pas, jusqu'à ce

---

1. Marie-Claire Lavabre, *Le Fil rouge. Sociologie de la mémoire communiste*, Paris, Presses de la FNSP, 1994, p. 14.
2. Yosef Hayim Yerushalmi, *Zakhor, op. cit.*, p. 25.

que, tout à l'inverse, la mémoire d'un passé terriblement récent envahisse la vie de tous les Juifs, au point de devenir pour beaucoup la seule forme vivante d'un culte.

Le Parti communiste est sans doute à peu près le seul, dans le champ politique français, qui produise officiellement sa propre mémoire. Il a longtemps publié, à intervalles irréguliers, le récit estampillé de ce qu'il voulait faire savoir de son passé, sans cesse remanié au goût du jour. Il a toujours disposé d'organes spécialisés dans la mise au point de ce type d'auto-hagiographies[3]. Il a édité des collections de livres luxueux, vendus par souscription et par colportage, où la Commune, la guerre d'Espagne, la Résistance trouvaient des chantres qui glorifiaient le rôle des uns et occultaient ou dépréciaient celui des autres[4]. Les plaques de rues des villes qu'il administre deviennent les étapes d'un parcours codé, d'une carte de Tendre un peu spéciale, où les héros sans tache doivent parfois s'effacer quand resurgissent des stigmates longtemps occultés.

Seuls les gaullistes arrivent parfois à réinventer l'Histoire avec autant de talent et d'efficacité.

Il serait cependant simpliste d'imaginer que cette histoire officielle du PCF survivrait telle quelle, comme un bloc intangible, dans la mémoire des communistes, ou qu'elle fournirait une grille de lecture *ne varietur* à travers laquelle chacun réinterpréterait sa propre vie. Chaque individu emmagasine les images en fonction de ses origines, de sa culture, de ses passions. Chacun se fabrique son mode d'insertion dans le mythe collectif que lui fournit l'institution. L'appareil du Parti ne peut plus guère exercer, à ce stade, qu'un contrôle *a posteriori* fort relatif. L'histoire orale permet ainsi de moduler, de contredire l'illusion d'une mémoire unique.

D'autant plus que la judéité introduit ici un élément de trouble. Fort peu évoquée, sans doute, dans les années qui ont suivi la Libération, elle impose aujourd'hui, de plus en plus, sa propre vision

---

3. L'Institut Maurice-Thorez, devenu l'Institut de recherches marxistes, puis l'Espace Marx, qui publiaient des *Cahiers d'histoire*.

4. Les éditions du Livre-Club Diderot, diffusées par le Centre de diffusion du livre progressiste (CDLP).

de l'Histoire. Elle oppose une résistance sournoise à toute lecture unificatrice, totalisante, ignorante des îlots de contradiction. Les nouveaux historiens israéliens ont, du reste, montré que l'instrumentalisation du passé par les Juifs n'avait souvent rien à envier aux pratiques communistes.

La mémoire des Juifs communistes se situe donc au confluent de deux mémoires incertaines. L'analyser, c'est retrouver les enjeux d'une partie d'échecs complexe où l'institution et les individus qui en dépendent s'affrontent en des combinaisons savantes, dont les vainqueurs ne sont pas toujours ceux que l'on imagine, tout bardés qu'ils sont d'un pouvoir de persuasion, de culpabilisation, parfois de répression.

De la mémoire pour agir à la mémoire pour exister

Avant d'être mémoire, le PCF apparaît peut-être surtout, dès lors que les Juifs communistes ouvrent la bouche pour égrener leurs souvenirs, comme *mauvaise mémoire*.

À eux, comme à tous les militants, il impose sa version du passé, où les omissions et les déformations n'ont pour objet que de faciliter l'agir. Tantôt les individus acceptent, sans même savoir qu'ils subissent une désinformation : c'est ainsi, par exemple, que l'épisode de la demande de reparution de *L'Humanité* en juin 1940 est « oublié » par vingt des vingt et un vieux communistes qui militaient déjà à cette époque.

Ou encore la vieille distinction opérée par le Parti entre déportés « politiques », tous « héroïques » (autrement dit : pratiquement tous communistes), et déportés « raciaux », sur lesquels il vaut mieux faire le silence et qui, du reste, n'ont pas droit aux mêmes honneurs, se retrouve dans plus d'un discours, avec parfois plus qu'une nuance de mépris. D'autres reprennent l'antienne des « Juifs comme des moutons ».

Pas un seul de mes vingt-cinq interviewés ashkénazes déjà membres du Parti dans les années cinquante (et, en général, yiddishophones) n'éprouve le besoin d'évoquer les frénétiques campagnes de cette époque contre les « *Judenratler* bundistes et mapaïstes », les « espions sionistes au service de la CIA et de l'Intelligence Service », contre lesquels *Naye Presse* se déchaînait tous les matins. Un homme comme Michel Grojnowsky, qui exerce à l'époque des responsabilités à *Naye Presse*, n'en a pas spontanément le moindre souvenir. Parfois, l'invention de l'Histoire relève de l'imaginaire individuel. La mise en condition des militants parvient à les imprégner si profondément qu'ils vont au-delà de la parole officielle et fabriquent eux-mêmes des éléments de désinformation.

Fernand I. (1950, Tunis, JC de 1965 à 1968, PCF depuis 1978), l'homme aux deux *aliyah* ratées, parle très sincèrement des « premiers communistes qui ont été gazés et puis tués. Comme les premiers Russes qui avaient été gazés et tués. Comme les premiers homosexuels, comme les premiers... ». *Exit* la solution finale, voilà la Shoah banalisée : les Russes, les communistes, les homosexuels passaient, eux aussi, à la chambre à gaz !

On se rappelle que Maurice B., l'homme du Comité Honecker, a *lu* le nom de Darquier de Pellepoix parmi les membres d'un comité de soutien à Israël pendant la guerre des Six Jours. Ou que Maurice N. *se souvient* très bien que le Parti communiste a été interdit en 1939 « bien avant le Pacte ».

Mais les temps changent. Le PC comme mauvaise mémoire tend de plus en plus à se muer, chez les Juifs communistes, en *mémoire à faire revivre*. C'est qu'en effet la « hantise du passé » ne les laisse pas, plus que d'autres, indemnes. Les voici donc, eux aussi, à la recherche d'un récit véridique. Hier encore victimes consentantes d'une mémoire instrumentée, ils se transforment en militants de l'Histoire.

Membres du Parti, ils n'hésitent plus à contredire la vérité officielle. Pour mieux agir, ils exigent désormais d'être assurés de ce qu'ils disent ou de ce qu'on leur fait dire.

Ancien héros de la libération de Villeurbanne, communiste depuis 1943, Max K. (1927, Nancy), acharné aujourd'hui à reconstituer une Amicale des anciens de l'Union de la jeunesse juive, reproche très clairement au Parti d'avoir occulté le souvenir de la Résistance juive communiste :

> Là-dessus, *je suis très critique*. Je ne pense pas que ça soit par antisé-mitisme. Mais il faut bien se rappeler, pour mon expérience personnelle, qu'au printemps de 1944, après l'affaire Jean Moulin et le décapitage de tous les grands mouvements de Résistance, à Lyon même, il n'y avait que nous. Que nous.
> — Que les Juifs ?
> — Les autres avaient complètement disparu. J'ai pris mon manche après la commémoration du cinquantième anniversaire de Villeurbanne. Et dans un premier temps, j'en ai voulu beaucoup aux gens de Carma-gnole[5] en disant : « Ils se sont pas occupés de nous ! » Mais c'est de notre faute. On n'a rien fait pour ça.
> Et je crois que c'était une erreur. *Fallait se battre contre le Parti.* Parce que c'était pas par antisémitisme. C'est simplement parce qu'on était pris dans le mouvement... On croyait que c'était pour demain ! Dans les années quarante, c'était pour demain. On s'était dit : « Pourquoi se tracasser avec des problèmes comme ça ? »

Maurice N. (1924, Paris, PCF depuis 1939), autre ancien des FTP-MOI et patron d'une grande entreprise de la nébuleuse écono-mique communiste, va, nous l'avons vu, jusqu'au crime de lèse-Parti suprême : il met en doute le rôle réel de la direction du PC dans la Résistance (« en dehors de Casa, de Tillon et de deux ou trois autres... », c'est-à-dire justement d'un rétrogradé et d'un exclu).

Beaucoup, qui sont toujours au Parti, consacrent désormais une part importante de leurs forces à ce qu'ils considèrent comme un devoir de mémoire à l'égard de la Résistance juive communiste, voire tout simplement de la souffrance juive. Ils tendent à inverser le rapport du PCF à la mémoire juive : héritiers d'une génération où cette mémoire a été plus ou moins instrumentalisée (par exemple, au service de la « lutte contre les revanchards allemands » et autres avatars de la guerre froide), ils rêvent d'utiliser à leur tour la « machine » communiste pour entretenir le souvenir de la persécution et exalter ceux qui ont su se rebeller.

---

5. Carmagnole-Liberté, groupe de FTP-MOI particulièrement actif à Grenoble, à Lyon et dans la région Rhône-Alpes (cf. la brochure publiée en 1994 par l'Amicale des anciens FTP-MOI, région Rhône-Alpes).

Gilles D. (1954, Bône, PCF depuis 1973), membre du cabinet d'une ministre communiste, a enquêté pour *L'Humanité* sur la spoliation des Juifs pauvres au moment de l'aryanisation des commerces, ou sur la fabrication de *Zyklon B*, pendant la guerre, par un industriel français. Il a suivi le procès Touvier.

> Et c'est par ces biais-là que j'ai découvert vraiment une certaine France, qui n'est absolument pas celle que, par exemple, les gaullistes et les communistes, pour des raisons différentes, ont voulu donner à la Libération, de la France résistante. De la France qui ne s'était pas pliée.
> À partir de là, il y a un malentendu qui s'est instauré dans la société française. C'est-à-dire que, à partir du moment où on a occulté le fait qu'une bonne part de la population, dans la quotidienneté de la lâcheté, a pu prendre part à l'antisémitisme des années de la guerre, au fond, du coup, on a occulté la présence d'une partie de cette société française, qui est... vraiment d'extrême droite. Et qui au fond existe depuis très longtemps. Elle existe sous l'affaire Dreyfus, elle existe au moment de la Cagoule, elle existe pendant la guerre, elle existe pendant la guerre d'Algérie et elle existe aujourd'hui, avec des ressorts très différents sans doute, à travers le phénomène de Le Pen, etc.

Ainsi s'évanouit, sans plus de drames, un des mythes sur lesquels s'est construite la mémoire communiste. Il n'est pas innocent que Gilles D. soit justement un proche de Robert Hue et que, séfarade né dix ans après la Libération, il n'ait aucun compte personnel à régler.

D'autres accomplissent ce travail de deuil hors du Parti. Peut-être même ce militantisme d'un *nouveau genre* exorcise-t-il la douleur du manque : on ne milite plus, mais on commémore. C'est peut-être une autre façon, plus conforme à l'air du temps, de militer.

Marianna K. (1942, Paris, JC/UEC/PC de 1956 à 1970), fille de fusillé, fait une recherche sur les plaques commémoratives, « parce qu'il se trouve que mon père, là où il habitait, il a une petite plaque ». Raphaël T. (1922, Alger, PCA/PCF de 1950 à 1967), celui qui s'est fait circoncire à plus de soixante ans, s'est battu pour faire débaptiser la rue Alexis-Carrel à Évry et pour lui donner le nom d'Honoré d'Estienne d'Orves. Il a récidivé en obtenant que la Promenade de bord de Seine s'appelle désormais Missak Manouchian (parce que c'est là que lui et Joseph Epstein ont été arrêtés).

Mais le travail de mémoire ne s'opère plus dès lors comme prélude à l'agir. Hors du Parti, mais peut-être tout de même sous l'inspiration lointaine du Parti (qui a enseigné la pratique de la lutte), la mémoire vise plutôt désormais à reconstituer une identité menacée, à permettre une nouvelle façon (c'est-à-dire l'ancienne façon) d'exister.

Il s'agit parfois de préserver la trace de toute une communauté, arrachée à son terroir séculaire, en péril de perdre jusqu'au souvenir de sa culture.

C'est ainsi qu'André Y. (1931, Constantine, PCA/PCF de 1953 à 1986) se bat, à sa modeste échelle, pour sauvegarder le souvenir de la communauté juive de Constantine :

> Ce monde de notre enfance, de notre jeunesse, est terminé. Non seulement il n'est plus, mais c'est deux mille ans, ou plus peut-être, d'une communauté, dont il ne reste presque rien. Peut-être des archives, quelque part sauvées. C'est pour ça que j'ai fait publier un livre de mon grand-père, et on est en train de travailler sur un autre. Par hasard, on a retrouvé des manuscrits. Donc c'est un besoin, quand même, de sauver un petit peu de cette mémoire.

Ou encore Paul A. (1919, Tunis, JC/PCT de 1936 à 1956) publie une Histoire des Juifs de Tunisie ; Jacques P. (1923, Le Caire, communiste depuis 1943) participe à des réunions au Centre Rachi pour tenter de sauver ce qui peut l'être de la culture ladino. Il n'est pas indifférent de noter que celui qui croit encore au Parti et celui qui n'y croit plus se rejoignent ici dans des combats si proches.

Il s'agit, plus souvent, de sauver... osons un mot emphatique : de sauver son âme, c'est-à-dire son identité d'individu, son appartenance à une histoire. Écoutons trois femmes, dont l'une (Anne L.), étudiante en littérature moderne, est la benjamine des militants d'aujourd'hui, et dont les deux autres (Micheline T., historienne, et Danielle D., psychanalyste) se sont éloignées depuis longtemps, mais sans ressentiment[6].

---

6. Tous les passages soulignés ici, comme partout ailleurs dans ce chapitre, l'ont été par moi.

Tout ce que j'ai pu lire en matière d'études historiques sur la déportation, sur la Résistance, sur Vichy, ou ce que j'ai pu lire après de textes sur l'histoire des Juifs ou l'histoire de la pensée et de la religion, c'est pour *combler cette béance. Combler cette blessure.* Et pour passer de ce judaïsme qui n'avait pas de nom, mais qui était subi et qui était trop violent, à quelque chose que je pouvais me construire.

Cette béance qui n'avait pas de nom, je la comble avec des analyses d'histoire, qui sont pour moi *une sorte de pansement. Faire passer ce non-dit, cette béance du côté de l'Histoire.* (Anne L., 1967, Ivry, UEC/PC depuis 1986.)

Les problèmes qui me travaillent, j'essaie de les *transformer en objets de connaissance* [elle rit], parce que ça me permet de comprendre et de ne pas avoir des positions dictées par l'émotion ou l'indignation. J'essaie plutôt de *transformer ça en une recherche intellectuelle.* (Micheline T., 1936, Tunis, PCT de 1952 à 1955, PCF de 1955 à 1958 et de 1965 à 1968.)

Il faut *absolument en parler*, transmettre quelque chose aux jeunes et aux enfants. Mais *pas par l'angoisse. Par l'histoire*, par la nécessité de comprendre cette période et d'analyser jusqu'où peut aller la négation de l'Autre et la haine de l'Autre. (Danielle D., 1948, Casablanca, UEC/PC de 1970 à 1982.)

Elles disent au fond toutes les trois le même besoin de transformer le travail de mémoire en *catharsis*, en mise au clair d'une identité, peut-être même en redéfinition des liens obscurs entre judéité et communisme, entre fidélité aux origines et militantisme.

De la mémoire de la mort à la mémoire contre la mort

Ashkénazes bien sûr, mais aussi – bien souvent – séfarades, ils vivent dans l'envahissante mémoire de l'événement fondateur, de la terreur qui a marqué leur jeunesse ou leur enfance, voire dans la simple trace transmise par les survivants – une ombre, une lueur, des mots, des images...

Habités par la Shoah, ils en multiplient les gestes et les signes. Comme les passagers du car polonais de *Voyages*, le film d'Emmanuel Finkiel[7], ils se rendent en famille à Auschwitz, au Struthof,

---

7. 1999, scénario et réalisation d'Emmanuel Finkiel.

à Treblinka : des dizaines d'entre eux accomplissent régulièrement le pèlerinage. On amène les enfants, « pour qu'ils se souviennent, pour qu'ils comprennent ». Le choix de l'organisateur du voyage n'est pas toujours innocent : parfois l'UJRE, ou l'Association des anciens de la CCE, pour se retrouver entre communistes (ou anciens communistes) ; parfois sous l'égide des Klarsfeld, pour bien marquer que le PC n'a plus rien à voir avec l'affaire ; une fois même avec le Grand Orient de France – et là, la substitution des emblèmes et des significations se révèle complète. Ce méli-mélo montre bien que le Parti a cessé pour eux d'être le détenteur exclusif de la mémoire : cinquante ans plus tard, la Shoah subsume les différences.

Ils lisent « tous les livres » qui racontent, ils vont voir tous les films. Ils gardent dans leur portefeuille, ou sur leur table de nuit, la photo des disparus. Ils montrent à l'intervieweur leur exemplaire du *Mémorial*, où une page est toujours cornée, avec la date du départ, le numéro du convoi, le jour de la chambre à gaz. Leurs enfants, quelquefois, protestent : trop, c'est trop. Ce qui ne les empêchera pas, bien au contraire, d'adhérer à leur tour : un glissement s'est longtemps opéré entre mémoire de la Shoah et mémoire du communisme ; on entrait au PCF parce qu'il apparaissait comme le seul à apporter une réponse simple à la question éternellement sans réponse : pourquoi ? Parce que, disait le Parti, la bourgeoisie, terrorisée par le spectre de la Révolution, avait préféré laisser la voie libre au fascisme. La carte du Parti devenait ainsi un certificat d'antifascisme, un brevet de lutte contre tous ceux qui n'hésiteraient pas à ressusciter la « bête immonde ». On adhérait parce que le « parti des 75 000 fusillés » s'arrogeait le quasi-monopole de la Résistance.

Beaucoup de ces Juifs communistes (ou anciens communistes) ont aujourd'hui l'impression qu'ils ont vécu dans *un univers de fantômes* : l'expression revient souvent chez les quadragénaires ou les quinquagénaires – trop jeunes pour avoir été témoins, trop vieux pour s'autoriser l'oubli. On ne leur a pas demandé leur avis, on leur a imposé un culte omniprésent, une commémoration permanente.

Comme les deux femmes imaginées par Lydie Salvayre, ils n'ont jamais pu se détacher de la « compagnie des spectres[8] ».

Les anciens de la CCE ou des Maisons d'enfants mêlent indissolublement les souvenirs de ces ombres et ceux du discours obsédant, répétitif, qui interprète l'histoire, en tire les leçons pour l'avenir, trace le chemin de l'engagement inéluctable. L'habileté du PCF a longtemps été d'organiser cet amalgame entre les deux mémoires, pour en faire l'instrument d'un attachement presque indissoluble, d'une identification d'affects indéracinable : la mémoire de la mort devient, par la magie du Parti, mémoire contre la mort. Un lien secret s'établit entre les cendres sans sépulture et les exorcistes qui savent tout à la fois évoquer les fantômes et lutter contre les bourreaux.

Yves-Marc Z. (1946, Paris, JC/UEC de 1966 à 1973), celui qui contracte un mariage blanc avec une Soviétique, analyse clairement cet enchaînement qui va le mener au Parti :

> Moi, je dirais qu'on était entourés par la mort et par les morts. Quand j'avais vingt ans, que j'étais déprimé, je me mettais un disque d'un *cantor* de Bucarest, il y avait le *qaddich*, le chant des morts, et je me mettais ça pour réémerger. Ah oui ! entouré par la mort... Par la mort et le combat. Je me rappelle les films qui passaient à la Mutualité, c'était que des films de combat. C'était le héros du ghetto de Varsovie, ou le gosse du ghetto de Varsovie qui sauve ses parents par les égouts... On était complètement baignés, baignés, baignés par la mort.
> — Il y a un rapport entre le militantisme et cet environnement par la mort ?
> — Ah ! il y a un rapport entre la forme du militantisme et cet environnement par la mort. Quand je parle de... de mes orientations monacales, austères et grises... il y a un rapport avec les morts. Quand on me dit : « Tu es juif, mais tu pratiques pas, tu n'es pas sioniste... », et je dis : « Moi, je suis juif, parce que mon histoire est liée au génocide. Totalement. » J'ai pas d'enfant, donc j'ai pas à transmettre, mais il y a le génocide et la Résistance, ce sont deux pôles de mon militantisme. [Silence.]

---

8. Lydie Salvayre, *La Compagnie des spectres*, roman, Paris, Seuil, 1997.

La répression du désir (les « orientations monacales, austères et grises... »), la *mimesis* des héros : le « bain de mort » fait naître la volonté du combat.

Jacqueline A. (1944, Montauban, PC depuis 1962) n'a pas connu son père, arrêté en avril 1944, quelques semaines avant sa naissance, ni ses grands-parents, victimes de la rafle du Vél'd'Hiv. Elle passe une partie de son enfance dans les patronages de la CCE :

> Mon grand traumatisme, au patronage, c'est qu'on nous montrait des films. Et moi, le cinéma, c'est quelque chose qui m'a toujours fait peur, parce que je n'ai jamais su prendre le recul. Et ils nous ont montré tellement de films, c'était la fin de la guerre, où on allait chercher si on voyait ses parents, on les retrouvait. Et je voyais des parents, des adultes qui pleuraient, qui pleuraient, vraiment ça a été un cauchemar pour moi. Et je crois que, dès l'âge de quatre ans, j'ai commencé à voir ça, ce qui fait que je me suis réfugiée, vraiment les mains devant les yeux, à ne jamais aller au cinéma.
>
> Dans ce patronage, il y avait aussi quelque chose de très important, c'est qu'aux murs il y avait les photos de tous les jeunes qui avaient été pris. Et alors ça !... je ne sais pas comment dire ça... c'était très émouvant. En plus ils avaient une belle tête, ils avaient tous quelque chose... Mais partout où on posait notre regard, il y avait ces jeunes et on savait qu'ils étaient morts. Ces photos... Je commence à me demander si le fait qu'on n'ait pas de photos au mur ne vient pas de ça... C'était une commémoration permanente. Je me demande si ce n'est pas ça...

Pourtant, ajoute-t-elle, « on jouait beaucoup. Et puis on apprenait des tas de choses. On chantait tout le temps. On s'appelait les Jeunes Bâtisseurs. On avait un foulard. Vert. Le foulard de l'espérance ». Autrement dit, le Parti représente à la fois ce qui est issu de la mort (les films, les photos) et ce qui aide à sortir de la mort (« le foulard de l'espérance »).

La mère de Jacqueline est infirmière ; elle incarne, aux yeux de sa fille, la figure même du désespoir... et de la judéité : « Pour moi, ma famille, c'est ma mère. Ma mère seule. Ma mère pleurant. Tout le temps, tout le temps. La solitude. La tristesse. Et être juif, pour moi, c'est quand même pas mal être presque au seuil du désespoir. »

Quand Jacqueline se trouve au seuil de la vie active, quel métier choisit-elle ? Infirmière. Et, très vite, elle devient permanente au syndicat national (CGT, bien sûr) de sa profession. Le Parti lui a permis tout à la fois de reproduire et d'inverser la figure de la mère. Quand elle décide de revenir à l'hôpital, elle se fait affecter en pédiatrie : la vie au lieu de la mort, l'avenir au lieu du passé. Le PC a parfaitement rempli la fonction cathartique, pour laquelle elle y était peut-être entrée.

Francine R. (1954, Paris, JC/UEC/PC de 1967 à 1978), la fille de l'« homme au clapier », se sent dans l'obligation morale de « remplacer » la grand-mère morte à Auschwitz – la grand-mère à laquelle on lui a dit qu'elle « ressemble physiquement ». Elle s'est convaincue qu'elle est « investie de cette responsabilité ». Mais le personnage de cette femme qu'elle n'a pas connue reste mythique ; personne ne lui en parle concrètement :

> Aujourd'hui, ça me frappe encore, à quel point mes parents m'ont très peu parlé de leurs relations avec les parents avant les camps. Comme si l'origine, la naissance, c'était les camps... Et ça, je trouve ça catastrophique. Par rapport à l'éducation qu'on a reçue. Que la naissance, l'origine, dans leur tête, corresponde à la mort. Parce que moi, j'ai essayé plusieurs fois de questionner mon père sur ce qu'il vivait avec sa mère. Je n'arrive pas à savoir l'« avant ».

Adolescente, Francine se crée donc un monde imaginaire qui reproduit celui des parents. Un panthéon de cadavres glorieux, dont la figure majeure était le Che, père putatif de petits Vietnamiens héroïques.

> Donc tout mon univers était peuplé de héros, ou de figures mythiques. Je dirais : de fantômes ! De fantômes, qui étaient peut-être aussi un peu les fantômes... que mon père avait dans sa tête... ceux des camps... Il y a toujours eu un mélange entre les fantômes du génocide et puis ces grandes figures historiques qui étaient quand même très abstraites.

En analyse, comme tant d'autres anciens du Parti, Francine se demande aujourd'hui si ce rapport existentiel de l'engagement communiste avec la mémoire de la mort n'entraîne pas une relation

478

contradictoire avec le « réel ». À six ans, raconte-t-elle, ses parents lui font lire le *Mémorial de la déportation*. Ce trauma-là, elle y voit la scène primitive d'où toutes ses années de militante seraient issues :

> Quand tu es devant un livre comme ça sur la déportation, tu es confrontée à un réel qui est tellement violent que tu ne peux qu'en faire un univers imaginaire. Parce que les images des camps, que tout le monde a vues, que tous les Juifs connaissent, c'est une telle intrusion du réel, dans sa forme et dans sa violence les plus absolues, je ne suis pas persuadée que, psychologiquement, ce soit intégrable... Et comme en même temps ça l'est, comme en même temps le réel prend cette forme-là, je crois qu'il y a un besoin absolu de partir dans un univers qui décolle de ça. Donc d'être dans des discours... messianiques, d'être dans des figures messianiques, qui seraient des Sauveurs, où il y aurait comme ça peut-être la possibilité d'effacer cette horreur première, ce réel premier... De l'effacer.
>
> Moi, j'ai ressenti un petit peu ça dans mon engagement politique, c'est de vouloir être dans l'espoir d'un monde qui serait le salut et qui effacerait ces images et ce réel-là, qui est à la fois irréel et inconcevable. Il y a en même temps quelque chose qui est inconcevable. C'est ça, je crois, qui est terrible ! C'est ça aussi qui fait un peu disjoncter dans la tête, c'est de se dire qu'à la fois c'est un réel, qui est vraiment là, et de ne pas arriver à le penser, ce réel. Quand tu n'arrives pas à le penser, ou à le comprendre, et que tu le reçois uniquement affectivement... [silence] tu pars dans un autre univers.

Autrement dit, le Juif qui adhère au Parti croit mettre enfin les pieds dans le « réel », chez ceux, les communistes, « qui refusent les rêves », « qui collent – sans désespérer – aux réalités amères[9] ». Le PCF lui apparaît comme l'incarnation de ce qu'il croit le « réel » : on y rencontre de « vrais gens », de « vrais ouvriers », la « vraie camaraderie »...

Mais peut-être, tout à l'inverse, le Juif communiste fuit-il justement ce « réel », parce que la mémoire de la mort rend à jamais le « réel » insoutenable, « inconcevable ». Peut-être le PCF le séduit-il paradoxalement parce qu'il tient un discours « qui décolle de ça », « qui effacerait ces images et ce réel-là » :

---

9. Jacques Frémontier, *La Forteresse ouvrière, op. cit.*, p. 378.

Et je ne suis pas étonnée par... que, entre les camps, entre cette histoire-là, entre l'histoire de ma grand-mère, dont on ne parlait pas, ou de mon grand-père, dont on ne parlait pas non plus... – on n'en parlait pas en termes réels –, et puis l'histoire communiste, qui était tout aussi abstraite finalement, le réel, dans sa quotidienneté la plus banale, mais peut-être aussi la plus intéressante, ait été complètement escamoté. Et je ne suis pas étonnée, moi, de m'être construite en ayant un rapport de détachement – mais pas du tout volontaire –, de détachement au réel. C'est une bagarre que j'ai à mener en permanence. De me raccrocher au réel. Je sais que, pendant des années, j'étais complètement extérieure au réel. Ça ne m'intéressait pas ! Et pendant des années et des années, j'ai aussi, moi, préféré le débat d'idées, les mots, l'abstraction, le langage, les discours, tout ce qui me permettait de rester dans un monde... finalement très abstrait. J'avais l'impression que le plus important c'était ça, le monde des idées, quoi. (Francine R.)

Le Parti communiste deviendrait ainsi, pour les Juifs communistes (y compris pour les séfarades), quelque chose comme un pur discours pour effacer la mémoire de l'horreur, pour « combler la béance ». Des mots pour faire semblant de vivre (ou de survivre), un peu comme le langage chez les personnages de Beckett. On y fuirait le « réel » en inventant une réalité fictive : une URSS fictive, une France fictive, une classe ouvrière fictive, voire un parti fictif.

C'est ainsi par exemple qu'un « bourgeois », fils de « bourgeois », comme Gilles S. (1955, Paris, JC/PC de 1974 à 1981) – celui dont la famille est arrivée « dans les années trente, je précise : les années 1730... » – croit sincèrement qu'il milite dans un PC « romantique », un PC « à l'italienne », où la discussion se déroulerait librement, sans aucune intervention de la hiérarchie (de la même façon qu'il s'invente un judaïsme, où il suffirait d'un repas de famille pour redevenir juif et « judaïser » son épouse africaine et musulmane...).

Ne croyons pas que ces propos relèvent d'une histoire exclusivement personnelle. Beaucoup d'autres pourraient les reprendre à leur compte. Écoutons, une fois de plus, Yves-Marc Z. : « Parce que là, moi, mon itinéraire de cette période de communisme, je suis pas dans la réalité, quoi. Mais la seule réalité, c'était... l'histoire des Juifs communistes, ma seule réalité. »

« Effacer » : le mot revient sans cesse. Par exemple, chez Didier T. :

> Dans ma génération – celle de mes parents et la mienne –, on a beaucoup voulu *effacer*, pendant beaucoup d'années... Le souvenir n'est remonté que pas mal d'années plus tard. Mais au départ... on voulait *gommer*. Et comme le Parti communiste voulait *gommer* aussi, ça faisait une zone d'entente implicite.

Danielle D., qui est psychanalyste, explique que « la Shoah, c'est le réel », mais « un réel non symbolisé, un réel insoutenable ». Le PCF serait une sorte de langage symbolique qui essaierait de déchiffrer un monde où la Shoah a été possible. Nous avons vu que le seul à tenter ce déchiffrement, Élie T. – lui aussi psychanalyste – en arrive à un quasi-délire.

Mais le PCF, pour un Juif communiste, peut également être une étape dans une réinvention du réel. Jacques F. (1936, Alexandrie, communiste de 1953 à 1968) – encore un psychanalyste – s'insurge contre la « religion de la Shoah » :

> Ce qui m'est resté de ma période communiste, après avoir été guéri du communisme façon stalinienne, c'est le politique, la pensée du politique. Il faut penser les choses en termes politiques. Et non pas en ressentiments ni en communautés, etc. Et c'est au sein du politique que moi, comme Juif diasporique, je peux m'inscrire.
> Dialectisons ça à l'extrême. Compliquons au maximum cette question. À ce moment-là peut-être, on pourra de nouveau repenser cette période. Je pense que c'est très important de garder cette histoire présente, mais ce n'est qu'une des pages de l'Histoire. Or la tendance actuelle, c'est de vouloir en faire *la* page d'histoire. C'est pour ça qu'il faut de l'histoire, il ne faut pas du sentiment. Il faut du politique.

Le car des voyageurs de la mémoire, dans le film d'Emmanuel Finkiel, tombe en panne avant d'atteindre Oswiecim ; le père survivant des camps se révèle un faux père. La mémoire, fût-ce sous les espèces du Parti communiste, n'aboutit peut-être qu'à une impasse. Elle reste pourtant incontournable. Parce qu'elle porte le poids de la faute.

La mémoire comme remords, ou la dialectique de la faute

La mémoire du militant juif communiste n'est pas neutre. Elle est, la plupart du temps, traversée de lourds affects. Le sentiment de la faute y joue deux rôles en apparence contradictoires : il conduit au PC sous la figure de la rédemption ; il en éloigne parfois sous celle de l'apostasie.

La *rédemption de la faute* semble un des principaux moteurs de l'adhésion. On adhère bien souvent pour expier une culpabilité secrète. « Comment expier ? Quoi ? » s'interroge Michel T. (1953, Paris, JC/PC de 1966 à 1982), fils du dernier dirigeant du Parti qui ait eu à affronter un véritable « procès de Moscou à Paris[10] ». Et Francine R. lui fait écho :

> Qu'est-ce qui fait qu'on accepte de se retrouver complice de ceux qui deviennent, à un moment donné, des bourreaux ? C'est une question qui, pour moi, reste entière. Qui me laisse vraiment, vraiment perplexe. J'ai l'impression que, pour accepter d'être complice des bourreaux, ça ne peut reposer que sur *une profonde culpabilité intérieure*. Je ne sais pas laquelle, mais je me dis que c'est peut-être de ce côté-là qu'il faut chercher.

La première réponse, la plus évidente, surgit spontanément dans plus d'un entretien (et pas seulement chez les ashkénazes) : on se sent *coupable d'avoir survécu*.

Iliane K. (1923, Tel-Aviv, PC depuis 1944) se précipite au 14, rue de Paradis, dès la libération de Paris. « Donc je suis arrivée à l'UJRE. Et là, ma foi, corps et âme, ce qui était normal, *puisqu'on n'avait pas été déportés, si bien qu'on culpabilisait énormément...* » Elle va bientôt consacrer toutes ses journées à recevoir « tous les déportés de France » « pour les enregistrer, pour leur distribuer quelques vêtements, des victuailles ». Elle adhère au Parti communiste.

---

10. Je reprends à dessein le titre du livre de Charles Tillon, *op. cit.*

> Moi, il fallait que je travaille, parce que... que je rejette cette... cette culpabilité de ne pas avoir été déportée, par rapport à ceux qui étaient revenus, ceux qui étaient surtout restés... Donc mes parents voulaient que je continue mes études, mais il n'en était pas question, il fallait que je mette à... quand je dis travailler, plutôt militer... [Elle soupire profondément.]

Militer, c'est donc pour elle une façon de « rejeter cette culpabilité ». C'est aussi la continuation de son travail à l'UJRE, autrement dit d'un apostolat au service de ceux qui « ont payé ». Elle, elle n'a « pas payé ». Il faut donc qu'elle « paie ». Souvenons-nous, du reste, que sa mère a échappé, grâce au hasard de sa grossesse, à la purge stalinienne où ont péri, dans les années trente, tous ses compagnons juifs communistes qui étaient partis rejoindre la patrie du socialisme. Iliane – son prénom fait d'elle la fille ou la sœur de Lénine – sait tout. C'est délibérément qu'elle se fait « complice des bourreaux ». L'analyse de Francine R. se révèle pertinente.

Hélène D. (1936, Paris, PC depuis 1959), dont le père a été déporté, se rappelle encore la rafle du 16 juillet 1942. Elle adhère à vingt-trois ans, un mois tout juste après son mariage avec un militant. Aujourd'hui encore, elle ressasse sa « faute », y compris celle de ne jamais avoir accompli le pèlerinage :

> Moi, je crois que ce qui a été très dur, c'est qu'*en fin de compte on est restés vivants*. Moi, je vieillis et je le ressens de plus en plus. Des fois, je me dis : Je ne l'ai pas fait, ce parcours, je ne suis pas allée à Auschwitz », ça ne s'est pas présenté, *j'ai loupé*, comme on dit.

Elle n'est plus guère d'accord avec le Parti. Elle rêve de rendre sa carte (elle l'a fait pendant quelques mois), mais craint que son mari ne la quitte. Dirons-nous qu'elle continue, elle aussi, à « payer » ?

Même Nehmias K. (1927, Przemysl, PC depuis 1944) – le résistant au réveille-matin –, qui pourtant n'aurait vraiment rien à se reprocher, en arrivait, dans les années d'après la Libération, à « ne jamais oser dire à quelqu'un qu'[il] était résistant » :

Il y avait d'abord de la pudeur, il y avait du respect, mais *il y avait aussi un sentiment de culpabilité. Moi, je me sentais coupable vis-à-vis de ces copains* [les déportés]. *Je me sentais coupable.* Je me disais : « Nom de Dieu ! Dans quel état ils sont ! On aurait dû faire plus ! » Si on avait su ce qui se passait, on aurait fait plus !

Il en fait « encore plus ». Il reste au Parti, bien qu'il soit aujourd'hui le plus amer :

Moi, c'est fini, c'est fini. Je le disais, il n'y a pas tellement longtemps, à un copain : « Il y a eu Marchais, il y a Robert Hue, demain ce sera un autre, j'en ai rien à secouer ! » C'est pas compliqué. Moi, le culte de la personnalité, j'en ai trop bavé, j'ai été trop au garde-à-vous. J'ai été trompé. Je dirai pour rigoler : « J'ai été cocu. À la limite, j'aurais payé la chambre, mais je ne veux pas laver les draps ! »

Pour lui, justement, le Parti se réduit aujourd'hui au culte de la mémoire. Pour le reste, « c'est fini, c'est fini ». Coupable d'avoir survécu, coupable d'avoir « été au garde-à-vous » parce qu'il se sentait coupable, il expie (ou se venge) en condamnant le PC à ne plus être qu'une église où l'on célèbre à tout jamais le sacrifice des morts.

D'autres, ou les mêmes, adhèrent peut-être parce qu'ils se sentent *coupables d'avoir oublié leur être-juif.* Ou, ce qui revient sans doute au même, coupables tout simplement d'être juifs. Ils ont, comme quasiment tous les Juifs de France à l'époque, choisi la voie de l'« assimilation ». Aller au PCF, c'était poursuivre encore plus loin ce chemin. Mais aussi, d'une certaine façon, se punir de s'y être engagé. Écoutons une fois de plus Madeleine S., la petite fille qui traversait le Cher sous les balles allemandes :

On en rajoute pour *se faire pardonner.* Pour *se faire pardonner* sa judaïté, pour *se faire pardonner* sa bourgeoisie.
Il fallait *se faire pardonner* beaucoup de choses, finalement... C'était... Être juif et communiste... C'était bizarre. Pourquoi j'y suis restée si longtemps ? Il y avait quand même beaucoup de choses qui me travaillaient, beaucoup de choses qui me tracassaient.

Francine R., à nouveau, se montre particulièrement lucide :

> Il y a encore une autre manière de culpabiliser, c'est *la culpabilité de l'assimilation*. On a l'impression que les Juifs n'en finiront jamais de régler leurs comptes avec *la culpabilité* ! La *culpabilité d'être juifs*, après la *culpabilité de ne pas l'avoir été assez* ! Alors ça va, quoi ! [Elle rit.] Tu n'en sors plus, quoi !

C'est qu'en effet l'adhésion au Parti traduit les culpabilités les plus contradictoires : trop juifs, pas assez juifs. Même Jacques F., peu suspect d'ignorer le fonctionnement de l'inconscient, se rappelle qu'après son expulsion d'Égypte comme communiste il se sent coupable... d'avoir épousé une catholique, c'est-à-dire d'avoir « fait un passage de ligne » !

Sans compter *la culpabilité d'avoir échappé à la misère de l'immigrant*, d'avoir accompli ce que les Juifs, depuis des temps immémoriaux, considèrent comme leur devoir : gagner, sur cette terre, la juste récompense de leur travail et... de leur fidélité à Israël (c'est là, sans doute, que le bât blesse).

Reprenons avec Jacques F. : « La famille de ma mère, grande capitaliste, grande bourgeoise, etc., franc-mac', ayant une chasse, chassant avec le gouverneur d'Alexandrie, etc., chauffeur, cuisinière, bonne, etc., bouffait du porc. » Voilà déjà doublement de quoi expier : riche et quasiment mécréant.

Madeleine S. reprend presque, sur le mode mineur, la même antienne : « J'allais pas à la communale, mais j'allais au lycée de jeunes filles. J'ai donc pas connu la communale. Ah ! c'est un problème, après, quand on est au Parti, ce genre d'enfance ! »

Marlène V. (1952, Tiaret, UEC/PCF de 1975 à 1980) met très clairement, elle aussi, le doigt sur la plaie : « À cette époque-là, je ne supportais pas de faire partie des classes aisées, alors que je voyais des gens pauvres autour de moi. Il y avait *une culpabilité énorme*, quand j'étais jeune. *Énorme.* »

Chez les séfarades, le poids de la faute s'alourdit parfois encore du *remords d'avoir été du côté des colonisateurs*. Claude B., qui va s'engager dans le combat du FLN, se souvient du jour de son enfance, à Tiaret, où un conducteur de car, musulman mais ami des Français, fait descendre tous les Arabes pour lui permettre de s'asseoir avec sa mère :

> Il les a traités tous de malappris, de salopards, etc. « Descendez tous ! » leur a-t-il dit. C'était un musulman, hein. « Je veux donner les places moi-même et je ferai une place à la fille de Pinhas. » Et au milieu de tout ça, j'ai vu qu'il y avait un petit enfant qui s'est mis à pleurer, il avait perdu ses parents. Alors *j'étais culpabilisé d'une manière extraordinaire.*

On s'achemine donc souvent vers le Parti parce que l'on se sent, d'une certaine façon, coupable dans son être-Juif : coupable d'avoir trahi sa judéité, coupable d'avoir survécu à la Shoah, coupable de s'enfoncer mollement dans la réussite bourgeoise. Mais, quelques années plus tard, c'est le militantisme qui engendre à son tour sa propre culpabilité. Par un étrange choc en retour, les raisons mêmes qui avaient conduit à s'engager deviennent autant de motifs de crise, voire souvent de rupture. *Le militantisme qui s'était imposé comme figure de la rédemption, se dégrade, dans la mémoire des Juifs communistes, en image de l'apostasie.*

Rien ne traumatise davantage la majorité d'entre eux que le remords d'être restés aveugles, ou pour le moins muets, devant les manifestations de l'antisémitisme d'État en URSS et dans les démocraties populaires. Même ceux qui n'ont pas rompu ne peuvent plus avaler cette grosse arête qui leur reste en travers de la gorge[11].

Lydia G. (1916, Alep, communiste sans interruption depuis 1941) n'en finit pas de battre sa coulpe : « On gobait tout. C'est ça qui est terrible. *C'est ça, le remords d'aujourd'hui.* Mais on gobait tout, parce qu'on nous faisait gober tout. Mais on n'avait pas d'esprit critique. Ne serait-ce que l'affaire des médecins... »

Même Samuel D. – celui qui voulait me mettre à la porte –, sans parler, lui, de « remords », va jusqu'à reconnaître... une erreur, un « aveuglement », quelque chose de « troublant », de « gênant ».

> — Le complot des Blouses blanches... À l'époque, je ne l'ai pas compris... pas vu comme tel. J'ai pensé que ça pouvait être vrai. Sans

---

11. Sur vingt-trois cas clairement avérés, je compte, avec tout ce qu'une telle statistique peut comporter d'aléatoire (et de non représentatif), treize membres actuels du Parti et dix démissionnaires.

penser que ça pouvait forcément être de l'antisémitisme. *Je reconnais que j'ai été assez aveugle de ce côté-là... Je le reconnais.*

— Et Artur London ? Slansky ?

— Artur London, quand j'ai compris après coup, c'était bien après, je n'ai pas pris position nettement là-dessus. Slansky, ça m'est un peu moins été connu... Quand après coup j'ai compris... c'était après le stalinisme... que le coup des Blouses blanches, c'était en fait un coup d'antisémitisme... c'est vrai que ça a été *troublant*, ça a été *gênant*... Je sais que beaucoup d'ex-communistes ont été non seulement *troublés*, mais... sont partis à cause de ça... Les contacts qu'il y avait dans la population... juive... ont été fortement ébranlés à partir de ce moment-là.

Voilà le degré zéro de la culpabilisation : des mots, mais pas d'analyse. La seule chose que l'on regrette vraiment, c'est que des militants en aient profité pour « partir à cause de ça ». Et que la propagande en milieu juif n'en ait guère été facilitée.

Les « ex », eux, n'hésitent pas à clamer très fort l'aveu de leur faute. Pour s'accabler, ils vont même jusqu'à réutiliser le vocabulaire de la religion, tel André Y. (1931, Constantine, PC de 1951 à 1990) :

Parce que *le péché*, la faute – *le péché*, j'emploie ce terme, je ne l'emploie pas habituellement –, la faute grave n'est pas d'avoir commis une bêtise ou d'avoir approuvé les choses. La faute grave est de ne pas avoir cherché à savoir. Et ça, il faut l'enseigner ! Parce que les intellectuels ne le savent pas, ça. Parce que c'est leur métier, de chercher à savoir. Mais le peuple, la plupart des gens ne savent pas qu'on doit avoir cette exigence de chercher à savoir. Je ne peux pas me contenter de dire : « Je ne savais pas ! » Non. Qu'ai-je fait pour savoir ce qui s'était réellement passé ? Si je n'ai rien fait, *je suis coupable*, comme si je savais. C'est ça qu'il faut enseigner aux nouvelles générations. On n'est pas quitte parce qu'on ne savait pas. On est seulement quitte si on a fait le maximum pour savoir.

Jacques R., l'homme au clapier à lapins, se sent d'autant plus coupable que sa crédulité d'il y a quarante-cinq ans lui a valu de rompre, pour un temps, avec son père, qui lui avait pourtant montré le chemin de retour – celui qui va du communisme au judaïsme retrouvé :

Ça fait partie d'*une des pages honteuses de mon histoire !*... Ma croyance en l'Union soviétique, en la justice de l'Union soviétique... C'est *une grande honte* pour moi, parce que mon père n'a pas marché, il n'a pas accepté le « procès des Blouses blanches ».

Mais quand je dis : « Ça fait partie des *pages honteuses* de mon histoire », c'est que j'étais également ce type d'individu... qui représentait exactement ce que le Parti communiste avait besoin comme adhérent ! J'étais d'un dévouement vraiment illimité. J'étais un exalté. J'avais une espèce de réflexion sélective. Tout ce qui allait dans le sens du Parti, de mes idées, était bien. Le restant, ça ne pouvait être que des produits de la bourgeoisie. Ma lecture, ce n'était que *L'Huma*. Mes livres, ce n'était que la littérature soviétique. J'ai vraiment eu un cerveau malaxé, exactement pour qu'il soit conforme aux normes de la manière de penser que le Parti avait besoin.

Il ne lui restait qu'une vingtaine d'années à attendre pour suivre, à son tour, la voie de son père... et se réconcilier, bien sûr, avec lui.

Coupables à leurs propres yeux de ne pas avoir cru à l'antisémitisme en URSS, les Juifs communistes s'accusent souvent aujourd'hui d'*avoir sacrifié leur famille, et surtout leurs enfants, au militantisme.*

Arlette Y. (1928, Soukh Arhas, PCA/PCF de 1953 à 1986), la femme d'André, en ressent encore un vif remords : « Je me rappelle avoir dit, il y a fort longtemps : "Je me sens beaucoup plus d'affinités avec mes camarades du Parti qu'avec les membres de ma famille." *Que je me reproche d'avoir dit ça !* »

Ne nous étonnons pas si Jacques R., une fois de plus, lui fait écho : « On se levait à cinq heures du matin pour aller vendre *L'Huma* au métro. *Ma famille en souffrait, mes enfants en souffraient*, mon boulot en souffrait. L'essentiel de ma vie, c'était ça, c'était le Parti. »

Isaac M. (1922, Le Caire, communiste depuis 1945) dresse à peu près le même tableau. Sauf que cette réflexion ne l'a pas incité, lui, à relâcher son militantisme : malgré l'affront du retrait de la carte (comme Juif égyptien), malgré le remords de ne pas s'être assez intéressé à ses enfants, il reste au Parti. Peut-être aurait-il encore plus mauvaise conscience s'il claquait aujourd'hui la porte, à plus de soixante-quinze ans : toute une vie perdrait son sens.

Mais le pire remords, pour beaucoup de Juifs communistes, c'est d'*avoir, pour l'amour du Parti, sacrifié leur judéité*. Cette mémoire-là, ils sont nombreux à ne pas pouvoir l'assumer. Alors que le sentiment de perte identitaire avait pu être un mobile d'adhésion, le Parti est maintenant parfois rendu responsable de cette perte même.

Peut-être est-ce, une fois encore, Hélène D. qui traduit ce remords avec le plus d'émotion et, sans doute, de vérité :

> Ce que *je regrette* maintenant surtout : en fin de compte, nous les jeunes communistes juifs, on a eu l'humiliation... avec mon mari, *je le regrette* un peu maintenant... je n'ai pas donné... On a élevé nos enfants un peu comme ça. Et ma fille est tout à fait, comment dirais-je ? elle ne se sent pas juive du tout.
>
> Non, il y a une très grande nostalgie... Une très très grande nostalgie... *Beaucoup de regrets*. Je crois que je ne referais pas... si je remontais trente ans en arrière, je ne serais pas tout à fait pareille !
>
> *C'est vrai que je n'arrive pas à incorporer la religion dans ma vie.* Vous savez, ma mère... la religion, c'était l'obscurantisme des peuples ! Et c'est pareil. Je dis aussi que la religion, c'est vraiment l'opium des peuples. [Elle rit.] Et maintenant, je suis très critique envers le Parti communiste.
>
> C'est quelque chose, maintenant, qui me fait mal. Quand je me trouve avec les jeunes d'Afrique du Nord, où la religion est revenue dans les familles, eux vont transmettre ça à leurs enfants, je trouve, à *chabat* et tout... Et que chez moi, ça a disparu. *Ça, je le regrette.*

« Je ne serais pas pareille », « je regrette » (répété cinq fois) : tout un choix de vie est maintenant remis en cause. Et le Parti (envers lequel elle se dit, dans le même mouvement, « très critique ») est, bien sûr, largement responsable de ce revirement : « nous les jeunes communistes juifs », « l'opium (ou l'obscuran-tisme) des peuples »... L'apostasie du judaïsme, qui fut quarante ans plus tôt un moteur de l'adhésion, tourne à l'apostasie du commu-nisme. Le mouvement de la mémoire s'inverse : ce qui était affecté du signe plus (le Parti) échange sa place avec ce qui était marqué du signe moins (la religion). Ce que l'on condamnait si fort n'évoque plus désormais qu'« une très grande », voire une « très très grande nostalgie » (répété deux fois).

Choisir le communisme, c'était devenir acteur de l'Histoire. Quarante ans au Parti lui ont démontré qu'elle n'a rien pu faire bouger dans le vaste monde, ni même dans son tout petit bout de quartier. Pire encore : elle ne parvient même pas à maîtriser sa propre sensibilité comme elle le voudrait. « À incorporer la religion dans [sa] vie. » Tout est échec.

Mais peut-être faudrait-il conclure sur une note plus optimiste ? S'il est vrai que le Parti communiste, pour une grande partie des Juifs qui y ont adhéré, ne serait plus aujourd'hui que mémoire (y compris chez ceux qui y militent encore), ce rejet dans le passé, cette inscription dans une histoire désormais révolue ne vaudrait pas toujours dépréciation, voire pure forclusion.

Certains, peu suspects pourtant de songer à renouer tant d'années après la rupture, s'efforcent à une réévaluation de leur mémoire, à une révision des jugements qu'ils avaient pu prononcer au temps lointain où ils avaient renvoyé leur carte.

Micheline T. (1936, Tunis, PCT de 1952 à 1955, PCF de 1955 à 1958 et de 1965 à 1968), tout en restant d'une extrême sévérité à l'encontre des « textes débiles », des « conneries » que le Parti lui avait fait avaler, tente cette remise en perspective :

> Tout le monde a tout oublié. Vraiment, je crois que c'est une chose qu'on a... pas refoulée, mais qu'on a vraiment éliminée, exorcisée. Je ne pense pas qu'on l'ait refoulée au sens où on ne voudrait pas en parler. On dit : « On s'est trompés, on a été complices de choses inacceptables et débiles. Débiles intellectuellement. Pauvres. On a perdu du temps. »
> Historiquement et socialement, je crois que le mouvement communiste, en dépit de l'appareil, en dépit de cette presse débile et sclérosée, a donné une sorte de dignité au milieu ouvrier, au milieu banlieusard, à certaines couches de la population. Dignité qu'on n'arrive plus à recréer aujourd'hui. Qui est perdue.

Elle se rend, un jour, à Drancy. Elle essaie de trouver le chemin du camp. Personne ne sait plus :

On avait une population qui s'était complètement renouvelée et qui n'avait pas épousé cet idéal de la Résistance, de la dignité, de la protection des victimes, etc, etc. Et finalement c'est un Français typique, avec baguette, si je puis dire, et béret basque – enfin, un représentant de cette classe ouvrière d'autrefois –, qui m'a dit : « Ah ! mais bien sûr ! », et qui m'a indiqué le chemin.

J'arrive là et je vois les survivants de cette période glorieuse, des gens qui ont vraiment fait de la Résistance, qui n'ont pas usurpé le titre de résistant, qui se sont vraiment mouillés. J'ai vu les survivants du camp de Drancy, et j'ai réalisé que cette éthique de résistance à l'oppression, à l'occupant, de dignité de la classe ouvrière, tout ça, ça avait représenté quand même une culture extraordinaire et qu'elle est désormais perdue. Ça ne s'est pas recomposé et je crois qu'on a perdu quelque chose. Je n'ai pas de regret sur le communisme, j'ai un regret là-dessus.

Qu'on me permette de faire mienne cette conclusion à la fois tendre et désabusée.

III

Le PCF comme territoire

Les Juifs, depuis la Diaspora jusqu'à la création de l'État d'Israël, se sont pensés et ont été pensés par l'Autre comme peuple sans territoire. Ils avaient une religion, une langue (que ce fût le yiddish, le ladino ou l'une des formes de judéo-arabe), mais plus d'espace propre dont ils pussent se proclamer les seuls attributaires.

Shmuel Trigano[1] a très bien analysé l'extrême complexité du rapport des Juifs au territoire : un peuple à qui Dieu « promet » une Terre, mais dont la tribu majeure, celle des Lévi, celle qui assure le service du Temple, ne possède pas le moindre pays à elle ; un peuple qui célèbre son détachement, son refus des établissements trop stables en se réfugiant, une fois par an, dans une cabane[2].

Israël naît. Un certain nombre de Juifs ne s'y reconnaissent pas, soit qu'ils se revendiquent exclusivement attachés à la nation qui les a accueillis et dont ils sont devenus les citoyens, soit qu'ils refusent même l'appartenance à un peuple spécifique, soit enfin qu'ils se proclament internationalistes, dégagés de toute référence étroitement nationale.

À tous ces Juifs-là, le PC fournit un modèle de territoire symbolique, dans lequel ils peuvent s'ancrer fortement, se créer ainsi une

---

1. Shmuel Trigano, *op. cit.*, p. 319.
2. C'est la fête de Soukkot.

identité de substitution (pas toujours incompatible avec l'identité perdue).

Pour les Juifs communistes, ce territoire du PC apparaît sous trois formes, alternées, mais parfois combinées : comme famille, comme institution, comme « entre-deux ».

Le PC comme famille

Reprenons, une fois de plus, l'autocar avec les rescapés que filme Emmanuel Finkiel. Accompagnons-les, ces survivants, en Pologne, à Belleville, à Tel-Aviv. Ils ne cessent de se déplacer, ils traversent l'Europe, la Méditerranée... Les gares, les aéroports, les hôtels constituent les étapes de leur errance. Quel est leur seul point d'ancrage ? Celui que désignent les photos de famille, sans cesse échangées, confrontées, retrouvées.

La famille se définit comme territoire unique de la judéité sauvegardée.

Mais ceux-là, les pèlerins d'Auschwitz, n'ont justement plus de famille. Au point que Régine, la Bellevilloise, l'héroïne de la deuxième histoire, accepte le père imaginaire qui se présente, venu de Vilna, parce qu'il faut bien qu'aux yeux de sa fille et de son petit-fils se reconstitue la lignée.

À ceux dont les parents ont disparu derrière ces barbelés ainsi brièvement entrevus, le PC offre *une famille de substitution*, presque aussi chaleureuse. Est-ce un hasard si la salle couverte de photos où, dans le film, les pèlerins d'Auschwitz visionnent la vidéo de leur voyage est précisément celle du 14, rue de Paradis – le siège de l'UJRE, le point de rencontre mythique des ashkénazes communistes de cette génération perdue ?

Rappelons-nous Jacqueline A. (1944, Montauban, PCF depuis 1962), celle qui revit encore l'obsession des photos de fusillés, dans les colos de la CCE : son père est déporté quelques semaines avant sa naissance, sa mère se remarie et ne cesse de pleurer. Elle-même est placée dans des familles d'accueil. La CCE, puis le Parti, lui offrent enfin un territoire : « Je trouvais une famille. Je trouvais des gens d'accueil. Je trouvais des gens qui avaient les mêmes idées que moi. C'était chaleureux. C'était bien. »

Isi A. (1933, Paris, JC/PC depuis 1948) – le communiste du CNPF – a vu l'arrestation de son père, parti dans le deuxième convoi pour Auschwitz. Il adhère à quinze ans :

> Après la guerre, on était tous des gens qui avions perdu soit son père, soit sa mère, soit les deux. Et même quand on avait les deux, on était tout de même un peu orphelins. Donc *on s'est reconstruit entre nous une famille.* Aujourd'hui, on est, disons, une quarantaine. J'ai un problème, je téléphone, on est là demain ! Et ça dure depuis ces mouvements de jeunesse de tout de suite après la guerre, ces cercles artistiques et autres... *Donc on s'est refait une famille entre nous et la maison dans laquelle est la famille – le Parti ou le mouvement de jeunesse.*

Et d'en tirer une conclusion évidente : il faut « laver son linge sale en famille ». Autrement dit : rester, discuter, ne jamais partir.

Parfois même, cette reconstitution du tissu déchiré prend des formes inattendues. Noémi V. a perdu dans la Shoah son grand-père, un oncle, une tante et trois cousins. Elle adhère à vingt ans (et ne reste au PC que deux courtes années) :

> À l'époque, c'était une grande famille. On devenait amis, amants, ah ! c'est vrai, faut pas se cacher ça non plus ! [Elle rit.] Faut pas être hypocrites ! Il y a beaucoup de couples qui se sont faits, défaits, refaits, etc., ça sert à ça ! C'est une association, hein !

Chez beaucoup de séfarades, *le Parti sert de famille-refuge* quand la rupture a été, tout à l'inverse, délibérément amorcée ou consommée avec la famille naturelle.

Marlène V. (1952, Tiaret, UEC/PC de 1973 à 1980) entretient avec ses parents – Juifs algériens de tradition – des rapports complexes, où se mêlent un peu d'amour et beaucoup de révolte. Elle invente le militantisme – mais elle ne leur en dira jamais rien – comme signe et preuve de sa rupture :

> Une éducation stricte, rigoureuse. Une enfance qui m'a portée... à être rebelle très très jeune, contre ma famille. Eh bien ! je crois que j'ai

trouvé un lieu où exprimer un petit peu cette révolte envers et mes parents et l'éducation que j'avais reçue. Qui a débordé sur l'ensemble de la société.

J'ai commencé à militer comme ça. Avec ce rejet de tout ce que j'avais derrière moi. Toujours dans la révolte contre. Ça relève aussi de ma propre histoire. Tout ce que j'ai pu vivre sur le plan familial. Une fille complètement étouffée, ne pouvant pas parler, n'ayant pas le droit de décider pour soi, c'était les parents qui décidaient pour vous, on ne prenait pas en compte votre avis, une fille ça restait à la maison. Le rôle pour lequel on était formée et que je n'ai jamais accepté.

Alexandre N. (1958, Oran, PCF depuis 1976) pousse encore plus loin la révolte. Une famille Algérie française et très pratiquante, une sœur en Israël, tous passablement orthodoxes : lui, que l'on a inscrit comme pensionnaire à Lucien-de-Hirsch, part de chez ses parents à dix-sept ans, s'installe à Marseille, épouse une catholique, s'inscrit au Parti communiste. Rompre, pour lui, c'est d'abord changer de territoire : le PCF sera le nom qu'il donnera à son nouveau port d'attache.

Parfois même, il n'y a pas de rupture. L'exil hors de la terre natale a simplement coupé les liens. On se retrouve seul. Le Parti sert alors de *famille d'accueil*.

Odette C. (1922, Le Caire, PCF depuis 1948) a été expulsée d'Égypte au moment de la première guerre d'Israël : « J'ai adhéré au PCF six mois après mon arrivée, fin 1948. Ça a été le bonheur. Parce que j'ai trouvé là des amis, une famille, du réconfort. Parce que je vivais une espèce d'exil. Je me sentais désorientée. Je n'avais aucun repère. »

Et lorsqu'elle prend enfin conscience des crimes staliniens, elle refuse catégoriquement d'en tirer les conséquences : « C'est, dit-elle, comme si je devais rejeter mon père ou ma mère, parce qu'ils avaient mal agi. » L'URSS comme « père » ou « mère », le Parti comme « famille » : on ne saurait être plus clair.

Aussi ne faut-il pas s'étonner que, dans tous les cas, la rupture avec le PC crée un immense sentiment de « vide », de « solitude ». Sabine O. (1952, Paris, PCF de 1968 à 1982) vit désormais, dit-elle, « avec *cette douleur de ne plus pouvoir appartenir à cette famille-là...* Pour le moment, je ne sais pas quoi en faire ». Elle se tâte : va-t-elle réadhérer ? Elle continue à voter communiste.

Le PC comme institution

Renouons connaissance avec quelqu'un que nous avons souvent rencontré, Claude-Raphaël D. (1942, Sfax, PCF de 1973 à 1979). Né en Tunisie, « exilé » sur les bord de la Loire à quinze ans, il ne cesse, pendant des années, d'errer de métier en métier, de continent en continent :

> J'avais complètement perdu mes repères, mes repères sociaux, mes repères familiaux, puisqu'il n'y avait pratiquement pas de Juifs dans cette ville [Chinon]. On est complètement isolés. Je me suis traversé une crise très grave au début, parce que j'étais complètement perdu. Je ne savais plus vraiment où j'en étais. J'avais, dans cette opération de transplantation, perdu un petit peu non seulement mes repères, mais aussi mon âme. J'ai eu un vrai problème d'identité.

Après son diplôme d'études supérieures de philosophie, il part deux ans pour le Cambodge. « À partir de là, j'ai beaucoup circulé, je suis allé au Vietnam, au Laos, en Indonésie, à Hong Kong, Singapour... » Sur le chemin du retour, il s'arrête en Israël. Son rêve d'*aliyah* avorte. Il rentre à Paris et reprend des études de psychologie. Il monte avec des amis une mission ethnologique au Liberia, qui, faute d'argent, s'achève... au Maroc, où il travaille à la Télévision scolaire. Ce qu'il continue de faire à Paris, où il revient en 1972. Il s'ennuie. Il entre dans un organisme de formation des travailleurs immigrés.

Et là, peu à peu, se dessine *la* solution : « Je m'achemine donc là vers *la terre*... vers *la terre* du communisme. [Il rit.] Ce n'est pas *l'errance* avant le communisme, mais enfin c'est un peu les prémices. » La « terre » (répété deux fois), c'est-à-dire le territoire : il a enfin trouvé où s'ancrer, où mettre fin à l'exil (au moment même où il vient de se marier). Il prend sa « carte » – et le mot est important, parce qu'il désigne une institution plutôt qu'une révolte.

497

Il entre dans une « cellule » (encore un mot qui dit la mise en place) ; il est très fier d'énumérer les intellectuels de renom qu'il y rencontre :

> J'étais un bon militant, je payais mes vignettes... En plus, j'avais *ma carte* de la CGT. J'avais été désigné par ma cellule comme *membre de la section*. Et puis, lors du Congrès... je pense que c'était 1976, j'avais été, non pas délégué au Congrès, mais *délégué par la section au Congrès fédéral*. Ce qui, en deux ans de militantisme, était un bon résultat. Ensuite, on m'avait pressenti pour être... secrétaire de cellule. J'avais dit : « Non, je ne suis pas un homme d'appareil, ça ne m'intéresse pas. »

Bref, malgré la dénégation, un homme qui commence une très jolie et très rapide ascension, que la section des cadres ne va sans doute pas manquer de remarquer (et d'encourager). Las ! Claude-Raphaël divorce (sa femme était au Parti) et entreprend une psychanalyse. Un jour, son analyste lui lance : « Si c'est si bien, allez-y, à Moscou ! » Autrement dit : « Explorez-le, votre territoire ! » Cela suffit à provoquer une prise de conscience : « J'avais fait mon expérience... j'allais dire sociologique et *institutionnelle* d'être entré dedans, pour voir ce que c'était. J'en avais tiré mes conclusions. » Entendons bien : « institutionnelle ». Pas « idéologique ». Il rend sa carte.

C'est le moment où il se redécouvre juif, à travers la mémoire retrouvée de la langue. Mais cette judéité, il la vit une fois encore sur le mode de l'institution. Il « prend sa carte ». Réécoutons-le :

> Il faut être *dans l'institution*. Je crois qu'il faut être *dans l'institution*. À cet égard-là, moi, j'ai une pratique qui est finalement... un rapport à *l'institution* consistoriale. Moi, j'ai *une carte*, si vous voulez, j'ai *ma carte*. Je suis électeur. Il faut être cohérent. Je suis électeur consistorial dans ma communauté. Je paie *une cotisation* consistoriale.

Et, une fois encore, il s'installe dans un territoire mythique – Israël. Certes, la deuxième tentative d'*aliyah* échoue elle aussi. Mais reste « un attachement très profond. Même, à la limite, non négociable ». Au point que Claude-Raphaël, autrefois militant propalestinien, s'oppose aujourd'hui à toute restitution des « Territoires »...

Raphaël T. (1922, Alger, PCA/PCF de 1950 à 1967), celui qui s'est fait circoncire à plus de soixante ans, a connu successivement trois exclusions : l'école de Vichy, qui l'a chassé comme Juif ; sa grand-mère paternelle, catholique bigote qui « ne pouvait pas [le] blairer parce qu'[il] était en fait le fruit de l'amour entre une Juive et... [un chrétien] ; l'Algérie, qui l'a expulsé comme Français. Son fantasme majeur, c'est désormais la communauté, le territoire : « faire partie », « appartenir » (à l'Association du Mémorial juif, à la communauté synagogale, au Fonds social juif unifié). Le Parti communiste a représenté pour lui, pendant dix-sept ans, un supplément d'appartenance.

Aux Juifs communistes qui se sentent exclus, le PC fournit ainsi une parfaite structure d'inclusion institutionnelle. On y fait carrière, on s'y attache aux brimborions de la « promotion des cadres ». Des années après la rupture, on se flatte encore d'avoir appartenu au « Comité de section » ou au « Comité fédéral ».

Écoutons Serge Z. (1948, Tunis, PCT de 1965 à 1985), celui qui s'est converti à l'islam : « Donc je milite, je suis communiste, je suis même dirigeant communiste. Être assis à côté de Brejnev à l'âge de vingt-trois ans, c'est un peu étrange. Et quand en 1982 je rentre, je suis donc membre du Comité central. » Dès la première phrase sur le PC, c'est l'institution qui est dite. Le PC est défini d'emblée comme espace de promotion sociale.

Même (ou surtout) chez ceux qui ont rompu depuis longtemps. « À douze ans et demi, treize ans », Viviane C. (1958, Casablanca, JC/PC de 1972 à 1978) se voit proposer de « prendre des responsabilités à l'UNCAL[3] et puis aussi aux Jeunesses communistes ». Michel T., que les mésaventures de son père, haut dirigeant victime d'un « procès de Moscou à Paris », devraient pourtant prémunir contre ce genre de virus, commence par affirmer : « J'ai jamais exercé de très hautes responsabilités », puis énumère : « membre du

---

3. Union nationale des Comités d'action lycéens, une des structures créées par le PC après 1968 pour essayer de contrôler le mouvement lycéen qui lui échappe.

Comité fédéral de la JC, secrétaire du Cercle JC du lycée Bergson, secrétaire de la section Classes prépas de l'UEC, président de l'Union des grandes écoles, membre du Bureau national de l'UNEF »... Même Alain F., pourtant déjà membre du Comité national, se vante d'être « dans les places d'honneur » à la synagogue de Marseille, lors de la cérémonie en hommage à Rabin.

En quoi cet appétit (ou cette nostalgie) de promotion serait-il particulier aux Juifs ? Il me semble qu'il faut voir là un bel exemple de ce que les anthropologues appellent la *switch identity*[4], l'alternance d'identité : une façon de privilégier tactiquement telle ou telle appartenance « pour tirer le mieux possible leur épingle du jeu des relations interethniques ».

Les Juifs communistes disposent de trois identités alternatives ou cumulatives – la juive, la communiste et la française –, leur permettant de jouer sur trois scènes des rôles différents qui éludent la posture d'infériorité sociale. Ainsi s'expliquerait l'insistance mise par presque tous, même par des intellectuels de renom, sur les positions conquises (et généralement dérisoires) dans la contre-société communiste. Plutôt que de changer d'identité, on choisit de changer le champ d'affrontement. D'où aussi les très belles carrières que quelques-uns d'entre eux réussissent dans les grandes entreprises de la nébuleuse communiste : on devient P-DG ou directeur financier dans l'empire Doumenc – parfois même membre du CNPF ! –, parce que l'on ne se risquerait peut-être pas à affronter la concurrence dans l'univers des grands groupes capitalistes.

Le milieu où ont vécu leurs parents a disparu corps et biens : le *shtetl*, le *mellah*, la *hara*, la bourgeoisie juive du Caire ou d'Alexandrie, le Belleville des années trente... Ils ne connaissent pas encore les règles du jeu de la société dominante. Le PC leur fournit un milieu d'accueil où ils se lancent à armes égales. Des règles du jeu simples, une morale évidente, un idéal de justice qui

---

4. Cf. Philippe Poutignat et Jocelyne Streiff-Fenart, *op. cit.*, p. 128 et sq ; Stanford M. Lyman et William A. Douglass, « Strategies of Collective and Individual Impression Management », *Social Research*, XL, 1972, p. 344-365.

ressuscite la tradition juive... Là, ils peuvent s'inventer un personnage qui ne trahisse pas l'héritage.

Le bénéfice socio-économique se double d'une gratification symbolique. La société communiste a été pendant longtemps la seule, avec les groupes gauchistes, à produire de l'imaginaire social. Non seulement on y conquiert des positions, mais encore on y a la sensation de participer à l'une des grandes aventures du siècle.

Dans cet immense jeu de rôles que constitue la vie sociale[5], un de nos personnages – est-ce un hasard si c'est le plus jeune ? – jette en partie le masque. Anne L. (1967, Ivry, UEC/PC depuis 1986) reconnaît qu'elle adapte son identité juive et son identité communiste à l'interlocuteur qu'elle a en face d'elle :

> Je pense qu'on n'est pas juif tout le temps, dans tous les actes de notre vie quotidienne. Comme on n'est pas communiste dans tous les actes de notre vie quotidienne. Et qu'on l'est quand on se positionne comme tel. Quand on est positionné. Parce qu'on peut être mis en instance de répondre en tant que Juif ou en tant que communiste. Quand on se brosse les dents, on ne se les brosse pas en tant que Juif ! Autrement, ça donne une position très fermée, complètement antimarxiste ! [Elle rit.] Pour un communiste, ça voudrait dire que l'Histoire est finie : pas d'évolution possible ! Communiste en acte et dans tous ses actes !
> — Vous est-il arrivé de vous définir par rapport à l'État d'Israël ?
> — Oui. Mais de manière très fluctuante. Et c'est pareil, je n'interviens pas de la même façon selon la personne que j'ai en face de moi. Selon que la personne est juive ou non, je n'ai pas forcément la même position.

Un autre interviewé, Philippe E. (1959, Casablanca, PCF depuis 1974), ancien énarque, ne cache pas qu'il joue parfois alternativement des deux « cartes » pour réussir dans la haute administration :

---

5. Erving Goffman, *La Mise en scène de la vie quotidienne, 1. La présentation de soi*, trad. Alain Accardo, Paris, Éditions de Minuit, 1973, notamment p. 19, 82-83.

> Pour moi, c'est aussi un moyen de tisser un réseau de relations. Il y a un côté utilitaire. Les jours de fête, quand j'ai l'occasion devant quel-qu'un... Il ne faut pas afficher des codes inaccessibles aux autres. Je suis chef de division, mais pour moi c'est très clairement un signe d'appartenance. Pour moi, il y a un certain nombre de réseaux constitués. Donc il y a la carte communiste, il y a la carte juive...

Dans la vie quotidienne, le « rôle juif », pour celui qui se tenait éloigné à la fois de la synagogue et d'Israël, offrait sans doute trop de contradictions pour être joué longtemps de façon vraiment crédible. En revanche, le « rôle communiste », peut-être jusqu'à la fin des années soixante-dix, « tenait la rampe » (ou en donnait tout au moins l'apparence), y compris dans ses ultimes absurdités. Cela pouvait même passer, aux yeux des autres, pour un facteur de cohérence. Le masque de Juif communiste offrait donc au Juif athée et antisioniste une solution de rechange : il permettait d'assumer quand même une part de judéité, tout en affirmant fermement son refus de toute pratique et de toute croyance.

Sauf qu'entre-temps l'image du Juif s'est revalorisée et celle du communiste s'est tragiquement dévaluée. Mais nos interlocuteurs ne le savent guère : ils sont souvent trop vieux pour avoir compris le chassé-croisé des icônes. Pire encore : « À titre d'acteur, l'individu a été contraint de se cacher à lui-même en tant que public les faits inavouables qu'il a appris sur sa représentation ; en d'autres termes, il y a des choses qu'il sait, ou qu'il a sues, mais qu'il n'est pas capable de se raconter à lui-même[6]. » À lire cette analyse d'Erving Goffman, on croirait vraiment qu'il nous parle des Juifs communistes face au spectre de l'URSS...

Mais dans ce territoire ambigu, où identité communiste et identité juive jouent à cache-cache, où l'une peut servir de cache-misère à l'autre, le Juif communiste retrouve parfois, étrangement, quelque chose du fonctionnement du ghetto, ou plutôt de la *qehillah* – la communauté juive d'avant l'émancipation. On y est soumis à une sorte de tribunal rabbinique, qui prononce les exclusions, quasiment sur le mode du *herem* (l'excommunication). Rappelons-

---

6. Erving Goffman, *op. cit.*, p. 82.

nous l'histoire de Rose M., exclue à cause d'une photo qui n'existe pas et d'un voyage imaginaire à Vienne. Il arrive même que le Parti interdise à ses membres de fréquenter telle ou telle catégorie de population, comme si les non-communistes ou les communistes suspects (par exemple, les Juifs qui viennent d'Égypte) devenaient des sortes de *goïm* intouchables.

Le PC comme « entre-deux »

La littérature et le cinéma, les imaginent souvent tout d'un bloc, les Juifs communistes : « hommes de fer » ou « hommes de marbre[7] », capables de faire volte-face avec un sang-froid imperturbable, un jour disant blanc, le lendemain jurant noir – bref, des machines à débiter une vérité unique, monochrome et monocorde. On les découvre, tout à l'inverse, dans une dualité permanente.

Les séfarades ne cessent de proclamer leur *double appartenance, à la fois Juifs et Arabes* – ce qui ne manquerait sans doute pas d'étonner, voire de choquer, la plupart de leurs coreligionnaires étrangers au PCF[8].

Nadyne V. (1956, Tiaret, PCF de 1974 à 1978) dit même qu'elle « [se] vit plus comme une Arabe que comme une Juive ». Élie T. (1944, Alexandrie, PCF depuis 1974), qui semble construire toute sa vie sur le thème du double, s'enorgueillit de cette posture inconfortable : « Du côté de la communauté juive, on m'appelait le Français, parce que j'étais normand d'origine, et du côté de la communauté française, on m'appelait le Juif d'Égypte. »

Quelques-uns avouent tout de même un certain malaise, telle Renée O. (1923, Oran, PCF de 1961 à 1985) – celle qui s'était juré de jeûner pour Kippour après que le préfet avait libéré son mari de prison : « Alors on est partagés... On est tout. On est déracinés. Et on cherche partout. Et on est mal installés n'importe où. » Les voici

---

7. Ce sont deux films d'Andrej Wajda.
8. Treize séfarades de l'échantillon (sur cinquante) affirment ainsi leur double appartenance. Cinq d'entre eux militent toujours au PCF.

désormais, elle et son mari, à la fois arabes et juifs, algériens et français, dans le Parti et hors du Parti, dans la judéité et hors de la judéité : de quoi clamer leur désespoir, leurs repères perdus. D'autant plus qu'une de leurs patries les chasse. « Je me sentais aussi bien arabe que juif, constate tristement Georges T., jusqu'au jour où les Arabes m'ont fait comprendre que ce n'était pas la peine d'insister, qu'il fallait s'en aller. »

Dans cet entre-deux, ou cet entre-trois, le Parti communiste apparaît dès lors comme un territoire de conciliation, ou de réconciliation, comme le lieu où peut se reconstituer l'unité d'une identité. Les seuls qui résistent à l'effondrement de leur système dual, ce sont justement ceux qui s'accrochent au PCF comme intégrateur de différences. Prenons l'exemple d'Éliane V. (1945, Casablanca, communiste depuis 1965) : elle n'a jamais pu se détacher du territoire marocain où elle est née, elle s'arrache difficilement du territoire soviétique qui a incarné le paradis, elle ne s'est jamais vraiment habituée au territoire français où elle vit désormais, elle refuse catégoriquement le territoire israélien. Le PC joue pour elle le rôle d'instrument de la multipolarité dépassée et assumée – le seul point d'attache : l'unique territoire qu'elle accepte et qui l'accepte. Lorsqu'il se révèle à son tour « franco-français » (pendant la guerre d'Algérie), il perd tout intérêt.

C'est peut-être Marthe H. (1945, Le Caire, JC/PC depuis 1960) qui nous dit la vérité profonde de ce refuge au PC : le Parti subsume toutes les particularités ; on n'y milite jamais « en tant que » Juif ou « en tant que » femme, mais on vient s'y fondre, effacer sa différence. Une simple situation cultuelle ou religieuse ne constitue pas une classe et ne peut donc engendrer un ferment révolutionnaire. « J'en avais tellement marre de la singularité », avoue Rosette Z. (1934, Paris, PCF depuis 1951) pour expliquer son adhésion à dix-sept ans.

D'autres Juifs communistes font, nous l'avons vu, *le grand écart entre leur militantisme et ce qu'il leur reste d'attachement au judaïsme.* L'acrobatie remonte parfois loin en arrière : le grand-père de Jean-Marc A. (1953, Paris, JC/UEC/PC de 1967 à 1993) était tout à la fois trésorier du Parti et du Consistoire israélite à Sidi

Bel Abbès. Emmanuel Mink trouve parfaitement normal, quand il s'enfuit de Pologne, de demander secours au Consistoire. Les parents d'Iliane K. (1923, Tel-Aviv, PCF depuis 1944) tiennent leurs réunions de cellule « dans la grande synagogue de Lyon, dont les gardiens étaient des membres du Parti ». Jacques P. (1923, Le Caire, communiste depuis 1942) ne voit aucune contradiction entre sa carte du PC et sa fonction de *chamès* de la synagogue de Versailles.

Peu d'« acrobates » font tout de même aussi bien que Claude J. (1928, Tlemcen, PCA/PCF de 1947 à 1963), qui se retrouve professeur à l'École Maimonide tout en dissimulant sa carte du PC dans son portefeuille et en se faisant élire délégué syndical CFDT.

> J'avais cherché un peu partout du travail, j'avais été toujours à l'Union des étudiants juifs, où j'étais toujours inscrit. Et on m'a donné un travail, un poste de remplacement à Maimonide. Je n'ai jamais été croyant. Sauf depuis... depuis que... ma foi s'est évaporée, quoi.

D'autres n'hésitent pas à *mêler* allégrement *religion juive et religion musulmane ou chrétienne*. On se rappelle Serge Z. (1948. Tunis, PCT de 1965 à 1985), converti à l'islam pour pouvoir épouser une Tunisienne, mais qui ne s'oppose pas à ce que son fils s'intéresse au judaïsme. Annie C. (1945, Grenoble, JC/PC de 1954 à 1978) suit à la fois l'école des bonnes sœurs et des cours chez le rabbin, épouse un musulman (dont elle divorce) et se retrouve aujourd'hui en couple avec un séfarade du Maroc, n'imaginant plus pouvoir aimer un homme qui ne serait pas juif. Quand Claude B. est encore un enfant de Tiaret, le rabbin lui enseigne l'histoire de Joseph... dans la version du Coran. Pour lui – d'abord sioniste, puis nationaliste algérien, ne se sentant jamais français, jamais accepté par les Algériens – , le PCF apparaît une fois de plus comme un fragile élément d'unité.

On pourrait multiplier les exemples : ceux qui deviennent de grands patrons, comme Isi A., ou des consultants liés à l'Union européenne et aux multinationales, comme Élie T., et qui ne faiblissent jamais dans leur fidélité au Parti. Ceux qui proclament leur antisionisme et qui multiplient les marques d'affection pour

Israël, comme Élie T. qui accepte un travail de salarié au Fonds social juif unifié, ou Jacques P. (le *chamès* !) qui, au départ d'Égypte, se fait prendre en charge par l'Agence juive. Ou encore Albert J. qui fait visiter à ses fils la tombe de Herzl, quête pour la plantation d'arbres en Israël et reçoit de là-bas des chandeliers de Hanoukkah. Tout à l'inverse, Claude J. a sa carte de l'Union des étudiants juifs, mais se dit volontaire pour aller combattre aux côtés de Nasser !

> Je ne veux pas renier mon engagement à l'Union des étudiants juifs, c'est-à-dire j'appartiens au peuple juif, puisque c'est ça l'Union des étudiants juifs, donc c'est une forme de sionisme. Mais donc je me libère d'un sionisme impérialiste. Donc je suis pour le sionisme, mais contre le sionisme impérialiste.

Pourquoi, dès lors, le Parti communiste ? Éliane V., la Juive du Maroc, nous fournit peut-être, une fois de plus, la clé :

> Je suis complètement bâtarde. Née dans un pays, ayant vécu dans deux autres, quel est mon pays ? Je ne sais pas. Je ne connais pas la Syrie. La Turquie, j'y ai passé ma première enfance. L'Égypte, une grande partie de ma vie, de ma jeunesse. Mais quel est le pays que j'aime ? J'aime tout.
> C'est une appartenance, le Juif aime appartenir à un groupe... Le Juif, dans n'importe quel pays où il a vécu, il n'a jamais appartenu à la nation. Parce que même le Juif français, qui se croyait tout à fait français, il a fallu la guerre pour qu'on se rende compte qu'il n'était pas aussi... Ou, si lui était assimilé, on ne le considérait pas comme un Français. Alors, *est-ce le fait de ne pas appartenir vraiment à une collectivité qui a fait que le Juif aime à être au sein d'un groupe ?* Peut-être est-ce une sécurité ? Peut-être... [Silence] Parce que *le Juif, ou bien il appartient au Parti communiste, ou bien beaucoup au sionisme. Donc c'est toujours une appartenance à une collectivité.*

C'est qu'en effet le militant communiste vit depuis toujours dans un espace double et un temps double : espace de son territoire, la France, pour laquelle il proclame souvent un attachement quasiment chauvin (« Produisons français ! »), en opposition violente à tout ce qui risquerait de la dissoudre (l'« Europe des monopoles », la CED...) ; espace de l'« internationalisme prolétarien », autrement dit de l'URSS et de ses satellites, sans cesse présentés comme un modèle, auquel se rattache plus ou moins un troisième pôle, constitué par les mouvements de libération nationale, dans la mesure du moins où la solidarité avec eux ne met en danger ni les intérêts du bloc soviétique ni les positions tactiques du PCF (qu'on se rappelle le vote des pouvoirs spéciaux à Guy Mollet...). Temps court de l'immédiateté du combat, où le militant doit s'impliquer *hic et nunc*, dans son entreprise et son quartier ; temps long de l'espérance révolutionnaire, qui console de la monotonie, voire de l'échec de l'activité au quotidien.

Mais peut-être aussi le Juif communiste retrouve-t-il dans cette dualité permanente l'un des modes de fonctionnement de la judéité. Joseph cumule les fonctions de conseiller du pharaon et de protecteur des Juifs. Esther est à la fois l'épouse d'Assuérus et celle qui sauve le peuple hébreu grâce à Mardochée. Quand, dans le traité *Baba Metsia* 59b du Talmud, rabbi Éliézer dispute avec les sages à propos du « four du serpent », chacun des participants fait appel au jugement de Dieu : l'un arrache de terre et « déplace de cent coudées » un caroubier ; l'autre fait couler l'eau du ruisseau à rebours ; un troisième fait s'incliner les murs de la *yechivah*. Mais quand « rabbi Nathan rencontra le prophète Élie et lui demanda : "Que faisait le Saint, béni soit-il, au moment de cette discussion ?", il répondit : "Dieu souriait et disait : 'Mes enfants m'ont vaincu et rendu Éternel'[9]" ». La vérité est multiple, elle ignore le principe de non-contradiction. « Il existe un va-et-vient dialectique entre la question et la réponse que l'hébreu nomme la *bina*. La *bina* vient de la racine *beyn*, qui veut dire "entre", c'est littéralement la pensée de l'"entre-deux"[10] »

Cette ambiguïté fondamentale de la pensée juive (voulue et assumée comme telle), Walter Benjamin croit la retrouver dans le marxisme :

---

9. Cité par Marc-Alain Ouaknin, *Méditations érotiques*, Paris, Balland, 1992, p. 160-161.

10. Marc-Alain Ouaknin, *C'est pour cela qu'on aime les libellules*, Paris, Calmann-Lévy, 1998, p. 69.

Jamais je n'ai pu chercher et penser autrement que dans un sens, si j'ose ainsi parler, théologique, c'est-à-dire conformément à la doctrine talmudique des quarante-neuf degrés de signification de chaque passage de la Tora. Or les *hiérarchies du sens*, la platitude communiste la plus rebattue les respecte davantage que l'actuelle profondeur bourgeoise qui n'en tient jamais qu'un seul, l'apologétique[11].

Qu'on nous permette d'adhérer à la critique d'Adorno : « Votre travail se situe au carrefour de la magie et du positivisme. [...] Vous vous êtes fait violence [...] pour payer tribut au marxisme, tribut qui n'est d'aucun profit réel ni pour lui ni pour vous[12]. »

La magie : voilà peut-être le mot clé. Si tant de Juifs se sont, des années trente aux années cinquante ou soixante, précipités aveuglément dans les territoires obscurs et tourmentés du communisme, c'est parce que, devant l'horreur du monde, seule la magie pouvait encore préserver une petite part d'espoir. Comment se battre à un contre mille, comme les combattants des FTP-MOI, si l'on ne croit que la folie peut avoir raison de la force, que la volonté inspirée de quelques-uns peut l'emporter sur l'organisation la plus puissante appuyée sur le nombre ?

D'où l'importance majeure de la parole : le PCF, aux yeux de milliers de Juifs, ce sera aussi une façon d'exorciser avec des mots la Bête immonde.

---

11. Walter Benjamin, « Lettre à Max Rychner, du 7 mars 1931 », in *Correspondance, op. cit.*, t. II, p. 42-44.

12. « Lettre de Theodor Adorno à Walter Benjamin, du 10 novembre 1938 », *ibid.*, p. 267-274.

IV

Le PCF comme langage

L'expression « langue de bois » revient sans cesse dans la bouche des journalistes qui commentent les déclarations des hommes politiques. Au point que ceux-ci se vantent désormais de ne plus recourir à ce dialecte maudit.

Mais nul ne s'interroge vraiment sur la pertinence de ces mots en prêt-à-parler dont les communistes ont toujours fait un si large usage. Les stéréotypes du langage politique ne sont pas plus dénués de sens que les versets d'une prière ou les répons de la messe. Ils expriment un message ; ils traduisent un besoin de parler avec les autres et comme certains autres ; ils désignent une frontière, en deçà de laquelle on se reconnaît à l'emploi de telle formule convenue, au-delà de laquelle des ignorants, des adversaires ou des exclus ricanent ou s'inquiètent.

En ce domaine, les communistes passent souvent pour des spécialistes. Pas plus, en toute justice, que leurs concurrents, à en juger par ce que l'on en lit chaque jour dans la presse. Un marxiste dirait que l'idéologie dominante stigmatise les mots de ceux qui la combattent.

Les Juifs se sont toujours posé la question du langage. Babel est sans doute l'un des premiers mythes qui en dise quelques-uns des mystères. Les Juifs qui ont rejoint le Parti communiste ont donc trouvé dans leur corbeille, en même temps que la « carte », un

509

lexique virtuel, un dictionnaire oral dont ils ont dû très vite apprendre l'usage. Comment la culture juive, les langues juives sont-elles entrées en interrelation avec cette langue d'emprunt ? Ont-elles pu l'annexer, la recycler, ou bien se sont-elles laissé phagocyter ?

Parler, se taire

Lieu de parole ? Lieu de silence ? Le PCF, aux yeux des Juifs communistes, revêt alternativement l'une et l'autre de ces figures. Ils y échangent bien souvent le refoulement familial contre une censure institutionnelle, qu'ils prennent longtemps pour une forme inédite de liberté.

Un certain nombre de jeunes Juifs ont adhéré parce qu'ils avaient à affronter, dans leur famille, le silence de l'indicible. Le Parti leur apparaissait, paradoxalement, comme *un lieu où la parole serait possible*.

Les parents de Noémi V. (1953, Paris, UEC/PC de 1973 à 1975) ont changé de nom, et l'ont peut-être fait baptiser (elle ne sait plus très bien, ce qui pourrait passer pour de la forclusion...) :

> Il y a d'autres gens dans ma famille aussi qui ont changé de nom. Mais très bizarrement, du côté de ma mère, *on ne peut pas en parler*. Parce qu'il y a eu trop de déportations, j'ai perdu mon grand-père, j'ai perdu mon oncle, ma tante, ses trois enfants... Alors que *peut-être que ma mère arrivera à en parler*, je ne sais pas, mais... On sait des petites choses, comme ça, parce que moi, je m'y intéresse, donc je lis des livres que je passe maintenant à ma mère. Donc *elle peut m'en parler*, puisque moi, je m'y intéresse. Mais autrement, non. C'est trop douloureux. On peut rien en dire. Alors les enfants interrogent, les petits-enfants interrogent, mais... bon, il faut... il faut respecter, je crois, leur... leur souffrance, on est... *cette génération qui... qui n'en a pas parlé...* Je ne sais pas si vous avez lu ce livre qui m'a énormément intéressée, de Claudine Vegh[1] ?...
>
> Je l'ai prêté à ma mère, qui a été impressionnée par ces témoignages.

---

1. Claudine Vegh, *Je ne lui ai pas dit au revoir. Des enfants de déportés parlent*, postface de Bruno Bettelheim, Paris, Gallimard, 1979.

À partir de là, *on a peu parlé. Un peu parlé. On en parle très peu,* quoi... *C'est pas qu'on veut pas en parler. Ils ne peuvent pas en parler.* C'est dommage.

— Et le fait juif est totalement occulté ?

— Ah ! totalement. Absolument. *On n'en parlait jamais.* Jamais. *On n'en parle jamais,* mais quand on avait, mon frère et moi, des copains ou des copines, la première interrogation de mon père, c'était : « Comment ils s'appellent ? » Et évidemment c'était des noms juifs... [Elle rit.] À chaque fois, il le soulignait. Mais... c'est tout. *On n'en parlait absolument jamais,* jamais, jamais. *On ne peut pas en parler.*

Peut-être parce qu'on n'a pas eu une éducation religieuse, parce qu'*il fallait pas en parler.* C'est qu'il fallait pas, c'est qu'*ils ne pouvaient pas en parler. Ma grand-mère... en a jamais parlé.* Mes grands-parents paternels, *jamais de la vie on n'a parlé de...* c'est quoi être juif... Mon père est fier d'être juif. Ceci dit, il a changé de nom !... S'il était si fier que ça, il serait peut-être revenu à son nom... d'origine.

À vingt ans, elle adhère à l'UEC. Fille d'industriels, elle s'imagine qu'une vraie communiste doit refuser de faire carrière dans la société bourgeoise. Elle devient simple archiviste dans l'hôpital où son oncle est chef de service. Le Parti communiste incarne à ses yeux une sorte de club où l'on peut parler, discuter, se faire des amis, voire des amants. La déception ne tardera pas à venir.

D'autres ont cru faire, au PCF, l'apprentissage de la parole. Rosette F. (1927, Paris, PCF de 1948 à 1989) a hérité d'une longue tradition de silence. Son père, déjà, « avait un peu rejeté tout ce qui était juif dans son milieu familial » ; il avait rompu tout contact avec son propre père, qui était rabbin. Elle, Rosette, a dès l'enfance refusé de parler yiddish, de manger de la cuisine juive. Sa bouche se ferme à la judéité. Elle entre au Parti.

> J'étais déléguée du personnel, il fallait une prise de parole. J'ai pris la parole en demandant aux gens de s'arrêter [de travailler]. Et il y a un gars qui m'a dit que j'étais mal placée pour faire... cette prise de parole et pour entraîner les gens à une action. Alors là, ça m'a coupée net.
>
> Le soir, on avait réunion à la section, chacun racontant un peu comment ça s'était passé... Et, quand j'ai dit ça, il y a une copine qui m'a dit : « Mais je comprends pas ! Il suffit de n'importe quel abruti qui te coupe la parole, tout d'un coup, ça y est, il y a plus rien ! » Et là-dessus, je me suis dit : « Oui, c'est elle qui a raison ! » Alors je pense

quand même qu'il y a eu de ça. Parce que, sinon, je sais pas... il me semble que j'aurais courbé la tête !

C'est donc à la section du Parti, sur l'intervention d'une camarade, qu'elle retrouve sa capacité de parole, perdue dans sa famille, puis dans son entreprise. Aujourd'hui qu'elle a rompu avec le PCF, elle ne se rappelle même plus clairement si elle en est vraiment partie. Elle a, de nouveau, un « trou noir ». Il nous faut mettre un terme à l'entretien.

Rappelons-nous Jacqueline A. (1944, Montauban, PCF depuis 1962) : elle n'a pas connu son père, déporté avant sa naissance ; sa mère pleure sans cesse ; elle, Jacqueline, est ballottée pendant toute son enfance de famille d'accueil en Maison d'enfants. Elle ne peut plus supporter le cinéma (à cause des films sur la guerre), ni les photos (à cause des portraits de fusillés, sur les murs des colos). C'est à la CCE, puis au Parti, que sa parole se débloque enfin, qu'elle inverse le discours de la mort. Elle soignera des enfants, elle sera responsable syndicale. Elle parle.

Seule la benjamine de l'échantillon, Anne L. (1967, Ivry, UEC/PC depuis 1986), croit que la parole juive – celle qu'irrigue le Talmud – peut aider à faire revivre le débat communiste.

AL. – Je suis venue aux textes et à la source, de textes talmudiques en particulier, à cause d'un problème politique. C'est peut-être en tant que chercheur marxiste et communiste que je me suis intéressée au dialogue, et donc à la conception que pouvait avoir le judaïsme du dialogue. Qui me fait avancer, même en tant que communiste. Qui fait germer des choses.

JF. – Encore que le Talmud ne résolve jamais les contradictions. Alors que tout le marxisme est fondé sur une résolution des contraires.

AL. – Parce que je crois que le Talmud s'intéresse aux différentes positions, et non pas aux solutions.

JF. – Il laisse toujours ouverte la fracture.

AL. – Et c'est cette ouverture, justement, qui m'intéresse beaucoup. Même dans ma pratique quotidienne de rapports avec les gens. Que je trouve intéressante peut-être d'ailleurs pour arriver... à de nouveaux rapports entre les gens dans le Parti. Un nouvel apprentissage de la démocratie. Un respect de la parole de l'autre.

JF. – Au Parti, on laisse parler l'autre. Mais, en revanche, on ne tient aucun compte de ce qu'il dit... Un lieu de libre expression clos sur lui-même.

AL. – Je me demande justement si, là, la conception du dialogue dans le judaïsme ne peut pas essaimer quelque chose de nouveau dans la pratique politique.

D'autres veulent, au contraire, compenser par un surcroît de silence l'abus de parole dont ils se rappellent avoir souffert dans leur enfance. Ou par une parole savamment contrôlée, qui cible l'interlocuteur et s'insère dans une stratégie d'évitement. Hubert B. (1953, Tunis, PCF depuis 1968) a vu, à dix ans, un film sur la Shoah :

> Ces images-là à l'âge de dix ans étaient tellement restées dans mon esprit que je ne pouvais ni réfléchir sur la question, *ni en parler*. Et nous-mêmes, nous avons des amis, toute leur famille est morte en Pologne. Dix, toute leur famille. Donc, *chaque fois qu'on parle* de ces choses-là, c'est terrifiant. *On en parle un peu, et puis* ensuite on revient à la vie actuelle, pour vivre dans la liberté. Mais *chaque fois que tu parles de ça*, c'est quelque chose de terrifiant. Même aujourd'hui, *quand on en parle avec les enfants*.

Devant la terreur, Hubert B. réagit donc d'abord par une parole restreinte au petit cercle de la famille nucléaire ou de la douleur partagée. *Le Parti, paradoxalement, devient dès lors non pas un espace du discours, mais un territoire du silence* – quelque chose comme une société secrète dont rien ne doit transpirer à l'usage des non-initiés. Exactement comme la judéité, qui restera confinée en deçà de la frontière, interdite aux étrangers.

> Sachant que, quand je suis membre du Parti communiste, dire que tu es juif ne t'apporte rien. Et chez les Juifs, si tu dis que tu es communiste, ça n'apporte rien à la question. Et dire aux Juifs que tu n'as pas circoncis tes enfants, ça n'apporte rien à la question. Et dire à des non-Juifs que tu n'as pas circoncis tes enfants, ça n'apporte rien à la question.

Il se taira donc. Ni Juif ni communiste aux yeux des autres. Ni même athée aux yeux des Juifs. « Il ne faut pas forcément dire aujourd'hui ce qu'on fait et pourquoi on le fait. Même dans la

République de 1995. » En souvenir des rafles de 1942 que, séfarade de Tunis, né après la guerre, il n'a bien sûr pas vécues, ni ses parents non plus.

Sabine O., séfarade également, fille de militants, habituée à l'ex-traversion, à la volubilité de la tradition judéo-oranaise, fait elle aussi au Parti l'apprentissage du silence. « Ne pas pouvoir arriver dans une salle des profs avec *L'Humanité*, devoir cacher parce que c'est invivable, c'est du même ordre que d'être juif. Pour moi, ça a été très associé, je crois. » L'appartenance au PC, comme la judéité, cela se dissimule. Voilà l'un des liens secrets, profonds, rarement avoués.

Mais la réalité du Parti trahit souvent les rêves, ou même les stratégies. Beaucoup de Juifs communistes découvrent, au bout d'un temps plus ou moins long, que le PCF peut être aussi *le lieu de la parole gelée*. Revenons auprès de Noémi V., celle qui avait adhéré pour rompre le silence où la mémoire de la Shoah avait plongé toute sa famille :

> J'étais aux réunions de cellule. Et alors je me souviens pourquoi j'ai quitté, j'ai trouvé qu'*on ne parlait pas*, on passait beaucoup de temps sur les tâches pratiques.
> Dans le Parti communiste, il faut *parler comme tout le monde*. Et moi, ça ne me va pas du tout, ça. Je veux dire, on a chacun sa pensée, on essaie de *dire* des... [Elle rit.] La rigidité intellectuelle, moi, me fait très peur. Qu'on puisse pas *dire* : « Moi, je suis pas d'accord avec toi. » Là, ou on est d'accord, ou *on se tait*.

« Parler comme tout le monde », c'est-à-dire, d'une certaine façon, ne pas parler comme un Juif : voilà justement le problème. Annie C. – celle qui avait épousé un musulman – ressent cette obligation tout à la fois dans le Parti et dans son couple :

> Et tout d'un coup, un besoin très fort et très violent de *dire Je*. Ça a été très *mal entendu* dans le couple. Je me souviens que, dans les réunions de cellule, quand j'ai essayé de poser des questions qui n'étaient pas à l'ordre du jour... Et donc cette folle envie de *dire Je* et...
> La grève de la Sonacotra, on n'a *pas le droit d'en parler*. La rupture avec le PS, *on n'en parle pas*. Ça, je ne l'ai pas supporté. Pendant les réunions de cellule, *j'ai voulu en parler*. Pour la première fois de ma

514

vie, j'ai posé une question violente, contre. Et j'ai eu la colique avant d'ouvrir la bouche. Mais je me suis dit : « Vas-y ! » Et on m'a... mal... ou pas répondu...

J'avais envie qu'on parle de la guerre des Six Jours, *qu'on parle* d'Israël et des Palestiniens. Aux réunions de cellule, *quand je voulais en parler*, ce n'était jamais à l'ordre du jour. Moi, je n'étais pas très très à l'aise dans mes baskets, j'étais du côté des Palestiniens, mais *je ne pouvais pas dire* à mes camarades du Parti toute mon enfance. Et je n'étais pas assez mature, *je n'avais pas de discours*.

Les non-communistes disaient toujours qu'ils aimaient bien *parler avec moi*, parce que je n'essayais jamais de les faire adhérer. J'avais l'impression que je n'employais pas *le discours du Parti*. J'essayais, sans toujours y parvenir, de *parler avec mes mots*. Je suis arrivée à maturité quand j'ai vu que *mes mots ne pouvaient plus coller avec le discours du Parti*, que j'ai dû le quitter.

De l'autre côté de la barrière, un responsable d'une grande fédération comme Marcel H. (1950, Oran, PCF depuis 1969) produit, au cœur de l'entretien, un échantillon parfait de cette langue déconnectée, qui n'a pour fonction que de masquer l'absence de pensée. Comme je l'interroge sur l'identité juive, il tente désespérément d'inventer une lecture marxiste où la judéité se réduirait à une « superstructure », issue à chaque époque d'un certain état des « forces productives » et des « rapports de production ». C'est ainsi qu'une bien nommée « révolution informationnelle » relativiserait aujourd'hui les règles de la *cacherout* et que la phase actuelle du développement du capitalisme expliquerait ce qu'il appelle le « repli communautaire ».

On en arrive ainsi à une parole vide, « déjà parlée » ou « déjà pensée ». C'est ce que ressent, par exemple, Francine R. (celle qui, au PCF, « avait tant de problèmes avec le réel ») : « Moi, j'ai l'impression d'avoir produit, comme ça [elle rit], des mots, du langage... Pour faire quoi ? Pour faire du bruit ? Je ne sais pas. Mais j'ai l'impression d'avoir vécu une période comme ça. »

515

Le double langage

Les Juifs communistes, nous l'avons vu, utilisent quatre codes linguistiques : celui des Juifs entre eux, celui des Juifs avec les non-Juifs, celui des communistes entre eux, celui des communistes avec les non-communistes. En situation d'entretien, l'interviewé passe couramment de l'un à l'autre – l'intervieweur ne définissant son propre statut que quand on le lui demande expressément. On tutoie souvent (code communiste/communiste), on souhaite parfois la bonne année pour Roch Ha-Chanah ou on offre des gâteaux de Pourim (code Juif/Juif), mais on exige aussi quelquefois de relire le script de l'entretien (code communiste/non communiste), ou l'on fournit des explications sur tel aspect du judaïsme (code Juif/non-Juif).

Quelques-uns vont jusqu'à instrumenter cette polyphonie pour obtenir le meilleur rendement de leur relation à autrui. Hubert B. – celui qui transforme le Parti en forteresse du silence – théorise littéralement cet usage du langage double :

> J'apprécie chaque fois ce que ça va m'apporter de le dire ou de ne pas le dire. Donc, si j'analyse la situation, et en considérant que ça ne va rien apporter, que ça ne va qu'aggraver la situation, je ne le dis pas. Ça veut dire que je suis dans une situation où j'ai une façade. Sociale. Et donc je fonctionne avec cette façade sociale. Je ne dis ou ne dis pas que par rapport à une confiance relative ou pas. Donc, si je constate qu'il n'y a pas la confiance, je n'ai pas besoin de m'avancer. Si je la constate, je vais m'avancer. Autrement dit, on manipule le dispositif social. La façade sociale, on la manipule complètement. Là, je suis passé maître en la matière.
>
> Sur le plan de mes opinions, je dis toujours ce que je pense. Et je ne mâche pas mes mots. Mais je le dis dans le langage ordinaire, pas dans la langue de bois. Et ça te montre en fait que tu peux dire ce que tu penses, et ça peut être agréé par toute personne sensée. Par contre, dès que tu la colles à une étiquette, tout d'un coup cette pensée-là est disqualifiée. Ça ne m'intéresse pas de voir ma pensée disqualifiée parce que je dis un mot. Ce qui m'intéresse, c'est que ma pensée soit perçue comme telle. Et qu'elle soit repérée comme intéressante. Ça paraît un enjeu nettement plus intéressant.

Autrement dit : le langage communiste doit toujours, à l'usage des non-initiés, être transcodé en « langage ordinaire ». Sinon, l'« étiquette » communiste risque de le « disqualifier ». Le Juif communiste excelle à ces jeux – lui qui, en tant que Juif au milieu des Gentils, a sûrement passé du temps à « traduire » et à se traduire. En ce sens-là, il se révélerait, plus que tout autre, un véritable « passeur », un « *drogman* » ou un « *tordjman* » (dirait Jacques Hassoun[2]), c'est-à-dire fidèle à une solide tradition juive. Il s'inscrirait dans la longue lignée de ceux qui transitaient de l'araméen au grec, du yiddish au polonais, du ladino à l'arabe, sans compter l'hébreu qui, lui, ne circule qu'entre soi.

Plus étrange apparaîtra la résurgence d'une vieille idée maimonidienne[3] – celle d'*une ruse de la raison*, du mensonge utile, sachant que le vulgaire n'est pas capable de comprendre la vérité nue, dont il faut réserver la connaissance à ceux qui en sont dignes.

Philippe E., par exemple – celui qui reconnaît « jouer des deux cartes », la juive et la communiste –, trouve parfaitement normal que le Parti ait minimisé le rôle des Juifs dans les FTP-MOI : « Tirons pas trop dans un sens la représentation de la Résistance ! Je le comprends, qu'ils aient fait ça. Sinon, on voyait bien ce que ça veut dire. »

Décryptons : si le Parti avait reconnu à sa juste importance le rôle des Juifs dans la Résistance communiste, il aurait pris le risque de heurter l'antisémitisme larvé de certains de ses membres. Ou bien encore : il aurait accrédité la vieille calomnie de la propagande vichyste sur le « terrorisme judéo-communiste ».

On se rappelle qu'Alexandre N., dirigeant d'une fédération, avoue aujourd'hui avoir « trompé » les militants : « On a toujours... on veut toujours défendre... un peu la direction. Et je dirais parfois indéfendable. Indéfendable. »

---

2. Jacques Hassoun, *op. cit.*, p. 22 et sq.
3. Cf. Moïse Maimonide, *Le Guide des égarés*, trad. Salomon Munk et Jules Wolf, Lagrasse, Verdier, 1999, notamment p. 24-25 (« la septième cause »). Cf. aussi Leo Strauss, *La Persécution et l'art d'écrire*, trad. Olivier Berrichon-Sedeyn, Paris, Presses-Pocket, 1989.

517

Le Parti, confesse Didier T. (le théoricien des « trois barbus »), était l'école pratique de la dissimulation. Mais l'école aussi de la peur du doute. De l'impossibilité à douter de quoi que ce soit.

Je vais profiter de l'anonymat pour dire quelque chose que je n'ai jamais dit. Je me sentais obligé, pour être tranquille, de raconter des espèces de bobards montrant que je faisais un certain type de militantisme qui m'autorisait à avoir des attitudes critiques. Parce qu'il y avait une façon de dire : « Avant de critiquer, est-ce que tu as vendu *L'Humanité* ? » Donc j'ai fait quelques fausses adhésions, pour pouvoir dire : « Que les gens racontent des bêtises sur leur nom, j'y suis pour rien ! » Donc, comme ça, ça me garantissait une sorte d'impunité dans la critique. J'imagine qu'à la Fête de *L'Huma* il y avait beaucoup d'adhésions fantaisistes. Les miennes, pas plus que les autres, c'était pas bien gênant ! Mais c'était quand même un drôle de système, se sentir obligé d'avoir cette logique du bobard pour pouvoir parler. [Silence.]

Et de rappeler que les dirigeants avouaient souvent en privé : « Ça va beaucoup moins bien qu'on le dit, mais on va pas le dire complètement... »

Ainsi les Juifs communistes retrouvent-ils peut-être une antique tradition juive : Abraham faisant passer Sarah pour sa sœur, Jacob jouant auprès de son père le rôle d'Esaü, Esther épousant Assuérus pour sauver le peuple hébreu... Double jeu, double langage. Edgar Morin, dans son *Autocritique*, évoque ces jeux quelque peu pervers[4] :

Le Parti prétendait être la Raison même. Notre vulgate justifiait le Parti comme Ruse de la Raison, c'est-à-dire reconnaissait la ruse, et différenciait quelque peu l'essence de l'apparence. C'est pourquoi notre vulgate devait rester occulte, ésotérique... Jamais nous n'avons pu la révéler dans nos articles ou nos livres, sinon par bribes ou phrases significatives. Mais c'est en fonction de cette vulgate que nous discutions entre nous ou avec nos contradicteurs. C'est elle qui nous rendait intelligibles les uns aux autres...

Le fils de Vidal Nahoum, le séfarade issu des marches ottomanes, retrouvait ainsi les chemins étroits d'un autre séfarade, le Cordoban Moïshe ben Maimon, relu et interprété par Leo Strauss.

---

4. Edgar Morin, *Autocritique*, Paris, Seuil, 1970 (1975 en collection Point-Politique, p. 54).

Les non-dits de la judéité

Il y a ce qui se dit. Voire ce qui se situe « au-delà du discours », mais qui transparaît encore en filigrane. Il y a aussi ce qui ne se dit pas. Jamais. Ce qui est parfois purement et simplement dénié. Parvenu à ce point de l'herméneutique, il faut avouer que l'imaginaire supplée l'analyse. On ne peut même plus feindre d'allonger l'interviewé sur le divan. Il faut recourir à la recherche de structures masquées, que seuls des indices obscurs, non décisifs, permettent de repérer. La marge d'incertitude devient importante.

Il est tentant de recourir d'emblée – judaïsme oblige – à *l'Innommable*, que l'on pourrait, pour la circonstance, appeler aussi le *Trop-nommé*. Dans cet univers juif où l'on ne doit pas prononcer le nom de la divinité, ni moins encore la représenter, jamais aucun des cent interviewés ne rompt spontanément l'interdit (sauf, étrangement, Georges T., le talmudiste, pour affirmer qu'il n'y croit pas). La croyance est radicalement mise entre parenthèses. Seule l'observance est racontée.

Le mot le plus prononcé, c'est celui de « Juif ». Beaucoup plus que celui de « communiste ». Mais nul ne réussit jamais à le définir. La judéité apparaît ainsi, en quelque sorte, aux yeux de certains (mais peut-être, inconsciemment, de tous), comme l'essence absolue, immanente, incontournable. Un peu, justement, comme le Dieu d'Israël. Sauf qu'on peut, elle, la nommer : on ne peut même *que* la nommer.

En quoi consiste (ou a consisté) le communisme de ces Juifs ? Ici encore, l'intervieweur n'obtient qu'un discours sentimental, où la mémoire, la frustration, le fantasme tiennent plus de place que la théorie (à laquelle plus personne ne fait référence). Pour ceux qui militent encore, le communisme se réduit à des gestes, à des habitudes. À une lamentation sur ce qui a été et qui n'est plus. Ou bien, chez les plus jeunes, à une tentative de reconstitution des rêves de leurs aînés. Seul le travail de l'historien permet de faire revivre le temps de l'espoir, dont plus un mot (ou presque) n'a survécu dans les récits d'aujourd'hui.

En ce temps-là, précisément, l'utopie d'un monde meilleur, que seule la lutte permettrait de construire, rejoignait tout à la fois l'impératif de justice sociale, clamé par les Prophètes, et la certitude que les hommes avaient le pouvoir d'agir sur le cours de leur propre histoire, réaffirmée par la kabbale. Être Juif communiste, c'était ainsi, en quelque façon, se placer sous l'invocation d'un des noms de la divinité, *YHVH des Révolutions*, comme il y a *YHVH Tsevaot*, Dieu des Armées.

Sous la protection d'un tel Dieu, le peuple juif ne cessait de pécher et d'encourir la colère divine. Au point que plus d'un rabbin affirme encore que la Shoah était le châtiment divin de ceux qui avaient choisi l'assimilation. Madeleine S. (la petite fille qui traverse le Cher sous les balles) se souvient qu'elle avait choisi le chemin du communisme parce que sa grand-mère ne cessait de lui seriner cette thèse de la responsabilité juive.

Mais globalement, quelles que fussent ses fautes, le peuple juif restait l'élu de Dieu. Après le Veau d'or, la traversée du désert et l'entrée en Terre promise ; après la diaspora, le retour en *Eretz Israel*. Les accidents de l'Histoire n'entamaient pas la certitude ontologique de l'élection.

De la même façon, YHVH des Révolutions conduisait les Juifs communistes sur le chemin de la société sans classes. Peu importaient, une fois de plus, les « accidents ». Staline n'était pas pire que les pires rois de Juda ou d'Israël. Que des Juifs aient été pourchassés, jugés, condamnés, exécutés à Moscou, à Budapest, à Prague, la Bible est pleine de tels incidents : Dieu sait que les Juifs ne sont pas à l'abri des pires tentations criminelles. La Torah n'a jamais été un roman à l'eau de rose.

D'où, chez beaucoup, l'étrange sentiment d'impunité qu'ils semblent exprimer, quand on évoque devant eux la lointaine période des crimes staliniens. Les plus jeunes refusent purement et simplement d'en porter le poids ; ceux qui ont vécu ces temps-là préfèrent un discours d'excuse, ou d'évitement, qui est au fond celui du Parti lui-même : on ne savait pas, c'était le culte de la personnalité, on ne pouvait oublier que l'Armée rouge avait sauvé le peuple juif... Le pire, c'est-à-dire le discours paranoïaque de forteresse assiégée, le délire qui fait croire à la culpabilité d'un Slansky, ou des « Blouses blanches », « agents de la CIA », « espions au service d'Israël », « complices des bourreaux nazis », est totalement occulté. Peut-être cette capacité d'oubli est-elle, chez les Juifs, exactement proportionnelle à l'envahissement par la mémoire : *Zakhor* voudrait dire aussi « Oublie ce qui t'encombre »... On ne sache pas que le souvenir des *Judenratler* ait laissé beaucoup de traces, en dehors de Hannah Arendt...

Pour un Juif communiste, YHVH des Révolutions pardonnera toujours quand chacun aura « fait propitiation » et se sera « humilié[5] ». On a vu que l'observance de Kippour – en tout cas comme rite social – n'a jamais été totalement abandonnée. À l'instar de la judéité, le communisme resterait ainsi, aux yeux de beaucoup, comme une essence absolue, immanente, incontournable. La plupart reprendraient à leur compte l'aveu de Raphaël T. (celui qui s'est fait circoncire à plus de soixante ans) : « L'idée du communisme, pour moi, est restée valable, elle est restée bonne. »

La structure cachée, ce serait donc *le Nom*. Juif. Communiste. Noms sans contenu, et pourtant chargés de toute la force du vide, de l'absence.

Adhérer, militer, ce serait aussi une façon, très juive, de *séparer le pur de l'impur*. Le Juif orthodoxe mange cachère, s'abstient de toucher sa femme pendant la période des règles, s'interdit même de s'asseoir à la table du Gentil. Le *miqvah* (le bain rituel) lui restitue la pureté dont de telles pollutions l'auraient dépouillé.

Le Juif communiste s'est longtemps enfermé dans un univers qui rappelait, par bien des côtés, l'obsession purificatrice de ses ancêtres. Il retrouvait, parfois jusqu'au délire, l'interdiction de fréquenter l'Autre, le non-élu, le suspect, ou pire : celui que l'on accusait d'avoir trahi l'élection, d'avoir adoré les idoles. Rappelons-nous Isaac et Rose M., qui ne se sont jamais rebellés contre la prohibition de tout contact avec les autres Juifs communistes venus, comme eux, d'Égypte.

Les livres en hébreu ont longtemps été soumis à une censure

---

5. Cf. *DEJ*, article « Yom Kippour », p. 1212 et sq.

rabbinique, la *haskamah*, pour s'assurer que leur « contenu n'était en aucune manière incorrect du point de vue moral ou du point de vue de la foi[6] ». Les Juifs communistes se sont longtemps pliés à une sorte de *haskamah* tacite qui leur interdisait certains ouvrages, supposés trop imprégnés de l'idéologie dominante ou de l'une de ses variantes, le nationalisme petit-bourgeois. Souvenons-nous de Madeleine S., à qui son fils, après la rupture, offre un livre d'Élie Wiesel : « Je n'avais pas lu Élie Wiesel, parce que c'était quelqu'un qui était banni, quelqu'un qu'il ne fallait pas lire. » Et, dans un article que publiera *La Nouvelle Critique*[7] au moment où l'écrivain reçoit le Nobel, elle écrira, elle qui a déjà rompu depuis six ans : « Nous sommes la génération qui n'avons pas bu de Coca-Cola, qui ne sommes pas allés en vacances en Espagne, qui n'allions pas voir *Sur les quais* ni *Les Mains sales* de Sartre... et qui ne lisions pas Élie Wiesel. »

De la même façon, pendant ses années de Parti, Annie C. ne lit que les livres « recommandés ». Et puis tout à coup, ce qu'elle ressent comme une double « libération », elle quitte et son couple et le PC :

> Je voulais aussi être gourmande et je me rappelle que le premier livre que j'ai lu, parce que j'avais envie de le lire, ce n'était pas un truc indiqué par le Parti, c'était l'analyse des *Contes pour enfants* de Bettelheim. Et là, je me suis aperçue qu'il y avait des tas de possibles, si je voulais bien continuer ce travail, de savoir qui j'étais, ce que j'aimais. Je me suis dit : « J'ai trente-quatre ans, je ne veux pas continuer à vivre avec cette programmation. »

La revendication de la « pureté » communiste face à l'« impureté » bourgeoise trouve mille façons de s'exprimer. Un Didier T. s'exalte de « cette pureté révolutionnaire qui implique de se faire violence ». Il l'oppose à l'« arrivisme social-démocrate ». « Ce qui

---

6. *DEJ*, article « Censure », p. 191-192, et article « Haskamah », p. 485.

7. Madeleine S. confond probablement *La Nouvelle Critique* et *Révolution*. En 1986, l'année où Élie Wiesel reçoit le Nobel, *La Nouvelle Critique* a disparu depuis longtemps, trop suspecte d'avoir partagé la révolte de ceux qui réclamaient une tribune de discussion en 1978 après la rupture de l'Union de la gauche et l'échec électoral de mars.

m'importe au fond, avec le recul du temps, je crois que c'est toujours la recherche de pureté », avoue Yves-Marc Z. « Je suis ça, j'aime la rigueur et j'avance dans la rigueur », proclame Josyane B., la fille du grand rabbin.

Au point qu'un Michel T. – le fils d'un haut dirigeant victime d'« un procès de Moscou à Paris » – en arrive à délirer sur une sorte de *qiddouch ha-chem* (il n'en a, bien sûr, jamais entendu parler), la « sanctification du Nom », autrement dit la mort pour glorifier l'Éternel[8]. « De manière irréductible et sans compromis, jusqu'au sacrifice suprême. Qui ne pose pas de problème. Jusqu'à la mort. S'il faut faire don à l'Humanité... »

Le Parti apparaît ainsi, aux yeux de certains Juifs communistes, comme une sorte de *miqvah*, où l'on vient s'immerger pour se laver de ses impuretés : être né « bourgeois » peut-être, être né juif plus sûrement – ce qui implique quelques tares suspectes, comme d'avoir un faible pour Israël, garder un certain tropisme religieux, entretenir des relations avec des Juifs non communistes. Il faut donc « en rajouter ».

Mieux encore : entrer au Parti communiste, c'est porter en soi une pureté invisible qui ne risque pas d'être jugée par ceux qui ne possèdent pas la bonne balance. Toujours coupable, en tant que Juif, face au Dieu d'Israël, le Juif communiste accède à un univers qui est à la fois son châtiment et sa rédemption. Il déplace sa faute devant un tribunal où elle cesse d'être faute. Il y sera jugé (et souvent condamné) non point comme élu de Dieu, comme circoncis, mais comme communiste, ayant choisi librement d'adhérer à cette Justice injuste dont les verdicts ne l'indigneront guère, puisque tout à la fois ils sont aussi mystérieux que ceux d'un *bet din*[9] revu par Kafka, et qu'ils répondent à cette logique de la pureté et de l'altérité dont la hautaine splendeur l'a envoûté.

Le Juif est enfin, au plus haut point, celui qui est sans cesse partagé entre l'Unique (Dieu) et le Multiple (la Diaspora et *Eretz Israel*, la langue d'accueil et la langue d'origine, le discours obvie

---

8. *DEJ*, article « Qiddouch Ha-Chem », p. 935-937.
9. Tribunal rabbinique. Cf. *DEJ*, article « Bet Din », p. 152-153.

et le discours ésotérique...). Le Parti communiste, par ce qu'il croit être la résolution dialectique des contraires, lui a donné, pendant un temps, l'illusion de rétablir l'unité sans cesse menacée.

Pas de contradiction entre le patriotisme français, si largement exalté, et le rêve millénaire d'une patrie juive : l'internationalisme dépassera ces fausses oppositions rhétoriques ; dans la société sans classes, Juifs et Arabes coexisteront dans un État binational ; la Révolution dont Moscou sera le guide fera éclater les frontières artificielles.

Pas d'incompatibilité entre la langue juive et le français tant admiré : le Parti communiste sera le seul de tout le système politique français à maintenir contre vents et marées un quotidien en yiddish, à entretenir un réseau associatif où des vieillards et des jeunes gens viennent prolonger la survie de la langue assassinée.

Pas d'incompatibilité entre un discours tourné vers l'extérieur, souvent « libéral », « ouvert », ou au contraire totalement bloqué sur une approbation sans nuance de tout ce qui vient de l'Est, et un langage d'initiés, à la fois plus « totalitaire » quand il décrit un fonctionnement interne, et plus souple lorsqu'il ironise sur les échecs ou les lourdeurs du communisme soviétique. Cette dualité fait partie des armes tactiques qu'un bon communiste doit utiliser dans la lutte sans répit contre l'ennemi de classe.

Le Juif est ontologiquement en quête du Même, mais construit dans le même temps cette relation au Visage de l'Autre qui est, pour Levinas, le fondement du judaïsme.

L'adhésion au PC s'inscrit dans ce double mouvement : on s'insère dans du Même (la « famille » communiste, la « fraternité » communiste », l'« égalité » communiste), mais on s'aperçoit à l'usage que ce Même n'est qu'une figure de l'Autre (une autre classe, une autre culture, un autre langage, une autre histoire...). Tellement Autre que l'exclusion en est une des pratiques constitutives. Au point qu'à la limite, en rejetant lui aussi le Juif (du moins dans ses patries matricielles), le PC reste plus que jamais fidèle à sa vocation de fabriquer du Même, donc répond à l'aspiration profonde (même si elle est suicidaire) du Juif communiste.

Conclusion

Le voyageur qui a eu la chance de visiter Prague au temps déjà lointain où régnaient encore les Gustáv Husak et les Ludvik Svoboda, et qui a eu l'envie légitime d'y retourner depuis que Vaclav Havel y a rétabli la démocratie, découvre rétrospectivement, avec un certain étonnement, que le communisme avait fonctionné comme un immense conservatoire des cités défuntes. Pas de gratte-ciel, pas de verre ni d'acier, pas de publicités envahissantes : l'empereur Rodolphe aurait reconnu ses rues et ses palais. Il a suffi d'un peu de « velours » pour que la modernité fasse son irruption bruyante[1].

Pour les Juifs communistes de notre enquête, le PCF a tenu, lui aussi, ce rôle inédit de conservateur d'une histoire enfouie parfois sous les décombres. Il a constitué l'instrument le plus efficace de la résolution des contradictoires. À la fois destructeur et sauveur de l'identité menacée, chantre simultané de l'intégration la plus étroite et de l'internationalisme, voire de la ségrégation, les plus débridés. Moderne et archaïque. Maskil[2] et pas tout à fait détaché de la kabbale...

Il y a d'abord, au moins pour les ashkénazes, ce qui éclate aux yeux : la conservation de la langue, d'une certaine culture, d'une

---

1. Il est clair que seule Prague, dans les pays de l'Est, a connu cet étrange état de conservation délabrée. Ni Moscou ni Berlin-Est n'ont apparemment eu cette chance.

2. Partisans de la Haskalah, les Lumières juives à partir du XVIIIᵉ siècle.

convivalité venue du *shtetl*. Ici ou là, des vieillards encore alertes ou des orphelins quinquagénaires se réunissent autour de photos, de stèles mémoriales pour faire revivre l'atmosphère envoûtante d'un « monde disparu ». Ils chantent encore les vieux chants que nul, ou presque, ne chante plus.

J'ai suffisamment souffert sur les vieux numéros de *Naye Presse* pour ne point savoir que cette survie peut aussi signifier trahison, corruption de la mémoire. Mais peu importe, à la limite : les anciens lecteurs ne croient plus guère aux invectives ni aux fables dont ils se repaissaient il y a cinquante ans ; il leur reste cependant, à eux ou à leurs enfants, le désir de ressusciter la langue assassinée, de la réapprendre, de la léguer.

De même, alors que le PCF avait longtemps minimisé ou occulté le rôle des FTP-MOI dans la Résistance, alors qu'il avait d'abord joué sa partition dans la dépréciation de la Shoah – tellement moins glorieuse que la déportation des « politiques » –, il s'est depuis lors largement rattrapé, contribuant au culte unanimiste des héros oubliés et des morts sans sépulture.

Mais, dans le temps même où il « conserve » le mieux (le début des années cinquante), il se fait aussi destructeur. Les Juifs du PCF s'isolent de la majorité de leurs coreligionnaires. Ils tendent à se barricader dans une micro-communauté, d'autant plus conviviale qu'elle se sent littéralement assiégée. Ils mènent campagne contre les « dirigeants bundistes-mapaïstes » qui tentent de mettre les Juifs de France au service de « leurs maîtres » de la CIA et de l'Intelligence Service ; ils approuvent l'exécution de Slansky et de sa « clique », ou l'inculpation des « médecins terroristes » ; ils participent aux meetings de la Mutualité où les Kenig, les Youdine accablent les groupes juifs qui ne partagent pas leur idéal des accusations les plus infamantes : *Judenratler*, complices des tortionnaires, fauteurs de guerre préparant l'assaut contre l'URSS, sous la direction d'un « *Gauleiter* des Juifs de France » nommé par Ben Gourion... Constatons cependant que rien, ou presque, de ce délire verbal n'a survécu aujourd'hui dans les mémoires.

Le Juif communiste se veut donc un Juif réagissant en Juif à tous les événements que la propagande de son parti lui présente comme une menace pour l'avenir des Juifs. Il croit affirmer son identité juive spécifique en s'opposant à tous ceux qui ont, pense-t-il, compromis la judéité dans des combats douteux. Il dit non aux « libérateurs de Xavier Vallat et de Maurras », à ceux qui réarment « la Wehrmacht revancharde de Bonn » et qui trouvent Staline – notre sauveur – « pire que Hitler ».

On en arrive ainsi à une sorte de grand écart : les Juifs communistes exaltent plus que quiconque les douces valeurs franco-françaises. Ils n'hésitent pas à s'enfoncer dans un quasi-chauvinisme, un antiaméricanisme dont les années cinquante marquent l'apogée. Quand nos Juifs égyptiens débarquent à Paris, ils n'ont rien de plus pressé que d'aller manifester contre *Ridgway la Peste* ; on adhère au slogan des années soixante-dix : « Produisons français ». On tresse des couronnes aux instituteurs de Belleville, qui ont si bien enseigné la Déclaration des droits de l'homme et le sacrifice de Joseph Bara. On se situe ainsi dans le droit fil d'une tradition juive qui a toujours su respecter les valeurs du pays d'accueil : Jérémie chante la fidélité à Cyrus, Heine l'amour de l'Allemagne, Bernard Lazare les beautés de la justice républicaine, Raymond-Raoul Lambert et les dirigeants de l'UGIF le patriotisme de Pétain[3]...

Mais, dans le même temps, les Juifs communistes, comme sans doute tous les communistes, imaginent *réellement* l'URSS comme une seconde patrie. Ce qui distingue, dans cette passion amoureuse, le militant juif de ses camarades non juifs, c'est que, s'il croit *réellement* lui aussi que l'antisémitisme ne peut pas exister en URSS, il en sait sûrement plus que quiconque sur les brimades ou la répression antijuives qui s'abattent à l'Est. Mais, par une sorte de dédoublement de la personnalité, il fait toujours comme s'il ne savait rien : il imagine qu'il est lui-même victime de la propagande ennemie et qu'il doit donc « en rajouter » pour se faire pardonner d'être un peu suspect.

Mais il y a aussi ce qui est moins apparent : et si le communisme,

---

3. Raymond-Raoul Lambert, *Carnet d'un témoin, 1940-1943*, présenté et annoté par Richard Cohen, Paris, Fayard, 1985.

malgré son athéisme proclamé, avait également contribué à préserver quelque chose de l'héritage religieux ?

Gershom Scholem l'a suggéré. Walter Benjamin l'a magnifiquement confirmé. Michaël Löwy l'a subtilement analysé. Le communisme trouverait l'une de ses sources dans le messianisme apocalyptique. La kabbale, avec son *tiqqoun*, aurait engendré l'idée que l'homme avait le pouvoir et le devoir de rétablir l'équilibre du monde, de « réparer la brisure des vases ». Mais si le messianisme rencontre quelque écho dans notre enquête, il faut bien avouer que le lourianisme[4] en est absent.

Et pourtant, quelle tentation de retrouver dans le communisme de nos Juifs quelque chose comme un désir (forcément inconscient !) de réconcilier la kabbale et la Haskalah : à la fois une théurgie du *tiqqoun* et une référence aux Lumières ; une attente messianique, que l'action des hommes dans l'Histoire peut réussir à combler, et une analyse des forces antagonistes – politiques, économiques, sociales – à l'œuvre pour émanciper ou pour aliéner... Hélas ! Il nous faut déchanter : nul, parmi nos cent interviewés, n'a jamais lu le *Zohar* ni le *Bahir*. Pire encore : ce type de littérature, contrairement au Talmud, ne semble soulever que scepticisme.

Ce qui subsiste du religieux chez les Juifs communistes de notre enquête passe le plus souvent par le Livre. On est encore parfois capable de lire la *Haggadah* au *seder* de Pessah. Un membre du Conseil national du PCF reconstitue un *Talmud Torah* pour son petit-fils. Là même où le Livre est oublié, son absence est ressentie comme un manque, voire comme une blessure. Ceux qui n'ont plus rien à transmettre pleurent sur la tragédie des occasions manquées.

Le Talmud est encore évoqué, bien que jamais précisément cité. On aime y trouver l'espace d'une discussion toujours ouverte, sans qu'une autorité tranche le débat et vienne clôturer le *pilpoul*.

---

4. Doctrine d'Isaac Louria Ashkénazi (1534-1572), qui – installé à Safed, en Galilée, avec Moïse Cordovero – « réinvente » la kabbale, née à partir du XIIe siècle en Espagne et en Provence.

Allons plus loin : cette fidélité à la mémoire juive se traduirait, à la limite, par son infidélité même. Daniel Sibony ne craint pas de formuler ce paradoxe[5] :

> Tout le montage hébreu est fondé sur cette discorde : vous m'avez dit oui pour en fait me renier, tonitrue le Dieu biblique à ses fidèles infidèles ; en quoi leur Texte leur offre une recharge permanente de refoulement, c'est-à-dire de « mauvaise foi » ; pas si mauvaise que ça : ce n'est pas la foi qui a raté la première fois... Bien sûr, le Texte ne va pas jusqu'à se réjouir de ces « trahisons » ; il ne dit pas : heureusement que vous avez des arrière-pensées, sinon vous seriez d'innocents crétins réduits à ce qu'ils disent... Non, le texte ne peut pas le dire, mais tout le contexte le laisse entendre.

Le marxisme apparaîtrait dès lors comme une sorte de « reniement voulu » dans le Livre. Voire le judaïsme, comme une machine à produire du « reniement voulu » : le christianisme, le sionisme, le marxisme, la psychanalyse... Jacques F., l'un des psychanalystes de l'échantillon, nous suggère peut-être de nous engager dans cette voie, lorsqu'il décrit la crise qui, aux alentours de ses quinze ans, le détourne de la religion et le pousse vers le Parti : « Le marxisme a été important pour moi, parce que ça donnait un sens à la croyance religieuse de mes parents. » C'est donc bien l'infidélité qui apparaît ici comme la fidélité suprême, la fidélité de la dernière chance. Le PCF des Juifs communistes serait comme une mémoire du judaïsme qui renierait cette mémoire pour mieux la préserver.

On pourrait aussi tirer à soi Hannah Arendt et suggérer qu'adhérer au communisme, lorsqu'on est juif, ce serait une façon de « redéfinir sa judéité, à un moment donné, en fonction du monde où l'on est né, c'est-à-dire de la situation dans laquelle les Juifs étaient à ce moment et en fonction des événements qui advinrent ensuite dans ce monde[6] ».

---

5. Daniel Sibony, *op. cit.*, p. 39.
6. Martine Leibovici, *Hannah Arendt, une Juive. Expérience, politique et histoire*, Paris, Desclée de Brouwer, 1998, p. 79.

Ou, poussant encore plus loin le paradoxe, se demander si le communisme n'aurait pas été une sorte de langage symbolique permettant d'exprimer, avec de nouveaux codes, les mêmes vérités révélées que dans la tradition juive. On sait que Gershom Scholem analyse de cette façon subtile l'irruption du mysticisme dans l'édifice de cette tradition[7] : « Il emploie d'anciens symboles et leur donne un sens nouveau, il se plaît même à employer de nouveaux symboles en y ajoutant un sens ancien. » Pessah, Hanoukkah, Pourim deviennent des fêtes de la libération – à la limite, quelque chose comme l'avènement du socialisme. Bar Kochba[8] peut apparaître, sans trop d'abus de mots, comme un ancêtre des FTP-MOI ! Justice sociale prêchée par les Prophètes ; Jours du Messie marqués par « le renversement des puissants de ce monde », quand « l'Éternel abattra *geût aristsim* [l'arrogance des tyrans] et brisera *shevt moslim* [le sceptre des souverains][9] » ; « Rédemption » de l'ère messianique, c'est-à-dire, selon Walter Benjamin, « interruption rédemptrice de la continuité de l'histoire[10] » : toute une lecture « révolutionnaire » de l'espérance messianique semble irriguer secrètement le petit monde des Juifs communistes, sans que pourtant jamais aucun d'entre eux n'évoque cet héritage.

Peut-être, comme beaucoup de nos interviewés nous l'ont conté, adhère-t-on au Parti communiste dans les années de la Libération parce que l'on croit que le temps du judaïsme s'est achevé. Le communisme incarne tout à l'inverse, à ce moment-là, l'éblouissant avenir – tout ce qui tisse l'infinie beauté du mot « espoir ». Cinquante ans plus tard, la situation s'est renversée. « Cocu » : voilà le mot brutal de Nehmias K., héros de Carmagnole-Liberté, quand il dresse le bilan de son demi-siècle de militantisme. Il lui reste la *mezouzah* sur la porte, les *teffilin* achetés à Mea Chéarim et la volonté de ranimer les associations juives que le Parti a phagocytées

---

7. Gershom Scholem, *La Kabbale et sa symbolique*, trad. Jean Boesse, Paris, Payot, 1966, p. 31-32.
8. Bar Kochba : chef de la révolte contre les Romains (132-135), sous le règne d'Hadrien.
9. Michael Löwy, *op. cit.*, p. 29.
10. *Ibid.*, p. 155.

si peu d'années après la Victoire. Alors que les cellules se vident, que la contestation gronde, que des mythes majeurs sont remis en cause, il semble bien que, chez les Juifs communistes, c'est la judéité, plus que le communisme, qui a encore de beaux jours à vivre.

Les bouleversements du siècle pourraient venir ébranler le bel édifice de la symbiose judéo-communiste des années trente à cinquante. Mais l'habileté du PCF de l'époque consiste à retourner les situations les plus défavorables, à exploiter dialectiquement toutes les failles ou les contradictions de la propagande adverse. Sans compter qu'il a su forger une micro-société à très forte cohésion affective et que nul ne s'en détachera jamais sans un sentiment d'arrachement, de déchirure existentielle, dont la seule perspective suffit le plus souvent à faire taire les velléités de rupture.

La Shoah ruine en partie la certitude que l'assimilation constituerait l'unique solution d'avenir pour les Juifs d'Europe. Non seulement le Parti réussit à convaincre qu'il a été le seul – ou presque – à combattre le nazisme, le seul aussi à avoir enrôlé les Juifs dans la lutte armée contre leurs persécuteurs, mais encore, tout en tenant ferme sur le discours de l'intégration, il crée les structures d'accueil où les orphelins de l'Holocauste se retrouvent entre eux, dans une chaude atmosphère à la fois juive, communiste et française. C'est là que naît plus d'une vocation de militant, lié au Parti par un « univers de fantômes ».

Israël en a tenté plus d'un, dans les années qui précèdent ou suivent immédiatement l'indépendance. La foi communiste aurait pu vaciller devant ce rêve éveillé d'une nation juive. Mais la situation d'infériorité à laquelle l'élite sioniste condamne, au départ, les immigrants séfarades ne se lit que trop bien à travers la bonne vieille grille de la lutte des classes. Le rôle que jouent les Américains dans le financement, l'armement, le soutien diplomatique du jeune État s'inscrit trop clairement dans une perspective de division du monde en deux camps. Formés, comme tous les communistes, à épouser la cause des mouvements d'émancipation nationale, les Juifs de notre échantillon interprètent la résistance

531

des Palestiniens face aux Israéliens comme un nouvel épisode de la lutte contre le colonialisme. Il faudra la guerre des Six Jours pour que le Parti commence à prêcher dans le vide et que nos militants éprouvent une sympathie toute nouvelle pour ceux qu'ils estiment agressés et en danger de disparaître.

L'agonie du colonialisme fournit aux Juifs communistes des pays en voie de libération une des dernières occasions pour affirmer leur spécificité de Juifs et de communistes. Alors que leurs coreligionnaires s'affirment massivement solidaires des autres Français, c'est-à-dire citoyens d'une république qui a émancipé leurs ancêtres, donc hostiles aux fellaghas et autres destouriens ou istiqlaliens, ils rejoignent, eux, en nombre non négligeable, les rangs de ceux qui soutiennent la revendication ou la rébellion. Tous les Juifs égyptiens de notre échantillon ont milité pour l'expulsion des Anglais, avant de se faire expulser à leur tour. Quatre des Juifs d'Algérie ont partagé les combats du FLN. Une bonne proportion des « Tunisiens » ont tenté l'expérience de rester au pays après l'indépendance. Tous ont été victimes de l'arabisation et de l'islamisation des sociétés émergentes. Leur foi communiste n'y a pas souvent résisté.

L'effondrement de l'univers soviétique ne touche spécifiquement les Juifs communistes que dans la mesure où il libère enfin le trop-plein de rancœur, longtemps refoulé, contre l'antisémitisme d'État qui y a régné (et qui y règne parfois encore).

Une analyse un peu trop rapide conclurait sans doute que l'expérience a échoué. Le *et* dont l'énigme nous poursuit depuis le premier jour de cette enquête ne serait donc qu'un épiphénomène historique, un habillage provisoire né de circonstances exceptionnelles et que le retour à une société plus apaisée a peu à peu rendu inutile.

Tel n'est pas notre point de vue.

Être Juif et communiste, c'est d'abord, à nos yeux, malgré les apparences, affirmer son identité juive. Quand nos interviewés prennent leur carte, ce n'est pas pour plonger dans un univers de Gentils. Volontairement ou non, le Parti leur réserve assez souvent une sorte de cocon juif où ils vont continuer à fréquenter un solide noyau de coreligionnaires. C'est vrai pour les séfarades d'Égypte et du Maghreb, dont les partis constituent fréquemment de véritables isolats de judéité. C'est vrai, dans les années qui suivent la Libération, pour les Juifs de Belleville et du *Pletzl*. C'est vrai pour tous ceux qui se retrouvent dans le réseau associatif juif créé et contrôlé par le Parti. C'est même vrai dans des lieux que rien ne prédisposait *a priori* à une telle concentration, comme la cellule de l'ORTF-Buttes-Chaumont dans les années soixante-dix, où la proportion de Juifs dépassait certainement les deux tiers.

Encore immergés dans la culture juive, les plus vieux de nos interviewés adhèrent en partie pour se retrouver dans un milieu qui ne les dépayse pas. Ayant perdu bon nombre de leurs repères, complètement immergés dans la société globale, les plus jeunes les imitent sans savoir clairement qu'en prenant leur carte ils expriment à leur tour quelque chose comme un rattachement symbolique à la tradition. Ils proclament une fidélité à une mémoire, à un imaginaire, à un langage. Ils retrouvent, sous une forme adultérée, l'espérance messianique et l'utopie d'un renversement des puissants. Ils se réinsèrent dans ce que Madeleine S. appelait « un univers structuré par de la lecture ».

Il reste aussi l'aspiration séculaire à un judaïsme laïcisé. Ici encore, réécoutons les chants de gloire dédiés à l'école laïque, les récits d'un avant-guerre où l'on affirmait, sur les pentes de Belleville ou dans les rues basses du *Pletzl*, que l'on n'avait nul besoin d'une religion pour être juif. Et les proclamations de laïcité tout aussi bien dans la bouche d'un « Israélite » comme Bruno S., descendant d'une famille de « fous de la République », que dans celle d'un confectionneur de la rue de Turenne comme Albert D., né à Paris, mais fils de Polonais.

Les Juifs communistes s'inscrivent dans une longue lignée, qui remonte peut-être à Uriel da Costa [11], à Prado [12], à Spinoza, et qui à

---

11. Uriel da Costa : marrane portugais revenu au judaïsme, mais plusieurs fois frappé de *herem*. Se suicide en avril 1640.

12. Juan de Prado : marrane espagnol réfugié à Amsterdam. S'affirme juif, tout en refusant l'autorité de la Synagogue. Frappé de *herem* en même temps que Spinoza (1656), il se bat, lui, pour demeurer au sein de la communauté. (Cf. Yirmiyaha Yovel, *op. cit.*)

travers les siècles rencontre Freud, Kafka, Walter Benjamin... Ceux qu'Isaac Deutscher appelait les « *Non-Jewish Jews* »[13]. Ceux qui essaient de se maintenir juifs en dehors de la synagogue, mais qui poursuivent l'exigence de pratique des textes, de réflexion sur la culture, d'observance de l'éthique, voire de redécouverte des langues. Ceux qui refusent de se satisfaire de la société telle qu'elle est et qui, à chaque époque, tentent, malgré mille échecs, de rejoindre ceux qui raccommodent ou qui bouleversent, ceux qui rêvent encore ou qui savent traduire les rêves.

Il reste enfin l'aspiration à un judaïsme détaché d'Israël. Ce pays leur est frère, et pourtant profondément étranger. Ils ne peuvent en supporter le mépris ou l'ignorance de l'Autre, qui leur paraît la négation même des valeurs du judaïsme. Ils ne peuvent en accepter le fonctionnement quasi théocratique, eux qui ont été élevés dans le culte de la laïcité à la française.

Juif *et* communiste : peut-être ce *et* constitue-t-il non point le lieu d'une contradiction insoluble, mais l'une des facettes d'une reconstruction identitaire. Dès lors, le communisme ne serait pas une forme de l'être-juif, mais du faire-juif, ou du se-faire-juif. Pour certains Juifs, à un moment donné de l'Histoire et de leur histoire. Il serait une des figures de ce « judaïsme à la carte » dont parle Régine Azria[14].

Il constituerait, en définitive, une des issues d'une judéité laïque. Son échec ouvrirait la voie à une recherche plurielle, où la judéité pourrait se redéfinir (ou, mieux encore, s'a-définir) à l'écart (mais aussi à l'intérieur, purement symbolique) de la synagogue, voire d'Israël.

---

13. cf. Isaac Deutscher, *The Non Jewish Jews, anr Other Enays*, London, Oxford University Press, 1968.
14. Régine Azria, *op. cit.*, p. 107.

Remerciements

Ce livre, réécrit, raccourci, a d'abord été une thèse.

Chronologiquement, affectivement, intellectuellement, mes tout premiers remerciements ne peuvent aller qu'à Nancy L. Green. C'est elle qui m'a accueilli à l'École des hautes études en sciences sociales, un après-midi de l'automne 1994, en me disant tout simplement : « En attendant de vous recevoir, j'ai relu l'un de vos livres. » Elle qui m'a guidé tout au long d'un périple de six années en tempérant mes excès, en corrigeant mes incertitudes.

Marie-Claire Lavabre, Michaël Löwy, Enzo Traverso, Lucette Valensi ont été mes juges (ô combien amicaux...). Tous, depuis la célébration du rite, m'ont encouragé à poursuivre, à réécrire, bref à publier.

Je ne remercierai jamais assez Nadia Dehan, chargée de cours à l'Université Paris VII, de m'avoir initié à la langue yiddish – dont je ne connaissais pas le premier mot –, mais aussi d'avoir relu et corrigé mon manuscrit.

Beaucoup d'amis, ou de simples relations, m'ont aidé à trouver les cent Juifs communistes, ou anciens communistes, que j'ai interviewés. Je dois remercier, entre beaucoup d'autres qui me pardonneront de ne pas les citer tous ici, André Beckouche, Odette Douek, Jean-Robert Franco, Maurice Glazman, Michèle Ignazi, Joseph Kaszterstein, Suzanne Pikorky, Gilles Swarc, Hocine Tandjaoui, Bernard Zoukerman, dont les carnets d'adresses m'ont été particulièrement précieux.

Ces cent interviewés, je les ai tenus sur le gril pendant des heures. Ils m'ont offert leur temps, leurs souvenirs, l'évocation de leurs passions, de leurs déceptions. Qu'ils en soient très sincèrement remerciés.

Frédéric Nadler a su poser les bonnes questions au bon moment. Il sait mieux que quiconque ce que profondément je lui dois.

J'ai trouvé un accueil généreux à l'Alliance israélite universelle et au Centre de documentation juive contemporaine (CDJC), dont les bibliothèques possèdent, chacune, un exemplaire de ma thèse. L'Alliance met en outre à la disposition du public et des chercheurs la transcription complète de mes milliers de pages d'entretiens.

Sans l'esprit critique, le goût de la provocation, l'expérience d'ancienne thésarde, mais aussi l'amour et la sérénité imperturbable de Michèle, ma femme, sans doute n'eussé-je pas trouvé la force de « tenir », pendant tant d'années, jusqu'à l'épreuve finale de la publication.

Index des personnes interviewées

537

MDLM, 1946 / PCF, 1949-1963
Pages : 30, 58-9, 77, 81, 179, 304, 308, 337, 346-7, 351, 447, 460.

Hubert B.
1953, Tunis
Expert-comptable
PCF, 1968
Pages : 60, 272, 293, 315-6, 513-4, 516-7.

Josyane B.
1933, Bougie (Alg.) / 1956, Paris
Institutrice en Alg., puis à Belleville
Sioniste, B'nei Akiva, 1950-1960 / MRAP, 1962 / PCF, 1966
Pages : 181, 229, 271-2, 311, 313, 333, 403, 523.

Maurice B.
1925, Livry-Gargan
Technicien supérieur électronique
PCF / JC, 1944
Pages : 137, 182, 204, 275, 281-2, 295, 311, 318, 418-9, 470.

Max B.
1922, Milan /   1929, Alexandrie / 1949, Paris
Chargé d'études écon. et fin., puis courtier en pétrole, puis en sucres
PC Eg., 1942 / PCF, 1949
Pages : 78, 155, 400.

Annie C.
1945, Grenoble
Régisseur de théâtre
JC, 1954 / PCF, 1962-78
Pages : 161, 183, 214, 343, 372, 391, 422-3, 456, 464-5, 505, 514-5, 522.

Béatrice C.
1923, Tunis / 1965, Paris
Universitaire. Professeur de littérature française
PC Tun., 1942-1961
Pages : 73, 228, 229, 254, 267, 394, 439.

Léon C.
1917, Paris
Vendeur / ouvrier / chef du personnel / vendeur

ex-PCF, 1934-35 et 1986-87
Pages : 145, 162, 354-5, 372, 393, 399, 443.

Odette C.
1922, Le Caire / 1948, Paris
Sans profession
PCF, 1948
Pages : 258, 266, 307, 319, 403, 407n1, 465, 496.

Viviane C.
1958, Casablanca
Directrice de production cinéma/vidéo
JC, 1972 / PCF, 1975-78
Pages : 178, 218-9, 349, 399, 499.

Albert D.
1929, Paris
Commerçant (ex-ouvrier tailleur)
ex-PCF, 1944 puis 1951-1954
Pages : 94-5, 99-100, 151, 172, 246-7, 268, 352, 387, 395-6, 405, 454, 533.

Claude-Raphaël D.
1942, Sfax (Tunisie) / 1957, Chinon
Universitaire
PCF, 1973-1979
Pages : 196, 205, 272-3, 313, 343, 353, 357-60, 374-8, 379, 413-4, 497-9.

Danielle D.
1948, Casablanca / 1974, Vichy
Philosophe, psychanalyste
UEC et PCF, 1970-1982 ou 83
Pages : 41, 337, 370, 445, 473-4, 481.

Gilles D.
1954, à Bône (Annaba) /   1962, Marseille, puis Paris
Journaliste à *L'Humanité* (au mom. adh. : vacat. à la Poste, puis ouvr. de chantier, puis vendeur chez André), puis chef de cab. d'un ministre (à partir 1997), puis dir. de cab. d'un maire comm.
PCF depuis 1973
Pages : 238-9, 288-92, 327-9, 339, 394, 416, 463, 472.

Émile G.
1925, Paris
Fourreur, puis représ., puis direct. des ventes, puis (en 75) vendeur Prisu. Communiste "depuis toujours", PCF depuis 1975
Pages : 152, 231, 335-6, 421.

Grojnowski Michel, dit Monikovski
1906, Radziejow (Pologne) / sept. 1930 à Paris. Mort à Paris en 1999
Ouvrier tailleur, puis permanent PCF
PCF / JC polon. en 1921
Pages : 31-34, 36, 47-49, 63-64, 66-67, 87, 161, 246, 275, 278, 284, 319, 470.

Lydia G.
1916, Alep / 1920, Turquie / 1927, Le Caire / 1949, Paris
Dactylo à l'ambass. GB au mom. adhés.
Iskra, puis MDLN, 1941 / PCF, 1949
Pages : 43, 60, 76, 82, 276, 294, 309, 403, 486.

Marcel H.
1950, Oran / 1962, Lyon, puis Marseille
Médecin mutualiste
PCF, 1969
Pages : 214, 234, 280, 292, 313, 323, 515.

Marthe H.
1945, Le Caire / 1948, puis 1951, Paris
Universitaire
JC, 1960 / PCF, 1965
Pages : 403, 404, 407n1, 465, 504.

Fernand I.
1950, Tunis / 1956, Paris / 1968-9, Israël / 1969-77, Paris / 1977, Israël / 1978, Paris
Conducteur offset
JC, 1965-1968 / PCF, 1978
Pages : 159, 261, 273-4, 292-3, 298, 372, 410, 447, 470.

Albert J.
1922, Le Caire / 1948, Paris
Aide-comptable, puis comptable, puis expert immobilier

Hadeto (MDLN), 1943 / PCF 1948-1952
Pages : 42, 43, 76-7, 78, 189, 196, 214-5, 257-8, 304, 342, 352-3, 371, 405, 421, 506.

Claude J.
1928, Tlemcen (Alg.) / 1948, Paris
Professeur de français à l'Ecole Maïmonide
PCA, 1947 / PCF, 1948-56 / FLN, 1956-62 / PCF jusqu'en 1963
Pages : 57, 159, 215, 251-3, 352, 444, 505, 506.

Elsa K.
1925, Paris ; morte à Paris en 2002
Médecin généraliste, direct. des serv. de santé de B.
PCF, 1943-45 / 1955-58 / 1960-84
Aucune occurence.

Iliane K.
env. 1923, Tel Aviv / Paris, 1928
Secrétaire, puis décoratrice, puis marchande aux Puces
PCF, 1944
Pages : 52-53, 104, 200, 228, 315, 404, 446, 482, 505.

Jacques K.
1930, Paris
Vendeur-VRP chez sa mère, puis artisan confectionneur
PCF, 1946-1994
Pages : 200-01, 219-20, 275, 412, 417, 420.

Marianna K.
1942, Paris
Professeur agrégé de lettres modernes
JC, 1956 / UEC, 1960, puis PCF, 1969-70
Pages : 95, 181, 194, 197, 206, 218, 371, 437, 472.

Max K.
1927, Nancy / 1944, Lyon / Paris
Retraité (dir. de l'imprim. de l'Huma). Berger, puis ouvr. au mom. adhés.
UJJ clandest., 1943, puis PCF
Pages : 123-25, 176, 181, 244, 248, 293, 325, 339, 403, 470-1.

Noémi V.
1953, Suresnes
Psychanalyste
UEC, puis PCF, 1973-75
Pages : 158, 315, 390-1, 400, 495, 510-11, 514.

André Y.
1931, Constantine (Algérie)
Technicien de bureau d'études, à la retraite
ex-PCF, 1951-1990
Pages : 37, 38, 151, 161, 165, 175, 249, 340, 444, 458, 473, 487.

Arlette Y.
1928, Soukh Ahras (Algérie)
Prof. de maths à la retraite
ex-PCA, puis PCF, 1953-1986
Pages : 137, 173-4, 182, 249-50, 279-80, 341, 343, 353, 356-7, 366, 379, 423, 488.

Madeleine Y.
1917, Paris
Institutrice à la retraite
PCF, 1936
Pages : 89, 92-3, 104, 233, 267, 403.

Raymonde Y.
1938, Paris
Institutrice, puis prof. collège
PCF, 1952-1985
Pages : 91-2, 99, 148-9, 242, 249, 309, 322, 371, 446.

Roland Y.
1923, Alfortville
Médecin
UJRF, 1945 / PCF, 1946
Pages : 93, 96-7, 180-1, 218, 219, 324-5.

Jean Z.
1924, Paris. Mort à Paris en 1999
Ouvrier fourreur, puis artisan-fourreur
PCF, 1956
Pages : 90, 197, 221, 267, 312, 325, 338, 409.

Rosette Z.
1934, Paris
Employée de bureau, puis secrétaire de direction
PCF, 1951
Pages : 30, 97, 282, 285, 309-10, 314, 317, 322, 387, 393, 402, 410, 504.

Serge Z.
1948, Tunis / 65 à 82 en France
Étudiant, puis cherch. CNRS, puis Dir. gén. soc. de TV
Parti communiste tunisien, 1965-1985
Pages : 57, 255, 296-7, 312, 389-90, 411-2, 499, 505.

Yves-Marc Z.
1946, Paris
Éditeur, écrivain
UJRE, 1956 / JC, 1960 / UEC, 1966 / Comités Vietnam de base, 1967-73
Pages : 50-2, 136, 142, 149, 187, 197, 204, 217, 223-4, 260, 303, 330-2, 350, 449, 452-3, 463, 476, 480, 523.

Index des auteurs* et des noms cités

---

* Les auteurs sont cités en caractères italiques.

Table des matières

TROISIÈME PARTIE
Au-delà du verset, au-delà du discours

Composition et mise en pages réalisées
par ÉTIANNE COMPOSITION
à Neuilly-sur-Seine

Impression réalisée sur CAMERON par
BRODARD ET TAUPIN
La Flèche

pour le compte des Éditions Fayard
en mars 2002

Imprimé en France
Dépôt légal : mars 2002
N° d'édition : 21184 – N° d'impression : 12223
ISBN : 2-213-61210-2
35-57-1410-6/01